Gütersloher Taschenbücher / Siebenstern 506

Ökumenischer Taschenbuchkommentar
zum Neuen Testament
Band 4/2
Herausgegeben von
Erich Gräßer und Karl Kertelge

Jürgen Becker

Das Evangelium nach Johannes

Kapitel 11–21

Gütersloher Verlagshaus
Gerd Mohn

Echter Verlag

CIP-Kurztitelaufnahme der Deutschen Bibliothek

Ökumenischer Taschenbuchkommentar zum Neuen
Testament / hrsg. von Erich Gräßer u. Karl Kertelge. –
Gütersloh: Gütersloher Verlagshaus Mohn:
Würzburg: Echter-Verlag.
(Gütersloher Taschenbücher Siebenstern; . . .)
NE: Gräßer, Erich [Hrsg.]
Bd. 4 – Becker, Jürgen: Das Evangelium nach Johannes

Becker, Jürgen:
Das Evangelium nach Johannes / Jürgen Becker. – Orig.-Ausg. –
Gütersloh: Gütersloher Verlagshaus Mohn;
Würzburg: Echter-Verlag.

2. Kapitel 11–21. – 1981.
   (Ökumenischer Taschenbuchkommentar zum Neuen
   Testament; Bd. 4) (Gütersloher Taschenbücher
   Siebenstern; 506)
   ISBN 3-579-04836-8

Originalausgabe

ISBN 579-04836-8

© Gütersloher Verlagshaus Gerd Mohn, Gütersloh, und
Echter-Verlag, Würzburg 1981
Gesamtherstellung: Clausen & Bosse, Leck
Umschlaggestaltung: Dieter Rehder, Aachen
Printed in Germany

Meiner Frau Maria-Luise
und unseren Kindern Jan-Dirk und Uta

Inhalt

Verzeichnis der Exkurse zu Joh 1–21

Vorwort des Verfassers

Der zweite Band des Kommentars bedarf eigentlich keines neuen Vorwortes. Was zur Kommentierung des ersten Bandes gesagt wurde, gilt weiterhin. Beide Bände bilden eine Einheit und erscheinen nur aus arbeitstechnischen Gründen im zeitlichen Abstand von rund zwei Jahren.

Die literarische Produktion zum vierten Evangelium ist gegenüber dem ersten Band weiter fortgeschritten. Doch habe ich darauf verzichtet, die Literatur aus Band 1. S. 15ff durch einen Nachtrag auf den neuesten Stand zu bringen. Die Literaturangaben zu den einzelnen Abschnitten geben im wesentlichen den Stand von 1979 wieder. Wenn dieser Band erscheint, wird wohl der Kommentar von E. Haenchen vorliegen. Er konnte leider in meinem Kommentar nicht mehr berücksichtigt werden.

Auch dieser Band entstand nicht ohne die Einsatzfreude bewährter Mitarbeiter. Wiederum hat Frau H. Meyer das Manuskript sorgfältig erstellt. Meine Hilfskraft, Herr stud. theol. A. Lemke, hat Literatur gesucht, Korrekturen gelesen und das Register angefertigt. Beiden danke ich herzlich. Endlich gilt mein Dank dem Verlag für die gute Zusammenarbeit.

Kiel, den 31. 10. 80   Jürgen Becker

G. Die Auferweckung des Lazarus und der Todesbeschluß des Hohen Rates 11,1–54

Die Einführung zum Abschnitt II D hatte aufgewiesen, wie Jesu Rückzug aus einer Konfliktsituation jeweils das Ende eines Abschnittes bildet. So war 10,39–42 ein solcher Abschluß. Mit gleicher Funktion ist auch 11,54 ausgestattet. Ebenso bilden nach diesen Abschlüssen solche Angaben einen Neuanfang, in denen ein neuer Auftritt Jesu eingeführt wird: In 7,2; 11,55; 13,1 ist ein Fest der Anlaß, in 9,1; 11,1 die Einführung zu einem Wunder geschildert. So ist der Umfang des Abschnittes G gut markiert. Ihn zweifach zu gliedern (11,1–44; 11,45–54), ergibt sich aus dem Stoff und der jeweils anderen Szenerie von selbst. Inhaltlich entsteht so ein sicher nicht absichtslos gesetzter Kontrapunkt: Weil Jesus Leben schafft, wird auf seinen Tod gedrungen. Jesus, die Auferstehung und das Leben, soll getötet werden. So wird er – freilich gegen den Willen derer, die den Tötungsbeschluß aufstellen – zum Erhöhten, der als das Leben alle zu sich ins Leben erhöhen kann (12,32). Im Unterschied zu den Synoptikern ist dieser Einstieg in die Passionsereignisse singulär. Er zeigt zugleich, daß 11,1–54 für E sich recht unmittelbar vor dem Todespassa (11,55) ereignen. Damit erhält auch dieser Abschnitt eine Zuordnung zu einem der großen Wallfahrtsfeste der Juden.

1. Die Auferweckung des Lazarus durch Jesus als Auferstehung und Leben 11,1–44

1 Nun war da einer krank, Lazarus aus Bethanien, aus dem Dorf Marias und ihrer Schwester Martha. 2 Maria war die, die den Herrn mit Salbe gesalbt und seine Füße mit ihren Haaren getrocknet hatte; deren Bruder Lazarus war krank. 3 Da sandten die Schwestern zu ihm und ließen sagen: »Herr, schau! Der, den du liebhast, ist krank.« 4 Als Jesus das hörte, sagte er: »Diese Krankheit führt nicht zum Tod, sondern ist um der Herrlichkeit Gottes willen da, damit durch sie der Sohn Gottes verherrlicht wird.« 5 Jesus liebte Martha, ihre Schwester und Lazarus.
6 Als er nun hörte, daß er krank sei, da blieb er noch zwei Tage an dem Ort, wo er sich (gerade) aufhielt. 7 Danach sagte er zu seinen Jüngern: »Laßt uns wieder nach Judäa gehen!« 8 Sagen die Jünger zu ihm: »Rabbi, gerade versuchten die Juden dich zu steinigen, da willst du erneut dorthin gehen?« 9 Jesus antwortete: »Hat der Tag nicht zwölf Stunden? Zieht man tagsüber umher, stolpert man nicht, sieht man doch das Licht dieser Welt. 10 Zieht man jedoch

des Nachts umher, stolpert man, hat man doch in sich kein
Licht.« 11 Das sprach er, und daraufhin sagt er ihnen:»Lazarus, unser Freund, ist eingeschlafen. Doch gehe ich hin,
ihn aufzuwecken.« 12 Da sagten die Jünger zu ihm:»Herr,
schläft er, wird er genesen.« 13 Jesus aber hatte von seinem Tod gesprochen. Sie jedoch meinten, er spräche vom
Ausruhen beim Schlaf. 14 Da nun sagte Jesus ihnen offen
heraus:»Lazarus ist gestorben. 15 Und ich freue mich euretwillen darüber, daß ich nicht dort gewesen bin, damit ihr
zum Glauben kommt. Doch laßt uns nun zu ihm gehen!«
16 Da sagte Thomas, mit dem Beinamen Zwilling, zu seinen
Mitjüngern:»Laßt auch uns gehen, um mit ihm zu sterben!«
17 Als nun Jesus ankam, fand er ihn bereits vier Tage in der
Gruft liegen. 18 Bethanien lag nahe bei Jerusalem, rund
fünfzehn Stadien entfernt. 19 Es waren aber viele von den
Juden zu Martha und Maria gekommen, um sie wegen ihres
Bruders zu trösten. 20 Als nun Martha hörte, Jesus komme, ging sie ihm entgegen. Maria jedoch verweilte zu Hause.
21 Martha sprach zu Jesus:»Herr, wärst du hier gewesen,
mein Bruder wäre nicht gestorben! 22 Doch jetzt weiß ich:
Alles, was du von Gott erbitten wirst, wird Gott dir gewähren.« 23 Sagt Jesus zu ihr:»Dein Bruder wird auferstehen.«
24 Sagt Martha zu ihm:»Ich weiß, daß er auferstehen wird
bei der Auferstehung am letzten Tag.« 25 Sprach zu ihr Jesus:»Ich bin die Auferstehung und das Leben. Wer an mich
glaubt, wird leben, auch wenn er stirbt; 26 und jeder, der
lebt und an mich glaubt, wird in Ewigkeit nicht sterben.
Glaubst du das?« 27 Sie sagt zu ihm:»Ja Herr, ich bin zu
dem Glauben gekommen, du bist der Christus, der Sohn Gottes, der in die Welt gekommen ist.«
28 Als sie das gesagt hatte, ging sie fort und rief heimlich ihre Schwester. Sie sagte:»Der Herr ist da und ruft dich!«
29 Als sie das vernahm, stand sie eilig auf und lief zu ihm.
30 Jesus war nämlich noch nicht ins Dorf gekommen, sondern war noch an dem Ort, wo Martha ihm begegnete. 31 Als
nun die Juden, die bei ihr im Hause waren, um sie zu trösten,
sahen, wie Maria eilends aufstand und hinausging, gingen
sie ihr nach in der Meinung, sie gehe zum Grab fort, um dort
zu weinen. 32 Als nun Maria dahin kam, wo Jesus war, warf
sie sich, als sie ihn sah, vor seine Füße und sprach zu ihm:
»Herr, wärst du hier gewesen, wäre mein Bruder nicht gestorben.«

33 Da Jesus nun sah, wie sie weinte und auch die mit ihr gekommenen weinenden Juden, ergrimmte er in seinem Geist, geriet in Zorn   34 und sprach: »Wo habt ihr ihn hingelegt?« Man sagte ihm: »Herr, komm und sieh!«   35 Da begann Jesus zu weinen.   36 Die Juden sagten: »Seht, wie er ihn liebgehabt hat!«   37 Etliche von ihnen sagten jedoch: »Konnte dieser, der dem Blinden die Augen aufgetan hat, es nicht einrichten, daß dieser hier nicht zu sterben brauchte?«   38 Jesus nun, wiederum innerlich ergrimmt, kam ans Grab. Es war aber eine Höhle und vor ihr lag ein Stein.   39 Sagt Jesus: »Entfernt den Stein!« Martha, die Schwester des Verstorbenen, sagt zu ihm: »Herr, er stinkt schon, denn (schon) vier Tage ist er (tot).«   40 Jesus sagt zu ihr: »Habe ich dir nicht gesagt: Wenn du glaubst, wirst du Gottes Herrlichkeit sehen?« 41 Da hoben sie den Stein weg. Jesus erhob seine Augen nach oben und sprach: »Vater, ich danke dir, daß du mich erhört hast.   42 Ich wußte, daß du mich allezeit erhörst. Aber um dieser Leute willen, die ringsum stehen, habe ich es gesagt, damit sie glauben, daß du mich gesandt hast.« 43 Und als er dies gesprochen hatte, rief er mit lauter Stimme: »Lazarus, komm heraus!«   44 Der Verstorbene kam heraus, an Füßen und Händen mit Binden umwickelt, und sein Gesicht mit einem Schweißtuch bedeckt. Jesus sagt zu ihnen: »Macht ihn frei und laßt ihn gehen!«

Literaturauswahl: Cadman, W.H.: The Raising of Lazarus, StEv 1959, 423–434. – *Dunkerley, L.:* Lazarus, NTS 5 (1958/59) 321–327. – *Forestell, I.T.:* I am the Resurrection and the Life, Contemporary New Testament Studies, Collegeville 1965, 99–104 = *ders.:* I am the Resurrection and the Life, BiTod 1 (1963) 331–336. – *Fortna, R.T.:* Gospel, 74–87. – *Fuller, R.H.:* Die Wunder Jesu in Exegese und Verkündigung, Düsseldorf ²1968, 101–117. – *Loos, H. van der:* The Miracles of Jesus, NT. S 9, 1965, 559–589. – *Martin, J.P.:* History and Eschatology in the Lazarus Narrative, John 11,1–44, SJTh 17 (1964) 332–343. – *Nicol, W.:* Semeia, 37f.60.109–111. – *Preisker, H.:* Wundermächte und Wundermänner der hellenistisch-römischen Kultur und die Auferweckung des Lazarus in Joh 11, WZ(H) 2 (1952) Geschichtswissenschaftliche Reihe 6,519–523. – *Sanders, J.N.:* Those whom Jesus loved (Joh 11,5), NTS 1 (1954/55) 29–41. – *Saß, G.:* Die Auferweckung des Lazarus, BSt 51, 1967. – *Stenger, W.:* Die Auferweckung des Lazarus (Joh 11,1–45) TThZ 83 (1974) 17–37. – *Theißen, G.:* Urchristliche Wundergeschichten, StNT 8, 1974. – *Wilcox, M.:* The ›Prayer‹ of Jesus in John 11,41b–42, NTS 24 (1977/78) 128–132. – *Wilkens, W.:* Zeichen, 42–45. – *Ders.:* Die Erweckung des Lazarus, ThZ 15 (1959) 22–39.

Die Analyse des Stückes gestaltet sich besonders schwierig, weil vor allem E das Wunder nicht zum Anlaß einer Rede nahm, sondern seinen Kommentar in die Erzählung einwob. Doch, was immer man E zuweist, der Restbestand ist dann selbst noch mehrschichtig, insofern der Verfasser der SQ, der dieses zum äußersten gesteigerte Wunder als letztes und siebentes seinem Werk einkomponierte (vgl. Exkurs 1), die Darstellung in seinem Sinne einfärbte. Das bedeutet, man muß wie z. B. im Falle von 1,19–51 mit einer dreifachen Schichtung des Textes rechnen: der Vorlage für die SQ aus der mündlichen Tradition, der Stufe der SQ und der Ebene von E. Kann ein solches Drei-Stufen-Modell auch der Struktur nach breitere Zustimmung erwarten (vgl. Bultmann, Wilkens, Fortna usw.), so sind im einzelnen die Zuweisungen zu den Schichten breit gestreut, die Konvergenz in bezug auf die wichtigen Zutaten von E jedoch ist recht groß. Darum ist jedenfalls die textliche Basis, von der aus das Anliegen von E bestimmt werden kann, relativ sicher.

Was führt nun überhaupt zur Annahme einer längeren Geschichte des Textes? Da ist als erstes die auffällige Spannung zwischen V 25f. und dem typischen Anliegen einer Totenauferweckung (Wellhausen, Bultmann), wie sie auch die Erzählung Joh 11 repräsentiert: Die Selbstoffenbarung Jesu will zeigen, wie der Tod für den Glaubenden schon vor seinem Tod wesenlos geworden ist. Die Wundererzählung hingegen nimmt den Tod als aggressiven Feind ernst, dem Jesus – und zwar nur auf Zeit – demonstrativ ein Beutestück vorläufig entreißt. Wie immer man diese Spannung bei E theologisch erklären will, ihre Anwesenheit zeugt in jedem Fall davon, daß Wundererzählung und Offenbarungswort zwei Erzählstufen in Joh 11 sein müssen. Zum anderen liegen im Erzählgang deutliche Unterbrechungen vor: V 2.4.16.24–26.40. Diese Verse verlassen den eigentlichen Faden der Erzählung. Drittens enthält der Text Unebenheiten sachlicher Art: Nach V 1 ist Lazarus als Mann aus Bethanien eingeführt und dieses Dorf näher gekennzeichnet als Ort, in dem auch das Schwesternpaar Maria und Martha wohnt. Lazarus gilt also nicht als Bruder der Schwestern, sondern seine Beziehung zu ihnen ist durch dieselbe Dorfgemeinschaft bestimmt. Anders liest man es in V 2.19.21.23.32.39. Hier ist Lazarus der Bruder der Schwestern. In 11,1 wird Maria der Martha vorgeordnet, doch hat sich spätestens durch den Dialog 11,20–27 Martha in den Vordergrund geschoben, so daß konsequent z. B. V 5.19 auch Martha zuerst genannt ist. In 11,17 ist Jesus schon am Ziel seiner Wanderung, was V 30 ausdrücklich bestritten wird, so daß er V 38 nochmals ans Ziel gelangt.

Ist damit sichergestellt, daß sich die Erzählung in keinem Fall als
glatt darstellt, und ebenso geklärt, daß so gute Ansatzpunkte für
eine Analyse gegeben sind, somit also ein Verzicht auf den Einblick
in die Geschichte des Textes unnötig erscheint, kann die eigene
Vorstellung von dieser Geschichte beschrieben werden. Für sie gilt
wie für die anderen eingehenden literarkritischen Versuche (vgl.
Wellhausen, Bultmann, Wilkens, Fortna, Schnackenburg), daß in
manchen Einzelfällen die komplexe Situation nur ein ungefähres
Urteil zuläßt. Allerdings soll methodisch konsequenter als bisher
darauf geachtet werden, daß nicht vor allem der vorliegende Text
destruiert wird, sondern ebenso gewichtig auf Eigenart und Ge-
samteindruck jeder Schicht geachtet wird.

Unbestritten sollte vorab sein, daß V 2 überhaupt eine späte Leser-
glosse ist, die erst durch Abschreibertätigkeit in den Text geriet (so
Bultmann, Schnackenburg u. v. a.): Der Vers unterbricht V 1.3
und will dem Leser (voreilig) klarmachen, daß die genannte Maria
mit der in 12,3 identisch ist. Eine intendierte Erinnerung an Lk
7,37 f. darf als viel zu konstruiert gelten. Hingegen ist auffällig, daß
nur in den Zusätzen 4,2; 6,23 und hier im Joh der Irdische als
»Herr« bezeichnet wird. Endlich wiederholt V 2c umständlich V
1a. Daß ohne V 2 in V 3 »zu ihm« keinen Bezug hat (so Fortna), ist
nicht auffällig. Wie oft (vgl. 9,1; Mk 1,16.21.29; 2,1.23; 3,1 usw.)
ist ohne Namensnennung von Jesus gesprochen, weil selbstverständlich nur er gemeint ist.

Geht man nun auf den *Basistext* der barocken Erzählung ein, so
kann man ungefähr dafür reklamieren:

»1 Nun war da einer krank, Lazarus aus Bethanien, aus dem Dorf Marias
und ihrer Schwester Martha ... 3 Da sandten die Schwestern zu ihm und
ließen (ihm) sagen: ›Herr, schau, der den du liebhast, ist krank.‹ ... 17 Als
Jesus nun ankam, fand er ihn bereits vier Tage in der Gruft liegen ... 38 Das
Grab war aber eine Höhle und vor ihr lag ein Stein. 39 Sagt Jesus: ›Entfernt
den Stein!‹ ... 41 Da hoben sie den Stein weg ... 43 Und ... er rief mit lauter
Stimme: ›Lazarus, komm heraus!‹ 44 Der Verstorbene kam heraus, an Füßen und Händen mit Binden umwickelt, und sein Gesicht war mit einem
Schweißtuch bedeckt. Jesus sagt zu ihnen: ›Macht ihn frei und laßt ihn
gehen!‹«

Diese Urform der Erzählung (eine weitgehend ähnliche Rekonstruktion bei W. Wilkens, ThZ) besteht vor allem aus dem Anfang
und Schluß von 11,1–44. Sie ist in sich gerundet und dem Umfang
und der Typik nach nahe verwandt mit den sonstigen ntl Totenauferweckungen (vgl. Mk 5,22–24.35–43; Lk 7,11–17; Apg 9,36–42).

Eingangs tritt allerdings der Wundertäter gegen die Regel (vgl.
Theißen 56.58) nicht als erster auf. Die wenigen Ausnahmen von
dieser Regel (Mk 1,40; 5,25; 8,1; Mt 12,22; Apg 9,36) deuten eher
darauf hin, daß vielleicht ein kurzer, Jesus einführender Satz aufgrund des Itinerars der SQ (10,40–42G) verlorenging (doch vgl.
speziell Apg 9,36). Stilgemäß wird sodann der Kranke eingeführt
(zum Stil vgl. 4,46b; 5,5). Daß er namentlich genannt wird, ist innerhalb der ntl Wunderüberlieferung ungewöhnlich, allerdings gerade bei Totenauferweckungen auch sonst belegt (Mk 5,22; Apg
9,36). Der Name Lazarus ist ein üblicher Name; üblich bei Namen
ist auch seine theophore Bedeutung (»Gott hilft«). Daß er in Beziehung mit dem Lazarus aus Lk 16,19–31 steht, ist weder dort noch
hier durch irgend etwas angezeigt, und sollte besser nicht postuliert
werden. Auch sollte Vorsicht walten, die Bedeutung des Namens
direkt und bewußt anklingen zu lassen. Weder ist Mk 5,22; Apg
9,36 auf eine symbolische Namensauslegung abgehoben, noch
wird solches Verfahren in Joh 11 erkennbar. Man kann eher erwägen, ob nicht Namen bei Totenauferweckungen darum mehrfach
begegnen, weil so durch Konkretion der gesteigerte Grad des
Wunderbaren der Wirklichkeit verhafteter erscheint.
Die Identifikation von Lazarus geschieht dann durch Benennung
des Wohnortes und zusätzlicher Angaben über weitere Personen,
die daselbst leben. Dies ist gerade auch für die SQ typisch (vgl.
1,44). Bethanien liegt etwa 3 km auf der östlichen Seite des Ölberges (vgl. 11,18) und sollte als alte Ortstradition der Erzählung auch
angesichts eines erwogenen Einflusses von 12,1 her nicht erst E zugeschrieben werden. In jedem Fall braucht schon die SQ den längeren Weg vom ostjordanischen Bethanien zum Jerusalemer Ort gleichen Namens (vgl. 1,28; 10,40; 11,6.18), wobei die SQ offenbar
wegen der Namensgleichheit den ersten Aufenthaltsort Jesu nur
umschreibt (10,40; 11,6). Nicht zufällig wird es sein, daß auch die
Totenauferweckungen in Lk 7,11ff.; Apg 9,36ff. eine feste Ortstradition haben – wie beim Namen ein Versuch, konkrete Wirklichkeit angesichts auffälliger Wunder zu beschreiben.
Die Schwestern Maria und Martha sind benannt, damit die Nachrichtenübermittlung zu Jesus hin funktioniert. Das Auftreten solcher Gesandtschaften gehört zur Typik von Therapien (Theißen
59f.) und hat abermals bei Todkranken (vgl. Joh 4,46ff. SQ) und
Kranken, die dann alsbald sterben und auferweckt werden müssen
(vgl. Mk 5,22.35; Apg 9,38), signifikante Häufigkeit. So wird deutlich, warum der Tod dem Wundertäter, der zunächst nur auf eine
Heilung eingestellt ist, zuvorkommt. Sachlich im Hintergrund

steht wohl auch die Ansicht, daß Schwerkranke nicht transportfä-
hig sind. Schwierige Fragen wirft dabei die Beobachtung auf, daß
12,1 ff. auch Martha und Maria (neben Lazarus) auftreten. Welcher
Text hat wen beeinflußt? Kontrollierbar ist, daß die Parallelüberlie-
ferung von 12,1 ff. in Mk 14,3 ff. par. im Unterschied zur joh Fassung weder die Schwestern noch Lazarus kennt. Darum wird man
dem Schwesternpaar, das sonst in der joh Tradition nicht bekannt
ist, in Joh 11 Ursprünglichkeit zugestehen und in 12,1 ff. mit Bearbeitung von E von 11,1 ff. her zu rechnen haben. Weiter ist festzuhalten, daß auf dieser ältesten Stufe von Joh 11 Martha nach Maria
genannt wird, beide Schwestern nur gemeinsam handeln (V 3), nur
die Initiative für die Gesandtschaft ergreifen, um alsbald wieder
den Blicken zu entschwinden, und nicht mit Lazarus verwandt
sind, jedoch sich offenbar um ihn sorgen.
Die Mitteilung der anonymen Gesandtschaft (V 3) bringt Jesus zunächst die Information über den Kranken. Die Art der Krankheit
ist unwichtig und darum nicht berichtenswert. Bedeutung hat nur,
daß sie alsbald zum Tod führt (vgl. Mk 5,23). Sodann enthält die
Mitteilung – wie typisch (vgl. 2,3 SQ) – damit zugleich die versteckte Bitte um therapeutische Abhilfe, besonders motiviert durch
den beabsichtigten Hinweis »… den du liebhast«. Jesus reagiert sofort und macht sich auf den Weg, doch brauchen Gesandtschaft
und er jeweils mindestens je 2 Tage Anmarschzeit, so daß bei Jesu
Ankunft Lazarus schon vier Tage im Grabe liegt (V 17). Die Überwindung solcher geographischen Distanz ist auch Mk 5,22 ff. aus-
schlaggebend, daß die Kranke vorher stirbt. Keine der ntl Totenauferweckungen kennt übrigens das Motiv, daß der Wundertäter
von sich aus Verspätung einplant. Dies führt erst der Verfasser der
SQ in Joh 11 ein. Bei der Angabe von vier Tagen wird noch eine
Rolle gespielt haben, daß nach jüdischer Auffassung das Leben
nach drei Tagen den Toten endgültig verläßt. Ist er unwiederbring-
lich tot, ist das Wunder um so größer.
Nach dieser mit schnellen Strichen gezeichneten Einleitung folgt
die von Jesus unmittelbar inszenierte Vorbereitung des Wunders (V
38 f. 41 G). Das Mittel, durch das das Wunder bewirkt wird, ist, wie
so oft, das vollmächtige Wort. Bei den ntl Totenauferweckungen
ist es ausschließlich genannt (Mk 5,41; Lk 7,14; Apg 9,40), wohl
im Bewußtsein, daß gegen den Tod sonst kein (Heil-)Kraut ge-
wachsen ist. Im Judentum herrscht im allgemeinen die Auffassung,
daß Gott die Toten wie in 1 Mose 1 durch sein (Schöpfer-)Wort
auferwecken wird. Daraufhin wird das Wunder selbst indirekt geschildert, indem die Lebendigkeit des Leichnams demonstriert

wird (V 44a). Ein zweites abschließendes Befehlswort Jesu sorgt
für die Rückkehr des Lazarus ins alltägliche Leben (V 44b). Daß
auch dieses typisch ist, zeigt Mk 5,43; vgl. Lk 7,15b.
Die Analyse hat ergeben: Die Ausgangserzählung ist gerundet, selbständig und entspricht in ihrer Typik genau den verwandten Erzählungen. Sie setzt voraus, Jesus kann Kranke heilen. In dieser Erwartung macht sich die Gesandtschaft auf den Weg. Ihre Unternehmung wäre vergeblich gewesen, wenn Jesus nicht mehr gekonnt hätte. Nun kann man von ihm rühmend berichten, daß er selbst einen
schon vier Tage begrabenen Toten auferweckte. Das ist schon ein
grelles Plakat, das auf diesen Jesus missionarisch aufmerksam
macht! In einer für das Wunder offenen Zeit kann man damit Fremde zum Anhören der christlichen Botschaft bringen. Zugleich enthält die Erzählung zwischen den Zeilen den menschlichen Protest
gegen den Tod und artikuliert die Meinung, daß ein Heiland ohne
Macht über diesen letzten Feind zu klein wäre. Mit diesen Aussagen
wirbt sie um Übereinstimmung mit dem Zuhörer. Sie erzählt also in
ihrer Gegenwart vertretene Theologie. Eine historische und medizi-
nische Aufarbeitung der Problematik, ob solches Wunder vorstellbar oder gar verifizierbar sei, liegt ihr ganz fern, so sicher in Verwe-
sung übergegangene Leichen nicht erneut leben können. Darum
sollte eine historisierende Auslegung von Joh 11 aus methodischen
und sachlichen Gründen ganz unterbleiben.
Die SQ griff nun auf diese Erzählung zurück, um das Ziel von
20,30 f. auszuführen. Sicherlich nicht absichtslos ordnet der Verfasser das Wunder in sein Werk so ein, daß es am Schluß zu stehen
kommt. Es ist auch für ihn wohl der Höhepunkt und das auffällig-
ste Wunder Jesu, im übrigen das vierte »Naturwunder« von insgesamt sieben Wundern (vgl. Exkurs 1). Unter dem Vorbehalt einer
gewissen Unsicherheit kann man für die SQ folgenden Text annehmen:

»Nun war da einer krank, Lazarus aus Bethanien, aus dem Dorf Marias und
ihrer Schwester Martha ... 3 Da sandten die Schwestern zu ihm und ließen
(ihm) sagen: ›Herr, schau, der, den du liebhast, ist krank.‹ ... 5 *Jesus liebte
Martha, ihre Schwester und Lazarus. 6 Als er nun hörte, daß er krank sei, da
blieb er noch zwei Tage an dem Ort, wo er sich gerade aufhielt. 7 Danach
sagte er zu seinen Jüngern: ›... 11 ... Lazarus, unser Freund ist eingeschlafen. Doch ich gehe hin, ihn aufzuwecken.‹ 12 Da sagten die Jünger zu ihm:
›Herr, wenn er schläft, wird er genesen!‹ ... 14 Da nun sagte Jesus ihnen
offen heraus: ›Lazarus ist gestorben. 15 Und ich freue mich um euretwillen
darüber, daß ich nicht dort gewesen bin, damit ihr glaubt. Laßt uns zu ihm
gehen!‹ ...*

17 Als nun Jesus ankam, fand er ihn bereits vier Tage in der Gruft liegen, 18 *Bethanien lag nahe bei Jerusalem, rund fünfzehn Stadien entfernt. 19 Es waren aber viele ... zu Martha und Maria gekommen, um sie wegen ihres Bruders zu trösten. 20 Als nun Martha hörte, Jesus komme, ging sie ihm entgegen. Maria jedoch verweilte zu Hause. 21 Martha sprach zu Jesus: ›Herr, wärst du hier gewesen, mein Bruder wäre nicht gestorben! ... 28 Als sie das gesagt hatte, ging sie fort und rief heimlich ihre Schwester. Sie sagte: ›Der Herr ist da und ruft dich.‹ 29 Als sie das vernahm, stand sie eilig auf und lief zu ihm. 30 Jesus war nämlich noch nicht ins Dorf gekommen, sondern war noch an dem Ort, wo Martha ihm begegnete. ... 32 Als nun Maria dahin kam, wo Jesus war, warf sie sich, als sie ihn sah, vor seine Füße und sprach zu ihm: ›Herr, wärst du hier gewesen, mein Bruder wäre nicht gestorben!‹*
33 *Da Jesus nun sah, wie sie weinte, ... ergrimmte er in seinem Geist ... 34 und sprach: ›Wo habt ihr ihn hingelegt?‹ Sie sagten ihm: ›Herr, komm und sieh!‹ ... 38 Jesus ... kam ans Grab.* Es war aber eine Höhle und vor ihr lag ein Stein. 39 Sagt Jesus: ›Entfernt den Stein!‹ *Martha, die Schwester des Verstorbenen, sagt zu ihm: ›Herr, er stinkt schon, denn (schon) vier Tage ist er (tot)!‹ ...* 41 Da hoben sie den Stein weg ... 43 Und ... er rief mit lauter Stimme: ›Lazarus, komm heraus!‹ 44 Der Verstorbene kam heraus, an Füßen und Händen mit Binden umwickelt, und sein Gesicht war mit einem Schweißtuch bedeckt. Jesus sagt zu ihnen: ›Macht ihn frei und laßt ihn gehen!‹«

Technisch ist die Redaktion vom Verfasser der SQ relativ einfach zu beschreiben: Er hat vor und nach V 17 gestaffelte Gesprächsblöcke eingefügt und dabei auch V 38 f. erweitert. Durch diese Aufspaltung wurde der Basistext auf die ungefähre dreifache Länge gebracht. An Joh 5,9 war schon zu studieren, wie in der SQ isolierte Wundertraditionen durch Gespräche ergänzt wurden. Dasselbe Stilmittel ist hier benutzt, nur nicht nach, sondern vor dem Wunder. Das bedingte, daß die Wundererzählung selbst im Vergleich zur sonstigen ntl Wundertradition Überlänge erhielt, die dann E nochmals weiter dehnt.

Vergleicht man dies Ergebnis mit *anderen Analysen*, so ergibt sich folgendes Bild. Die Ergebnisse der alten Literarkritiker (Wellhausen, Spitta, Wendt) sind im einzelnen bei der Destruktion des jetzigen Textes hilfreich, kommen aber zu keinem abgerundeten Bild in bezug auf die Vorlage von E. Neuere Analysen sind in der Regel stark von Bultmann beeinflußt, der – grob gesprochen – V 1.3.5 f.11 f.14 f.17–19.33–39.43 f. der SQ zuweist. Hieran ist beachtenswert, daß der ganze Teil 11,20–32 E zuerkannt wird. Schnackenburg geht noch radikaler vor, indem er sowohl von V 3.6 (?) sofort zu V 17 f., wie auch von V 17 f. sofort zu V 33 f. für die Vorlage von E übergeht. Im übrigen steht sein Ergebnis nahe bei Bultmann. Dies gilt auch von Wilkens, dessen Vorstellung von der Geschichte in Joh 11 dadurch belastet ist, daß er E selbst zweimal redigieren läßt. So kann er zwar den Basistext relativ umsichtig bestimmen, verteilt jedoch typische Aussagen von E unverständlicherweise auf zwei Stufen. Fortna variiert Bultmann, indem er aus V 4–15 und V 19–32 je ein neues Kurzgespräch konstruiert, was recht gewaltsam aussieht. Im übrigen ist seine Vorlage ein Torso.

Der neue Aufbau der Erzählung in der SQ kann so beschrieben werden: a) Der um Hilfe gebetene Jesus verzögert absichtlich seinen Aufbruch und erklärt dann den Jüngern Plan und Absicht der Totenauferweckung (V 1–15 in der Fassung der SQ); b) bei Jesu Ankunft attestieren Martha und Maria je für sich, daß Jesu frühere Ankunft Hilfe hätte bringen können und (stillschweigend) jetzt nur noch Trauer denkbar ist (11,17–32 in der Fassung der SQ); c) Angesichts gerade dieser menschlichen Ausweglosigkeit vollführt Jesus sein längst geplantes Wunder (11,33–44 in der Fassung der SQ). Damit ist schon angedeutet, wie sich die Aussageabsicht gegenüber dem Basistext verändert hat. Die neuen Hauptgesichtspunkte sind diese: a) So sicher Jesus Lazarus und die Schwestern liebt (V 5.11), sind solche Bindungen für ihn kein Hindernis, diese Menschen wie Schachfiguren für seinen Plan einzusetzen. Nicht Liebe oder Mitleid bestimmen sein Handeln, sondern der Wille, sich vor den Jüngern als außergewöhnlicher Wundertäter darzustellen. b) Der Plan wird vorweg den Jüngern bekannt gemacht: Sie sollen aufgrund des Wunders an Jesus glauben. So muß Lazarus, der Freund, sterben, damit Jesus ihn auferwecken kann, auf daß die Jünger an Jesus glauben (V 14f.). c) Die übereinstimmende Aussage der Schwestern in V 21.32, die nun erstmals getrennt handeln und reden, sowie die naturalistisch betonte Endgültigkeit des Todes bei Lazarus (V 39) stehen im bewußten Kontrast zu Jesu Vorhaben (V 14f.) und seiner Durchführung (V 43f.). So setzt er sich in unvorstellbar gesteigerter Form als Wundertäter in Szene um des Glaubens der Jünger willen. Daß diese theologischen Tendenzen aufs beste zu den anderen Wundern der SQ passen, kann ein Vergleich schnell erweisen (vgl. dazu Exkurs 1). Angesichts dieses schlüssigen Gesamtbildes, das für sich spricht, können Unsicherheitsfaktoren bei der Rekonstruktion im wörtlichen Bereich der Einzelheiten durchaus toleriert werden. Auf diese Einzelheiten soll nun eingegangen werden.

Wer wie die SQ die indirekte Bitte der Gesandtschaft (V 3) durch demonstrative Schwerhörigkeit überhört (V 6), hat Grund, wenigstens zu bestätigen, daß die Gesandtschaft mit Recht von Jesu Liebe zu Lazarus ausging (V 5). An dem Fehlen dieser Liebe liegt Jesu harte und eigenwillige Reaktion in V 6 nicht, so wenig wie in 2,3 f. die Mutter-Sohn-Beziehung verhindert, daß Jesus seine Mutter grob zurückweist. Der Wundertäter lebt vielmehr von einer sonst nicht beobachtbaren souveränen Selbstbestimmung, die V 14 f. mitgeteilt wird. Das typische Motiv, daß der Wundertäter sich zunächst verweigert, wird also betont so ausgearbeitet, daß die Verweigerung ausschließlich ihren Grund in Jesu eigenem Plan hat. Sprachlich macht übrigens die Differenz der Verben für »lieben« in V 3 und V 5 die Schichtung zwischen Vorlage und SQ deutlich. Eine sachliche Aussagedifferenz sollte darin nicht gesehen werden (anders Schnackenburg) und schon gar nicht ein Hinweis dafür, daß Lazarus der Lieblingsjünger ist (gegen Sanders). Dies wäre nicht nur für die SQ singulär (sie kennt die Gestalt des Lieblingsjüngers nicht), sondern ist auch überhaupt eine phantastische Kombination. Keiner der Lieblingsjüngertexte ab Joh 13 gibt auch nur eine indirekte Bestätigung dafür ab, noch sagt dergleichen die einfache Aussage in 11,5. Wohl aber wird die Aussage V 21.32 durch V 5 akzentuiert (so richtig Schnackenburg): Selbstverständlich hätte Jesus aus Freundschaft geheilt, wäre er eher dagewesen. Aber Jesus verzögert mit Absicht seinen Aufbruch (V 6), d. h. nicht die notwendige Zeit zur Überwindung der örtlichen Distanz bestimmt die vier Tage aus V 17, sondern Jesu Wille. So wird nun der Basistext umakzentuiert und V 39 vorbereitet. Wie so oft, steigert die SQ das Wunder durch Jesu Planung und läßt Jesus sein übernatürliches Vorherwissen einsetzen, um den Tod des Lazarus als gewollten Aufbruchstermin (V 7) festzusetzen. Dabei ist der Ort, an dem Jesus sich gerade aufhält, ein Verweis auf das Itinerar der SQ (10,40). Hier, an dem Ort primärer Tauftätigkeit des Johannes (vgl. 1,28), war man gerade zu dem abschließenden Urteil gekommen, daß der Täufer keine Wunder tat. Dies ist nun der Ort, von dem aus Jesus sein größtes und massivstes Wunder plant. Sein übernatürliches Vorherwissen (vgl. etwa 1,47 f. SQ) hilft ihm, den Tod seines Freundes (nochmalige Aufnahme des Motivs von V 3.5) als Starttermin für seine Reise festzulegen (V 7). Die Jünger, die überhaupt nur bei diesem Reisebeginn auftreten, sind vom Basistext her ein Fremdkörper in der Erzählung. Für die SQ sind sie nun – wie so oft (vgl. z. B. 1,35 ff.; 2,11 f.; 4,31 ff.; 6,5 ff. 6,16 ff.; 20,30) – die konstitutiven Zeugen des Wunders. Sie läßt demzufolge das Auferweckungswunder auch nur im intimen Kreis unter Ausschluß der Trauergäste (vgl. 11,19.28) sich ereignen, während gerade E der Szene die große Öffentlichkeit zuerkennt. So haben auch 2,1–11 eigentlich nur die Jünger das Wunder bemerkt.

Die Jünger mißverstehen Jesu Worte (V 11 f.), als sei Lazarus dabei, sich gesund zu schlafen. Dieses Miß- bzw. Unverständnis unterscheidet sich von dem, wie E bei Miß- bzw. Unverständnissen
(vgl. Exkurs 2) sonst konstruiert: Nicht irdisches Mißverstehen unterscheidet sich von der geistlich-göttlichen Meinung eines Satzes,
sondern ein umgangssprachlicher Euphemismus (vgl. dazu Mk
5,39) wird nicht als solcher erkannt. Die Auflösung des Unverständnisses der Jünger unterliegt jedoch denselben Bedingungen
wie sonst bei E: Jesus erklärt den Jüngern den Sachverhalt eindeutig (V 15; vgl. Exkurs 2). Die Differenz zu E macht es sehr wahrscheinlich, daß in diesem Fall die SQ zu Wort kommt, zumal V
11.15 inhaltlich gerade Jesu Planen des Wunders akzentuiert her-
ausarbeitet.
Anstößig wirkt die Aussage, Jesus freue sich um der Jünger willen,
daß er Lazarus nicht vor dem Tod geholfen habe (V 15). Dies ist die
spitzeste Formulierung in der SQ für den Tatbestand, daß Jesus
nicht aus Mitleid hilft, ja Mitleid gar nicht kennt, sondern Situatio-
nen nur ausnützt, um sich selbst als Wundertäter höchster Qualität
zu offenbaren. Vorherwissen und planerische Eigeninitiative sind
eingesetzt, um durch Wunder Glauben zu wecken (vgl. 20,30 f.
und die Planung in 6,5 f.).
V 17 wird aus der Vorlage übernommen, gerät aber nun in Spannung zu V 30.38. Diese verzögerte Ankunft ist szenisch notwendig, damit die Gespräche mit Martha und Maria eingebaut werden
können. V 18 erweist sich als gute Kenntnis Jerusalemer Geogra-
phie (vgl. 5,2) und offenbart Sinn für Distanzangaben (vgl. 6,19).
Beides paßt gut zur SQ, wohingegen E wenig Interesse an solchen
Angaben zeigt. E nutzt den Satz später nur, um »die Juden« einzutragen, die Zeugen des Wunders (11.31.33.36) und zum Teil Anlaß
für den Todesbeschluß werden (11,45 f.). In Bethanien herrscht bei
Ankunft Jesu die übliche Trauer (V 19). Dabei stellt die SQ nicht
nur die Reihenfolge der Namen beider Frauen um (vgl. V 1 mit V
5.19), sondern läßt auch Lazarus einen Bruder der beiden sein (V
21.32), und demzufolge die Trauergäste im Haus der Schwestern
weilen (V 19.28). Ob das Namenspaar wenigstens entfernt mit der
Erzählung in Lk 10,38–42 in Verbindung steht, ist viel erörtert
worden, aber unwahrscheinlich. Nichts kann solche Annahme
auch nur entfernt begründen. Das Namenspaar scheint vielmehr
typisch für Geschwister gewesen zu sein. Die SQ stellt dabei Martha als die im Vordergrund Stehende dar: Sie handelt zuerst, als Jesu Ankunft bekannt wird, und reagiert als einzige beim Öffnen des
Grabes (V 39). Während Maria also noch im Hause weilt (V 21),

eilt Martha Jesus allein entgegen. Ihr Wort an Jesus (V 21), das Maria wiederholen wird (V 32), soll deutlich machen: Man traut Jesus Krankenheilungen in jedem Fall zu. Der Leser der SQ kennt dafür aus ihr mehrere Beispiele (4,46 ff.; 5,1 ff.; 9,1 ff.). Martha weiß, Jesus hätte auch im Falle des Lazarus geholfen. Nun aber ist es dafür zu spät. Diese Meinung der Martha ist kaum als Vorwurf an Jesus formuliert (Warum bist du denn nicht eher gekommen!), sondern drückt aus: Nun kann auch Jesus nur als Trauernder kommen, der Lazarus den letzten Freundesdienst erweist, indem er Abschied von ihm nimmt. So sagt Martha etwa: Es ist gut, daß gerade auch du als Trauergast kommst, der du früher hättest helfen können, aber nun müssen wir uns alle mit der Endgültigkeit des Todes abfinden. So wird Jesus als Wundertäter wie die Ärzte eingeschätzt. Den Tod kann er auch nicht bezwingen. So entsteht ein szenisch geschickt aufgebauter Kontrast zu V 41–44. Da in dem Satz der Martha die ganze Situation eingefangen ist, war nicht mehr zu sagen. So ruft Martha die Schwester. Das geschieht heimlich (V 28), damit die Trauergäste (V 19) im Hause bleiben. Sie sind als Zeugen des Wunders ausgeklammert. Nur ein engster Kreis wird also gewürdigt, beim Wunder dabei zu sein. Das dürfte zum Stil der Erzählung von Auferstehungswundern gehören (vgl. Mk 5,40; Apg 9,40). Diese Typik zerstört E (vgl. V 31.33.36) um 11,45 f. willen. Damit macht er zugleich das »heimlich« in V 28 funktionslos und mißachtet seine erzählerische Funktion, gerade für Abstand von den Dorfbewohnern aus V 19 zu sorgen. Die Aufforderung an Maria V 28b darf man dabei nicht pressen: Jesus hat expressis verbis Maria ja gar nicht gerufen. Aber sinngemäß nimmt Martha ganz richtig an, Jesus wolle auch Maria sehen. Maria enteilt der Trauergesellschaft, die nichts von ihrem Fortgang merkt, und läuft zu Jesus (V 29), der noch vor dem Dorf weilt, dort, wo Martha ihm begegnete (V 30). Man muß sich die geographische Situation so vorstellen, daß Jesus überhaupt nicht das Dorf betritt. So kann sein Kommen unbemerkt bleiben. Also stoßen Jesus und die Jünger vor dem Dorf auf die aus dem Dorf kommenden Schwestern, und man geht geradewegs zum Friedhof, der selbstverständlich außerhalb des Dorfes liegt. Maria fällt vor Jesus nieder. Dieser Zug der Verehrung erinnert an Lk 10,39; Joh 12,3, doch steht der These einer Beeinflussung von einer der Stellen im Wege, daß dieser Gestus der Ehrenbezeugung oft gerade auch in der Wundertradition des NT begegnet (vgl. z. B. Mt 9,18; Mk 5,6.22; 7,25; Lk 17,16; Apg 5,10; 10,25). Im übrigen wiederholt Maria, was schon Martha sagte. Das ist erzählerisch beabsichtigt. Die Doppelung unterstreicht das Ge-

sagte und macht den Kontrast zu Jesu Handeln noch augenfäl-
liger.
In V 17–32 (in der Fassung der SQ) verhielt sich Jesus eigentlich im
Kontrast zur vorangehenden Szene passiv. Bewegung brachten die
Schwestern in die Szene. Aber ihre Handlung war nur Ausdruck
der Ausweglosigkeit; Jesu passives Verharren und Gewährenlassen
hingegen Ausdruck, daß sein Plan V 14f. einen Augenblick Zeit
hat. Nun aber ergreift er wieder die Initiative (V 33ff.). Das Weinen der Maria läßt ihn ergrimmen (V 33; zur pneumatischen Erre-
gung des Wundertäters vgl. Theißen 67): Wie kann man sich mit
dem Tod so einfach in seiner Gegenwart abfinden! Jesu (im Innern
bewahrter) Zorn hat seine typischen Parallelen im auch sonst erzählten Anfahren der mutlos Klagenden (Mk 1,43), paßt aber insbesondere zu Mk 9,19: Der Wundertäter als göttlicher Mensch ist
nicht gewillt, den Ungläubigen seinen aus Enttäuschung erwachse-
nen Zorn vorzuenthalten. Wenn Maria sich mit dem Tod so einfach
abfindet, verachtet sie Jesus, sollte sie doch wie der Leser von V 15
wenigstens etwas erahnen! Doch auch dies gehört zum Bild des
Wundertäters der SQ: Er äußert nicht unmittelbar seine Gemüts-
bewegung, sondern schreitet zur Tat. Es reicht, wenn der Leser um
diesen Akzent weiß, Maria wird nicht zum sichtbaren Objekt des
Zorns.
Knapp sind nun die nächsten Dinge geschildert. Jesus fragt nach
dem Platz der Grabstätte und bekommt den Weg gewiesen (V 34).
Am Grab läßt er den Stein entfernen (V 38f.). Martha warnt vor
solcher Handlung wegen des Verwesungsgeruchs, der bei einem
bereits vier Tage Toten im Orient unausweichlich und penetrant
sich verbreiten wird (V 39; vgl. V 17). Daß bei der Zubereitung des
Toten nach V 44 so gut wie sicher wohlriechende Öle Verwendung
fanden, ist absichtsvoll vergessen und zeigt eine Spannung zwischen dem Basistext und der SQ an. Diese will natürlich durch V 39
das Wunder ins kaum noch Vorstellbare steigern. Dieses letzte
Wunder Jesu in der SQ soll nochmals in massiv zugespitzter Form
Jesu Wundermacht aufzeigen. Selbst wundergläubige damalige Leser der SQ werden dies als besonders gewaltigen Schlußakkord betrachtet haben. So paßt gerade auch V 39 gut zur Theologie der SQ.
Für den weiteren Handlungsverlauf übernimmt die SQ dann wieder unkommentiert die Vorlage.
Hat E die Erzählung in dieser Gestalt vorgefunden, kann aufgrund
seines Kommentars seine Deutung beschrieben werden. Durch seine Bearbeitung hat sich in jedem Fall die Struktur verändert; einzelne Aussagen sind neu akzentuiert worden und ganz neue theolo-

gisch nun gewichtige Motive sind hinzugekommen. Dadurch emp-
fiehlt sich eine neue Gliederung in folgende Abschnitte: a) V 1–5:
Jesus erfährt durch die Gesandtschaft vom Tod des Lazarus. Seine
erste Reaktion ist das neue Zentrum (V 4). b) V 6–16: Jesu bewußt
verspäteter Weg nach Bethanien erhält eine Ausweitung im Gespräch mit den Jüngern; dabei sind die Passionsbezüge die neue
Sachaussage (V 8–10.16). c) V 17–27: Das Gespräch Jesu mit Martha bei seiner Ankunft hat im Offenbarungswort V 25 f. den neuen
gewichtigsten Akzent der ganzen Lazarusperikope erhalten. d) V
28–32: Das Gespräch Jesu mit Maria wird fast kommentarlos übernommen und wirkt nun farblos gegenüber dem Gespräch mit Martha. E bringt es traditionsgeleitet, denn nach 11,25 f. bedarf er es
selbst nicht mehr. e) V 33–40: Die Vorbereitung des Wunders wird
vornehmlich benutzt, um das Volk Zeugen des Wunders sein zu
lassen, so daß V 45 f. vorbereitet werden. f) V 41–44: Das Wunder
selbst ist vornehmlich durch das Gebet als Demonstration der Einheit von Vater und Sohn (V 41b–42) erweitert. Als Gesamtaussage
von Joh 11 ergibt sich damit: Jesus offenbart sich als Auferstehung
und Leben. Dieser Jesus weckt Lazarus auf. Das Wunder ist – offenbar von Jesus beabsichtigt – Anlaß, die Passionsereignisse einzuleiten. Die Orientierung über die Grundabsichten von E soll nun
die Einzelbetrachtung leiten.

In 11,1–5 hat E als erste Einfügung in Joh 11 die ursprüngliche Reaktion Jesu auf die Mitteilung der Boten (V 6) an die zweite Stelle
verdrängt und zu Jesu erster Reaktion ein durchaus für Joh 11 insgesamt programmatisches Votum gemacht (V 4). So ist in jedem
Fall auch das anstößige und erzählerisch nicht sofort erklärte taten-
lose Verweilen Jesu (V 6) gemildert, steht es jetzt doch eben auch
unter dem Generalnenner von V 4. Aber dies ist nur ein Nebenef-
fekt von V 4 , der vielmehr dem Leser den hermeneutischen Schlüssel für das Gesamtverständnis von E zu Joh 11 angeben soll (vgl.
9,3). Vorausschauend weiß Jesus: Die Krankheit des Lazarus wird
nicht zum Tod führen, d. h. der Tod nicht das Ende derselben sein.
Dies gilt, wie der Leser später durch den Fortgang der Erzählung
erfährt, nicht in dem Sinn, daß Lazarus vor seinem Tod von der
Krankheit genesen wird. Vielmehr wird Lazarus sterben, aber der
Tod aufgrund der Krankheit wird überwunden werden. Dies gilt
zunächst im äußeren Sinn, daß Jesus Lazarus auferwecken wird.
Doch wäre das nur eine ausnahmsweise, individuelle und vorläufi-
ge Besiegung von Krankheit und Tod. Darum wird man weiter an
die in 11,25–27 entfaltete Todesüberwindung denken. Angesichts
des Todes des Lazarus glaubt Martha an Jesus als die Auferstehung.

Für sie ist der Tod darum überhaupt nur Durchgang zum Leben.
Diese Einschätzung des Todes ist jedem, der glaubt, gegeben. Im
Glauben ist also allgemeine Todesüberwindung gesetzt. So gerät
Todesüberwindung zur Herrlichkeit Gottes. Gott ist ja das Leben
schlechthin; wo immer Todesüberwindung aufgrund von Glauben
geschieht, strahlt seine Herrlichkeit auf. Der Sinn seiner Offenbarung im Sohn ist ja die Gabe des ewigen Lebens. So ist es gut joh,
wenn die Verherrlichung Gottes und die des Sohnes zusammenfallen. Sie fallen hier in doppelter Weise zusammen: Einmal, indem
der Sohn sich selbst im Sinne von V 25 f. offenbart. Vollzieht er
nämlich so den Willen des Vaters (3,16; 5,19–24), dann ist dieser
und der Sohn verherrlicht. Zum anderen weist die Verherrlichung
des Sohnes auf die folgenden Passionsereignisse (vgl. 12,23.28–33;
13,31 f.). Insofern die Auferweckung des Lazarus diese mit dem
Tötungsbeschluß der offiziellen jüdischen Behörde einleitet
(11,45 ff.), wird der Sohn, dessen Tod ursächlich mit seiner Leben
spendenden Tat an Lazarus zu tun hat, verherrlicht, d. h. in seinem
Tod erhöht. So kann man durchaus zugespitzt formulieren: Durch
die Auferweckung des Lazarus plant Jesus seinen Tod, d. h. seine
Verherrlichung. Daß die Juden dies nicht wissen, ist ihr Unglaube.
Aber warum sollen sie als Ungläubige und darum auch Unwissende
nicht Jesu Werk dienstbar gemacht werden?
In 11,6–16 stößt man auf den Kommentar von E in V 7–10. 12b–
13. Das Passionsthema wird nun konkret und handgreiflich entfaltet. Will Jesus nach Judäa gehen, dann spricht aus leidvoller Erfahrung alles dafür, daß Jesu und der Jünger Leben ernsthaft bedroht
ist. Judäa ist für E nicht nur seit 2,13 ff. der permanente Ort
des Konfliktes, vielmehr ist der letzte Steinigungsversuch
(10,31–33.39) noch in lebhafter Erinnerung, gingen ihm doch
schon andere voraus (8,59 vgl. 5,18; 7,19 f.). So bestehen die Be-
fürchtungen der Jünger nur zu Recht. Allerdings nimmt Jesus dazu
einen unterschiedenen Standort ein. Der, der seine Todesstunde
plant (11,4), kann wohl kaum solcher richtigen Erfahrung angstbesetzt begegnen. Dies wollen V 9 f. zum Ausdruck bringen. Sind sie
auch formal in allgemeiner Diktion gehalten, so ist ihr Sinn zweifelsfrei christologisch. Jesu irdische Lebenszeit hat zwölf Stunden,
d. h. wird nicht irregulär durch die Steine der Juden vorzeitig beendet, sondern hat ihr von Gott zubemessenes volles Maß. In dieser
Zeit gilt es zu wirken (vgl. 9,4 f.). Der eingangs stehenden rhetori-
schen Frage folgen dann zwei formal gleichgebaute Satzperioden,
die die Alternativen vom Wandeln am Tag, bzw. in der Nacht beschreiben. Bei ihrer Formulierung mag eine sprichwörtliche Dop-

pelwendung eine Rolle gespielt haben. Sie könnte etwa gelautet haben:

> »Geht jemand am Tag umher, stolpert er nicht.
> Geht jemand des Nachts umher, stolpert er.«

Solche weisheitliche Lebensregel (zur Rekonstruktion vgl. Bultmann) hat E allerdings dann metaphorisch gedeutet, wie an dem aus der Situation springenden Satz vom inneren Licht erkennbar wird. Dieses Motiv hat kaum traditionsgeschichtlichen Kontakt zu Mt 6,23 = Lk 11,35, ist vielmehr ad-hoc-Bildung von E, um eine – freilich nicht ganz geglückte – christologische Applikation zu erreichen: Jesu Wirken vollzieht sich als Wandel am Tag. Etwas Unvorhergesehenes (stolpern) ereignet sich bei ihm nicht, denn in ihm ist immer Licht, d. h. sein Wandel ist stets erhellt durch die Kenntnis des göttlichen Willens, also seines Auftrags als Gesandter des Vaters. Sicherlich, dieser Auftrag wird nun zum Ende kommen, wie Thomas V 16 richtig erkennt. Jedoch gilt es für Jesus, gerade auch sein Ende im Gehorsam gegen den Vater selbst zu gestalten.

E hat dann in diesem Gespräch als nächstes in V 13 einen Kommentar für die Leser eingefügt (vgl. ähnliche Erklärungen in 2,21; 7,39; 12,16.33) und endlich das schon erwähnte Thomaswort V 16, durch das die nahe Passion ins Blickfeld gerät. Thomas, der in den Synoptikern nur in der Apostelliste Mk 3,16ff. parr. genannt ist, begegnet im Joh auffällig oft (11,16; 14,5; 20,24.28; 21,2), d. h. bei E und bei der KR (nicht in der SQ). Wie bei anderen Gestalten, die E nicht namenlos läßt (z. B. Nikodemus 3,1.4.9; 7,50; 19,39), ist ein biographisches Interesse an der Person des Thomas nicht eigentlich erkennbar. Thomas wäre austauschbar gegen jeden anderen Jünger. Doch daß E gerade Thomas wählt, wird wohl einen traditionsgeleiteten Grund haben: Es fällt auf, daß dieser Apostel mit der Christentumsgeschichte in Syrien verbunden (Diskussion und Quellennachweis bei Schnackenburg) und gerade auch im gnostischen Schrifttum wohl bekannt ist. Der Name wird sachlich richtig für griechische Leser mit »Zwilling« gedeutet.

In V 17–27 hat E das Gespräch mit Martha theologisch besonders stark befrachtet (V 22–27), indem er einen Block an den alten Bestand anfügte: Angesichts seines geplanten nahen Todes offenbart sich Jesus als Auferstehung und Leben. Dabei muß das Gespräch als um 11,25 f. willen konstruiert gelten, jedenfalls darf auch in diesem Fall (vgl. V 18) die Person der Martha nicht biographisch betrachtet werden. Denn nicht nur die Bitte V 22, die versteckt mit einer Wiederbelebung des Leichnams rechnet, steht in sachlicher

Spannung zur nächsten Äußerung der Martha in V 24, wo statt der exzeptionellen Wiederbelebung an die allgemeine Totenauferwekkung am Ende der Welt gedacht ist. Vielmehr erkennt man auch zwischen dem Glauben aus V 27 und dem Motiv in V 39 einen Kontrast, wenn Martha hier die Endgültigkeit des Todes herausstellt. Deutet dieser zweite Differenzpunkt auch auf Zuweisung zu verschiedenen Schichten (SQ und E), so sollte ein biographisch interessierter Kommentator doch auch hier für einen Ausgleich gesorgt haben. Im übrigen ist Martha ebensowenig wie Nikodemus in Joh 3 für sich von Interesse. Wie Nikodemus eine von E zu kritisierende Theologie einer Gruppe wiedergab, so nun auch Martha. Denn daran kann kein Zweifel sein, Martha spricht V 24 den allgemeinen Gemeindeglauben aus. So ist sie gewählt als Sprachrohr einer Theologie, die E völlig neu umprägen will (vgl. 3,17f.; 5,19–27; 14,1ff.). Diese E vorgegebene Theologie ist nicht nur allgemein urchristlich, sondern auch durch die KR für den joh Gemeindeverband bezeugt (5,28f.; 6,39f.54; 12,48; vgl. zum ganzen Exkurs 7).

Formal hat das Gespräch zwei Dialogfolgen, nämlich V 21–23 und V 24–27. Im ersten Durchgang folgt der Vertrauensäußerung der Martha (V 21) die versteckte Bitte (V 22). Ihr antwortet Jesus mit einer Zusage (V 23), die das Zentralwort des Gesamtgesprächs einführt. Damit könnte der Dialog enden und V 28 folgen. Aber ein zweiter Gesprächsgang schließt sich an, weil Martha – von E geplant – gegen den Horizont der Wundererzählung die Auferstehungszusage im Rahmen allgemeiner Auferstehungshoffnung auslegt. Daraufhin kann Jesus die für alle Christen – nicht nur im Spezialfall des Lazarus – geltende Auferstehungshoffnung neu prägen, indem er sie präsentisch und christologisch versteht. So kann Martha abschließend ihren Glauben an diesen Jesus als Auferstehung und Leben äußern wie Petrus in 6,69 am Ende der Komposition 6,22–71.

E läßt eingangs Martha über den Text der SQ (V 21) hinaus fortfahren: So sicher Jesus dem kranken Lazarus, falls er rechtzeitig eingetroffen wäre, geholfen hätte, so wird Jesu Bitte an den Vater auch noch jetzt bei Gott Erhörung finden. Martha traut Jesus also versteckt eine Totenauferweckung zu wegen seines einmaligen Verhältnisses zum Vater. War dieses Verhältnis für die SQ kein eigenes Thema, so betont E gerade auch in seinem unmittelbaren Kommentar zur SQ dies ausdrücklich (vgl. noch 11,41f.). E versteht also auch hier Jesu Macht über Tod und Leben als unmittelbare Folge der Einheit mit dem Vater (vgl. 5,19–27). Jesus greift die indi-

rekte Bitte der Martha sofort auf, da sein Plan, Lazarus aufzuwek-
ken, schon längst gefaßt ist (V 23; vgl. V 11.15). Da das der Leser
weiß, braucht Jesus Martha nicht zurückzuweisen (wie Maria 2,4),
um so erst noch seine Souveränität zu demonstrieren. Martha ihrerseits springt vom erwarteten Wunder zur endzeitlichen Auferstehung (V 24), indem sie gleichsam das Glaubensbekenntnis der
Gemeinde referiert, um so Jesus Gelegenheit zu geben, dieses zu
korrigieren (vgl. Exkurs 4 und 7). Man sollte also nicht religionsgeschichtlich historisierend fragen, inwiefern Martha jüdische Hoffnung vertritt. Dann mag man antworten: Im Gegensatz zu den
Sadduzäern (vgl. Mk 12,18–27 parr.) vertraten Pharisäer und Apo-
kalyptiker die Enderwartung allgemeiner Totenauferweckung, die
auch im Judentum im allgemeinen z. Z. der Entstehung des Joh
weite Verbreitung fand. Aber Martha tritt nach E nicht als Jüdin
auf, sondern als Kronzeugin der christlichen Hoffnung, die E uminterpretiert.
Dies geschieht in dem Ich-bin-Wort (vgl. Exkurs 5), das in sich am
deutlichsten die Christologie und präsentische Eschatologie von E
enthält: Die Sachaussage von 5,24f. wird inhaltlich zum Ich-bin-
Wort umgestaltet. Dieses Urteil hat zur Folge, daß in diesem Fall
Traditionsverarbeitung ausfällt. E formuliert selbst, freilich unter
Benutzung des Formschemas der Ich-bin-Worte. Wie diese, so hat
11,25f. einen zweiteiligen Aufbau: die Selbstprädikation als Präsentation des Gesandten mit seiner soteriologischen Heilsfunktion
(»Ich bin die Auferstehung und das Leben«) und den sich daraus
ergebenden Ruf zur Entscheidung, bei dem die Einladung im kon-
ditionalen Partizipialstil und die Heilszusicherung in einem synonymen Parallelismus formuliert ist. Schon von seinem Wortreich-
tum her erhält dabei der Ruf zur Entscheidung deutlich das
Schwergewicht. Formal ergibt sich also:

»Ich bin die Auferstehung und das Leben

Wer an mich glaubt,	wird leben, auch
	wenn er stirbt,
und jeder der lebt und an mich glaubt,	wird in Ewig-
	keit nicht sterben.«

Mit der Ich-bin-Präsentation stellt sich der Gesandte in seiner
Heilsbedeutung vor. Der Satz ist also wie alle Ich-bin-Sätze Funk-
tionsbeschreibung und nicht ontologisch ausdeutbare Wesensaussage. Nicht wer Jesus an und für sich ist, sondern was er beauftragt
ist zu tun, das soll ausgesprochen werden. Der Gesandte ist also

derjenige, der im Sinne von 5,24 f. Leben spendet. Weil er ermöglicht, daß der Glaubende vom Tod zum Leben schon jetzt hinüber-
schreitet, kann er selbst als Auferstehung und Leben bezeichnet
werden. Dabei ist sprachlich der Begriff »Auferstehung« gezielt
eingesetzt. Er hält fest, daß die V 24 erwarteten Endereignisse im
Glauben jetzt stattfinden (3,18; 5,24 f); somit fallen christologische
Sendung und Parusie zusammen und eschatologisch das Futur und
Präsens. Zugleich wird der kosmisch-apokalyptische Horizont der
allgemeinen Auferstehung auf den anthropologisch-individuellen
Bezug reduziert: Der Gesandte ist Auferstehung jetzt für jeden,
der glaubt. Entgegen einigen Hss, die »und das Leben« nicht bieten, ist diese weitere Angabe zur Heilsfunktion für E notwendig,
denn der Lebensbegriff definiert die Auferstehung als Heilsereignis
und schützt sie vor dem Mißverständnis, Auferstehung zum Gericht zu sein (vgl. die KR in 5,28 f.). Im übrigen ist der Bezug zum
ewigen Leben typisch für alle Ich-bin-Worte (vgl. Exkurs 5).
Dieser funktionale christologische Sinn wird dann im nachgeordneten synonymen Parallelismus entfaltet. In beiden Satzperioden
bezieht sich der jeweils voranstehende Partizipialsatz auf den der
Vergänglichkeit und dem Tod ausgelieferten Menschen, der, in dieser Ausweglosigkeit lebend, sich glaubend zu Jesus verhält. Dieser
Glaube ist der Übergang aus der Vergänglichkeit zum ewigen Leben. Darum ist in den parallelen, den beiden Partizipialsätzen jeweils nachgeordneten Verheißungssätzen dies ausgesprochen. Der
Tod kann nun diesen Menschen als Glaubenden nicht mehr ver-
nichten; der Glaubende wird leben, selbst wenn er stirbt. Oder:
Der Glaubende wird in Ewigkeit nicht sterben. Dabei sind die Verben »sterben« und »leben« im Entscheidungsruf doppelbödig benutzt. In der ersten Zeile bezeichnet »sterben« den irdischen Tod
und »leben« das ewige Leben. In der zweiten Zeile ist es genau umgekehrt: »leben« ist die Existenz vor dem Tod und »nicht sterben«
Bezeichnung für ewiges Leben.
So ergibt sich: Das Glaubensverhältnis zum Gesandten des Vaters
ist der archimedische Punkt, der diese Welt aus den Angeln hebt.
Dies jedem zu ermöglichen, ist Sendungsauftrag des Sohnes. Dieses
Angebot anzunehmen, Aufruf an den Menschen. Die umfassende
Allgemeinheit der Aussage läßt dabei nur die Deutung zu, daß
schlechthin jeder vor diesem Angebot steht. Seine Annahme ist
identisch mit dem Glauben an den Sohn als Gesandten mit seinem
Heilsauftrag, Leben zu vermitteln. Dieses einmalige Glaubensverhältnis schafft im anthropologischen Bereich total neue Verhältnisse: Irdisches Leben ist nicht mehr qualifiziert als vergängliches,

sondern als Leben im Glauben. Der Tod ist nicht mehr Verneiner des Lebens und Sturz in das endgültige Nichts, sondern Übergang, ein bloßer Durchgang zum ewigen Leben. Der Tod im alten Sinn ist wesen- und bedeutungslos geworden, denn wer Jesus im Glauben hat, hat bereits Anteil durch ihn am ewigen Leben. Über solchen Glaubenden hat der Tod keine Macht. Da es keine andere Ermöglichung gibt, Leben zu gewinnen, als diese, jetzt an den Gesandten zu glauben, ist der Beginn der Ewigkeit individualisiert. Er ereignet sich je dort, wo die Einladung des Gesandten gehört wird, und nicht als kosmisches Ereignis am Ende der Tage. Darum korrespondiert dem die Aussage in 12,32, daß der erhöhte Sohn durch den Tod des einzelnen hindurch zu sich in die Höhe zieht.

Ist damit V 25 f. in seinem Aussagegehalt definiert, so ist diese Aussage nun in den Zusammenhang von Joh 11 zu stellen. Jesus spricht dies programmatische Wort ausdrücklich auf dem Hintergrund der beginnenden Passionsereignisse (vgl. 11,8–10.16). Sein Tod ist damit der Testfall schlechthin, an dem die Wesenlosigkeit des Todes offenbar werden muß. Jesus muß sich als Sterbender so verstehen, daß Sterben für ihn nicht Vergehen ist, sondern Rückkehr zum Vater. Sterben ist für ihn nicht angstbesetzt, sondern siegreicher Weg in die Erhöhung. Darin muß er Vorbild sein allen Glaubenden, die im irdischen Sinn sterben. E wird in Joh 12–19 zeigen, wie Jesus dies einlöst.

Schwieriger ist die andere durch den Kontext aufgeworfene Problematik, wie sich nämlich die Auferweckung des Lazarus, die sich erst nach 11,25 f. ereignet, noch verstehen läßt: Wie kann eine Wundererzählung, die den Protest gegen den Erzfeind Tod durch das Signal einer exzeptionellen Totenauferweckung auf Zeit artikuliert, noch verstanden werden, wenn bereits vor dem wunderbaren Ereignis diesem Feind grundsätzlich die Macht genommen wird und dem Glaubenden schon eine bereits erfolgte generelle Todesüberwindung zugesagt ist, die das siegreiche endzeitliche Entmachten des Todes ins Präsens geholt hat (vgl. Wellhausen, Bultmann)? Die Beantwortung soll auf zwei Ebenen erfolgen, nämlich so, daß geklärt wird, was E de facto getan hat, und sodann, ob und inwiefern seine Aufarbeitung sachlich spannungsfrei ist. E hat dem wunderbaren Vorgang nichts von seiner massiven Steigerung des wunderbaren Geschehens genommen. Dies hat er ganz analog ebensowenig in 2,1 ff.; 6,1 ff.; 6,16 ff. usw. getan. Im Gegenteil: Er hat mit 11,4 die Anstößigkeit gesteigert. Er übt also in keinem Fall Wunderkritik aus Gründen der Vorstellbarkeit und Weltanschauung. Wunderhafte Vorgänge gehören für ihn wie für seine Zeit zweifels-

frei zum üblichen Inventar von Offenbarungsvorgängen. Wie
2,1 ff. das Wunder den Glauben der Jünger festigt, so kommt zu
dem auch in Joh 11 das Glaubensmotiv in derselben Funktion vor
(11,15.42.45), so sicher der Glaube an den, der 11,25 f. spricht
(11,27), das ganze überstrahlt. Gegen alle Tradition hat E dann das
Lazaruswunder als anstößige Handlung Jesu benutzt, um den endgültigen Todesbeschluß, also die Hinführung zur Passion, vorzubereiten (11,45 ff.). Dabei ärgert sich das Synedrium nicht über das
Wunder an sich, sondern über die Konsequenzen in bezug auf den
Volkszulauf. Wunder werden Jesus in Vielzahl zugesprochen, so
daß die steigende Zahl der dadurch gewonnenen Anhänger Probleme macht (11,47 f.). Da man die Wunder nicht wegdiskutieren
kann, muß der Mann, der sie tut, weg! Hier wird also die Stellung
des Unglaubens zu den Wundern Jesu beschrieben. Endlich hat E
das Ich-bin-Wort nicht wie in 6,1 ff. dem Wunder nachgeordnet
(6,35), vielmehr dem Wunder so zugeordnet, daß es in seinem Sinne nun die schon vorweggegebene Perspektive für das wunderbare
Geschehen abgibt. Das Wunder ist also nicht mehr in seiner hin-
führenden und dienenden Funktion verstanden, das das Offenbarungswort vorbereitet, sondern von Anfang an dem Offenbarungswort durch Nachordnung untergeordnet. So hat E ganz in seinem
Sinn den Rang zwischen Wort und Wunder szenisch eingefangen.
Er hat dabei in Kauf genommen, daß nun das Wunder selbst dem
Glaubenden nichts über 11,25 f. hinaus Neues für sein Todesver-
ständnis sagen kann. Denn das Wort erschließt dem Glaubenden
die Lösung der Todesproblematik ein für alle Mal. Das nachgestellte Wunder zeigt nur Jesu Macht über den Tod für einen einmaligen
Fall von Wiederbelebung auf Zeit. In dieser Beschränktheit hat es
wohl für E illustrativen Charakter.
Nur ist dann an E die Anfrage zu richten, ob solche Illustration
noch sachlichen Sinn hat. Kann man wirklich den Tod, der seinen
eigenen Tod mit 11,25 f. schon gestorben ist, nochmals als ernstzu-
nehmenden Feind des Lebens betrachten und ihm ausnahmsweise
einmalig ein Beutestück auf Zeit entreißen? Muß man nicht, um der
Tragweite von 11,25 f. willen, die E zweifelsfrei nicht gekürzt wissen möchte, die Bedeutungslosigkeit des Lazaruswunders herausstellen? In der Tat: von 11,25 f. her muß das Bestaunen des Wunders und das Hoffen auf wunderbare Vorgänge wie in 11,1 ff. als
theologisch überflüssig und ohne Sinn gelten.
Auf 11,25 f. antwortet Martha im Sinne von E mit einem Bekenntnis (V 27), das ihr glaubendes Erkennen Jesu aufgrund des Ich-bin-
Wortes unter stillschweigender Korrektur ihres früheren Stand-

punktes (V 24) zum Ausdruck bringt. Ihre Aussage hat dieselbe
Funktion wie 6,68f. das Petrusbekenntnis (Schnackenburg). Die
Titelprädikation ist wohl nicht zufällig mit 20,31 (SQ) gleichlau-
tend, soll doch dieselbe grundsätzliche Programmatik zum Ausdruck kommen. E hatte in 7,26f.31.41f.; 10,24 zuvor die Christus-
titulatur als zusammenfassende Kennzeichnung Jesu dem Streit der
Juden ausgesetzt und 9,22 die Brisanz solches Bekenntnisses für die
Glaubenden beschrieben. Der abschließende Partizipialsatz, der
relativisch übersetzt ist (»der in die Welt gekommen ist«), erinnert
an 6,14 und entspricht der Sprachgepflogenheit der joh Gemeinde
überhaupt (vgl. noch 3,19; 9,39; 12,46; auch 1,9 im nicht christologischen Sinn; christologisch erweitert: 1 Joh 4,2; 2 Joh 7). Er ist
kein drittes Würdeprädikat (gegen Barrett), sondern interpretiert
die Doppeltitulatur. So wie Martha V 27 antwortet, soll für E jeder
Christ bekennend reagieren. Dabei hat dies Bekenntnis seine allgemeine urchristliche Verwurzelung (vgl. nur Mt 16,16). E zeigt
durch dieses Bekenntnis, daß das Gespräch seinen Ort in der Gemeinde hat. Nicht vorösterliche Historie wird festgehalten, sondern nachösterliche Wirklichkeit für die Gemeinde ausgelegt.
An 11,28–32 hat E wenig verändert. Dasselbe gilt für 11,33–40:
Einmal werden nun die Juden (gegen die Intention von V 28, wo
das heimliche Rufen das Volk exkludieren soll) eingeplant, um später zu Zeugen des Wunders gemacht zu werden (V 31.33b.36f.).
Vorerst verstehen sie nicht, was vorbereitet wird. So wollen sie
Maria zum Grabe folgen, da sie sich dort angeblich ausweinen will.
So wiederholen sie gegenüber Jesus den Standpunkt der Maria und
Martha aus V 21.32b unter Rückgriff auf das Wunder in Joh 9, ob-
wohl der Leser durch V 4.11–15.23 über diesen Standort längst
hinaus ist. Sie sind nach wie vor dem Irdischen verhaftet, wo der
Tod das letzte Wort hat und danach jede Hilfe zu spät kommt.
Zum anderen webt E in die Erzählung weitere Gemütsbewegungen
Jesu ein (V 33c.35.38a), indem er diese Motive der SQ verstärkt
und wiederholt. So wird der Kontrast zum unverständigen Volk
zugespitzt, denn Jesus erregt sich und weint nicht im Blick auf Lazarus, sondern weil er über das Volk erzürnt ist. Endlich läßt E
kurz vor dem Wunder Jesus nochmals die Linie 11,4.11–15.23 wiederholen: Der Glaubende wird seine Einheit mit dem Vater schau-
en als der Einheit, mit der Jesu lebenspendende Kraft gesetzt ist
(11,40).
Auch in 11,40–44 hat E seine Präsenz nur sparsam eingraviert (vgl.
11,41b–42 und den Übergang V 43a). Ein Demonstrationsgebet
verbalisiert die Einheit Jesu mit dem Vater. Gebete bei Wundern

gehören zur Typik solcher Erzählungen (vgl. 1 Kön 17,21; Mk 9,29; Apg 9,40; 28,8). Allerdings dienen sie sonst als Mittel zum Vollzug des Wunders. Hier aber hilft nicht die Kraft des Gebetes und seine Erhörung, das Wunder geschehen zu lassen. Vielmehr ist die Einheit zwischen Vater und Sohn als jederzeit gegebene selbstverständliche Voraussetzung angesehen (vgl. etwa 5,17.19–21.30; 10,30; 14,7–9). Jesus bedarf des Gebetes nicht. Als Gesandter steht er in ununterbrochener Verbindung mit dem Vater (1,51). So dient das Gebet dazu, dem Volk zu zeigen, wie er als Gesandter in der Einheit mit dem Vater Lazarus auferweckt. So soll Glauben geweckt werden (vgl. 11,45).

2. Der Todesbeschluß des Synedriums 11,45–54

45 Viele von den Juden, die zu Maria gekommen waren und sahen, was er tat, glaubten an ihn. 46 Einige von ihnen jedoch gingen zu den Pharisäern und berichteten ihnen, was Jesus getan hatte. 47 Da beriefen die Hohenpriester und die Pharisäer eine Synedrium(ssitzung) ein und sprachen: »Was wollen wir tun, da dieser Mensch viele Zeichen tut? 48 Lassen wir ihn (weiter) so gewähren, werden (noch) alle an ihn glauben. Dann kommen die Römer und nehmen uns den Ort und das Volk weg!« 49 Einer von ihnen, Kaiphas, der in jenem Jahr Hoherpriester war, sagte zu ihnen: »Wißt ihr nicht, 50 und bedenkt nicht, daß es für euch besser ist, daß ein Mensch für das Volk stirbt und nicht das ganze Volk zugrunde geht?« 51 Das aber sagte er nicht aus sich heraus, sondern weil er Hoherpriester jenes Jahres war, redete er prophetisch, daß Jesus für das Volk sterben solle; 52 und zwar nicht allein für das Volk, sondern auch um die zerstreuten Kinder Gottes zu sammeln. 53 Von jenem Tage an stand nun ihr Beschluß fest, ihn zu töten.
54 Jesus ging nun nicht mehr öffentlich unter den Juden umher, sondern begab sich von dort aus in die Gegend nahe der Wüste, (nämlich) an einen Ort mit Namen Ephraim; und dort blieb er mit den Jüngern.

Literaturauswahl: Bammel, E.: Joh 11,45–47, in: The Trial of Jesus (FS C. F. D. Moule) London 1970, 11–40. – *Barker, M.:* Caiaphas Words in John 11,50 refer to the Messiah ben Joseph, in: The Trial of Jesus (FS C. F. D.

Moule), London 1970, 41–46. – *Braun, F. M.:* Quatres ›signes‹ johanniques
de l'unité chrétienne, NTS 9 (1962/63) 147–155. – *Dauer, A.:* Die Passionsgeschichte im Johannesevangelium, StANT 30, 1972, 339 f. – *Dodd, C. H.:*
The Prophecy of Caiaphas, in: Neotestamentica et Patristica (FS O. Cullmann), NT.S 6 (1962), 134–143. *Grimm, W.:* Das Opfer eines Menschen,
In: G. Müller (Hg.): Israel hat dennoch Gott zum Trost (FS Sch. Ben-Cho-
rin), Trier 1978, 61–82.– *Hahn, F.:* Der Prozeß Jesu nach dem Johannesevangelium, EKK.V2 (1970) 23–96, hier: 25–27. – *Lohse, E.:* Art. *Synedrion,*
ThWNT VII, 858–869. – *Schwank, B.:* Efraim in Joh 11,54, in: M. de Jonge, L'Évangile, 377–384.

Dieser Abschnitt bringt die Verzahnung des joh PB mit den Ereignissen davor, speziell mit der aus der SQ übernommenen Erzählung der Auferweckung des Lazarus (11,1 ff.). Darum begegnen
hier auch der szenische Abschluß zu 11,1 ff. (G) aus der SQ in
11,54 (G), der Anfang des PB, wie er E vorlag (V 47a.48
a.c.49.50.53+57), die redigierende Hand von E (vor allem V
45 f.47b.48b + danach V 55 f.) und endlich auch Hinweise, daß die
KR am Werk war (11,51 f.). Allerdings ist der Abschnitt nicht
leicht zu analysieren und dementsprechend sind die Meinungen der
Exegeten breit gestreut. Immerhin scheint sich in jüngster Zeit die
These durchzusetzen, in diesem Stück verberge sich der Anfang des
E vorliegenden PB (Hahn, Dauer).
Unbestritten gehören 11,45 f. zu E: Für ihn ist offenbar Maria (vgl.
11,31 E!) Hausherrin der Wohngemeinschaft aus den Geschwistern
Lazarus, Maria und Martha (vgl. 11,1; 12,1–3). Er macht »die Juden« zu Zeugen des Wunders an Lazarus (11,33.42). Ihm liegt daran, den Zwiespalt im Judentum zwischen Glaubenden und Ungläubigen bzw. zwischen Glaubenden und (ungläubigen) Verrätern
szenisch einzufangen, wie er es besonders oft in Joh 7–10 getan hat.
Er sieht in den Pharisäern (vgl. 3,1; 7,32.47.48; 8,13; 9,40;
12,19.42) die eigentlichen Gegner Jesu, d. h. des Christentums,
und kennzeichnet damit die Situation nach 70 n. Chr. ganz richtig,
insofern nach der Zerstörung Jerusalems die Pharisäer zu der einzigen offiziellen Führungsschicht im Judentum aufrücken. Endlich
macht er – singulär in der gesamten Evangelientradition – das Lazaruswunder zum letzten Anlaß für den endgültigen Tötungsbeschluß des Synedriums. Diese Verkoppelung von PB und SQ legte
sich nahe, weil Joh 11 das letzte Wunder in der SQ war und ihm
nur noch der Abschluß der SQ folgte (12,37–43; 20,30 f. jeweils im
Grundstock).
Nun braucht allerdings die SQ, deren szenische Angaben recht
präzise sind (vgl. Exkurs 1), nach 11,43 f. noch einen szenischen

Schluß. Er liegt in 11,54 vor: »Jesus ... begab sich von dort aus in die Gegend nahe der Wüste, (nämlich) an einen Ort mit Namen Ephraim; und dort blieb er mit seinen Jüngern.« Die in der ganzen Evangelientradition singuläre Ortsangabe kann E nicht einfach erfunden haben (soweit richtig: Schwank). Sie paßt ausgezeichnet in das Bild der SQ, die singuläre Ortsangaben bei relativ guter geographischer Kenntnis enthält. Man wird den Ort Ephraim am besten mit dem heutigen *et-taijïbe* ca. 20 km nordöstlich von Jerusalem identifizieren. Er ist im Altertum bekannt unter Bezeichnungen, die dem joh Ephraim sehr nahe kommen (Schnackenburg). Weder erwähnen die Evangelien den Ort, noch kennt man aus späterer Zeit dort eine christliche Gemeinde. Gleichwohl muß die SQ den Ort mit dem Christentum verbunden haben. Die Präzisierung dieser Verbindung bleibt dann spekulativ. Außer der Ortstradition ist auch sonst der Stil in V 54 gut zur SQ rechenbar (vgl. 2,12; 3,22; 4,40b; 10,40; 11,6b). Die funktionale Parallelität zu 10,40–42(G) ist ebenso auffällig. Der Anschluß zu 12,37ff.(G) ist glatt. So soll gelten: In V 54 schließt die SQ ihre Darstellung von einzelnen Wundern ab und bildet danach nur noch ein Resümee!

E hat dann V 54 eine zusätzliche Bestimmung gegeben: Nach dem Synedriumsbeschluß, den E als 11,45–50.53 zwischen 11,44 und 11,54 (so die SQ) einfügte, war Jesu öffentliches Auftreten nicht mehr gut möglich (vgl. 11,8), denn vor seinem Tode sollte noch der Abschied von den Seinen Platz haben (Joh 13f.). Allerdings hat E nicht gemerkt, daß er durch diese Ergänzung in Widerspruch zu 12,12ff. geriet, wo er traditionsgeleitet dem PB folgt. Außerdem hat E die Funktion von V 54 geändert: Nun entspricht V 54 als Abschluß dem Neueinsatz in V 55–57. Beide Stücke stehen parallel zu ähnlichen strukturierenden Maßnahmen, die E schafft (vgl. die Einführung zu II D).

Mit V 47a begegnet dann erstmals im Joh der PB. Zu dieser Feststellung ist ein Blick auf die Synoptiker angebracht. Dort beginnt der PB so: 1. Eingangs steht die Festangabe (Mk 14,1a vgl. Mt 26,2; Lk 22,1). 2. Es folgt der Todesbeschluß (Mk 14,1b–2) mit drei hier bedeutsamen Motiven: a) Es handeln die Priester und Schriftgelehrten. b) Sie wollen Jesus mit List fangen und dann töten. c) Sie wollen die Zeit des Festes meiden, damit im Volk keine Unruhe entsteht. Während Lk diese Angaben rafft, hat Mt auffällige Besonderheiten (Mt 26,1–5): Die Festangabe ist umgestaltet zu einer Rede Jesu an die Jünger. Es agieren die Priester und Ältesten. Es findet eine förmliche Synedriumssitzung im Hof des Hohenpriesters statt. Dessen Name wird mit Kaiphas angegeben.

Blickt man von hier aus auf Joh, so zeigt sich: Es fehlt zunächst die Festangabe. E kann sie erst 11,55 gebrauchen wegen der Struktur 11,54+11,55 (vgl. II D Einführung). Nun ist 11,55 ganz im Stil von E geschrieben, aber die Festangabe in 12,1 zeigt, daß auch der joh PB solche Festangabe kennt. Denkbar wäre, daß E sie eventuell sogar vor 11,47 getilgt hat. Auffällig ist sodann, daß in 11,47 wie bei Mt von einer offiziellen Synedriumssitzung gesprochen wird, und Kaiphas der amtierende Hohepriester ist. Dies kann nicht Zufall sein. So ergibt sich: der E vorliegende PB muß diese Angaben unter Einfluß von Mt-Tradition enthalten haben.

Dies bestätigt sich durch eine weitere Beobachtung: Die zweimalige Verbindung in 11,47.57 von »die Hohenpriester und die Pharisäer« als Kennzeichnung der Gruppen im Synedrium ist recht auffällig. Sie begegnet außer in Joh 7,32.45; 11,47.57; 18,3 überhaupt nur noch bei Mt, nämlich in 21,45; 27,62. Blickt man zunächst auf die traditionsgeschichtlichen Fundorte, so gehören Joh 11,47.57; 18,3 dem joh PB und Mt 27,62 dem mt PB an. Wie Joh 7,32.45 von E (mit Abhängigkeit von seinem PB?) gestaltet wurden, so Mt 21,45 offenbar von Mt. Also nur der joh und mt PB kennen im Stadium vor der literarischen Ebene der Evangelien diese Verbindung. Sachlich ist diese Verbindung unhistorisch: Korrekt wäre eine Angabe wie etwa: die Hohenpriester (d. h. die sadduzäische Priesteraristokratie), die Ältesten (der sadduzäisch orientierte Adel) und die Schriftgelehrten (in der Regel pharisäisch orientiert), vgl. Mk 14,53; 15,1 (zum Synedrium vgl. Lohse). Die Verbindung »Priester und Pharisäer« ist ein Kompromiß aus dem Wissen, daß vor 70 n. Chr. die Priesteraristokratie im Synedrium tonangebend war, und den nach 70 n. Chr. veränderten Verhältnissen, denen zufolge die Pharisäer die alleinigen offiziellen Vertreter des Judentums waren.

Endlich stimmen Mt und Joh in einzelner Wortfolge und Wortwahl ohne Assistenz von Mk oder Lk dreimal nacheinander überein: Mt 26,3a = Joh 11,47a; Mt 26,3b = Joh 11,49a; Mt 26,4 = Joh 11,53. Über diese Übereinstimmung hinaus hat Joh 11,47ff. für sich noch sprachliche Eigentümlichkeiten, die im Joh auffallen (Hahn). Damit darf die Annahme als begründet gelten, daß E hier den Anfang seines PB verarbeitet. Dabei deutet auf ihn – abgesehen von V 45f. – in V 47f. der Verweis auf Jesu Zeichen und das Glaubensmotiv (vgl. dazu 2,23; 7,31f.; 8,30). Er verbindet so 11,1ff. und 11,45ff. Demzufolge lautete seine Vorlage hier: »Da beriefen die Hohenpriester und die Pharisäer ein(e) Synedrium(ssitzung) ein und sprachen: »Was wollen wir tun? … Lassen wir ihn gewähren,

... dann kommen die Römer und nehmen uns den Ort und das Volk weg!«

Aufgrund dieser Analyse kann der Anfang des PB inhaltlich beurteilt werden. Auf der Synedriumssitzung (V 47) wird das Problem besorgt erörtert, daß Jesus eine politische und religiöse Gefahr für den Bestand des Judentums ist. Die Römer könnten kommen, um den Tempel oder Jerusalem (»den Ort«) und das Volk (vgl. zur Formulierung 2 Makk 1,29; 5,19) der führenden Schicht wegzunehmen, also die religiöse Selbständigkeit Israels aufheben. So sicher dabei ein unmittelbarer Nachhall der Ereignisse 70 n. Chr. nicht direkt erkennbar ist, wird wohl kaum ein Christ der dritten Generation nicht assoziiert haben, daß 70 n. Chr. die Römer Jerusalem zerstörten und Israel religiös und politisch stark in seiner Entfaltung begrenzten (vgl. z. B. Mt 22,7; 23,38). Was also die Synhedristen mit Jesu Tod an Unheil vermeiden wollten, hat sie später doch ereilt. Jedoch ist im Joh nirgends die Katastrophe 70 n. Chr. als unmittelbare Folge und göttliche Strafe für die Tötung Jesu verstanden: Gott bestraft die Juden nicht auf der politisch-geschichtlichen Ebene (so z. B. Mt), sondern E sagt: die Juden sind vom ewigen Leben ausgeschlossen, ihre Existenz ist nur diesseitig und irdisch, also im Todesbereich (8,40 ff.; 12,37 ff.). Die Befürchtung des Synedriums setzt übrigens voraus, daß Jesus unter dem Gesichtspunkt eines messianischen Anspruchs Roms Argwohn erweckt (vgl. 19,12).

Ratlosigkeit und Sorge des Synedriums weiß der Mann zu nehmen, der in dem betreffenden Jahr Hoherpriester war: Kaiphas (V 49). Mit dieser Erwähnung verbinden sich zwei Probleme: Im ältesten Stadium von 18,12–27.28 galt offenbar Hannas als amtierender Hoherpriester, Kaiphas wirkt nachgetragen. Wem man dort die Einfügung von Kaiphas zutraut, den wird man 11,49 auch am Werk sehen müssen. Nun wird sich zeigen: Der PB wurde noch vor E erweitert. Der älteste Erzählzusammenhang begann mit der Gefangennahme (Kurzbericht). Einige Stücke davor (Langbericht) sind Erweiterung vor E. Zu dieser Erweiterung gehört aus 11,47 ff. der Todesbeschluß. Seine Voranstellung bewirkte 18,12 ff. die Veränderung. Der Vergleich von 11,47 ff. mit Mt 26 zeigte auch schon, daß in der 11,47 ff. zugrunde liegenden Tradition der Name Kaiphas traditionellerweise haftet. Das zweite Problem stellt die Angabe, Kaiphas sei »Hoherpriester jenes Jahres« gewesen (vgl. 11,51; 18,13). Joseph Kaiphas (*Kajjafa*) regierte als Hoherpriester für das 1. Jahrhundert n. Chr. in der Rekordzeit von 19 Jahren (von 18 bis 36, besser 37 n. Chr.). Wer also in der Notiz die komplette Amtszeit des Kaiphas sieht, muß mit historischem Irrtum rechnen. Die Notiz, die – so gedeutet – jährlichen Wechsel im Hohenpriesteramt voraussetzt, ist auch ganz allgemein unhistorisch, weil am Jerusalemer Tempel der Hohepriester auf Lebenszeit amtierte, unbeschadet der Tatsache, daß Rom ihn häufiger vorzeitig absetzte. So hat man vorgeschlagen zu deuten: in jenem Jahr, als Jesus starb, wobei dann die gesamte Amtszeit nicht interessiert (Zahn, Schnackenburg, Brown). Aber diese Auslegung ist kaum im Recht: Weder müssen E und der PB historische Kenntnis über Kaiphas und das Jerusalemer Hohepriesteramt besessen, noch brauchen sie die Kollision mit 3 Mose 35,25 gesehen zu haben. Vielmehr dachten der PB sowie E, der keinen Anlaß zur Korrektur sah, palästinafern in Analogie zu den heidnischen Hohenpriestern in Syrien und Kleinasien (Bultmann). Die dreimalige stereotype Angabe, die stets bei Kaiphas begegnet, ist fester Ausdruck für »Hoherpriester jenes Jahres« unter der Voraussetzung jährlichen Wechsels im Amt (Dodd).

Kaiphas bezichtigt, ein negatives Werturteil über das Synedrium nicht scheuend, die Ratsherren politischer Dummheit. Er schlägt eine realpolitische Nützlichkeitserwägung vor, die jenseits ethischer Maximen angesiedelt sein soll (V 50). Ähnliche Grundsätze sind im Altertum allgemein bekannt (Bultmann). Daß Jesus »für das Volk« sterben soll, enthält natürlich nicht den christlichen Gedanken, Jesus solle etwa stellvertretend den Sühnetod für das Heil des Volkes sterben. Einmal wird Kaiphas kaum so christlich reden können, zum anderen ist von V 48f. 53.57 her allein die politische Ebene angesprochen. Erst V 51f. führen kontextfremd einen Heilszusammenhang an die Aussage heran. Der Rat des Kaiphas wird allgemein angenommen (V 53) und als Beschluß festgehalten.

V 51f. sind in diesem politischen Kontext also Kommentar, der den Horizont der Erzählung durch eine christliche Heilsaussage sprengt. Nun ist Jesu Tod als Heilstod für die Juden und Nichtjuden verstanden, so daß diese zusammen eine Gemeinde bilden. Beides, der Heilstodgedanke (vgl. zu 1,29) und die Aussage über die doppelte Herkunft der einen Gemeinde (vgl. zu 10,16) wurden schon als Kennzeichen der KR beurteilt. Daß Jesus für das jüdische Volk stirbt, kann E nach 8,41–47; 12,37–43 wohl kaum selbst sagen (vgl. auch 4,22 KR). Die KR also macht Kaiphas – ihm subjektiv nicht bewußt – unfreiwillig von Amts wegen zum Propheten. Daß so institutionell Priesteramt und Prophetentum verbunden sind, ist bisher ohne wirkliche Analogie. Weiter redet V 51f. relativ ungebrochen prädestinatianisch: Läßt E Jesus zur Welt gesandt sein, sowie Sendung und Glaubensermöglichung zusammenfallen (3,16), so stirbt Jesus 11,51 f. nur für die zuvor Erwählten, nämlich für das jüdische Heilsvolk und für die zuvor bestimmten Kinder Gottes aus den Völkern. Das widerspricht nicht nur 1,12 f., sondern hat seine nächste Analogie bei den deterministischen Aussagen z. B. in 10,1–18 (KR).

H. Das letzte öffentliche Auftreten Jesu angesichts der Nähe des Todespassas 11,55–12,43(50)

Zur Abgrenzung des Abschnitts ist eingangs zu II D das Nötige gesagt. Die Gliederung innerhalb des Abschnitts ergibt sich von selbst aufgrund der verschiedenen Szenen. Wiederum hat die KR einen Abschluß benutzt, um ihren Nachtrag anzubringen (12,44 ff.). Außerdem schließt 12,37–42 nicht nur Abschnitt H ab, sondern den gesamten Hauptteil II (vgl. die Einführung zu II A).

1. Die Salbung in Bethanien 11,55–12,11

11,55 Es war jedoch das Passafest der Juden nahe. Und viele zogen vor dem Passa aus dem Land hinauf nach Jerusalem, um sich zu heiligen. 56 Sie suchten Jesus und sprachen untereinander, als sie im Tempel zusammenstanden: »Was dünkt euch, wird er etwa nicht zum Fest kommen?« 57 Die Hohenpriester und Pharisäer aber hatten angeordnet, wer weiß, wo er sich aufhält, solle Anzeige erstatten, damit sie ihn festnehmen könnten.
12,1 Jesus nun kam sechs Tage vor dem Passa nach Bethanien, wo Lazarus lebte, den Jesus von den Toten auferweckt hatte. 2 Dort bereiteten sie ihm ein Gastmahl, und Martha bediente (die Gäste). Lazarus war einer von denen, die mit ihm zu Tische lagen. 3 Maria aber nahm ein Pfund echten kostbaren Nardenöls, salbte die Füße Jesu und trocknete mit ihren Haaren seine Füße ab. Das Haus wurde vom Duft des Öls erfüllt. 4 Da sagt Judas, der Iskariot, einer seiner Jünger, der ihn verraten sollte: 5 »Warum hat man dieses Öl nicht für dreihundert Denare verkauft und (das Geld) den Armen gegeben?« 6 Das sagte er aber nicht, weil ihm an den Armen lag, sondern weil er ein Dieb war, die Kasse führte und die Einnahmen veruntreute. 7 Jesus erwiderte nun: »Laß sie, damit sie es für den Tag meines Begräbnisses aufbewah-

re! 8 Arme habt ihr alle Zeit bei euch, mich jedoch habt ihr nicht immer.«

9 Eine große Menge von den Juden erfuhr nun, daß er dort war, und sie kamen nicht nur wegen Jesus, sondern auch um Lazarus zu sehen, den er von den Toten auferweckt hatte. 10 Die Hohenpriester aber beschlossen, auch den Lazarus zu töten, 11 weil viele Juden seinetwegen hingingen und an Jesus glaubten.

Literaturauswahl: Bruns, I. E.: A Note on John 12,3, CBQ 28 (1966) 219–222. – *Daube, D.:* The Anointing at Bethany and Jesus' Burial, AThR 32 (1950) 186–199. – *Derrett, J. D. M.:* The Anointing at Bethany, StEv 2 = TU 87 (1964) 174–182). – *Holst, R.A.:* The Relation of John, Chapter twelve, to the so-called Johannine Book of Glory, Michigan (USA) 1974, 66–106. – *Kleist, J.A.:* A Note on the Greek Text of St. John 12,7, CJ 21 (1925) 46–48. – *Kühne, W.:* Eine kritische Studie zu Joh 12,7, ThStKr 98–99 (1926) 476–477. – *Legault, A.:* An Application of the Form-Critique Method to the Anointings in Galilee (Lk 7,36–50) and Bethany (Mt 26,6–13; Mk 14,3–9; Joh 12,1–8), CBQ 16 (1954) 131–141. – *Moloney, F. J.:* Son of Man, 169–173. – *Nestle, E.:* Die unverfälschte köstliche Narde, ZNW 3 (1902) 169–172. – *Roloff, J.:* Das Kerygma und der irdische Jesus, Göttingen 1970, 220–223. – *Schnackenburg, R.:* Der johanneische Bericht von der Salbung in Bethanien (Joh 12,1–8), MThZ 1 (1950) 48–52.

Vor die Erzählung der Salbung in Bethanien hat E eine Einführung gesetzt (11,55–57), in der er den Abschluß des Synedriumsbeschlusses (11,47–50.53 (G)) verwendet (V 57, vgl. dazu speziell 11,47.53). Abgesehen von V 57 formuliert er selbst (speziell zu V 55a vgl. 2,13). Die Nähe des Passafestes, das zu Jesu Todespassa wird, bedingt, daß viele nach Jerusalem wallfahrten. Man geht rechtzeitig vor dem Beginn des Festes vom Land (d. h. von Judäa im Unterschied zur Stadt Jerusalem) in die Hauptstadt, um sich levitisch zu reinigen (vgl. 4 Mose 9,6–13; 2 Chr 30,15–19). Das Volk benimmt sich ähnlich wie 7,11 f.: Man sucht Jesus und fragt, ob er wohl auch zum Fest erscheint. Der Leser weiß, daß, wenn Jesus kommt, der Synedriumsbeschluß greifen wird (11,53). Den Festpilgern ist bekannt, daß die Priester und Pharisäer zur Realisation ihres Todesbeschlusses verordnet hatten, Jesu Auftreten sei anzeigepflichtig. Diese Anordnung ist Sondertradition des joh PB. Mk berichtet, der Salbung in Bethanien nachgeordnet, vom Judasverrat (Mk 14,10 f.). Beides sind Varianten mit gleicher Funktion: So gelingt es dem offiziellen Judentum, Jesu habhaft zu werden. Dabei wird Joh 11,57 wohl aus dem Erfahrungshorizont der joh Gemein-

de aus der Zeit der Trennung vom Judentum geschrieben sein (vgl.
9,22; 12,10; 16,2). Indessen ist wohl auch Mk 14,10f. legendarisch.
Die christliche Gemeinde kannte zwar den Verräter, aber hatte
kaum konkrete Nachrichten über Vereinbarungen wie Mk 14,10f.
Für E ist noch wichtig, daß er durch V 55f. die Volksmenge gewinnt, die Jesus 12,12f. zujubelt. Wer weiter von V 57 her erwartet, Jesus würde heimlich kommen, wird 12,12ff. lesen, daß Jesus
in aller Öffentlichkeit souverän nach Jerusalem einzieht. Endlich
hat im folgenden die Anordnung V 57 keine Wirkung und Folgen.
Die Behörde kommt an Jesus über Judas heran (vgl. 12,4; 13,2f.
21–30), das Volk wird nicht aktiv.
Mit der Salbung in Bethanien begegnet dann traditioneller Stoff,
den E in seinem PB (vgl. Exkurs 14) vorfand. Die Erzählung hat
darin ihre Eigentümlichkeit, daß sie einerseits Mk 14,3–9 (= Mt
26,6–13) entspricht, aber andererseits unter dem Einfluß der Sonderüberlieferung aus Lk 7,36–50 steht. So sind insbesondere Joh
12,3a.5.7 aus traditionsgeschichtlicher Abhängigkeit von Mk
14,3.5–8 erklärbar, hingegen Joh 12,3b nur von Lk 7,38 her verständlich.
Die Situationsangabe in V 1f. nennt zunächst stilgemäß die Hauptperson, den Zeitpunkt und den Ort der Handlung, sodann in V 2a
mit kurzen Strichen die Szene, nämlich das Mahl. Soweit wird E
die Erzählung vorgefunden haben. Bis auf die Zeitangabe entspricht das im groben sachlich Mk 14,3; Lk 7,36. Die Zeitangabe
ist Eigenart des joh PB, der – falls vor 11,47 nichts verlorenging –
hier die erste Bemerkung zum Fest macht. Sie wird im folgenden
Erzählzusammenhang nicht aufgegriffen, hat also kaum die Bedeutung, den PB in sechs Tagen zu gliedern. Daß Jesus nach Bethanien
ging, ist insofern unverständlich, als er so aufgrund von
11,47.53.57 sich in besondere Gefahr begibt. Dies führt traditionsgeschichtlich auf die Fährte, daß 12,1ff. ursprünglich einmal selbständig war und dem nicht ganz spannungsfreien Zusammenhang
des PB erst später eingefügt wurde.
E hat diese Spannung noch verstärkt, weil er Jesus nun von dem
sicheren transjordanischen Ephraim (11,54) kommen läßt. Er hat
zudem in 12,1b die Bemerkung über Lazarus zur Verbindung von
SQ und PB im Rahmen seines Evangeliums eingebracht. Dabei
wird abermals klar, daß er die Auferweckung des Lazarus als Anlaß
zur Passion herausstellen will (vgl. 11,45f.), wie er es dann nochmals 12,9–11 tut. Ebenso gewinnt er so für das Mahl Konkretion.
Mk 14,3 legt das Essen in das Haus Simon des Hautkranken, was
vielleicht wie Joh 12,1b eine Sekundärausmalung ist. Jedenfalls

deutet 12,2a an, daß im joh PB nur eine allgemeine Angabe stand. Ist 12,1b E zuzuweisen, dann wird er auch V 2b gebildet haben. Weder Mk 14 noch Lk 7 enthalten Vergleichbares, und ein Einfluß aus Lk 10,38–42 ist nicht nachweisbar. Daß in der Funktionszuweisung an Martha eine gewisse Spannung zu Joh 11 entsteht, wo Maria im Hause weilt und Martha die aktivere Rolle einnimmt, wird E nicht stören, hat er doch auch sonst kaum biographisches Interesse an Personen (vgl. z. B. Nikodemus in Joh 3 und 7,50; 19,39). Denkbar wäre allerdings, daß E (gegen V 2a) sich die Sachlage beim Mahl so vorstellt, daß man im Haus der Maria und Martha zu Tisch liegt. So ist motiviert, daß Martha bei Tisch dient, daß Lazarus mit zu Tisch liegt und Maria den Liebesdienst V 3 ff. ausführt.

V 3–6 schildern die eigentliche Handlung, die in dem Wort Jesu V 7 ihr erzählerisches Ziel erreicht. Mk 14,3 ist es eine namenlose Frau, die Jesu Haupt salbt. Lk 7,37 f. kommt eine stadtbekannte Sünderin, weint Jesu Füße naß, trocknet sie mit ihrem Haar und salbt dann Jesu Füße. Joh 12,3 folgt in der Beschreibung des Salböls sachlich Mk und kontaminiert die Handlung der Frau, die jetzt Maria heißt, aus Lk: Maria salbt die Füße Jesu und trocknet sie dann ab. Dies darf wohl eine unsinnige Handlungsabfolge heißen, die sich nur als Verkürzung aus Lk erklären läßt. Hier zeigt der joh PB erstmals, mit Händen zu greifen, Einfluß aus der lk Sondertradition. Schwierig zu beurteilen ist die Frage, ob der PB schon als sekundäre Konkretisierung von Maria sprach. Dies würde jedenfalls die Erklärung erleichtern, warum dann E Anlaß sah, noch die Personen der Martha und des Lazarus einzutragen. Nicht ganz sicher auszuschließen ist die andere Möglichkeit, E habe auch Maria eingefügt (vgl. die Diskussion bei Holst, 75–77). Jedenfalls Maria benutzt eine auffällig große Menge (1 römisches Pfund = 327,45 g, das entsprechende jüdische Maß hat 273 g, ist aber wegen der römischen Maßangabe kaum gemeint) und ein besonders kostbares Salböl, wie es aus den Wurzeln der indischen Nardenpflanze gewonnen wurde. Solcher geschätzte Importartikel entsprach höchsten Ansprüchen. Der Erzähler macht auf diese Weise die besondere Liebe der Maria anschaulich. Ob man für den PB vermuten darf, Jesus bekomme so ein königliches Begräbnis (vgl. V 7), so daß das Königsmotiv des PB erstmals anklingt (vgl. die Diskussion bei Moloney und Holst), ist jedoch recht fraglich. Erstmals direkt ausgesprochen ist solche Motivik in der Einzugsgeschichte (12,12 ff.); 12,1 ff. zeigt kein sicheres Indiz für die Annahme. Später wird noch in Anlehnung an die mk Angabe (mehr als 300 Denare) festgestellt, daß man 300 Denare (ein Denar ist der übliche Tageslohn, vgl. Mt 20,13; also müßte ein Tagelöhner mehr als 10 Monate dafür arbeiten) für die Salbe erhalten würde (V 5). Das ist in der Tat für das dörfliche Milieu Bethaniens ein »astronomischer« Wert.

Der Wohlgeruch, der aufgrund der Salbung sich aufs angenehmste im ganzen Haus ausbreitete, steht im unschuldigen Gegensatz zu den Erwägungen, die Judas aufgrund der sichtbaren Verschwendung hegt (V 4f.). Bei Mk murren »einige« (14,4), bei Mt »die Jünger« (26,8). Der joh Text schreibt den Vorwurf in traditionsgeschichtlich sekundärer Konkretion der Negativfigur im Jüngerkreis, also Judas, zu. Nun zeigt die KR nach E besonderes Interesse an Judas (vgl. dazu 6,64b–65; 13,2.10b–11). Sie wird in V 4.6 zumindest auffüllen: »Judas, der Iskariot«, ist joh ungebräuchlich und eine Kontraktion aus »Judas, des Simon Iskariots (Sohn)« (6,71; 13,26). Ist weiter im Joh sonst »einer *von* …« gebräuchlich (vgl. 1,40; 6,8.70f.; 11,49; 13,21.23; 18,26; einzige Ausnahme 18,22), so steht hier »einer *der* …« unter inhaltlicher Anlehnung an Stellen wie 6,71, wo auch das Verratsmotiv steht. Es klappt syntaktisch zudem hier nach und soll Judas betont negativ qualifizieren. Natürlich darf ein Verräter auch moralisch nicht integer sein (wie die Typik der Ketzerpolemik reichlich erweist). An den Armen, um die er sich nur scheinbar müht, »liegt ihm nichts«, denn er ist ein »Dieb«. Beide Motive begegnen im Joh nur 10,10.13 (KR). So wird aus Judas das Gegenbild zum guten Hirten (10,11.14f.). Daß Judas die Kasse verwaltete, ist wohl allgemeine Vorstellung in der joh Gemeinde (vgl. 13,29 E), wenn auch nur 12,6 Judas dabei Veruntreuung nachsagt. Vielleicht wird im PB ähnlich wie bei Mk und Mt die Frage von V 5 allgemein aus Jüngermund gekommen sein und E einfach Judas zur sekundären Konkretion eingesetzt haben (im joh PB wird Judas wohl erst 13,26 mit vollem Namen eingeführt), das nutzte die KR, um aufzufüllen.

Jedenfalls äußert jetzt Judas, was bei Mk einige Anwesende denken: Man hätte dies kostbare Salböl verkaufen sollen und den Ertrag den Armen geben. Dies ist wie bei Mk ein ernstgemeinter Einwand: Statt Verschwendung zu üben, sollte man Almosen verteilen. Diese Problematisierung der Szene erfordert das lösende Wort Jesu, wie es V 7f. begegnet.

Jesu Antwort hat zwei Aussagen, die bei Mk – sachlich geschickter – in umgekehrter Reihenfolge stehen: V 7 der Bezug der Salbung auf Jesu Begräbnis, V 8 das Wort über die Armen. Letzteres antwortet auf den Einwurf des Judas (V 5), will aber im Zusammenhang des PB und auch im Sinne von E vor allem als Ansage des bal-

digen Todes Jesu gelten. Vielleicht ist es wegen dieser christologischen Pointe auch nachgestellt worden, damit das abschließende
»mich habt ihr nicht immer« das Verständnis für die nachfolgenden
Ereignisse bestimmt. So verstanden, ist der Vers kaum überflüssig
und somit kaum eine Glosse, die unter Synoptikereinfluß später
nachgetragen wurde (gegen Bultmann).

Schwer verständlich ist V 7. Am Anfang folgt der Vers Mk 14,6a.
Der dortige Plural (»Laßt sie!«) als Reaktion auf den Einwand
»einiger« ist nur in Korrespondenz zu Judas in den Singular gesetzt. Er hat den Sinn: Laß sie gewähren! Gestatte ihr ausnahmsweise die Verschwendung, denn die Zweckbestimmung der Salbung erlaubt solches Verhalten. Der Sinn der Salbung wird dann im
nachgestellten Satz (»damit …«) angegeben. Es ist nicht gemeint,
Maria habe subjektiv solchen Sinn ihrer Unternehmung unterlegt.
Vielmehr gibt Jesus der Liebestat der Maria nachträglich diese Deutung. Maria hat unbewußt etwas ganz Zeitgemäßes getan, nämlich
antizipierend Jesu Leib für sein Begräbnis gesalbt. So jedenfalls sagt
es Mk 14,8. Wobei man gut tut, Joh ebenso zu verstehen. Dem ist
allerdings das »damit … sie aufbewahre« hinderlich. Diese Verb-
form erfordert eigentlich den Sinn: »Laß sie (aufhören), damit sie
(den Rest) für den Tag meines Begräbnisses aufbewahre« (so Bultmann u. a.). Aber damit wird nicht nur das Entscheidende, nämlich
der Rest, in den Text eingetragen (so richtig Schnackenburg u. a.),
sondern auch V 7 als Reaktion auf den Einwand des Judas problematisch. Außerdem würde dann Maria im PB nie diesen zweiten
Teil ihrer Handlung einlösen (vgl. 19,39f.). Darum haben auch
einige Hss – sachlich das Richtige treffend – den Satz nachträglich
so korrigiert, daß er den mk Sinn erhält. So wird man wohl in V 7
einen versteckten Fehler vermuten müssen und den mk Sinn unterstellen.

E hat an den Abschluß seiner Vorlage dann noch V 9–11 angefügt.
E beschreibt die Sensationslust der Juden, über die er zuletzt
11,55f. sprach. Sie wollen nicht Jesus als Gesandten des Vaters
nachfolgen, sondern vor allem Lazarus bestaunen. Solcher Wun-
derglaube wird von E mit Kritik bedacht (vgl. 2,23; 4,48;
6,14f.26). Für die Hohenpriester ist dieser Zulauf dennoch Anlaß,
nun auch des Lazarus Tod ins Auge zu fassen. Wird auch dies Vorhaben nie eingelöst, so kann auch hier (vgl. 11,57) die Verfolgungssituation der joh Gemeinde eingearbeitet sein (vgl. 15,20f.;
16,2–4). Der Abschluß V 9–11 bereitet zugleich V 12ff. vor. Sein
Inhalt wird dann abermals aufgegriffen (V 17–19).

2. Der Einzug in Jerusalem 12,12–19

12 Am Tage darauf hörte die zahlreiche Menge, die zum Fest kam, Jesus komme nach Jerusalem. 13 Sie nahmen (darum) Zweige von Palmen und zogen hinaus ihm zur Einholung entgegen und riefen aus: »Hosanna, gepriesen sei, der im Namen des Herrn kommt, und (zwar als) der König Israels!« 14 Jesus aber fand einen Jungesel und setzte sich darauf, wie geschrieben steht: »15 Fürchte dich nicht, Tochter Zion; siehe, dein König kommt, er setzt sich auf das Füllen eines Esels.« 16 Das verstanden seine Jünger zunächst nicht. Als Jesus jedoch verherrlicht war, da erinnerten sie sich, daß dies über ihn geschrieben stand und daß sie ihm dies getan hatten. 17 Das Volk, das bei ihm war, als er Lazarus aus dem Grab rief und ihn von den Toten auferweckte, legte nun Zeugnis ab. 18 Darum war ihm auch die Menge entgegengezogen, weil sie gehört hatte, daß er dies Zeichen getan hatte. 19 Die Pharisäer jedoch sagten zueinander: »Ihr seht, ihr richtet nichts aus. Siehe, (alle) Welt läuft ihm nach!«

Literaturauswahl: Farmer, W. R.: The Palm Branches in John 12,13, JThS 3 (1952) 62–66. – *Freed, E. D.:* The Entry into Jerusalem in the Gospel of John, JBL 80 (1961) 329–338. – *Lohse, E.:* Hosianna, in: *ders.:* Die Einheit des Neuen Testaments, Göttingen 1973, 104–110. – *Moloney, F. J.:* Son of Man, 171 f. – *Moore, W. E.:* Sir, We Wish to See Jesus – Was this an Occasion of Temptation?, SJTh 20 (1967) 75–93. – *Patsch, H.:* Der Einzug Jesu in Jerusalem, ZThK 68 (1971) 1–26. – *Peterson, E.:* Die Einholung des Kyrios, ZSTh 7 (1929) 682–702. – *Smith, D. M. jr.:* John 12,12 ff. and the Question of John's Use of the Synoptics, JBL 82 (1963) 58–64.

Der öffentliche Einzug in Jerusalem entstammt als zweite Erzählung (12,1 ff. G) dem joh PB (vgl. Exkurs 14). Dies belegt die inhaltliche Spannung zu 11,54a (E), die Differenz in der Bestimmung der Volksmengen in 12,9 (E) und 12,12 und der Kommentar von E zur Tradition in 12,16–19. Außerdem kennen alle drei Synoptiker eingangs der letzten Jerusalemer Tage Jesu die Einzugsgeschichte (Mk 11,1 ff. parr.). Dabei folgte im joh PB 12,12–15 unmittelbar auf 12,1–8 (G). Mk hat, wohl um die Möglichkeit zu gewinnen, die Jerusalemer Tage Jesu mit Einzeltraditionen anzureichern (Mk 11,12–13,37), die Einzugsgeschichte weit vorgezogen. Seine Seitenreferenten sind ihm gefolgt. Der joh PB dürfte also mit seiner Abfolge ein traditionsgeschichtlich älteres Stadium als die Synoptiker repräsentieren. Der joh PB wird ferner darin ältere Gestalt zeigen, daß er die traditionsgeschichtlich späte Legende von der wunderbaren Findung des Reitesels (Mk 11,1–7) noch nicht kennt. Ihre Einfügung mag bei Mk bewirkt haben, daß Jesus von Anfang an, auf dem Esel reitend, einzieht, während bei Joh Jesus erst im Verlauf seines Einzugs – wie zufällig – den Esel findet (12,14).

Der joh PB stimmt nur im Kern mit den Synoptikern überein, nämlich in der Akklamation Jesu mit Ps 118 (117 LXX), 25 f. und im Eselsritt. Dabei stimmt das Zitat mit Mk überein. Der Königstitel in 12,13 hat eine Entsprechung in Lk 19,38. Nur bei Mt 21,5 steht – freilich an anderer Stelle – noch das Zitat aus Sach 9,9. Das komplexe Verhältnis von Varianz und Konsistenz bezeugt, daß der joh PB keinen der Synoptiker direkt benutzt hat, vielmehr eine andere Erzähltradition repräsentiert, die nur indirekt mit den synoptischen Parallelen verwandt ist. Seine spezielle Eigenart zeigt der joh PB an dieser Stelle darin, daß der Einzug als typische »Einholung« des messianischen Königs gestaltet ist, und damit erstmals im joh PB das Königsmotiv mit Sicherheit zu greifen ist (weiteres vgl. zu Joh 18,33–37a). Die Einholung ist dabei ein feststehender Ausdruck für ein damals übliches Empfangszeremoniell (s. u.).

Folgte V 12 unmittelbar auf V 8, kann er ganz dem PB entstammen, doch besteht die Möglichkeit, E die Zeitangabe zuzuschreiben (vgl. 1,29.35.43; 6,22). Die »zahlreiche Menge« sind bereits in der Hauptstadt anwesende Festpilger (Synoptiker: auf dem Weg dahin), die Jesus entgegengehen. Diese Differenz zu den Synoptikern ist erster konstitutiver Hinweis auf die Typik der Einholung eines Königs. Diese Typik wird V 13 bewußt fortgesetzt: Man empfängt Jesus mit (wörtlich:) »Palmzweigen von Palmen« (vgl. TNaph 5,4). Die Synoptiker reden vom Ausbreiten der Kleider und vom Streuen frischer Zweige. Palmen hat es wohl in Jerusalem gar nicht gegeben. Das Klima war wegen der Höhenlage zu rauh. Mit Palmenzweigen werden aber unter anderem siegreiche Herrscher begrüßt (Belege bei Farmer, Schnackenburg). Die Angabe ist also symbolträchtig. So nimmt es nicht wunder, wenn alsbald der terminus technicus »Einholung« gebraucht wird. Bei der Ankunft (adventus) eingeholt wurden Könige, Herrscher, Feldherren usw. durch die Notablen einer Stadt als besondere ritualisierte Ehrung (Peterson, Holst 130). Endlich hat auch der Hosannaruf unter anderem in diesem Zusammenhang seinen Ort, insofern er nicht mehr als Hilferuf galt (»Hilf doch!«), sondern zur Huldigung diente (vgl. zur vielfältigen Verwendung: Lohse). Der joh PB macht also durch seine Erzählweise klar, daß er Jesu Ankunft als Einholung ausgestaltete.

Speziell geht es um die Einholung Jesu als messianischen König,
wie V 13b belegt, wenn hier Ps 118 (117 LXX), 25 f. christologisch
benutzt wird. Ps 118 gehört zu den Hallelpsalmen, die von den Pilgern beim Einzug in den Tempelbezirk anläßlich der Wallfahrtsfeste, also auch zum Passafest, gesungen wurden. Dabei sind die
Festteilnehmer insgesamt, die im Namen des Herrn kommen, angeredet. Die christologische Engführung ist also aus christlichem
Verständnis geboren. Sie wird dann auch noch ausdrücklich verbalisiert, indem über den Psalmtext hinaus »und (zwar als) der König
Israels« als Zusatz angefügt wird. Damit wird das »Ausrufen« zur
messianischen Akklamation. Daß dieser Zusatz von E stammt, ist
ganz unwahrscheinlich (gegen Schnackenburg). Er redet sonst nie
so (1,49 ist SQ). Vielmehr entspricht die Formulierung »König Israels« in jüdischem Munde der Formulierung »König der Juden« in
römischem Mund in 18,33.39; 19,3.15.19 und weist auf den PB vor
E (vgl. weiter zu 18,33–38a). Auch V 13 selbst paßt dieses mit Betonung am Schluß der Akklamation gesetzte Königsmotiv besser
zur Gestaltung des Textes als Einholung des messianischen Königs
im Sinne des joh PB als zu einem redigierenden E.
Die Szene, die im ganzen recht unanschaulich dargestellt wird,
zeigt bisher folgende Tatbestände: Jesus (allein? Wo sind die Jünger?) nähert sich zu Fuß der Stadt. Das Volk nimmt davon Kenntnis (wie?) und holt Jesus als messianischen König ein. Nun erst,
während der Einholung, findet Jesus wie zufällig ein Eselchen. Weder der Ritt auf dem Esel noch die triumphale Einholung sind also
von ihm geplant. Der kleine Esel (das Wort steht im NT nur hier)
ist wegen des Bezuges zu Sach 9,9 = Joh 12,15 gewählt. Dieses Zitat ist (etwa wie z. B. Mk 1,2 f.) nachträgliche christliche Deutung
der Szene. Es ist ein gekürztes Zitat und von Mt 21,4 f. unabhängig. Daß beide Stellen den Text heranziehen, zeigt, wie allgemein
christlich diese Deutung war. Bei Joh ist außer der Kürzung noch
das »Freue dich sehr« in ein »Fürchte dich nicht« verändert, vielleicht im Blick auf Zeph 3,16 (oder Jes 40,9?). Der kleine Esel und
Sach 9,9 sollen klarstellen, was auch in der Gesamttendenz von
Sach 9,9f. liegt, daß nämlich das Königtum Jesu, das die Festpilger
mit Recht akklamatorisch ausrufen, ein gerechtes und friedliches
ist. Statt demonstrativ Macht zur Schau zu stellen, wählt Jesus den
Weg der Niedrigkeit. Er kommt nicht als politischer Herrscher,
sondern als Friedensfürst in einem Sinn, wie ihn die folgenden Passionsereignisse freilegen werden.
Durch V 16–19 eignet sich E dann die Erzählung an. Eigentlich
hätte er wie 6,14 f. für Jesus das Königtum ablehnen können, je-

doch wählt er den Weg später (18,33–38a), Jesu himmlisches Königtum zu definieren. In diesem Sinn wird er auch hier 12,12–15 verstanden haben. Doch spricht er dies nicht unmittelbar aus. Er macht vielmehr zunächst eine Bemerkung, die sachlich wie 2,22 verdeutlicht, daß die Auslegung der Einzugsgeschichte von Sach 9,9 her den Jüngern erst nach der Verherrlichung Jesu einsichtig wurde. D. h. durch den nachösterlich gesandten Parakleten (14,26) wird den Jüngern, die erst E in den Erzählzusammenhang einführt, das Handeln des Volkes und die Ausdeutung durch die Schrift verständlich. Außerdem liegt E daran, zur Szenerie noch seine Gedanken mitzuteilen. Er will erklären, unter welchen Bedingungen das Volk ihn einholte. Das Volk, das beim Lazaruswunder zugegen war (11,45), hat von dem Wunder in der Stadt erzählt. Darum ging ihm das Volk entgegen. Das Volk kam also aufgrund des Wunderglaubens, der eigentlich von Jesus zurückgewiesen wird (vgl. zu 12,9). Es reagierte ganz im Sinne von 6,14 f. Dennoch kann der Paraklet nach Ostern die Handlung solchen fehlgeleiteten Glaubens mit echtem christologischen Sinn füllen, darum stand V 16 vor V 17. Wie 12,10 f. nutzt E außerdem die Gelegenheit, um die offiziellen Repräsentanten, hier die Pharisäer, ihre Verärgerung über den Volkszulauf zu Jesus artikulieren zu lassen. Sie können nichts ausrichten, alle laufen Jesus nach – das soll heißen: Ihr gefaßter Todesbeschluß (11,53) ist der einzige Ausweg, der bleibt. Vielleicht trägt das Eingeständnis eigener Ohnmacht auch ein bißchen die Erfahrung der Gemeinde an der Stirn: In dem Wissen der Loslösung vom Judentum war sie der Überzeugung, daß die Macht des offiziellen Judentums sich als unfähig erwies, die christliche Gemeinde vom Glauben abzubringen (Schnackenburg). Die Bemerkung »Die Welt läuft ihm nach« ist zweifelsfrei vom damaligen Standort der Pharisäer zur Zeit des Todespassas ein Anachronismus. Im Sinne der Entwicklung der nachösterlichen Gemeinde gewinnt sie an Realitätsgehalt. Literarisch wird so zugleich auf die »Hellenen« V 20 vorbereitet.

3. Die Hellenenrede 12,20–36

20 Da waren einige Hellenen unter den Pilgern, die auf dem Fest anbeten wollten. 21 Diese nun kamen zu Philippus aus Bethsaida in Galiläa, baten ihn und sprachen: »Herr, wir wünschen, Jesus zu sehen.« 22 Philippus geht und sagt es Andreas. Andreas und Philippus gehen und sagen es Jesus.

23 Jesus aber antwortete ihnen und sprach: »Die Stunde ist gekommen, daß der Menschensohn verherrlicht wird. 24 Wahrlich, wahrlich ich sage euch, wenn das Weizenkorn nicht in die Erde fällt und stirbt, bleibt es allein; wenn es aber stirbt, bringt es viele Frucht. 25 Wer sein Leben liebt, verliert es; und wer sein Leben in dieser Welt haßt, wird es für das ewige Leben bewahren. 26 Wenn mir jemand dient, soll er mir folgen; und wo ich bin, dort soll auch mein Diener sein. Wenn mir jemand dient, wird mein Vater ihn ehren. 27 Jetzt ist meine Seele erschüttert. Und was soll ich sagen? Vater, rette mich aus dieser Stunde? Aber deswegen bin ich in diese Stunde gekommen. 28 Vater, verherrliche deinen Namen!« Da kam eine Stimme vom Himmel: »Ich habe verherrlicht und werde wieder verherrlichen.«
29 Das Volk nun, das dabeistand und es hörte, sagte: »Es hat gedonnert.« Andere sagten: »Ein Engel hat zu ihm gesprochen.« 30 Jesus antwortete und sprach: »Nicht um meinetwillen erging die Stimme, sondern um euretwillen. 31 Jetzt ist Gericht über dieser Welt: Jetzt wird der Herrscher dieser Welt hinausgeworfen werden. 32 Und ich, wenn ich von der Erde erhöht bin, werde alle zu mir ziehen.« 33 Das jedoch sprach er (und) deutete (so) an, welches Todes er sterben werde.
34 Das Volk nun antwortete ihm: »Wir haben aus dem Gesetz gehört, der Christus bleibt für immer. Wie kannst du sagen, der Menschensohn muß erhöht werden? Wer ist dieser Menschensohn?« 35 Jesus nun antwortete ihnen: »Nur noch kurze Zeit ist das Licht unter euch. Wandelt umher, solange ihr das Licht habt, damit (die) Finsternis nicht über euch hereinbricht. Und wer in der Finsternis wandelt, weiß nicht, wohin er geht. 36 Solange ihr das Licht habt, glaubt an das Licht, damit ihr Söhne des Lichtes werdet!« Das sprach Jesus, dann ging er fort und verbarg sich vor ihnen.

Literaturauswahl: Blank, J.: Krisis, 264–296. – *Burkitt, F. C.:* On »lifting up« and »exalting«, JThS 20 (1918/19) 336–338. – *Braun, H.:* Das »Stirb und Werde« in der Antike und im Neuen Testament, in *ders.:* Gesammelte Studien zum Neuen Testament und seiner Umwelt, Tübingen ²1967, 136–158. – *Dodd, C. H.:* Tradition, 338–343. – *Holst, R. A.:* The Relation of John, Chapter twelve, to the So-called Johannine Book of Glory, Michigan (USA) 1974, 143–195. – *Käsemann, E.:* Versuche I, 254–257. – *Langbrandtner, W.:* Gott, 55 f. – *Léon-Dufour, X.:* Trois chiasmes johanniques,

NTS 7 (1960/61) 249–251. – *Ders.:* »Père, fais-moi passer sain et sauf à travers cette heure!« (Jn 12,27), in: Neues Testament und Geschichte (FS. O. Cullmann), Tübingen 1972, 157–165. – *Moloney, F.J.:* Son of Man, 177–185. – *Müller, U.B.:* Die Bedeutung des Kreuzestodes Jesu im Johannesevangelium, KuD 21 (1975) 49–71. – *Thüsing, W.:* Erhöhung, 75–107. – *Torrey, Ch.C.:* When I am Lifted up from the Earth, JBL 51 (1932) 320–322. – *Unnik, W.C. van:* The Quotation from the Old Testament in John 12,34, NT 3 (1959) 174–179. – *Vergote, A.:* L'exaltation du Christ en croix selon le quatrième évangile, EThL 1952, 5–23. – *Wrege, H.Th.:* Jesusgeschichte und Jüngergeschick nach Joh 12,20–33 und Hebr 5,7–10, in: Der Ruf Jesu und die Antwort der Gemeinde (FS. J. Jeremias), Göttingen 1970, 259–288.

In Joh 3,1–21 hat der joh Christus seine erste öffentliche Rede gehalten. Mit der Rede in 12,20 ff. schließt er seine öffentliche Selbstoffenbarung ab. Wie Joh 3 so ist auch 12,20 ff. kompositorisch und theologisch das Werk von E. E verläßt also den Faden seines PB, um Jesu öffentliches Auftreten durch eine letzte Rede (und den Schluß 12,37 ff.) abzuschließen. Wie für Joh 3 so ergibt sich auch für 12,20 ff. eine Struktur aus drei Gesprächsgängen mit einer einleitenden idealen Szene, die alsbald verlassen wird: 12,20–28.29–33.34–36. Nikodemus und auch die Hellenen suchen bei Jesus positive Kontaktaufnahme. Beide werden abgewiesen. Wie Nikodemus in Joh 3 so äußert im zweiten und dritten Gesprächsgang in Joh 12 die Menge ihr Mißverständnis. In Joh 3 und Joh 12 entstehen trotz formaler Gesprächssituation de facto Monologe Jesu. In Joh 3 und Joh 12 sind endlich die Äußerungen Jesu eine fortlaufend sich entfaltende Selbstoffenbarung. Im Unterschied zu Joh 3,1–21 ist 12,20 ff. jedoch am Schluß nicht szenisch offen. V 36 bildet einen für E typischen Abschluß (vgl. die Einleitung zu II D und II E).

Wer aufgrund solcher kompositorisch-strukturellen Beobachtungen beide Stücke inhaltlich auf Kongruenz hin vergleicht, sieht sehr schnell eine mehrfache erstaunliche Nähe in den Grundthemen joh Theologie: Mit 3,3–8 eröffnete Jesus seinen Gesprächspart mit der Heilsnotwendigkeit der Geburt von oben, vorbereitet durch 1,12 f. (Geburt aus Gott). Solche Geburt war verstanden als die Ermöglichung zum Glauben aufgrund der Selbstoffenbarung des Sohnes (so 1,12 f. und 3,11 ff.). Dasselbe Thema bildet nun 12,35 den Abschluß als letzter eindringlicher Appell. So endet die öffentliche Anrede Jesu dort, wo sie einsetzte. Ein weiteres Hauptthema in 3,1–21 war die Notwendigkeit der Erhöhung des Menschensohnes für das Heil der Menschen (3,11–15). Dassel-

be Thema bestimmt 12,20ff. durch die Rede vom Verherrlicht-
und Erhöhtwerden des Menschensohnes. Ebenso war 3,17–21
die Jetztzeit als präsentisch-endzeitliche Gerichtssituation verstanden. Abermals stößt man auf dieses Thema 12,31 f. Endlich
hatte E im Rückgriff auf Tradition in 3,19–21 von Jesus als dem
in die Finsternis gekommenen Licht gesprochen, das nun Endgericht übt, und – das hieß primär – Heilsermöglichung schafft.
Genauso wird nun 12,35 formuliert. Es kann kein Zweifel bestehen: Die Fülle dieser Übereinstimmungen in den Grundthemen
ist von E beabsichtigt.

Die internen Verhältnisse der Rede sind allerdings jetzt durch V
24–26 erheblich gestört. Diese Verse sind der KR zuzuschreiben
(Langbrandtner). Sie geben nicht nur dem ersten Dialog eine Überlänge und haben nicht nur in Joh 3 keine Entsprechung, sondern sie
stören auch sachlich im Kontext. Einmal muß der Satz: »Die Stunde ist gekommen, daß der Menschensohn verherrlicht wird« (V 23)
seine unmittelbare Fortsetzung in V 27f. erhalten: Hier werden die
präsentische Zeitangabe und das Stichwort »verherrlichen« weiter
thematisiert, und zwar unter Umgehung von V 24–26 streng christologisch. Zum anderen: Nur diesem Zusammenhang widmet sich
der zweite Gesprächsgang: Die jetzt beginnende Stunde der Verherrlichung ist die präsentisch-endzeitliche Gerichtssituation der
Erhöhung des Sohnes von der Erde. Erst der dritte Gesprächsgang
bringt dann die Glaubensforderung. Solange das gesandte Licht
noch da ist, gilt es, sich glaubend zu ihm zu verhalten, um so auch
einer der »Söhne des Lichtes« zu werden, also am Heilssinn der Erhöhung (V 32) Anteil zu gewinnen. Diesen sinnvollen Aufbau zerstören V 24–26. Drittens: Der Imperativ V 35 ist wie Joh 3 als
Glaubensforderung artikuliert und christologisch mit der Sendung
(V 35, vgl. 3,16) verbunden. Dabei gilt: Jetzt dem Gesandten glauben, bedeutet Anteil an seiner Erhöhung erhalten (V 32, vgl.
3,14 f.). Demgegenüber bringen V 24–26 nicht nur viel zu voreilig
das Thema der Nachfolge, sondern modulieren es auch in einer
ganz anderen Form, nämlich als Kreuzesnachfolge und ohne das
Glaubensmotiv. Nun ist Christus als am Kreuz sein Leben Hinge-
bender Urbild und Vorbild christlichen Wandels. Dies erinnert
nicht nur an Stellen wie 10,11 ff. (KR), sondern entspricht auch einem verbreiteten urchristlichen Denken (Wrege, s. u.). Viertens:
Wie häufig zu beobachten, folgt auch dieser Zusatz der KR in V
24–26 dem Prinzip von Präsentation der Tradition und ihrer Auslegung in Anlehnung an vorhandene Aussagen von E (typische Analogien 6,51c–58; 10,1–18). Fünftens: Der Zusatz darf als Vorbote

für die noch weitgehendere Redaktion der KR in Joh 13 angesehen werden (Langbrandtner).

Betrachtet man also 12,20–23.27–36 als dreiteiligen Dialog von E zunächst für sich, so zeigt seine Stellung im Kontext sofort soviel: Nach dem Todesbeschluß des Synedriums aufgrund des Lazaruswunders (11,45 ff.), nach der symbolisch vorweggenommenen Totensalbung (12,1 ff.) und nach der Einholung des Königs Jesus zum Ort seines Todes (12,12 ff.) wird von Jesus letztmals öffentlich (12,37 ff.!) der Heilssinn seiner Rückkehr zum Vater angesprochen. Sein Königtum, auf dem Weg durch den Tod hindurch gewonnen, besteht in Gericht und Heil im Sinne von 12,31 f. Dabei endet seine Rede mit dem eindringlichen Aufruf zum Glauben als letzter Heilschance für die Juden vor seiner Erhöhung. 12,37 ff. zeigen, wie auch dieses letzte Angebot ausgeschlagen wurde.

V 20–22 schildert die konstruierte Szene. »Da waren einige Hellenen« (Stil wie 3,1). E will so die nicht-jüdische Welt kennzeichnen (vgl. 7,35). Heiden wollen also Jesus sehen. Sie sind in Jerusalem als Festbesucher anwesend. E reflektiert dabei nicht darüber, in welcher Zugehörigkeit zum Judentum sie einzustufen sind. Sind es Proselyten, die durch Beschneidung zum Judentum übertraten? Wohl kaum, denn E will ja gerade keine Juden auftreten lassen. So wird man eher an die sog. Gottesfürchtigen denken, die als Heiden dem Judentum sich religiös zugewandt hatten, aber den letzten Schritt eines Übertritts zur jüdischen Religion durch Beschneidung vermieden. Sie besuchten den Synagogengottesdienst und durften auch das Passalamm mitessen. Sie nahmen also das Passafest zum Anlaß, um in Jerusalem anzubeten (vgl. 4,20–24), denn der jüdische Monotheismus war gerade ihr Hauptmotiv, am Rande des Judentums eine religiöse Heimat zu finden. Diese Randsiedler des Judentums waren im frühen Christentum, weil sie dem Monotheismus zuneigten, die Beschneidung aber ablehnten, wohl auch in der Regel die erste primäre Zielgruppe christlicher Mission gegenüber Nichtjuden und bald in den frühen Gemeinden außerhalb Palästinas tonangebend. Treten sie auf den Plan, dann wird jeder Christ damals diese ihre Bedeutung für die Mission außerhalb des Judentums sich sofort vergegenwärtigt haben. Dies will wohl auch E erreichen, wenn er gegen alle Tradition vor den Passionsereignissen im engeren Sinn die Szene so konstruiert. Gegen alle Erwartung sind sie auch nicht Objekt der Mission, sondern kommen aus eigener Initiative. Will E damit darauf anspielen, daß das Heidentum nun »reif zur Ernte« ist (4,35)? Jedenfalls angesichts des abschließenden vernichtenden Urteils über das Judentum (12,37 ff.) und angesichts der bald realisierten Tötungsabsicht der Juden (11,45 ff.; 18 f.), wobei abermals ein Heide, nämlich Pilatus, Jesu Unschuld bestätigt (18,38), kommen Griechen zur Kontaktaufnahme zu Jesus. Die Juden, die in der Glaubensverweigerung beharren, werden als Potential für das Christentum abgelöst durch die Griechen. Sie wollen Jesus sehen, das heißt vordergründig, ihn kennenlernen (vgl. 12,9), aber natürlich: »Kommen« und »sehen« ist einziger Anfang, um zu glauben, wie Philippus 1,46 dem skeptischen Nathanael vorschlägt.

Die Hellenen gehen nicht unmittelbar zu Jesus (wie z. B. Nikodemus 3,1 f.). Als Nichtjuden bedürfen sie der Vermittlung. So will es die Geschichte des frühen Christentums: Nicht Jesus missionierte Heiden, sondern die apostolischen Missionare führten Griechen zum Christentum. Die Griechen bekommen Jesus ja auch gar nicht direkt zu Gesicht. Der Leser weiß, sie können nicht in die Nachfolge des Irdischen eintreten, sondern nur sich glaubend zum Erhöhten verhalten (12,32). Sie kommen also gleichsam – von E beabsichtigt – zu früh: Darum wird die anstehende Erhöhung Jesu thematisiert und werden die Hellenen ab V 23 szenisch vergessen. Das Volk in V 29.34 sind ungläubige Juden, die unmotiviert und zufällig herumstehen. So erhalten die Hellenen keine Antwort auf ihre Bitte, wohl aber erfährt der Leser, wie dies zu verstehen ist.

Die Griechen wenden sich an Philippus, den E mit voller geographischer Herkunftsangabe aus der SQ (1,43 f.) kennt. In der SQ war Philippus durch Andreas zu Jesus gekommen (vgl. zu 1,43 f.). Beide Jünger agieren auch 6,7 f. nacheinander. Daß E auf diese beiden kommt, liegt also einmal an ihrer traditionellen Beziehung in der SQ, zum anderen wohl daran, weil beide Jünger eventuell gerade mit der Griechenmission verbunden waren (Schnackenburg). Endlich ist zumindest erwägenswert, ob nicht das szenische Konzept dadurch mitbestimmt ist, daß später jeweils zwei Christen einen anschlußwilligen Heiden in die Gemeinde einführen mußten (Bultmann). Jedenfalls erfüllt sich 12,19 schneller als erwartet in einem überraschenden Sinn: Die Griechen dokumentieren, wie »die Welt« Jesus nachläuft, der jedoch vorösterlich keine Kontaktaufnahme eingeht.

Wie im Nikodemusgespräch (3,3) tritt das Befremdliche der Selbstoffenbarung Jesu darin zutage, daß Jesus gar nicht direkt den ihm vermittelten Wunsch der Hellenen aufgreift. Sie sind ab V 23 szenisch nicht mehr existent. Der innere Zusammenhang zum Begehren der Hellenen ist gleichwohl der Rede Jesu inhärent, wie schon ausgeführt wurde: Erst der Erhöhte wird »alle« – also auch die

Griechen – zu sich ziehen (V 32), freilich über dieselbe Glaubensforderung, der die Juden sich gerade versagen (12,35 + 12,37 ff.).
Dem Wunsch der Hellenen steht entgegen, was Jesus als Zeitbestimmung aufgrund christologischen Inhalts der Zeit angibt: »Die
Stunde ist gekommen, daß der Menschensohn verherrlicht wird«
(V 23). Bisher hieß es immer in Vorankündigung: »Meine Stunde
ist noch nicht gekommen« (7,30; 8,20). Nun gilt nur noch die neue
Aussage. Sie prägt die Hellenenrede (vgl. 12,27.31) und wird eingangs des letzten Mahles sowie der Abschiedsrede (13,1.31 f.) ausdrücklich nochmals thematisiert (vgl. noch 14,30 f.). Die KR wird
17,1 das Thema ihrerseits aufgreifen. Also was der Welt jetzt öffentlich gesagt wird, gilt wenig später wiederholend auch den Jüngern. Aber der Leser ist nicht nur durch Aussagen wie 7,30; 8,20
auf V 23 vorbereitet, sondern weiß von 3,17 f.; 5,24 f. (vgl. 4,21.23)
her, daß die Gegenwart des Gesandten überhaupt die endzeitliche
Stunde des Gerichts ist. 12,23 in Verbindung mit 12,31 ist also vorbereitet. Die Stunde der Verherrlichung als Gerichtsstunde über
die Welt ist nur ein Teilaspekt der Sendung des Sohnes, die ihrerseits insgesamt die endzeitliche Stunde ist. So stand ja auch 3,17 f.
kurz nach der Erhöhungsaussage in 3,14 f.
Ein Vergleich mit 3,14 zeigt weiter, daß die Erhöhung und die Verherrlichung dasselbe Geschehen meinen, wie ja auch V 23 (verherrlicht werden) in V 32 (erhöht werden) seine Interpretation erhält.
Sowohl in 3,13 f. wie in 12,23.31 f. gehört die Kreuzigung als integraler Aspekt zur Erhöhung. Allerdings geht das Erhöhtwerden
bzw. Verherrlichtwerden des Menschensohnes nicht in der Kreuzigung auf. Die Kreuzigung ist Mittel und Weg zur Erhöhung, geht
es doch um die Erhöhung »von der Erde« (V 32), also um Jesu Inthronisation in seine himmlische Herrschaft (zur jüngsten Diskussion vgl. Blank, Holst, Schnackenburg, Müller). Daß in diesem
Zusammenhang auch der Titel Menschensohn seinen Platz hat, ist
zu 3,13 erörtert.
Unbeschadet dieser herausgestellten Integration im sprachlichen
und theologischen Bereich in die Aussagen von E, ist zu V 23 noch
ein traditionsgeschichtlicher Hintergrund bedeutsam. Es besteht
Anlaß zu der Vermutung, daß E zwischen 18,1 und 18,2 eine seinem
PB eigene Darstellung der Gezemaneperikope ausgelassen hat. Dies
legen nicht nur die Synoptiker nahe, sondern eingearbeitete Splitter
dieser Tradition hat auch E sich dienstbar gemacht. Dies gilt für
12,27–29, also der unmittelbaren Fortsetzung von V 23, wie auch für
14,31c; 18,11 b. Bei näherem Hinsehen besteht nun auch die Möglichkeit, 12,23 in diesen Zusammenhang zu stellen. Man vgl.:

Mk 14,41	Joh 12,23
»*Gekommen ist die Stunde,* siehe *der Menschensohn wird* übergeben in die Hände der Sünder.«	»*Gekommen ist die Stunde,* daß *der Menschensohn* verherrlicht *wird.*«

Da E gerade auch in 14,31 die mk Fortsetzung übernahm, ist denkbar, daß er sich in 12,23 auch ein Stück der Gezemaneperikope aneignete, aus der Deutung der Stunde für die Jünger (so Mk) eine Deutung für alle machte, aus dem abschließenden Wort Jesu ein die Rede programmatisch eröffnendes Wort gestaltete und sich zugleich den Ausspruch theologisch aneignete. Diese Annahme würde zugleich bestätigen, daß V 23 und 27ff. zusammengehören, weil in V 27ff. abermals die Gezemaneperikope verarbeitet ist.

Unbeschadet, daß V 23 Generalthema der gesamten Rede ist, wird nun in der unmittelbaren Fortsetzung ein erster Aspekt sogleich entfaltet (V 27–28), nämlich wie sich der Sohn zum Vater in der anstehenden Todesstunde verhält. Dabei geht es um die demonstrative Bewährung der Einheit von Sohn und sendendem Vater. Wie diese Einheit nie gefährdet war, so ist sie es natürlich auch jetzt nicht. Wohl aber ist theologisch zu explizieren, wie vom Blickpunkt der Einheit her die Stunde gefüllt wird. So ist nicht die Einheit von Sendendem und Gesandtem problematisiert angesichts des schwersten Teiles der Sendung, also analog dem synoptischen Gebetskampf Jesu in Gezemane geschildert, wie Jesus sich in den Willen des Vaters fügt (Mk 14,32–42 parr.), sondern für den Leser der theologische Sinn der Stunde von der unerschütterlichen Einheit von Vater und Sohn her bestimmt. Diese Einheit ist die »vorgegebene«, immer präsente Grundlage des Heilswerkes. Bevor dieses vollendet wird (19,30), wird nochmals dieser Hintergrund offengelegt. So muß Jesus nicht erst um Stärkung und Willigkeit zur Kreuzigung bitten (vgl. Mk 14,32ff.), sondern der Menge den Blick für die Selbstverständlichkeit öffnen, mit der er seiner Erhöhung entgegensieht. Darum muß E den Gebetskampf Jesu in Gezemane unmittelbar vor der Gefangenschaft tilgen und kann seine Elemente nur verändert aufgreifen, hier, indem er – in der Darstellung der Passionsereignisse weit nach vorn gerückt – das Motiv des »schwachen« Jesus ins genaue Gegenteil verkehrt.

Daß in V 27f. die Gezemanetradition als Hintergrund diente, ist unbestritten. Im einzelnen ergibt ein Vergleich folgendes Bild:

Mk 14,34–36	Joh 12,27 f.
34 Und er sagte zu ihnen: »*Meine Seele ist* zu Tode *betrübt* ...«	27
	»*Jetzt ist meine Seele erschüttert*
35 Und er ... betete, daß wenn es möglich wäre *die Stunde an ihm vorübergehen möge;*	
36 *Und sagte:* Abba, *Vater*, alles ist dir möglich.	*Und* was soll ich *sagen?* *Vater, rette mich aus dieser Stunde?*
Laß diesen Becher an mir vorübergehen; *aber* nicht wie *ich* will,	*Aber* deswegen bin *ich* in diese Stunde gekommen.
sondern *wie du willst.*«	Vater, *verherrliche deinen Namen!*«

E verarbeitet die Tradition, indem er unmittelbar V 23 (die Stunde, verherrlicht werden) fortsetzt. Wiederum steht die Zeitbestimmung betont am Anfang. Das »Jetzt« erhält auch im zweiten (V 31; zweimal »jetzt«) und im dritten Dialog (V 35: »Nur noch kurze Zeit«) an der analogen Eingangsstelle der Worte Jesu seinen bestimmenden Platz. Zunächst scheint es so, als wäre dem »Jetzt« von der inneren Todesangst Jesu her ein erster Inhalt gegeben. Aber die Bewegtheit der Seele (5,7 neutral von der Bewegung des Wassers) ist 11,33; 13,21 bei der Kennzeichnung Jesu keineswegs angstbesetzt, sondern eher eine Zornesäußerung. Kann der joh Christus überhaupt Angst haben? Nach 5,26 kann Jesus wohl schon gar nicht Todesangst äußern, und 14,27–31 ist im Kontrast zur Angst der Jünger für Jesus sein Tod von angstfreier Souveränität bestimmt. Vielmehr benutzt E einen Begriff, der angstvolle Erschütterung (14,1.27) wie auch zornige Empörung (Mt 2,3) ausdrücken kann, um so die Assoziation zur traditionellen Schilderung Jesu in Gezemane herzustellen, aber im selben Augenblick solche Aussage umzuinterpretieren. Diese Uminterpretation vollzieht sich nicht auf der Ebene der Psychologie Jesu, sondern zielt auf eine veränderte Einstellung der Leser zum traditionellen Gezemane. Man kann so paraphrasieren: Soll Jesus nun etwa seine Todesangst äußern? Nein, er ist zornig über ein traditionelles Mißverständnis! Man erwartet von ihm, er werde sprechen: Vater, rette mich aus dieser Stunde. Aber solche Erwartung widerspricht dem Heilssinn der Sendung Jesu; dafür ist er nicht in diese Stunde gekommen. Der Sinn der Stunde (V 31 f.) wächst aus der selbstverständlichen Einheit zwischen dem, der in die Stunde gekommen ist, und dem, der ihn in die Stunde gebracht hat, wie es den Jüngern später 14,4–11 auch erklärt wird.

Darum, wenn Jesus denn schon beten soll, wie man von seinem
Gezemaneaufenthalt zu berichten weiß, dann nur im Sinne von
11,42 und mit einem Inhalt, der die Einheit von Vater und Sohn
demonstriert, also so: Vater, verherrliche deinen Namen!
Dies bedeutet: Die Verherrlichung des Vaters und des Sohnes (V
23) sind ein und derselbe Vorgang, wie ja auch der Glaube an den
Sohn und den Vater dasselbe ist (vgl. nur 5,24.38; 6,29.35;
11,25f.42), weil der Sendende und der Gesandte eine Offenbarungseinheit bilden (5,17–19; 10,38; 14,9). Jesu und Gottes Verherrlichung fallen also zusammen (13,31f.; so auch 17,1 KR).
Wenn Gott seinen Namen verherrlichen soll, so steht der Name
hier für Gott selbst. Es ist ja auch dasselbe, ob man an den Namen
Jesu oder an Jesus glaubt (vgl. 2,23; 3,16.18). In 17,6 (KR), interpretiert durch V 14.17.22, ist mit Gottes Namen das gesamte
Heilswerk gemeint. Dann könnte man auch sagen: Gott soll sein
Werk verherrlichen, d. h. zum guten Ziel führen. Da sein Werk
nichts anderes ist als der gesandte Sohn, ist des Sohnes Verherrlichung die Verherrlichung Gottes. Dabei ist die Nähe zum Herren-
gebet Lk 11,2 wohl eher zufällig, zumal offen bleiben muß, ob die
joh Gemeinde das Gebet überhaupt kannte.
Noch eines muß klar sein: 12,27f. sind nicht beispielhaftes Verhalten für jeden Menschen angesichts seiner Todesstunde. Für E ist
Jesus ja nicht Vorbild, sondern als Gesandter gerade von allen
Menschen unterschieden und darum der Grund des Heils für alle.
Die Menschen partizipieren am Geschick Jesu nicht, indem sie gleiche Todesbewältigung üben, sondern indem der Erhöhte sie alle zu
sich zieht (12,32). Als so Gezogene können sie nach 11,25f. den
Tod auch ihres Lebens als wesenlos betrachten. Im übrigen gilt:
Wie E in 12,27f. kein Psychogramm Jesu zeichnet, so liegt ihm
nichts an einer psychologischen oder soziologischen Aufarbeitung
der Todesproblematik. Er will vielmehr darstellen, wie der an Jesus
Glaubende, christologisch begründet, mit Martha 11,27 sprechen
kann und so um die Überwindung seines Todesgeschicks weiß,
weil für ihn 12,32 gilt. E sagt: Mit der Sendung des Sohnes, die sein
Kommen und seine Rückkehr umfaßt, hat sich die Weltsituation
grundlegend verändert (12,31). Dies ist zum Heil aller Menschen
geschehen. Wo nur Tod war, ist jetzt ewiges Leben ermöglicht.
Daran gewinnt man Anteil über den Glauben an den Sohn.
Die demonstrativ artikulierte Einheit von Vater und Sohn durch Jesus (V 27) wird vom Vater ebenso demonstrativ bestätigt (V 28).
Wie bei Lazarus dem Demonstrationsgebet (11,41f.) die Tat folgte
(11,43f.), so hier die himmlische Stimme. Dabei ist ein gewisser

Widerspruch zu 5,37 nicht zu übersehen. Er wird dadurch gebildet, daß das Volk die Stimme anders deutet (12,28). Aber, streng genommen, darf Gott nur exklusiv im Sohn gehört werden, nicht auch neben ihm. Das führte ja gerade zu der Legitimationsproblematik, wie sie in den als Rechtsstreit konzipierten Reden (vgl. zu 5,31–47) abgehandelt wird. Das Auftreten der Stimme vom Himmel erinnert an die Tauf- und Verklärungsstimme bei den Synoptikern (vgl. Mk 1,11 parr.; 9,7 parr.). Im Joh fehlen beide. Daß E hier eine davon – vielleicht dann eher die Verklärungsstimme – umarbeitete, ist nicht beweisbar. Feststellbar ist nur, daß Mk 9,7 eine relativ analoge Funktion wie Joh 12,28 im Aufriß des Mk einnimmt: Die Stelle steht alsbald nach der ersten Leidensankündigung (Mk 8,31). Viel eher kann man (mit Schnackenburg) vermuten, E habe in seinem PB bei der von ihm ausgelassenen Gezemaneperikope eine göttliche Stimme vorgefunden, zumal die nachstehende Volksdeutung auf einen Engel an Lk 22,43 erinnert. Darf man außerdem an das Motiv in Hebr 5,7 denken, wonach Jesus »in den Tagen seines Fleisches« zu Gott betete, »der ihn allein vom Tode erretten konnte«, – »und er ist erhört und von seiner Angst befreit worden«? Jedenfalls der allgemeine Hinweis, in der Apokalyptik (Dan 4,28; äthHen 65,4; TLev 18,6f.), in den Mandaica (Belege bei Bultmann) oder im Rabbinat (die *bat kol*, vgl. Billerbeck I 125–134) begegnen solche Himmelsstimmen in verschiedenen Vorstellungen und Auffassungen, hilft nicht weiter, weil so unerklärlich bleibt, warum E gerade nur bei der Umarbeitung der Gezemanetradition von solcher Himmelsstimme redet und dabei noch den Widerspruch zu 5,37 eingeht. So liegt es in der Tat am nächsten zu vermuten, E verarbeite die ihm bekannte Gezemanetradition.
Wie ist nun die Aussage der Stimme zu verstehen? Es geht um die Erhörung der Bitte, die um Bestätigung der immerwährenden Einheit von Vater und Sohn nachsucht. Also ist zu paraphrasieren: Ich verherrliche ihn ununterbrochen, habe es in der Vergangenheit getan und werde es weiterhin tun. Der von seiner Sendung zurückkehrende Sohn stand als Gesandter und wird als von der Gesandtschaft Zurückkehrender ununterbrochen unter göttlicher Verherrlichung stehen. Der Sohn ist in seiner Sendung immer schon der von Gott Verherrlichte, weil er – mit göttlicher Lebenskraft ausgestattet (5,26) – nur eines tat: Das Werk des Vaters zu vollbringen (5,19–30; 7,18; 9,4; 11,4). Dies vollbringt er auch weiterhin, so daß 12,31 f. als Verherrlichung Jesu durch den Vater geschehen kann. Solcher Doppelaspekt des Verherrlichungsgedankens ist offenbar

joh Tradition im allgemeinen bekannt (17,4 f. KR). So dient
der Verherrlichungsgedanke dazu, daß allein im Sohn die
vollgültige und immerwährende Offenbarung des Vaters begegnet.
Der zweite Gesprächsgang (V 29–33) entfaltet mit Hilfe des Miß-
verständnismotivs (vgl. Exkurs 1) die Aussagen aus V 23.28 f. in
bezug auf das in der Verherrlichung enthaltene Gericht und Heil
als Konsequenz der Verherrlichung des Menschensohnes. Die herumstehende Menge – woher sie kommt, ist nicht gesagt; nur, daß
es nicht die Hellenen sind, ist klar – erfährt die Himmelsstimme als
Donner oder denkt an Engelrede. Dies Mißverständnis hat den
theologischen Sinn, daß der jüdischen Menge der Sinn von V
23,27–28 wegen ihres Unglaubens nicht einsichtig ist (vgl. anschließend 12,37 ff.). Es hat zudem die literarische Funktion, die Explikation des ersten Gesprächsgangs durch den zweiten einzuleiten
(so auch 3,4.9). Doch damit ist noch nicht geklärt, warum E das
Mißverständnis sich gerade so äußern läßt. Die joh Tradition ist
mit Engelaussagen extrem sparsam: 1,51 ist Aufnahme von 1 Mose
28,12 und 20,12 ist traditionelles Motiv in der Tradition vom leeren
Grab (5,4 ist textkritisch sekundär). So bleibt außer 12,29 kein Beleg in der genannten joh Tradition. Dies öffnet den Blick für die
Annahme, auch 12,29 könne von der Gezemaneperikope (in lk
Fassung) traditionsgeschichtlich beeinflußt sein (Lk 22,43). Hierher mag eventuell auch das Motiv des Donners (hapax legomenon
im Joh) gekommen sein. Immerhin ist die Verbindung von einer
Himmelsstimme mit dem Donner auch sonst geläufig (vgl. nur
Offb 6,1; 10,3; 14,2). Offb 16,17 f. ist die Engelstimme von Natur-
katastrophen, u. a. Donnern, begleitet.
Das ungläubige Mißverstehen bringt Jesus dazu, (für den Leser)
den christologischen Inhalt der Stunde weiter zu entfalten. Vorab
wird kurz klargestellt: Jesus bedurfte der Himmelsstimme nicht,
wie er 11,42 auch des Gebetes nicht bedurfte (V 30). Dann aber
kann das eigentliche Thema entfaltet werden (V 31 f.). Dabei ruft
das doppelte »Jetzt« die gekommene Stunde der Erhöhung des
Menschensohnes ins Gedächtnis (V 23), und die betont am Ende
lokalisierte Heilsaussage (»alle zu mir ziehen«) macht klar, daß um
dieser willen geredet wird. Das entspricht präzise der Struktur von
3,14 f. Außerdem ist für die Deutung die Einsicht grundlegend, daß
V 31b und 32 antithetische Parallelglieder sind (Holst: chiastic pat-
tern), die je einen Aspekt von V 31a entfalten, wobei V 31 f. insgesamt V 23b auslegen. Man muß also die Satzfolge so ordnen:

»Jetzt ist Gericht über diese Welt.

    (d. h.) a) Jetzt wird der Herrscher dieser Welt hinausgeworfen werden;

          b) und ich, wenn ich von der Erde erhöht bin, werde sie alle

                       zu mir ziehen.«

Die Gliederung macht auch nochmals deutlich, wie die anthropologische Heilsaussage im Parallelismus »überschießt« und das betonte Schlußwort abgibt.

Auffallend ist endlich, daß die Todesstunde Jesu vornehmlich in kosmisch-räumlichen Kategorien des endzeitlichen Herrschaftswechsels ausgelegt wird (Blank), während z. B. 3,1–21 der räumliche Aspekt zwar nicht fehlt (z. B. 3,13), jedoch die anthropologisch-geschichtliche Dimension (vor allem: 3,14–18) im Vordergrund steht. Man wird das eine nicht gegen das andere ausspielen dürfen, sondern die eigentümliche Verschränkung beider für E konstatieren müssen. Dabei haben beide Aspekte insoweit gleiches Recht, als die kosmisch-räumliche Seite der Aussagen für E nicht nur bildhaft-symbolisch (Schnackenburg) gemeint ist oder in der von E eigentlich überwundenen Sprache des Mythos (Bultmann) sich äußert. Vielmehr hat für E diese räumliche Komponente im Rahmen seines Dualismus (vgl. Exkurs 3) im Unterschied zu (notwendigen!) neuzeitlich-weltbildhaften Erwägungen noch unmittelbaren Wirklichkeitsgehalt. Unter dieser für E selbstverständlichen Voraussetzung wird dann freilich die Glaubensermöglichung und der Aufruf zum Glauben als dem geschichtlichen Ort, an dem endzeitliches Heil geschieht, im allgemeinen energisch in den Vordergrund gerückt, so daß kosmisch orientierte Aussagen wie 12,31f. nicht nur numerisch, sondern auch sachlich selten sind.

V 31f. beginnt mit der programmatischen Aussage, daß jetzt das Gericht über diese Welt gekommen ist. »Diese Welt (dieser Kosmos)« ist hier nicht der Kosmos im Sinne der Menschheit, sondern primär räumlich gemeint. Die Erinnerung an das Begriffspaar »diese(r) Welt (Äon)« – »die (der) kommende Welt (Äon)« aus der Apokalyptik (vgl. etwa 4 Esra 4,11.26; 7,12f.50; 8,1; syrBar 44,9.12) stellt sich nicht von ungefähr ein. Freilich kennt das joh Schrifttum nicht das zeitliche Nacheinander beider, sondern verwendet nur »diese Welt« als Wesensaussage im dualistischen Konzept (Exkurs 3; vgl. 8,23; 9,39; 18,36; 1 Joh 4,17). Daneben kennt E vornehmlich den anthropologisch-geschichtlichen Gebrauch von »Welt/Kosmos«, wonach der Kosmos die Menschheit in ihrer negativen Qualifikation ist (z. B. 3,16; 6,33; 8,12; 9,5). Wenn 12,31 diese Welt im räumlichen Sinn als die vorfindliche Wirklichkeit, in

die die Menschheit gestellt ist, meint, dann zeigt sich erstmals, wie
in der weltbildhaft-räumlichen Aussage anthropologisch-geschichtliche Aussagen impliziert sind. Denn daran kann kein Zweifel sein, das Gericht über die Welt betrifft entscheidend Wohl und
Wehe der Menschheit (V 32b). Man kann also sagen: Das Gericht
findet über den unteren, negativen Bereich im Dualismus statt und
betrifft damit die Menschheit, die in diesem Bereich in Gottferne
und Vergänglichkeit lebt.

Dieses Gericht geschieht jetzt, so werden V 23 und die präsentisch-
eschatologischen Aussagen von 3,17f.; 5,24 aufgenommen. Wo der
Gesandte überhaupt auf dem Plan ist, geschieht Endgericht, weil
endgültig über Heil und Unheil des Menschen entschieden wird.
Aber nicht vom Glauben als Übergang vom Tod zum ewigen Leben bzw. vom Unglauben ist die Rede, sondern vom Gericht als
Herrschaftswechsel. Wiederum gilt: Dieser Wechsel betrifft die
Menschheit, und die durch ihn geschaffene Voraussetzung zum
Heil ist nur über den Glauben (V 35f.!) zu haben. Der Herrschaftswechsel ist hier korreliert mit Jesu Rückkehr zum Vater. Diese
Rückkehr geschieht durch den Tod hindurch (V 27f.). Die Todesstunde ist die Stunde der Verherrlichung (V 23.28) und – wie es nun
ohne erkennbare Sinnverschiebung heißt – die Stunde der Erhöhung (V 32.34). Verherrlichung und Erhöhung sind also für E synonyme Aussagen und in eigentümlicher Weise mit Jesu Tod verbunden.

Doch zunächst: Das Gericht ist Herrschaftswechsel, denn der
»Herrscher dieser Welt« wird hinausgeworfen. Dieser Ausdruck
für den Teufel ist im NT nur im Joh anzutreffen (14,30; 16,11). Zu
ähnlichen Ausdrücken vgl. z. B. 2 Kor 4,4; Eph 2,2; Ign Magn 1,2;
Trall 4,2; Röm 7,1. Im Joh begegnet sonst noch: *Diabolos* (Teufel)
8,44; 13,2 vgl. 6,70 und Satan 13,27. Endlich redet der 1 Joh von
»dem Bösen« 1 Joh 2,13f.; 3,12; 5,18. Bei wechselnder Bezeichnung bleibt die Vorstellung konstant: Der Teufel ist (übrigens ohne
dämonisches Heer) der die Welt beherrschende Repräsentant im
dualistischen Weltbild. So ist er unmittelbarer Gegenspieler Gottes. Er herrscht also als Finsternis, Sünde (8,31–36), Lüge und Tod
(8,41–44). Dabei konzentriert sich im Joh alles darauf, daß er
Menschentöter von seinem Wesen und von Anfang an ist. Der Teufel bewacht und perpetuiert also das Totenhaus der sündigen
Menschheit. Nirgends ist erklärt, wie der Teufel dazu kam (anders
z. B. 1 QS 3,13ff.), wie ja überhaupt die Entstehung von Sünde
und Tod kein joh Thema ist. Der Teufel und seine Herrschaft, die
in der Lust zum Töten bei den Menschen besteht (8,44; 3,19: sie

lieben die Finsternis), dient nur dazu, die unentrinnbare de facto vorhandene Todesverfallenheit der Menschheit zu beschreiben. Diese wird erst sichtbar, weil der Sohn als Gesandter des Vaters bisher unbekanntes ewiges Leben offenbart. So dient der Dualismus zur Explikation der Christologie und der Entscheidungssituation des Menschen angesichts des gekommenen Sohnes. Dieser Weltherrscher im negativen Sinn wird nun »hinausgeworfen«. Die Synoptiker beschreiben mit demselben Verb die Dämonenaustreibungen (z. B. Mt 9,33 f.; 12,24–28; Mk 1,34; 3,22 f.; Lk 11,20), also die Entmachtung derselben. Im Joh begegnet sonst nur eine übertragene Verwendung im anthropologischen Bereich: »Hinauswerfen« heißt ins Unheil verstoßen (15,6) bzw., mit Negation versehen, aufnehmen (6,37). Auch 12,31 bleibt die sicher mit gemeinte räumliche Vorstellung (vgl.: »von der Erde« in V 32) vage. Wo ist der Teufel? Sicherlich nicht im Himmel (wie Lk 10,18; Offb 12,7–12), denn dieser ist im Dualismus wesensmäßig nur Gottes Domäne (vgl. Exkurs 3). Also gehört er zum Bereich der unteren Welt: In der Tat, hier herrscht er als sich verewigendes sündhaftes Lebensverneinen (8,44). So fährt er in Judas (13,2.27). Darf man auch an Eph 2,2 erinnern, wonach der Teufel in der Luft seinen Ort hat? Wohin wird der Teufel geworfen? Eine Hölle gibt es im Joh nicht. Im joh Dualismus ist kein Ort, abgesehen von Himmel und Welt, benennbar, wohin er geworfen werden könnte. Zum Himmel gehört er nie, der Kosmos wird ihm gerade streitig gemacht. So wird man die Formulierung abgeblaßt zu verstehen haben: Der Teufel wird entmachtet (Blank), also seine Herrschaft wird gebrochen. Konkret: Mit Jesu Erhöhung gelingt es ihm nicht mehr, die Todesverfallenheit der Menschheit ununterbrochen und ausnahmslos zu verewigen. Seine Herrschaft ist insofern beendet, als durch Jesu Erhöhung der Weg frei ist nach oben in den Bereich ewigen Lebens beim Vater. Insofern Jesus also der Weg zum Vater ist (14,3–6), insoweit ist des Teufels Herrschaft, die solche Ermöglichung vor Christus nicht zuließ, beendet. Weil der Erhöhte dazu verhilft, dem Todesgefängnis zu entrinnen, ist der Gefängnishüter entmachtet.

Durch das verbindende »und« wird sodann die andere Seite des Herrschaftswechsels beschrieben: Der Menschensohn (V 23.34) wird durch Gott von der Erde erhöht. Seine Herrschaft als Erhöhung von der Erde weg in den Himmel ist seine Einsetzung zum Lebensfürsten. Die Erhöhungsvorstellung ist also im Rahmen des Herrschaftswechsels von der österlichen Inthronisation her bestimmt. Hier hat auch außerhalb des Joh die Vorstellung von der

Erhöhung (Apg 2,33; 5,31; Phil 2,9) und Verherrlichung (Apg 3,13; 1 Kor 2,8; Phil 3,21; 1 Tim 3,16; Hebr 5,5) ihren Platz (vgl. weiteres bei 3,13 zum Stichwort: »Menschensohn«). Diese Vorstellung ist im Verlauf der joh Geschichte im Zusammenhang der Dualisierung der Theologie dann neu geprägt und joh eingefärbt worden. Sie gnostisierte mit dem Dualismus: Durch die Erhöhung wird Jesus der Weg zum vorher unbekannten Vater in die obere himmlische Welt, also Erretter aus der Welt, die Finsternis und Tod ist. Zugleich wird aus der ehedem selbständigen Erhöhungsaussage nun ein partieller Gesichtspunkt im Zusammenhang der Gesandtenvorstellung: Jesu Rückkehr zum Vater ist die Rückkehr des Gesandten, der seinen Auftrag, den unbekannten Gott zu offenbaren, erfüllt hat. E spitzt dann nochmals zu: Das gesamte Sendungsgeschehen ist endzeitliches Gericht. Fragt man, wo sachlich – unbeschadet anderer traditionsgeschichtlicher Verhältnisse – dieses Gesamtkonzept seine nächsten verwandten Gesamtaussagen (bei Differenz im einzelnen) hat, so wird man auf Stellen wie 1 Kor 15,23–28, vor allem aber auf Eph 1,15–2,10 verweisen.

Damit ist zugleich entschieden, daß der beliebte Versuch, von Jes 52,13; 53,12 (LXX) her das Erhöhtwerden und Verherrlichtwerden des Menschensohnes zu erklären (z. B. Thüsing 33; Brown), nicht übernommen werden kann. An diese Stelle erinnert zwar formal das gemeinsame Auftreten der Begriffe, aber dieses gehört in einen viel größeren Zusammenhang. Außerdem sind die Differenzen beachtlich: Z. B. fehlen Dualismus und Herrschaftswechsel bei Jes, während etwa der Stellvertretungsgedanke aus Jes in Joh 12 fehlt.

Warum aber ist Jesu Erhöhung die Entmachtung des Teufels? Wer auf 5,26 verweist, kann erklären: Der Teufel vergreift sich an einem, der nicht getötet werden kann, weil er als einziger aus der himmlischen Welt stammt (3,13). Diese Machtüberschreitung ist sein Verderben. Er muß dem aus dem Himmel stammenden und dorthin nun legitimerweise zurückkehrenden Sohn gestatten, »Weg« für die Gläubigen zu sein (14,6). E denkt offenbar in Joh 3 auf diesem Hintergrund. Allerdings hat E auch noch eine andere Auskunft gegeben, die vom Gehorsam des Sohnes her denkt (14,30 f.). Weil der Gesandte des Vaters bis zuletzt sein Werk, das ihm der Vater auftrug, erfüllte (4,34; 5,36; 9,3 f.; 14,30 f.) und auch im Tode die Einheit mit dem Vater selbstverständlich bewahrte (12,27 f.; 19,30), tat er nie die Werke des Teufels wie die Juden (8,33–36.41.47). Darum findet der Teufel an ihm keine Möglichkeit, lebensverneinend zu herrschen (8,44; 14,30 f.), also bleibt Jesus als das Leben, das er aufgrund der Einheit mit dem Vater hat

und ist, Sieger über den Tod. So wird er Lebensgabe für alle Glau-
benden. Diese Aussage steht offenbar 12,27 f. im Hintergrund.
Wenn E so einmal mehr von der seinshaften Herkunft, das andere
Mal mehr von der Gehorsamstat her denkt, hat beides urchristliche
Parallelen (einerseits Kol 1,15–20; andererseits Röm 5,19; Phil 2,8 f.;
Hebr 5,8) und ist für E selbst kein Gegensatz.
Wie wird Jesus Lebensgabe für alle? Durch den Inhalt seines Herr-
scheramtes, nämlich, erhöht von der Erde, alle zu sich zu ziehen
(V 32b). Der Teufel kann sein lebensverneinendes Herrschen nicht
ausüben, wenn der Erhöhte zu sich zieht. Dies ist zunächst räum-
lich-dualistisch zu verstehen: Jesus vermag zu sich in die Höhe zu
ziehen, also in den Himmel. So entrinnt der Mensch dem Totenhaus der Welt und dem Teufel. Das Gegenteil steht 8,21.24: Man
stirbt in seinen Sünden im Gegensatz zu Jesus, der räumlich fortgeht zum Vater, d. h. in den Himmel, wo allein Leben ist (8,21). So
»vergeht« der Kosmos (1 Joh 2,17). Weil er als ganzer im Bösen
gefangen liegt (1 Joh 5,19), wird er an seiner eigenen Lebensverneinung (8,44) zugrunde gehen. Umgekehrt gilt: Wie Jesus in seiner
Todesstunde erhöht wurde, so zieht er den einzelnen in dessen Todesstunde zu sich in die Erhöhung. Die KR hat das allgemein joh
so ausgedrückt, daß die Seinen die Herrlichkeit Jesu, des Erhöhten,
dort, wo er ist (d. h. im Himmel), schauen (17,24). Für E findet
also auch hier kein allgemeines Endgericht mehr statt. Das Endgericht ist der schon erfolgte Herrschaftswechsel, dessen Erfolge, die
Möglichkeit zum »Ziehen«, beschrieben wird als Heilskonsequenz
für den einzelnen Menschen. So kann der Erhöhte alle zu sich ziehen. Also auch die Hellenen V 20, prinzipiell die Menschheit
(3,16). So ist dem Teufel prinzipiell das Recht an jedem Menschen
genommen. Aber dies Ziehen erfolgt nicht vorbei an der geschichtlichen Situation des Menschen. So hat das »Ziehen« auch dezidiert
einen geschichtlich-anthropologischen Sinn als Angebot der Glaubensermöglichung (6,44). Der Tod ist nur für den wesenlos, der
glaubt (3,15 f.; 11,25 f.). Darum folgt im dritten Gesprächsgang
(12,34 ff.) auch hier die Aufforderung zum Glauben. Das »Ziehen«
ist demnach räumlich und existentiell in einem. Und ebenso gilt:
Nur die Ungläubigen bleiben als Rest unter dem Teufel (z. B. die
Juden Joh 8,44; 12,37 ff.). Ob dabei der Ausdruck »ziehen« unter
Einfluß des Hebräischen noch speziell den juristischen Sinn von
»in Besitz nehmen« hat (so Borgen, Bread 160 f., bei C 4; Bühner,
Gesandte 204), ist zumindest fraglich. Diese Vermutung hat allerdings insofern Sinn, als im E vorgegebenen Determinismus (Exkurs 3) so Jesu Besitzrecht an den Seinen dokumentiert wäre. E je-

doch hebt auf solchen Sinn nicht direkt ab. 6,44 korrigiert er den vorgegebenen Determinismus und 12,32 hebt er den räumlichen Aspekt hervor: Ewiges Leben ist nur durch räumliche Distanz von der Welt denkbar. Im übrigen ist das »Ziehen« in gnostischen Texten bekannt als Ziehen in die göttliche Sphäre (vgl. CH 10,6; 16,5; IgnEph 9,1). Ob die joh Gemeindetradition aus solchem Einfluß her redet, bleibt allerdings auch offen. Typisch und häufig ist die Ausdrucksweise auch in der Gnosis nicht. Von V 35 f. her zusammenfassend, kann man sagen: Der Gesandte eröffnet Glaubens- und damit Lebensmöglichkeit (3,1–19; 8,12; 12,36a). Wer daraufhin glaubt, wird ein Sohn des Lichtes und hat Leben (12,36b; 11,25 f.). Sein Tod ist demzufolge Ortsverlagerung aus dem Kosmos in den Himmel. So geht der Glaubende den Weg Jesu in die Erhöhung nach, kraft dessen Ziehen.

Ein Blick ist noch nötig auf den Ort, wohin gezogen wird (mit Recht hervorgehoben von Blank 291). Zwar ist die oben verwendete Formulierung »zu sich in den Himmel« sachlich richtig, aber es fällt doch auf, daß nur ein »zu sich« dasteht und auch 17,24 das Schauen der Herrlichkeit des Erhöhten im Vordergrund ist. Weder findet eine Verschmelzung im Seinsgrund wie in der Gnosis statt, noch ist der Himmel als Ort an sich von Interesse. Nur weil Gott und der Erhöhte dort sind, ist er Himmel und hat Heilsbedeutung. So geht es um die Relation des Erhöhten zu den Glaubenden, die ohne Aufgabe der Personalität im Himmel ihre Fortsetzung findet. Dies entspricht insofern durchaus der urchristlichen Heilserwartung, »immer mit dem Herrn zusammen zu sein« (1 Thess 4,14.17; 5,10).

Diese Auslegung von 12,31 f. erlaubt es nun auch, das Verhältnis von Kreuzigung und Erhöhung zu bestimmen. Steht V 27 f. vor V 31 f. und ist beides Auslegung von V 23b, so hat zu gelten: Der Tod Jesu ist Weg zur Verherrlichung. Kreuzigung und Erhöhung fallen also nicht paradoxerweise zusammen (Bultmann), denn dann kommen die kosmisch-räumlichen Aussagen V 31 f. zu kurz. Der Tod ist vielmehr Jesu Übergang aus dieser Welt in die himmlische Heimat. Er ist das existentielle Tor zu diesem Weg. Als Verherrlichter ist Jesus der Welt enthoben und hat den Teufel als Lebensverneiner besiegt (vgl. als Analogie nochmals Eph 1,20 f.). Ebenso verläuft der Weg der Glaubenden (vgl. als Analogie wiederum Eph 2,5 f.). Jeweils geht es um die Überwindung des Todes. Ewiges Leben ist überwundener Tod. Allerdings hat E den so verstandenen Tod noch dadurch besonders akzentuiert, daß er ihn für den auf der Erde weilenden Gesandten zur letzten und entscheidenden Be-

währung seiner Sendung machte (12,27f.; 14,30f.). Erst die Bewährung des Sendungsauftrages im Tod bedingt die Besiegung des
Teufels. Nicht von ungefähr wurde bisher von Jesu Tod, nicht von
seiner Kreuzigung gesprochen. Diese hat überhaupt erst V 33 Bedeutung, und zwar in einer speziellen Weise und unabhängig von
der Gesamtkonzeption in V 31f. (Müller 59f.). Ganz analog zu
18,32 geht es um die spezielle Todesart, die Jesus vorhersagt. Insofern klappt V 33 nach und erörtert einen Nebengedanken: Das Erhöhtwerden in V 32 hat noch einen Doppelsinn, so stellt E nachträglich fest. In dieser Ankündigung steckt noch verborgen ein
göttliches Vorherwissen nicht nur um das baldige Ende (V 23),
sondern ein Wissen um die Tötung mit Hilfe der römischen Kreuzigung (18,32).

Der dritte Gesprächsgang (12,34–36) setzt wieder (vgl. V 29) mit
einer Äußerung des Unglaubens durch die Menge (V 29) ein. Wie
V 29 soll V 34 das Mißverstehen des Volkes demonstrieren. Das
Volk rezipiert V 31f. formal ähnlich wie 7,35f. Es hört heraus, Jesus will die Erde durch Entrückung verlassen. Es selbst hat aber
schon 6,15 (und 12,12–15) gezeigt, daß es Jesus nur als irdischen
König sucht. Mit solcher messianischen Hoffnung weiß es sich in
Übereinstimmung mit der Autorität der Schrift (vgl. etwa ähnlich
6,31). Sagt nicht diese selbst, das messianische Reich währe ewig
hier auf Erden (vgl. Jes 9,6; Ez 37,25; Ps Sal 17,4)? Haben sie also
nicht das Recht, zu erwarten, der Messiasprätendent würde für immer bleiben? Vielleicht kann man sogar die Textstelle, die das Volk
speziell meint, noch präziser bestimmen. Setzt man den Begriff
»Gesetz« hier allgemein im Sinne der Schrift (vgl. 10,34; 15,25),
ein, dann ist der Bezug zu Ps 89,37 (LXX) eklatant (v. Unnik).
Dort heißt es, es »bleibt der Same« Davids »für immer«. Dann wäre Joh 12,34 Jesus als Davidsohn (vgl. 7,42) angesprochen, der als
Messias für immer bleiben müßte. Wieso kann Jesus unter diesem
Erwartungshorizont davon sprechen, der Menschensohn muß erhöht werden, wie nun 12,31f. sachlich in Anlehnung an 3,14f. korrekt wiedergegeben wird. Wenn das die Verwirklichung des messianischen Heils ist, dann versteht man gar nichts mehr! Also: Wer
ist dann eigentlich der Menschensohn? In der Tat war wohl die
Menschensohnvorstellung keine für die jüdischen Gesprächspartner der joh Gemeinde übliche Heilsvorstellung, wie ja die Men-
schensohnaussagen Selbstaussagen Jesu sind und nur 9,35–38 als
Bekenntnis aufgrund dieser Offenbarung begegnet (Schnackenburg). Aber diese Differenz von Messiastum und Menschensohnvorstellung dient E jetzt nur dazu, das Befremdliche der dualisti-

schen Sicht in 12,31 f. aufzuweisen. Daß sich ewiges Leben nur jenseits dieser Welt verwirklichen läßt, das nehmen die Juden Jesus
sachlich nicht ab. Sie bleiben dem Irdischen verhaftet mit der
Schrift auf ihrer Seite – und so im Unglauben.

Jesu Antwort V 35 f. ist darum auch Aufforderung zum Glauben
und nicht eine Erörterung darüber, wie sich messianische Erwartung und Menschensohntradition unterscheiden. Der Einsatz
(»Nur noch kurze Zeit«) steht betont am Anfang wie die Benennung der endzeitlichen Stunde in V 23.31. Zur Traditionsgeschichte der typischen joh Formulierung vgl. zu 7,33 f. Nicht nur diese
Zeitangabe, sondern auch die Rede vom Licht ist den Lesern bereits vertraut (1,9; 3,19–21; 8,12; 9,5). Der Wechsel von der Men-
schensohnaussage zum dualistischen Offenbarungsbegriff des
Lichtes ist auch 3,14 ff.19 ff. zu beobachten (vgl. auch 9,5.35 ff.).
Er ist kein Anlaß zur Quellenscheidung (gegen Bultmann): Indem
Jesus sich selbst im Sinne von 12,31 f. auslegt, ist er Licht, d. h. sich
offenbarendes Heil, in der Finsternis.

Dieser letzten öffentlichen Selbstauslegung wird nun – wie für die
Struktur joh Theologie überhaupt typisch – ebenfalls letztmals die
Einladung und Aufforderung zum Glauben angefügt. Darum geht
es: Angesichts der Gegenwart des Lichtes, die bald ein Ende hat,
entsprechend zu wandeln, damit die Finsternis als das endgültige
Unheil nicht über einen hereinbricht (zur Sprachtradition vgl.
3,19–21 und den Exkurs 3). Wer in der Finsternis wandelt, weiß
nicht, wohin er geht. Insofern die Offenbarung die Erhellung von
Ursprung und Ziel, also die Durchsichtigkeit des Woher und Wohin bringt (vgl. zu 8,14; 13,36; 14,5), ist Wandel in Finsternis
durch das Gegenteil gekennzeichnet. Aber natürlich meint E nicht
den Wandel überhaupt. Solche Gemeindesprache wird interpretiert: Wandel meint Glaube oder Unglaube. So ist Wandel angesichts des Lichtes der Glaube an das Licht. Solcher Glaube – und
darauf kommt es allein an – gibt den Menschen einen neuen Ursprung, denn er gehört nun zu den Söhnen des Lichtes. Diese Formulierung ist traditionell. So stehen sich in den Qumrantexten (vgl.
speziell 1QS 3,13 ff.; 1QM) Gemeinde und Welt als Söhne des
Lichtes und Söhne der Finsternis gegenüber. Eph 5,8–14 zeigt, wie
solche Terminologie verchristlicht Eingang in die Taufparänese
fand. E seinerseits schließt mit dieser Aufforderung den Kreis zu
1,12 f.; 3,3–8. Damit hat er die anthropologisch-geschichtliche Seite der Heilsaussage in 12,31 f. – am Schluß betont und unüberhör-
bar – angesprochen.

Die Stellen 1,12 f.; 3,3–8(21); 12,35 f. gehören insofern zusammen,

als sie alle drei eine grundsätzliche Neuwerdung des Menschen aussagen. Blickt man auf 3,3.5, liegt es für alle Stellen nahe, eine ursprüngliche Verhaftung der Terminologie bei den Taufaussagen der
joh Gemeinde zu vermuten, selbst wenn E 1,12 f.; 12,35 f. kaum
noch im Sinne einer Taufaussage versteht. Heilsempfang bedeutet
also, ein neues Wesen werden, einen neuen Ursprung, ein neues
Sein erhalten. Im joh Sinn kann man auch sagen: Man muß erst an
Unvergänglichkeit Anteil haben, um im Tode nicht zu vergehen.
So denkt ja auch die Herrenmahlstradition in 6,51c–58. Nun ist
auffällig, daß E an allen drei Stellen ein neues Verständnis dieses
sakramentalen Wandlungsgeschehens einbringt, indem er den
Glauben an die Selbstoffenbarung des Sohnes, also den Glauben an
den Sohn, der sich im Wort selbst auslegt, als die Bedingung versteht, unter der Neuwerdung geschieht. So ist die Glaubensbeziehung zum Gesandten ewiges Leben, Partizipation am Sein der
Söhne Gottes, Geburt von oben oder Geburt aus Gott. Verbindet
man diese theologische Linie mit den Aussagen aus 12,31 f., darf
man im Sinne von E sagen: Aufgrund seiner Erhöhung sorgt Christus dafür, daß die Glaubensbeziehung den Tod überdauert. Der
Glaube an den Gesandten und das Ziehen des Erhöhten bedeuten
ewiges Leben für den Menschen, wobei zugleich die erste Fassung
der Relation von Mensch und Christus die prämortale Bedingung
für die zweite ist, die im Sinne von 12,32 postmortal greift. So sicher also die Hellenenrede im literarischen Kontext die letzte Glaubensaufforderung an die Juden ist, so deutlich artikuliert E nochmals für den Leser Grundzüge seiner Theologie mit dem für Joh 3
und 12 gemeinsamen Ziel, für den Glauben an den Gesandten zu
werben.
Die KR hat offenbar diese Programmatik durchaus verstanden und
darum 12,24–26 als Mahnung für die Gemeinde eingetragen. Dabei
arbeitet sie materiell mit Tradition, indem sie eine kleine Spruchgruppe aus der joh Gemeindetradition aufgreift. In V 24 betont der
Redaktor seinen Gedankengang eingangs durch das stereotype
»Wahrlich, wahrlich, ich sage euch ...« (so die KR noch 6,53;
10,1.7; 16,20.23; 21,18;) wie ja auch E diese formelhafte Wendung
zur Strukturierung seiner Reden verwendete (vgl. zu Joh 3,1–21;
5,19–30; 6,26 ff.). Inhaltlich ist V 24 allgemein weisheitlich-sentenzhaft und benutzt das bekannte antike Motiv des »Stirb und
werde« in spezieller Form (vgl. 1 Kor 15,36 f.; 1 Klem 24,4;
Braun). Vom Kontext her, dem der Vers nun absichtlich als Übergang von V 23 zu V 25 zugeordnet wird, ist er christologisch gemeint. Jesu Tod ist notwendig, damit er, statt allein zu bleiben, ei

ne große Gemeinde gewinnen kann (zum Bild vom Fruchtbringen vgl. 4,36), wie im Vorblick auf V 31f. nun zu deuten ist. Doch nicht die Heilsbedeutung der Erhöhung, vielmehr die Heilsnotwendigkeit des Kreuzestodes Jesu wird betont. Solche Auslegung des Todes Jesu paßt zu einer Reihe von Stellen der KR, an denen die Soteriologie des Todes Jesu artikuliert wird (vgl. zu 1,29b).

Diese Aussage wird nun paränetisch in bezug auf die Jüngerexistenz ausgenutzt. Dabei wird nicht nur die Szene V 20–22 gänzlich verlassen, denn statt missionarisch und nach außen wird nun innerkirchlich geredet (ein ähnlicher Bruch 10,26–29). Vielmehr rezipiert der Paränet auch einen traditionellen Spruchgutzusammenhang, findet sich doch V 25f. in umgekehrter Reihenfolge Mk 8,34f. Der Lebenseinsatz der Jünger wird so als Jesusnachfolge ausgelegt. Diese Beobachtung läßt nochmals auf V 24 blicken. Hatte der Vers nur vom jetzigen Kontext her christologischen Sinn, dann kann er als Einstieg in den traditionellen Zusammenhang V 25f. ehedem durchaus auch auf die Jünger bezogen gewesen sein (Wrege). Daß die Märtyrer der Same der Kirche sind, ist der Sache nach allgemein frühkirchlich. Dieser Aussage war dann in der Tradition V 25f. zugesellt als der andere Aspekt der Lebenshingabe des Jüngers: Er wird so für sich ewiges Leben gewinnen. Ist dies aber der traditionsgeschichtlich alte Sinn von V 24–26, dann sind Worte Jesu an die Jünger im Falle von V 24 nachträglich auf Jesus selbst gedeutet (Wrege), um aus der allgemeinen Märtyrerparänese Kreuzesnachfolge zu machen. Im übrigen hat gerade die KR 15,18–21; 16,1–3 diesen Zusammenhang weiter reflektiert.

V 25 ist eine traditionsgeschichtliche Variante zu Mk 8,35; Mt 10,39 (vgl. Dodd; Schnackenburg). Zur joh Gemeindesprache paßt der gegenüber den Parallelen neu benutzte Gegensatz lieben – hassen (vgl. sprachlich: 3,19f.; 15,18f.; 1 Joh 2,9f.). Hat hier joh-dualistische Sprache eine Einfärbung vorgenommen, so gilt dies ebenso von der Ablösung der paradoxen Redeweise vom »Leben« (*psyche*) Mk 8,35 durch die sprachliche Differenzierung zwischen irdischem Leben (*psyche*) und ewigem Leben (*zoe aionios*), wobei das irdische Leben noch ausdrücklich als Leben »in dieser Welt« gekennzeichnet ist.

Auch V 26 ist gegenüber Mk 8,34 umgestaltet durch eine doppelte Verheißung: Der Jünger in der Kreuzesnachfolge erhält einmal die Zusicherung, dorthin zu kommen, wo auch der Erhöhte weilt, also in die himmlische Gegenwart von Vater und Sohn, und zum anderen die Zusicherung der Ehrung durch den Vater. Es kann durchaus sein, daß die erste Verheißung ehedem gar nicht speziell joh ge-

dacht war. Denn daß Märtyrer unmittelbar im Tode zu Gott entrückt werden, ist hellenistisch-jüdische (4 Makk 6,29; 9,8; 16,25;
17,18–20; 18,10–24) und auch urchristliche (Phil 1,21–26; Offb.
6,9 ff.; 7,9 ff.; 1 Klem 5,4.7) Anschauung. Allerdings paßt die Angabe ebensogut in die joh Heilserwartung (vgl. 12,32; 14,1 ff.;
17,24). Die zweite Verheißung klappt deutlich nach und ist wohl
auch nach der ersten erst angewachsen. Das Ehren des Vaters entspricht sprachlich z. B. dem Lieben des Vaters 14,21.23. Der Vater
ehrt den Nachfolger durch Verherrlichen, d. h. durch Gewährung
der Schau des verherrlichten Sohnes im Himmel (17,24).
Insgesamt passen 12,24–27 auffällig gut in die kirchliche Bedrängnis, wie sie mit Hilfe des verkirchlichten Dualismus in 15,18–16,4
ausgelegt wird, so daß auch von diesem Vergleich her der Nach-
tragcharakter von 12,24–27 erhellt wird.

Exkurs 8: Die Deutung des Todes Jesu im Joh

Literaturauswahl: Becker, J.: Joh 3,1–21 als Reflex johanneischer Schuldis-
kussion, in: Das Wort und die Wörter (FS. G. Friedrich) Göttingen 1973,
85–95, hier: 91 f. – *Beutler, J.:* Die Heilsbedeutung des Todes Jesu im Johannesevangelium nach Joh 13,1–20, in: K. Kertelge (Hg.): Der Tod Jesu,
QD 74, (1976) 188–204. – *Blank, J.:* Krisis, Freiburg 1964, 264–296. –
Bornkamm, G.: Zur Interpretation des Johannes-Evangeliums, in: *Ders.:*
Geschichte und Glaube I, BEvTh 48, 1968, 104–121. – *Bühner, J.-A.:* Gesandte. – *Bultmann, R.:* Theologie des Neuen Testaments, UTB 630, [7]1977
(hrgg. O. Merk), § 45.47. – *Dauer, A.:* Die Passionsgeschichte im Johannes-
evangelium, StANT 30, 1972. – *Hegermann, H.:* Er kam in sein Eigen-
tum, in: Der Ruf Jesu und die Antwort der Gemeinde (FS. J. Jeremias),
Göttingen 1970, 112–131. – *Käsemann, E.:* Wille, 16–54. – *Lindars, B.:*
The Passion in the Fourth Gospel, in: God's Christ und his People (FS.
N. A. Dahl), Oslo 1977, 71–86. – *Miranda, J. P.:* Sendung. – *Müller, U. B.:*
Die Bedeutung des Kreuzestodes im Johannesevangelium, KuD 21 (1975)
49–71. – *Osten-Sacken, P. von der:* Leistung und Grenze der johanneischen
Kreuzestheologie, EvTh 36 (1976) 154–176. – *Richter, G.:* Studien, 58–73.
– *Riedl, J.:* Das Heilswerk Jesu nach Johannes, FThSt 93, 1973. – *Schnak-
kenburg, R.:* Kom II Exkurs 13 (Lit.). – *Thüsing, W.:* Erhöhung.

Über die Deutung des Todes Jesu im Joh hat es in jüngster Zeit eine lebhafte Diskussion gegeben. Dabei geht es um die Frage, ob oder inwiefern man dem Joh eine Kreuzestheologie zusprechen kann. Es geht also um die Nähe zur paulinischen Theologie. Paulus hatte das Kreuz Christi als Tiefpunkt der Erniedrigung und Schwäche zum exklusiven und bleibenden Ort erklärt, wo Gottes Macht sich als Neuschöpfung aus dem Nichts offenbart. Der Sünder und alles Schwache dürfen darum nach Paulus hoffen, daß der Gott, der sich so in Christi Kreuz definierte, sich auch an ihnen als Neuschöpfer mächtig erweisen wird. Es gibt keine Verlorenheit oder Tiefe, in der sich nicht Gott in Christus, dem Gekreuzigten, immer wieder als den Gottlosen Rechtfertigender bestätigt, ja nur so ist Gott am Wirken. Nun hat man das Joh im Ansatz, also bei der Interpretation des Kreuzes Christi, analog verstanden, indem man erklärte: Wenn E Kreuz und Verherrlichung in paradoxer Aussage als Einheit verbinde, komme ebenso bleibend zum Ausdruck, daß E im extremsten Tiefpunkt der Inkarnation paradoxerweise die Auferstehungsmacht Gottes ansiedele (Bultmann, Bornkamm). Aber gegen eine solche Auslegung erheben sich verschiedene Bedenken: Joh 1,14 und 19,5 lassen sich nicht so verstehen, daß E eine Inkarnationstheologie mit der Kreuzigung als Tiefpunkt vertritt, vielmehr ist 1,14 nur eine von der Tradition E vorgegebene Aussage, die er als möglichen Ausdruck joh Gesandtenchristologie deutet, und 19,5 hat keinen Bezug zu 1,14. Weiter fallen für E Kreuzigung und Verherrlichung nicht einfach zusammen, vielmehr ist Jesu Tod – die Rede vom Kreuz ist zwar gut paulinisch, jedoch nicht typisch für E – als Durchgangspunkt bei der Rückkehr zum Vater nur ein Teil des Verherrlichungsgeschehens. Diesen Durchgang muß der Gesandte hinter sich lassen. So kann der Tod nicht der bleibende Ort der Offenbarung sein, vielmehr hängt alles an dem Erhöhten, der nach Abschluß des gesamten Sendungsvorganges Glaubensgegenstand und Lebenshoffnung ist.

Gegen Bultmanns Konzept hat als erster mit durchschlagender Wirkung Käsemann Stellung bezogen: Im Joh herrsche die Gottheit Jesu so vor, daß die Einordnung der Passionsgeschichte geradezu zu einem Problem werden muß. E vermag sie seinem Werk nicht organisch einzuordnen, weil der über die Erde schreitende Gott von vornherein und immer nur als der, der personhaft ewiges Leben ist, auftreten kann. Unter diesem Zwang gestaltet er die Passion Jesu als Sieg Christi um. Dieser Behelf macht es unumgänglich, an das joh Konzept kritische Anfragen zu stellen. Dieses joh Verständnis hat zwar eine ganze Reihe exegetischer Untersuchungen provoziert (Schottroff, Müller, von der Osten-Sacken, Richter, Schnackenburg), die die Einsicht in die joh Theologie gefördert haben, kann aber selbst so nicht übernommen werden. Mit Recht ist darauf hingewiesen worden (Bornkamm), daß E von Anfang an Jesu Tod thematisiert (vgl. z. B. 1,36; 2,18–22; 3,12–15; 5,17 f.; 6,62; 7,19.30.33 f.; 8,59; 10,39; 11,45 ff. usw.) und gerade auch den ihm vorgegebenen PB viel umfassender als die Synoptiker seiner Theologie dienstbar macht: Er hat nicht nur durch die Hellenenrede (12,20 ff.) und die große Abschiedsrede (13 f.) den Fortgang Jesu gründlich ausgelegt, sondern auch den Kern des PB, also Joh 18 f., erheblich selbständig umgestaltet. Einen Mangel an Integration kann man also keineswegs feststellen. Vielmehr ist das Gegenteil richtig. Auch der über die Erde schreitende Gott, der die Basis für diese These abgibt, ist für das Joh so nicht als Deutekategorie verwendbar (vgl. zu 1,14–18).

Vieles hängt bei der Problematik schon vom Ansatz ab, mit dem man bei der Deutung einsetzt. Dabei sollte man vom großen Rahmen des joh Dualismus auf die Gesandtenchristologie zugehen und dann von da aus die Deutung des Todes Jesu bestimmen (vgl. dazu die Abfolge von § 42–44 und § 45 bei Bultmann, Theologie). Das joh Darstellungskonzept ist dabei insgesamt bestimmt durch die Perspektive, die Glaubens- und damit Lebensermöglichung durch den Erhöhten für alle Menschen zu entfalten (vgl. nur 3,11–18). Wird so von der Erhöhung Christi her gedacht, ist sein Gesandtenstatus vom Eintritt in die Welt bis zum Fortgang qualifizierende Beschreibung für die Ausübung der Funktion, die der Erhöhte nach 12,32 nun innehat. Nicht das Kreuz ist also bleibender Realgrund der Erlösung, sondern die Erhöhung, wie sie sich als Abschluß der Sendung ergibt.

Der Dualismus, wie er für E kennzeichnend ist, ist in Exkurs 3 und 4 näher beschrieben: Des Menschen Grundbefindlichkeit ist seine Todesverfallenheit in der Welt als dem Herrschaftsbereich des Teufels, der ein fortwährender Lebensverneiner ist. Die Grundfrage nach dem Heil ist darum die Frage nach Leben als Todesüberwindung. Sie kann nur ermöglicht werden durch Gott als Quell des Lebens. Allerdings ist Gott »oben«, der Mensch »unten«, und des Menschen teuflische Todesverfallenheit ist zugleich seine Gottesfinsternis. So ist Gott unbekannt und damit Leben als todesfreier Heilsstand unerschwinglich. Der Mensch perpetuiert vielmehr sein Todesgeschick, weil und indem er dem Teufel gern dient, also auch das alle verelende Geschäft des Lebensverneinens übt.

Nun ist Gott aber nicht nur weltfernes Leben schlechthin, sondern in Identität Leben und Liebe, die Leben schaffen will (3,16). So ist die göttliche Liebe Ansatz und Ursprung menschlicher Erlösung. Diese Liebe konkretisiert sich in der Sendung des Sohnes. Ist bei Paulus das Kreuz Symbol, wie Gott das tiefste Elend erlöst, so bei E eben diese Sendung. Dabei ist die Verlorenheit, zu der der Gesandte aufbricht, keineswegs weniger radikal beschrieben als bei Paulus, kommt doch der Sohn in den diabolischen Bereich von Finsternis und Tod, in dem der Mensch sich als gottloser immer schon gefangen vorfindet. An diesen Ort bringt der Sohn göttliches Leben, das er selbst ist. Dieser christologische Erlösungsvorgang wird nun mit Hilfe der Gesandtenvorstellung beschrieben (Bühner). Der Gesandte ist bestimmt durch den Weg, den er zurücklegt. Er hat drei Aspekte: die Sendung durch den Auftraggeber, die Durchführung des Auftrages und die Rückkehr. Dieses allgemein kulturgeschichtlich typische Modell, aufgrund dessen überhaupt in der Antike Nachrichtenübermittlung, Handel und Rechtsgeschäfte stattfinden konnten, wird auch auf religiöse Gestalten übertragen, nicht nur in der Gnosis, sondern auch im Judentum und in anderen religiösen Phänomenen. Dieser weitverzweigte Gebrauch der Gesandtenvorstellung in den verschiedenen Religionen kann hier nicht dargestellt werden. Wichtig ist jedoch die Einsicht, wie im Joh der Tod Jesu in diesen Zusammenhang eingebettet ist. Zeichnet man in den joh Dualismus den Weg des Gesandten ein, ergibt sich folgende Struktur:

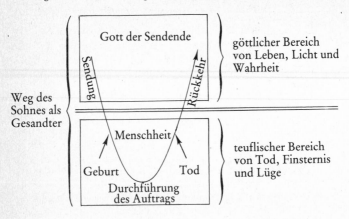

Gott sendet aus Liebe (3,16). Die Sendung wird unter weltlichen Bedingungen durch die Geburt verwirklicht (6,42). Der Auftrag wird durchgeführt als Gehorsamstat des gesandten Sohnes (6,38; 14,31). Die Rückkehr erfolgt über den Tod als Durchgang zum göttlichen Bereich. So allerdings deutet nur der Glaube die Person Jesu. Der Unglaube nimmt nur ein übliches, menschliches Leben wahr:

Die Menschheit weiß ja nichts vom göttlichen Lebensbereich, wähnt also, in einer gleichsam undualistischen Wirklichkeit zu leben. Sie kennt Jesu Gott nicht (1,18; 5,37). Darum begegnet sie Jesu Herkunftsaussagen, seiner Offenbarung als Selbstdarstellung der Einheit mit dem Vater und der Deutung seines Todes als Rückkehr zum Vater mit der Abqualifikation: Er ist kein Gesandter des Vaters, er ist besessen. Sein Anspruch bewirkt, daß man seine Tötung plant (7,20). Diese Situation des Unglaubens und der Ablehnung ist freilich vom sendenden Vater und gesandten Sohn eingeplant: Der von den Ungläubigen betriebene Tod ist gerade der Weg, auf dem der Sohn zum Vater zurückkehrt.

Theologiegeschichtlich ist das Schema vom Abstieg und Aufstieg spätestens seit dem Hymnus in Phil 2,6–11 bekannt. Es ist in der Zeit von E wohl das übliche Wegschema in der Christologie. Das Besondere am Joh besteht darin, daß die dualistische Komponente eingebracht und das Wegschema mit Hilfe der Gesandtenthematik ausgedeutet wird. Innerhalb dieser ist nun die Sendung beschrieben als Auftrag und Bevollmächtigung des Sohnes durch den Vater, wobei der Sohn – aus dem göttlichen Lebensbereich kommend und ihm von Haus aus zugehörig – selbst die Göttlichkeit als Besitz erhält, die Gott zum Gott macht: Leben in sich zu haben (5,26). Diese seinshafte Überlegenheit über die Todeswelt ist – insofern der Sohn den Auftrag des Vaters im Gehorsam ausführt und sich nicht auf die Seite des lebensverneinenden Teufels stellt – sein unverlierbarer Besitz. Ausstattung und Auftragsdurchführung zusammen sind so Grundbedingung für die Erlösung. Im Dualismus kann der Todeswelt nur Leben angeboten werden, indem das Fremde zu ihr kommt. Insofern nun die Menschen todesverfallen und gottesblind sind (als zwei Seiten desselben Unheils), muß ihnen erst die Heilsfähigkeit zum Erkennen von Vater und Sohn erschlossen werden. Auftrag und Gehorsam des Sohnes bestehen darum in seiner Selbstoffenbarung im Wort, das Heilsfähigkeit erschließt und Heil schafft. Das Wort erschließt das Sein und die Funktion des Sohnes.

Der Weg des Gesandten ist aber damit keineswegs abgeschlossen. Der himmlische Gesandte kann in der irdischen Welt nur als Gast in der Fremde weilen. Weil er zum Vater gehört und ihm auch den Aufweis des vollendeten Auftrags schuldig ist, ist seine Sendung erst beendet, wenn er wieder beim Vater ist. Darum kann der Tod nur Durchgangsstadium auf dem Weg zurück zum Vater sein. Wie die Geburt Durchgang als Eintritt in die Welt ist, so ist der Tod Durchgang als Austritt aus der Welt. Wie die Geburt für E kein spezielles Gewicht erhält als z. B. Jungfrauengeburt (vgl. zu 6,42), so wird ganz analog auch nur vom Tod allgemein geredet, denn vom Kreuz ist nur im traditionellen PB gesprochen. Darum wird der Tod beschrieben als »Fortgehen« Jesu (7,33; 8,14.21f.; 13,3.33.36; 14,4f.28; 16,5.10.17 – so E und die KR) oder besser als Fortgehen zum Vater, denn alles liegt an diesem Ziel, nichts an der Art des Todes als solchem. Ähnlich wird vom »herabsteigen« und »aufsteigen« als Beschreibung des Weges des Gesandten im dualistischen Weltbild gesprochen (3,13; 6,61f.). Ebenso wird die Terminologie, die aus der allgemeinen urchristlichen Christologie entstammt, dieser Wegbeschreibung dienstbar gemacht, nämlich die Aussagen vom »erhöht werden« (3,14; 8,28; 12,32.34 – diese Ausdrucksweise fehlt bei der KR) und »verherrlicht werden« (vgl. 12,23.28; 13,31f.; 14,13; so auch die KR in z. B. 17,1.4.5.10). Denkt man vom beschriebenen Weg des Gesandten her, können Tod und Erhöhung nicht paradox zusammenfallen – so sicher der Tod gegen alle urchristliche Tradition nicht Tiefpunkt der Erniedrigung ist (vgl. Phil 2,8), sondern zur Erhöhung gehört –, vielmehr kann der Tod nur ein integraler Teil des Erhöhungsvorganges sein, weil alles daran liegt, daß der Sohn wieder beim Vater ankommt (vgl. weiter zu »erhö-

hen« und »verherrlichen« 3,14; 12,31 f.). Diese Deutung von Jesu Tod als
Durchgang (vgl. dazu vor allem Müller) analog zu Jesu Geburt als Eintritt
in die Welt wird endlich daran nochmals einsichtig, wenn bedacht wird,
wieviel bei der joh Christologie daran liegt, daß Jesus beides zusammen
weiß, sein Woher und sein Wohin, und seine Gesandtschaft überhaupt unter diesem Doppelaspekt erschlossen ist (vgl. 7,27 f.35; 8,14; 9,29 f.; 13,36;
14,5; 19,9).

Über diese Bestimmung des Todes hinaus kann E weitere Gesichtspunkte
namhaft machen, die Jesu Tod auslegen (vgl. Einzelnes in Exkurs 14). Als
vorrangig hat dabei die Aussage zu gelten, daß Jesu Tod Entmachtung des
Todes (Teufels) ist, also Herrschaftswechsel stattfindet, und daß er Gericht
über die Welt bedeutet (vgl. zu 12,31 f.; 14,30). Ist Jesu Sendungsauftrag
wesenhaft im Wort und durch das Wort zugängig und Jesus so der Zeuge
des unbekannten Gottes (vgl. 1,18) und damit der himmlischen Lebenswelt, indem er sich selbst als personhafte Einheit mit dem Vater verkündigt
(5,17 f.; 10,30) und so Zeugnis ablegt (5,31 ff.; 18,37), so gehört zu seinem
Auftrag ebenfalls, im Tode Gehorsam und Einheit mit dem Vater zu bewähren, um so den Teufel zu besiegen. In diesem Sinn »muß« Jesus erhöht
werden (3,14). Damit aber wird Jesu Tod zum eschatologischen Ereignis.
Es ist selbst Endgericht über die Welt im strengen Sinne: Der Teufel ist entmachtet und Lebensmöglichkeit im Sinne von 11,25 f.; 13,32; 14,6 geschaffen. Mit dem Teufel ist endgültig verloren, wer in der Glaubensverneinung
verharrt. Dies wird an den Juden demonstriert: Indem sie Jesu Tod betreiben, sorgen sie gerade paradoxerweise für den Sieg des Lebens und für ihren
eigenen Tod (Joh 11; 18 f.). Umgekehrt wird dem Glauben Leben zugesprochen: Der Erhöhte kann nun zu sich ins Leben ziehen (12,32), sein Tod
bringt immerwährende Koinzidenz von Ostern, Pfingsten und Wiederkunft (14,18–26), kraft deren der Gläubige den Tod statt als Lebensfeind
wie Jesus auch als Durchgang zur Erhöhung erfahren kann (11,25 f.). Um
dieser Glaubensvergewisserung willen muß Jesus gerade angesichts des Todes sich als siegreiches Leben bewähren, seine Einheit mit dem Vater demonstrieren und in demselben Maße die Nichtigkeit des Todes erweisen.
Darum ist der sterbende Jesus nicht der Schwache, sondern der demonstrativ Starke, darum sind die äußerlich Mächtigen und Starken im Passionsgeschehen die schwachen Figuren, die Jesus, der Lebensfürst, bewegt, um gerade sie dem Tod zu überlassen, der ihm zugedacht war (12,27–30; 14,30 f.;
18 f.). Alles hängt daran, daß gerade beim Tod der Gesandte des Lebens seinen Auftrag demonstrativ vollendet (14,31; 19,30). So wird dem Glauben
ermöglicht, den Realgrund des Zeugnisses vom Leben (11,25 f.; 14,6) ein-
zusehen und sich an diesem Wort festzumachen. Indem die traditionellen
Leidensaussagen den Hoheitsaussagen weichen, belacht die joh Gemeinde,
durch E dazu angeleitet, des Todes Tod und preist das Leben, d. h. Christus
als Sieger. Die Gefahr, daß so die Menschheit Jesu zu kurz kommen könnte, war zur Zeit von E noch überhaupt kein Problem. Unter menschlichem
Blickwinkel war Jesus wie jeder andere auch als Mensch geboren und gestorben. Aber gerade das ist ja der Kardinalfehler der Juden als Repräsentanten des Unglaubens, daß sie in Jesus nur solchen Menschen sehen (6,42).

Es gilt also, die himmlische Dimension Jesu freizulegen, damit der Glaube dadurch Leben empfangen kann.

Die KR nach E hat wie die joh Gemeinde insgesamt auch schon vor E das Gesandtenmodell zur Entfaltung der Christologie benutzt, jedoch dabei neue Akzente gesetzt: Da an der futurischen Parusie Christi festgehalten ist (vgl. zu 5,28 f.; 6,39.40b.54; 12,48), ist das Wegschema des Gesandten um ein zweites endgültiges Kommen erweitert. Also kann das erste Kommen nicht Endgericht sein. So kann Jesu Erhöhung nur insofern das Weltgericht bedeuten, als damit die (dehnbare) Zeit der Endereignisse begonnen hat, die mit der Parusie enden werden. Für diese Zeit zwischen beiden Ereignissen, wie sie durch den Gegensatz von Kirche und Welt bestimmt ist (vgl. 16,16–17,26), hat der Tod Jesu für die Seinen zwei gegenüber E neue, im übrigen freilich traditionelle Bedeutungen hinzubekommen: Sein Tod gilt für die Seinen als Heilstod (1,29; 6,51c; 10,11.15; 11,51 f.; 15,13; 19,17; vgl. 1 Joh 1,7; 2,2; 4,10 usw.) im Sinne der traditionellen urchristlichen formelhaften Wendung vom Tod Jesu für … (Röm 5,6.8; 14,15; 1 Kor 15,3b–4; 2 Kor 5,14 f.; 1 Petr. 2,21–25 usw.). Außerdem wird sein Tod zur Mahnung an die Gemeinde, seinem Beispiel des Opfers für die anderen zu folgen (13,14 f.; 15,13 f.; vgl. 1 Joh 3,16); er wird also paradigmatisiert (Richter). Im übrigen hat die KR an den hoheitlich umgeprägten Leidensaussagen keinen Anstoß genommen; diese Tendenz kam ihr sogar sehr gelegen (1 Joh 1,1–3).

Wer heute das christologische Konzept von E bedenkt, wird vornehmlich in zweierlei Hinsicht vor kritischen Anfragen stehen: Einmal führt die Zurückdrängung des leidenden Christus zu einer weitgehenden Ausblendung der irdischen Wirklichkeit, wie sie die Synoptiker in Jesu Passion kennen, und wie Paulus sie theologisch in seiner Kreuzestheologie festhält (vgl. Käsemann, Schnackenburg). Dem Programm der Erlösung als Entweltlichung im Sinne von 12,32 korrespondiert offenbar die leidlose und insofern auch der Wirklichkeit entfremdete Haltung Jesu in seiner Passion. Hebr 4,15; 5,7 f.; 1 Petr. 2,23 f. sind demgegenüber Zeugen, wie man zur Zeit von E den Gedanken des leidenden Christus wachhalten konnte. Zum anderen führt der Gedanke, Jesu Erhöhung sei schon im Sinne von E endgültiges Weltgericht, dazu, Geschichte und Schöpfung – abgesehen von den wenigen einzelnen, die als Teile von Geschichte und Schöpfung zum Glauben an den Sohn kommen, – vorzeitig endgültig dem definitiven negativen Gerichtsurteil auszuliefern (von der Osten-Sacken). Also: Joh 3,16 reicht als Front gegen die deterministisch-dualistische Abwertung der Menschheit allein nicht aus. Ist die Aussage ein Schritt in die richtige Richtung, so muß dies doch auch Konsequenzen z. B. für die Auslegung der Passion haben. Hier muß deutlich werden, daß gerade auch den Gegnern und Feinden Jesu und der Kirche der Weg zum Heil offensteht. Ist der Endgerichtsgedanke im traditionellen futurischen Sinn verarbeitet, kann er die Zeit bis dahin offenhalten als Zeit, in der Umkehr und Heilsannahme möglich sind. Allerdings darf dann nicht wie bei der KR diese Auslegung durch den Dualismus versperrt sein.

4. Der Abschluß zum öffentlichen Auftreten Jesu 12,37–43

37 Trotz seiner so großen Zeichen, die er vor ihnen tat, glaubten sie nicht an ihn, 38 damit das Wort des Propheten Jesaja erfüllt würde, das er sprach: »Herr, wer hat unserer Verkündigung geglaubt? Und der Arm des Herrn, wem ist er enthüllt worden?« 39 Darum konnten sie nicht glauben, weil Jesaja wiederum gesagt hat: 40 »Er hat ihre Augen geblendet, und verhärtet hat er ihr Herz, damit sie mit den Augen nicht sehen (können) und mit dem Herzen nicht verstehen (können) und sie nicht umkehren und ich sie heile.« 41 Das sagte Jesaja, weil er seine Herrlichkeit sah, und von ihm hat er geredet. 42 Gleichwohl glaubten jedoch auch von den Ratsherrn viele an ihn, aber wegen der Pharisäer bekannten sie (es) nicht (öffentlich), um nicht aus der Synagoge ausgeschlossen zu werden. 43 Denn sie liebten die Ehre der Menschen mehr als die Ehre Gottes.

Literaturauswahl: Holst, R.: The Relation of John, Chapter twelve, to the so-called Johannine Book of Glory, Michigan (USA) 1974, 196–220. – *Schnackenburg, R.:* Joh 12,39–41. Zur christologischen Schriftauslegung des vierten Evangelisten, in: Neues Testament und Geschichte (FS O. Cullmann), Zürich – Tübingen 1972, 167–177.

Der Abschnitt schließt den Hauptteil II ab (vgl. die Einführung zu Abschnitt H). Er entspricht planvoller literarischer Ordnung von E und steht literarisch parallel zu dem Stück 20,30 f., mit dem sachlich ein beabsichtigter Kontrast entsteht. Für E ist also die abschließende Beurteilung des öffentlichen Auftretens Jesu negativ. Dies wird theologisch mit Hilfe der Schrift gedeutet. Aber 12,37 ff. ist nicht nur eine theologische Deutung der Historie, vielmehr können V 42 f. nur so verstanden werden, wenn E dabei an seine Zeit denkt: Vergangenheit und Gegenwart verschmelzen.

Nun hat E jedenfalls den Anfang, nämlich 12,37 f., nicht einfach neu geformt. Er greift hier auf den Abschluß der SQ zurück (Bultmann, anders die meisten anderen Exegeten). Die Zusammenfassung des öffentlichen Auftretens Jesu als »Zeichen tun« entspricht nämlich der SQ (20,30), aber nicht E, der vornehmlich in den Reden Theologie betreibt und hier den Unglauben der Juden entlarvt. Die SQ hatte gerade in Joh 5; 9 den Anstoß der Juden am Wunder herausgestellt, mit 11,54 den öffentlichen Auftritt Jesu abgeschlossen, um dann in 12,37 f. und 20,30 f. (G) die Wirklichkeit von

Glaube und Unglaube zusammenfassend festzuhalten. So beschreibt 2 Mose 3–14 immer wieder die Verstockung Pharaos aufgrund der Wunder und die Hilfe, die dadurch Israel zuteil wird. So steht die SQ in einer missionarischen Konkurrenzsituation, in der Ablehnung und Aufnahme des Wundertäters gängige Doppelerfahrung ist (vgl. den Exkurs 1).

Auf die SQ weist aber vor allem die Differenz zwischen V 38 und V 39 f. V 38 bezieht sich auf Jes 53,1 LXX (zum Motiv vom Arm des Herrn vgl. 2 Mose 8,19; Sap Sal 16,16) und verwendet die Doppelfrage als abschließende enttäuschte Klage über den Mißerfolg: Trotz der so großen Zeichen entsteht unverständlicherweise nicht der gewünschte Glaube. So wird leider die Klage Jesajas christologisch erfüllt. Anders reden nun V 39 f. Nun erfüllt sich Jes 53,1, weil die Zeitgenossen Jesu nicht glauben können, denn nach Jes 6,9, das selbständig zurechtgeschnitten wird, mußte Verstockung geschehen. Hier wird demnach ähnlich deterministisch geredet wie über die ungläubigen Juden in 8,43–47. 12,39 f. ist also nachträgliche deterministische Zuspitzung der Klage aus V 38.

Man kann weiter darauf hinweisen, daß die Zitationsformel in dieser Form sonst E fremd ist. Die nächste Parallele in 15,25 stammt von der KR. Auch die wörtliche Übereinstimmung von V 38 mit der LXX ist auffällig. Stellen wie 2,17; 10,34; 19,24, die ähnlich eng mit der LXX harmonieren, sind wohl alle nicht von E. Beides weist zwar nicht schlüssig auf die SQ, erschwert aber die Zuweisung von V 37 f. an E.

Im Unterschied zu Jes 53,1, das nur Röm 10,16 nochmals zitiert wird, wobei Joh 12,38 keine auch nur indirekte Beziehung zu Röm 10 aufweist, ist 12,40 = Jes 6,9 f. ein auch sonst bekanntes Zitat mit einer deutlichen Auslegungstradition (vgl. Mk 4,12 par; Apg 28,26 f.). Es wird allerdings bei E dem AT gegenüber frei verändert und insgesamt dem joh Determinismus dienstbar gemacht (vgl. Exkurs 3 und besonders 8,39–47). Es weicht gleich eingangs darin vom AT ab, daß E den einleitenden Imperativ »Hört genau, aber versteht nicht; und seht genau, (aber) seht und erkennt nicht!« fortläßt und unmittelbar die Verblendung der Augen und die Verstockung des Herzens bringt. Dies geschieht in Veränderung der gesamten atl Texttradition, die a) zuerst von der Herzensverstockung spricht, dann b) von der Verhärtung der Ohren und c) der Verblendung der Augen redet. E wird bei dieser Umorganisation und Straffung von der Situation aus V 37 her denken und wohl auch im Blick auf 9,39 formulieren. Neben kleineren Texteingriffen hat E vor allem noch am Schluß (»und ich sie heile«) die erste Person Sin-

gular eingebracht, um so den unmittelbaren christologischen Bezug
(vgl. V 41) herzustellen.

Umstritten ist die Frage, wer das Subjekt des Verblendens und Ver-
härtens ist. Auf den ersten Blick will man deuten: Gott hat verblen-
det, so daß Jesus nicht heilen kann. Dies würde insoweit mit dem
Sinn des Jesajatextes selbst harmonieren. Was Joh 6,37.44.65 (vgl.
auch die KR in 10,29; 17,6.9.11 f.) positiv ausgedrückt ist im Sinne
einer göttlichen Bestimmung des Menschen zum Heil, wird dann
hier nur auch für die negative Folge göttlicher Determination ausgeführt. Da solche Determinismen innerhalb der Traditionsgeschichte des joh Dualismus qumrannahe sind (vgl. Exkurs 2), wird
man religionsgeschichtlich auf 1QS 3,18 f. verweisen können, wenn
hier Gottes prädestinierendes Handeln mit doppelter Folge beschrieben wird. Dieser üblichen Deutung auf Gott (so u. a. Bultmann, Schnackenburg) ist allerdings entgegengehalten worden, daß
sonst im Joh Blindheit im Gegensatz zu Gott steht und Abwesenheit Gottes bedeutet (Holst; Blank, Krisis 304 f.): In 1 Joh 2,11 ist
ausdrücklich die Finsternis die blind machende Macht (vgl. auch
12,35), und Joh 8,39–47 ist die Teufelsgestalt ursächlich mit dem
Unglauben der Juden verbunden. Auch der Judasverrat ist des Teufels Werk (13,2.27). Wer also Joh 12 eine göttliche praedestinatio
gemina erkenne, trage Paulus (Röm 9–11) in das vierte Evangelium
ein.

Wie ist also zu entscheiden? Einmal könnte das sinngemäß zu er-
gänzende Subjekt in V 40a kaum als direkte Angabe fehlen, wenn
der Teufel gemeint ist. Denn ein Rückbezug auf 12,31 ist nicht angezeigt und im Zitat 12,38, unmittelbar voranstehend, ist Gott angeredet. Zum anderen sagen die Stellen wie 1 Joh 2,11; Joh 8,39 ff.
nur aus, daß der Teufel bzw. die Finsternis im Menschen wirkt,
aber nichts über die Determination, von der man drittens gerade
1QS 3,13–4,1 sehen kann, daß sie die satanische Herrschaft über
den Menschen mit umfaßt. Also Satansherrschaft und göttliche
Vorherbestimmung schließen sich gar nicht aus. Daß endlich im
Joh die negative Seite der göttlichen Determination sonst nicht erwähnt wird, ist zwar auffällig, aber erklärlich. Die joh Perspektive
der Darstellung ruht insgesamt auf der geschichtlichen Entscheidungssituation des Menschen und entfaltet im Unterschied zu 1QS
3 f. die Theologie nicht deduktiv aus dem göttlichen Beschluß vor
aller Zeit. Außerdem wird immer wieder dabei die Vorrangigkeit
des Heils betont, so daß die Gerichtsverfallenheit nur als Schatten-
seite des Heilsangebotes zur Darstellung gelangt (vgl. nur 3,16–18).
Am göttlichen Handeln vor der Sendung Christi liegt E praktisch

nichts, schon gar nicht am Spekulieren über vorzeitliches Handeln
Gottes, wie er ja auch insgesamt Schöpfungsaussagen (vgl. 1,1 f.) de
facto nicht aktualisiert. So wird man also der verbreiteten Auslegung zustimmen müssen, die hier – im Joh ausnahmsweise – Gott
für die negative Bestimmung der Juden zum Subjekt erhebt. Man
wird sofort hinzufügen müssen: Diese vorherige Bestimmung hin-
dert E nicht, die Juden trotzdem wegen ihres Unglaubens zu verurteilen (vgl. 8,39 ff.), ebenso wie es 1 QS 3,13–4,26 mit den Finster-
nismenschen geschieht. Das neuzeitliche Problem einer Schuldzu-
messung nur bei Eigenverantwortung ist nicht in die Texte einzutragen. Sie antworten: Weil und indem der Mensch die Finsternis
liebt (3,19), die Begierden des Teufels selbst tun will (8,44), ist er
schuldig und unterliegt dem Gericht. So kann 12,39 f. nicht als eine
Entlastung der Juden aus der Verantwortung für ihren Unglauben
verstanden werden, sondern ist gerade eine besonders akzentuierte
Behaftung bei ihrer Ablehnung Jesu. Ihr unentschuldbarer Unglaube ist so ernst, daß er den Blick auf einen überindividuellen Horizont freilegt.

Jesaja hat dieses Greifen der göttlichen Verstockung im voraus verkündigt, daß sie sich nämlich bei Jesu Kommen ereignen würde.
Als er Jes 6,9 f. sprach, sah er Jesu Herrlichkeit, also den präexistenten Christus in seinem Heilssinn, der eigentlich auf »heilen«
aus ist. Daß dieser Heilssinn nicht bei Jesu öffentlichem Auftreten
im Blick auf die Juden zum Ziel kam, lag nicht am Gesandten und
seinem Werk, sondern an den Juden und ihrem vorherbestimmten
Verhalten. Bei dieser Deutung mag eine Rolle gespielt haben, daß
man im Judentum Jes 6 so deutete, der Prophet habe nur die göttliche Herrlichkeit, nicht aber Gott unmittelbar geschaut (so z. B. der
Targum zu Jes 6). Diese spekulative Differenzierung deutet E dann
christologisch aus. Nach 1 Kor 10,4 ist der präexistente Christus
auch bei der Wüstenwanderung schon anwesend. So singulär solche Präexistenzaussagen im NT auch sind, so boten sie sich als her-
meneutische Hilfskonstruktion zur christologischen Auslegung atl
Texte doch an. Das Judentum konnte längst vor dem Christentum
in analoger Weise die Anwesenheit der Weisheit exegetisch »zu-
rückdatieren«.

Würde 12,37–41 als Rückblick allein verstanden, also zur abschließenden Bekräftigung von der auf 8,39–47 zugespitzten Auslegung
des ungläubigen Verhaltens der Juden, könnte E so das öffentliche
Auftreten Jesu beenden. Denn das negative Gesamturteil über die
Stellung der Juden zu Jesus überrascht auch in dieser abschließenden Schärfe, blickt man auf den ganzen Hauptteil zurück, über-

haupt nicht. Durchweg herrschten Konfrontation und Feindschaft,
so daß selbst die, die zunächst glaubten, ihres Unglaubens entlarvt
wurden (2,23 f.; 8,30 ff.; 10,19–39 usw.). Glaube ist die Ausnahme
von wenigen einzelnen wie den Jüngern und einiger Nichtjuden
(4,41 f. 53). So erfüllt sich 1,11 f.
Aber E will den Gegenwartsbezug am Schluß nochmals deutlich
markieren. Der Leser, der vom Synagogenausschluß hört (vgl. zu
9,22 f.; zum geschichtlichen Hintergrund der Gattung des literarischen Rechtsstreits bei 5,31 ff. und die Einleitung 3b), denkt an die
unmittelbare Vergangenheit der Gemeindegeschichte. Von den
Mitgliedern des Synedriums – so sagt E – gab es »viele« (eine beabsichtigte Übertreibung?), die heimlich glaubten, doch den Mut
nicht fanden, dies offen zu bekennen, um nicht aus der Synagoge
ausgestoßen zu werden. Dabei waren insbesondere die Pharisäer –
die Situation nach 70 n. Chr. wird abermals deutlich – die tonange-
bende antichristlich agierende Partei. Wohl könnte man für die Zeit
des irdischen Jesus als Beispiel solchen Versuchs der inneren Emi-
gration auf Nikodemus (3,1; 7,50; 19,39) verweisen – später wird
noch Joseph von Arimathia (19,38) genannt –, aber V 42 will doch
insgesamt als Rückprojektion verstanden werden: Heimlicher
Christusglaube hat der Gemeinde bei ihrem Synagogenausschluß
nicht geholfen. Er war auch z. Z. des Irdischen kein wahrer Glaube, stellte er doch (V 43) die Ehre, die man von anderen erwartete,
höher als die Ehre Gottes. Dies ist typisches Zeichen des Unglaubens, wie E bereits 5,44, also im Zusammenhang des Rechtsstreits,
in dem der Ablösungsprozeß vom Judentum verarbeitet ist, aus-
führte. Auch dieser Glaube ist also Unglaube und unterliegt demselben Urteil wie 12,39 f.

5. Ein zusammenfassender Nachtrag zur Lehre Jesu
   12,44–50

44 Jesus aber rief mit lauter Stimme und sprach: »Wer an
mich glaubt, glaubt nicht an mich, sondern an den, der mich
gesandt hat; 45 und wer mich sieht, sieht den, der mich gesandt hat.   46 Ich bin als Licht in die Welt gekommen, damit
jeder, der an mich glaubt, nicht in der Finsternis bleibt.
47 Und wenn jemand meine Worte hört und sie nicht befolgt,
richte ich ihn nicht; denn ich bin nicht gekommen, damit ich
die Welt richte, sondern damit ich die Welt rette.   48 Wer
mich verwirft und meine Worte nicht annimmt, hat einen, der

ihn richtet. Das Wort, das ich gesprochen habe, das wird ihn am letzten Tag richten. 49 Denn ich habe nicht aus mir selbst gesprochen, sondern der Vater, der mich gesandt hat, der gab mir ein Gebot, was ich sagen und was ich reden soll. 50 Und ich weiß, daß sein Gebot ewiges Leben ist. Was ich also rede, rede ich so, wie es mir der Vater gesagt hat.«

Literaturauswahl: Blank, J.: Krisis, 306–310. – *Boismard, M.-E.:* Le caractère adventice de Jo 12,45–50, in: Sacra Pagina II, Paris – Grembloux 1959, 189–192. – *Bühner, J.-A.:* Gesandte 118–269. – *Holst, R.* (vgl. H 4), 196–229.

Schon Tatian hat in seinem Diatessaron die unmögliche Stellung von 12,44–50 erkannt und als erster das Stück vor 12,36b gestellt. Neuere Ausleger (z.B. Bernard, Moffatt) stellen den Abschnitt gern vor 12,37. Bultmann benutzt das Stück als ein Element einer ganz neu zusammengestellten Lichtrede. In der Tat, nach 12,37–43 ist für eine weitere Rede Jesu kein Platz mehr. Auch ist V 44a eine ganz dürftige Einführung, die zwar sprachlich an 1,15; 7,37 erinnert, aber weder Umstände noch Zuhörer benennt. Allerdings hilft eine Umstellung, wie so oft, nicht weiter, und eine totale Neuordnung bleibt viel zu hypothetisch (gegen Bultmann). Auch bei neuer Platzanweisung in Joh 12 bleibt das Stück situationslos. So ist dann auch bis heute keine durchschlagende Begründung in Sicht, warum eine Umstellung die alte Ordnung wiederherstellt. Darüber hinaus gibt es genügend Besonderheiten im Text, die es geraten sein lassen, die Hand der KR am Werk zu sehen (vgl. Boismard; Schnakkenburg: Hinzufügung der KR aus Material von E). Sie suchte sich abermals einen Abschluß zum Nachtrag aus (vgl. 3,31–36; 6,51c–58; 15–17), hier um mit knappen Sätzen die öffentliche Selbstoffenbarung des Gesandten nochmals zusammenzufassen. So erklären sich die Auffälligkeiten im Text und zugleich der Rückgriff auf Formulierungen von E, ebenso der Umstand, daß diese Rede sachlich nichts Neues bringt.
Unter den Besonderheiten im Text steht an oberster Stelle der Verweis auf das noch ausstehende Endgericht. Vollzieht sich für E das Gericht in der gegenwärtigen Glaubensverweigerung, so wird nun V 48 das Gericht als zukünftig hingestellt (vgl. zum ganzen Problem Exkurs 7 und die Auslegung zu 3,17f.; 5,19–30; 6,37–40.44.51c–58). Im Unterschied zu Stellen wie 5,28f.; 6,39.40c.44c ist die Aussage allerdings ebenso fest mit dem Kontext verbunden wie 3,5 das literarkritisch umstrittene »aus Wasser«.

Dies wird besonders an einer weiteren Auffälligkeit deutlich, nach
der singulärerweise im Joh das Wort, gleichsam verselbständigt, die
Richterfunktion wahrnimmt (V 48). Es geht also kaum an, das »am
jüngsten Tag« allein der Redaktion zuzuweisen (so Bultmann
u. a.). Unter den sonstigen Besonderheiten des Textes (vgl. dazu
Boismard, Schnackenburg) seien noch hervorgehoben: das Wort
»befolgen« (V 47) bzw. Jesus »verwerfen« (V 48) und »der (gab)«
statt »jener (gab)« (V 49) sind sonst im Joh nicht gebräuchlich.

Typisch für die Arbeit der KR ist ferner, daß sie traditionelle Materialien und Ausagen sowie Ausführungen von E heranzieht und in
Anlehnung daran selbst formuliert. So ist immer wieder beobachtet
worden, daß der Abschnitt durchweg solche engen Beziehungen zu
joh Texten hat. Auswahlweise sei angeführt: V 44 f. steht nahe bei
6,39 f.; 7,16 f.; 8,26; 13,20. Speziell hat V 45 auffällige Nähe zu
14,9. V 46 greift 3,19–21; 8,12 auf. V 47 lehnt sich an 3,16 f. an. Zu
V 48 kann man auf 6,39 f.; 14,23 f.; 15,3 verweisen. V 49 steht zu
7,16–18; 14,10 parallel, und zu V 50 kann 3,34; 6,40; 17,2 herangezogen werden. Vielleicht liegt auch Absicht vor, daß gerade zum
Eingang des Joh Motivanklänge auftreten, vgl. 1,9.12 f.18 (Schnakkenburg).

Dabei entsteht nun nicht ein ungeformtes Konglomerat von Text-
motiven, die monoton wiederholt werden, vielmehr hat dies typische Sprach- und Anschauungsmaterial eine bewußte Form erhalten als Selbstdarstellung des Gesandten. Der Gesandte beginnt (V
44 f.), sich als Repräsentanten des Sendenden vorzustellen, also auf
den kardinalen Grundsatz des Botenrechts zu verweisen (vgl. zum
Material Bühner 209–235). In V 46–48 folgt dann eine Selbstvor-
stellung des Boten mit dem typischen »Ich bin gekommen …« samt
der Funktionsangabe (Material bei Bühner 138–166). Nicht von
ungefähr stellen sich dabei als Formparallele die joh Ich-bin-Worte
ein (vgl. dazu Exkurs 5): Der Selbstpräsentation V 46 folgt der Ruf
zur Entscheidung mit der Vorrangigkeit der soteriologischen
Funktion V 47, doch sodann auch mit der Gerichtsaussage V 48.
An dritter und abschließender Stelle steht die Begründung (»denn«)
für des Gesandten Funktion (V 49 f.), die den Doppelaspekt von
Beauftragung und Vollmacht (V 49, vgl. das Material bei Bühner
191–206) sowie vom Gehorsam des Gesandten (V 50, vgl. das Material bei Bühner 207–209) entfaltet. Nur unter diesem Doppelaspekt hat ja die Funktion des Gesandten, wie sie V 46–48 zur Darstellung kommt, ihre Autorität.

Alle bisherigen Beobachtungen lassen sich dahingehend zusammenfassen, daß die KR den Abschluß des öffentlichen Auftretens

Jesu nutzte, um noch einmal resümierend den Gesandten in seiner Selbstdarstellung zu beschreiben. Der Abschnitt ist gleichsam im Sinne der KR eine Kurzfassung der Offenbarung des Gesandten bzw. eine Kurzfassung von Joh 1–12. Wer 12,44–50 kennt und behält, hat Joh 1–12 im Sinne der Deutung der Gemeinde verstanden; er weiß, welche Glaubenserkenntnis er aus Joh 1–12 ziehen sollte. So ist 12,44–50 eine Kleinstausgabe von Joh 1–12 zur Orientierung für den frommen Leser, der positiv wissen soll, woran er christologisch glauben soll, und dem darum auch die ganze Polemik aus Joh 1–12 nicht nochmals präsentiert wird.

Da die Einzelheiten des Textes durchweg nichts wesentlich Neues beinhalten, kann die Einzelexegese sich kurz fassen. In V 44 f. ist die Doppelaussage, hier mit der Variation von »glauben« und »sehen«, bei synonymem Inhalt typisch für das Joh (vgl. 5,24; 6,35; 13,16; 17,8.21.22 f.). Nicht gängig ist allerdings Gott als Glaubensobjekt (vgl. jedoch 14,1). Joh Glaube richtet sich sonst immer auf den geschichtlich-konkreten Sohn, also auf ihn als Gesandten, durch den der Vater spricht und offenbar wird (vgl. z. B. 1,12; 3,16.18.36; 4,39; 5,24; 6,29.35.40; 11,25 f.; 12,36 usw.). V 46 zeigt sehr schön die weltbildhafte Grundlage des Denkens: Finsternis ist der gesamte Bereich des Kosmos. Ihr ist jeder zugehörig. Der Gesandte allein ist Licht, weil er allein aus der Himmelswelt kommt, d. h. Gott kund macht und zugleich Leben bringt (V 50). Im Hören und Bewahren der Worte des Offenbarers erschließt er sich als Licht (V 47). Solche Annahme des Gesandten ist Glaube (V 46). Dann ist der Finsternisbereich zugleich der Bereich des Todes.

Die existentielle Grundfrage des Joh ist also die Frage nach dem ewigen Leben angesichts der Erfahrung der tödlichen Finsternis als ausnahmslosem Verhängnis. Die Antwort der Soteriologie lautet: Der Gesandte des Vaters bringt allein Leben. Wer diesen Gesandten verwirft, kann seines lebensrettenden Werkes der Sendung nicht teilhaftig werden. So sicher also des Offenbarers finaler Sinn die Rettung der Welt ist (eine Aussage, die sich mit 3,16 und der Anschauung von E deckt, aber nicht immer mit der KR, die gern das Heilswerk auf »die Seinen« beschränkt, vgl. 10,1–18; 17,1 ff.), führt das Ablehnen des Gesandten endgültiges Gericht nach sich (V 48). Im Falle der Ablehnung wird nämlich Jesu Wort als Ankläger im Endgericht auftreten. Sein soteriologischer Inhalt, der nicht angenommen wurde, wird Ungläubigen nichts helfen. Vielmehr wird das geschichtlich ergangene Wort als abgelehntes dem Ungläubigen bei seiner Ablehnung behaften. So bleibt dieser in der Finsternis: Nulla salus extra verbum. So wird Endgericht zum letzten und endgültigen Vollzug der geschichtlichen Entscheidung des Menschen angesichts des Wortes des Gesandten. Wie die Kinder Gottes am Ende erscheinen werden, was sie sind (1 Joh 3,2; vgl. 1 Joh 4,17), nämlich mit Leben Beschenkte, so werden auch die Ungläubigen erscheinen in ihrem wahren Wesen, nämlich als Tote. Dafür wird Jesu Wort Sorge tragen. So ist 12,48 die negative Kehrseite einer futurischen Eschatologie, wie sie im 1 Joh begegnet.

V 49f. begründen die Offenbarung des Gesandten insgesamt: Er redet streng nach erhaltenem Auftrag. Beauftragung und präzise Befolgung sind ihm wesensmäßig eigen. Ist das erhaltene Gebot Leben, so erinnert das an 5 Mose 32,47, wonach das Gesetz Leben ist. Aber eine gewollte antithetische Formulierung zum Judentum liegt fern. Ebenso ist ein Aufgriff von 5 Mose 18,18f. kaum intendiert (gegen Boismard). Jesus wird also nicht versteckt als Prophet wie Mose beschrieben. Solcher Bezug ist viel zu vage. Das 12,49 und 5 Mose 18,18f. Übereinstimmende liegt in dem Gemeinsamen, das beide Stellen aus der Gesandtenvorstellung entlehnen. Gerade das Ziel des Nachtrags 12,44–50, nämlich Typisches darzustellen, macht deutlich, wie stark joh Theologie auch in der joh Gemeinde als Gesandtenchristologie entfaltet wird. Hierin liegt das Spezifische joh Christologie im Unterschied zu sonstigen christologischen Konzeptionen des Urchristentums.

III. Die Rückkehr des Sohnes zum Vater
13,1–20,29

Nach dem Abschluß des öffentlichen Auftretens Jesu in 12,37–43 (vgl. die Einführung zu II A und II H sowie die Exegese zu II H 4) beginnt mit 13,1 für E der letzte große Hauptteil, der Jesu Rückkehr zum Vater thematisiert. Er zeigt eine Dreiteilung: A Jesu Abschied von den Jüngern (13,1–14,31 mit den Zusätzen 15,1–17,26), B Jesu Kreuzigung (18,1–19,42) und C Jesu Erscheinungen vor den Jüngern (20,1–29). 20,30f. sind Abschluß des Joh; Joh 21 ist ein Nachtrag.

III A ist der Abschnitt im Joh, der die umfangreichsten Zusätze erhalten hat, weil Jesu Abschied die beste Gelegenheit bot, Gemeindeparänese einzubringen (vgl. dazu Exkurs 10). So sind 15,1–17,26 nachgetragen, aber auch größere Stücke in Joh 13. Sieht man sich zunächst 13,1–14,31 in seinem Aufbau näher an, ist die Zäsur zwischen 13,30 und 13,31 augenfällig, d. h. 13,31–14,31 bilden kompositorisch eine Abschiedsrede und 13,1–30 sind durch die Abschiedsmahlszene bestimmt. Dieser Abschnitt III A 1 mit dem Umfang 13,1–30 hat – anhand der szenischen Angaben in 13,21 erkennbar – zwei Unterabschnitte: a) Die Fußwaschung 13,1–20 und b) Die Identifizierung des Verräters 13,21–30.

Die Zäsur, die E zwischen Kp 12 und 13 legt, darf jedoch nicht aus dem Gesichtsfeld treten lassen, daß E in 11,47ff.; 12,1ff.; 12,12ff. seinem PB folgt. Dieser begegnet teilweise auch in Joh 13, um dann erst ab Joh 18 wieder in Erscheinung zu treten.

A. Jesu Abschied von seinen Jüngern 13,1–14,31 (17,26)

1. Das letzte Mahl Jesu als Abschiedsmahl von den Jüngern 13,1–30

a) Die Fußwaschung 13,1–20

1 Vor dem Passafest wußte Jesus, daß seine Stunde gekommen war, aus dieser Welt hinüberzugehen zum Vater, (und) da er die Seinen, die in der Welt waren, liebte, erwies er ihnen seine Liebe bis zum letzten. 2 (Und) während einer Mahlzeit – der Teufel hatte schon Judas Iskariot, Simons Sohn, ins Herz gegeben, ihn zu verraten, 3 (und Jesus) wußte, daß ihm der Vater alles in die Hände gegeben hatte und daß er von Gott ausgegangen war und zu Gott zurückkehrt,

– 4 (da) stand er vom Mahl auf, legte das Obergewand ab, nahm ein Leinentuch und umgürtete sich (damit). 5 Dann goß er Wasser in das Becken und begann, seinen Jüngern die Füße zu waschen und mit dem Leinentuch abzutrocknen, mit dem er umgürtet war.
6 So kommt er zu Simon Petrus. Der sagt zu ihm: »Herr, du willst mir die Füße waschen?« 7 Jesus antwortete und sprach zu ihm: »Was ich tue, verstehst du jetzt noch nicht. Du wirst es aber nachher erkennen.« 8 Sagt zu ihm Petrus: »Nimmermehr sollst du mir die Füße waschen!« Jesus antwortete ihm: »Wasche ich dich nicht, hast du keinen Teil mit mir.« 9 (Da) sagt Simon Petrus zu ihm: »Herr, nicht nur meine Füße, sondern auch die Hände und den Kopf!« 10 Jesus sagt zu ihm: »Wer gebadet ist, braucht sich nicht zu waschen, sondern ist ganz rein. Ihr seid rein, aber nicht alle.« 11 Denn er kannte den, der ihn verriet. Darum sagte er: »Ihr seid nicht alle rein.«
12 Als er nun ihre Füße gewaschen, sein Obergewand angelegt und sich wieder zu Tisch gelegt hatte, sagte er zu ihnen: »Versteht ihr, was ich euch getan habe? 13 Ihr redet mich mit ›Meister‹ und ›Herr‹ an; und ihr sagt (es) mit Recht, denn ich bin es. 14 Wenn also ich, der Meister und Herr, euch die Füße gewaschen habe, so müßt auch ihr einander die Füße waschen. 15 Ich habe euch nämlich ein Beispiel gegeben, damit auch ihr tut, wie ich an euch getan habe. 16 Wahrlich, wahrlich, ich sage euch, ein Knecht ist nicht größer als sein Herr, noch ein Gesandter (Apostel) größer als der, der ihn gesendet hat. 17 Wenn ihr das wißt, selig seid ihr, wenn ihr danach handelt. 18 Ich rede nicht von euch allen; ich weiß, welche ich erwählt habe. Jedoch soll die Schrift erfüllt werden: ›Der meinen Bissen ißt, hat seine Ferse gegen mich erhoben.‹ 19 Schon jetzt sage ich es euch, bevor es geschieht, damit ihr glaubt, wenn es geschieht, daß ich es bin. 20 Wahrlich, wahrlich, ich sage euch: Wer einen annimmt, den ich sende, nimmt mich an. Wer aber mich annimmt, nimmt den an, der mich gesandt hat.«

Literaturauswahl: Beutler, J.: Die Heilsbedeutung des Todes Jesu im Johannesevangelium nach Joh 13,1–20, in: K. Kertelge (Hg.): Der Tod Jesu, QD 74 (1976) 188–204. – Boismard, M.É.: Le lavement des pieds (Joh 13,1–17), RB 71 (1964) 5–24. – Campenhausen, H. von: Zur Auslegung von Joh 13,6–10, ZNW 33 (1934) 259–271 = ders.: Aus der Frühzeit des Chri-

stentums, Tübingen 1963, 109–124. – *Dunn, J. D. G.:* The Washing of the
Disciples Feet in Joh 13,1–20, ZNW 61 (1970) 247–252. – *Grossouw, W. K.:*
A Note on John 13,1–3, NT 8 (1966) 124–131. – *Lattke, M.:* Einheit,
132–161. – *Lohmeyer, E.:* Die Fußwaschung, ZNW 38 (1939) 74–94. –
Michl, J.: Der Sinn der Fußwaschung, Bib. 40 (1959) 697–708. – *Mußner,
F.:* Die Fußwaschung (Joh 13,1–17), GuL 31 (1938) 25–30. – *Onuki, T.:*
Die johanneischen Abschiedsreden und die synoptische Tradition, AJBI 3
(1977) 157–268. – *Richter, G.:* Die Fußwaschung Jesu im Johannesevange-
lium, BU 1, 1967. – *Ders.:* Studien, 42–57; 58–73. – *Robinson, J. A. T.:* The
Significance of the Foot-washing, in: Neotestamentica et Patristica (FS. O.
Cullmann), Leiden 1962, 144–147. – *Thyen, H.:* Johannes 13 und die
»kirchliche Redaktion« des vierten Evangeliums, in: Tradition und Glaube
(FS. K. G. Kuhn) Göttingen 1971, 343–356. – *Weiser, A.:* Joh 13,12–20 –
Zufügung eines späteren Herausgebers?, BZ 12 (1968) 252–257. – *Wrege,
H.-Th.:* Die Gestalt des Evangeliums, BET 11, 1978, 49–78.

Auch wer nur eine Übersetzung von Joh 13 liest, wird mit einem
sehr komplizierten Text konfrontiert. Dieser Text ist mehrschichtig. Sein Verständnis hängt von der Einsicht in seine Geschichte ab.
Neben Joh 6 gilt darum Joh 13 als besonders deutliches Beispiel der
Schichtung im Joh. Das liegt u. a. an folgenden Beobachtungen: a)
Die doppelte Deutung der Fußwaschung, das eine Mal als soteriologische Zeichenhandlung (V 6–10a), das andere Mal als vorbildhafte Handlung, die zur Nachahmung verpflichten soll (V 12–15),
ist in ihrer Doppelheit unvermittelt und nicht aufeinander bezogen.
Beide Deutungen stehen ohne gegenseitigen Bezug und schließen
sich sachlich aus. b) Das Thema des Verräters ist so oft und dabei
zum Teil störend konkurrenzhaft verarbeitet (vgl. V 2.10b–11.18
f.21 ff.), daß auch dem geduldigsten Leser hier zuviel zugemutet
wird. c) V 1–3 stellen als eine einzige Satzperiode ein Monstrum
dar, das schwerlich aus einer Hand kommen kann. In 6,22–24;
10,34–36 liegen vergleichbare Satzperioden vor, die sich ebenfalls
als mehrschichtig erwiesen. Damit sind Anlaß und Grundbedin-
gungen der Analyse gegeben.
Nun ist man sich über die Risse im Text weitgehend einig. Doch
konkurrieren drei Deutemodelle: Einmal schreibt man vor allem V
4f.12–15.16.20 der Vorlage zu, die E dann auf den jetzigen Textbestand brachte (Bultmann, ähnlich: Dodd, Fortna, Schulz, Onuki).
Zum anderen teilt man den Text auf zwei Parallelrezensionen auf
(Boismard). Endlich ordnet man Teile aus V 1–3 und V 12–20 der
KR zu und gibt den verbleibenden Grundbestand E (Richter, ihn
variierend: Schnackenburg, R. E. Brown, Thyen). Die Modelle
sind im einzelnen noch komplizierter ausgebaut. Durchweg spielt

auch die Analyse von 13,21–30.31–38; 15–17 eine bedeutende Rolle
beim Urteil über 13,1–20. Die eigene Analyse gibt dem dritten Modell den Vorzug. Es löst die Hauptprobleme im Einklang mit der
Anschauung vom Werden des ganzen Joh am besten.

Die Analyse muß gleich eingangs zu V 1–3 ihr Werk beginnen,
denn die gehäuften Partizipien und absoluten Genitive bis hin zu
sachlichen Dubletten wie in V 1a.3b ergeben eine überladene Konstruktion, die in der Übersetzung nicht nachgeahmt werden kann,
sind doch V 1–4 eine einzige Periode, deren Hauptsatz mit V 4 einsetzt. Diese Einsicht (Wellhausen) ist zu Unrecht bestritten worden (Grossouw, Onuki). Die schwerfällige Periode geht auf einen
Basistext zurück (E), der nachträglich erweitert wurde (Richter,
Thyen), als die zweite Deutung der Fußwaschung hinzukam: Das
Motiv der Liebe Jesu zu den Seinen in der Welt (V 1b) entspricht
sachlich den Ausführungen in V 12 ff. Daß Jesus »die Seinen in der
Welt« liebt, setzt dasselbe dualistisch-kirchliche Weltbild voraus
wie in 10,1–18.26–29; 15,1 ff.; 17,1 ff. (KR). Nicht von ungefähr ist
auch sprachlich die Ausdrucksweise »die eigenen (Schafe)«
(10,3.4.12.14) die nächste Parallele zu 13,1 (1,11 ist Tradition und
meint die ganze Menschheit!), wie sachlich die Formulierung »die
du mir gegeben hast« (17,6 f. 24 usw.) mit der Konnotation, diese
seien nicht »aus der Welt«, wohl aber »in der Welt« (17,14–16),
13,1b besonders nahe kommt. Die Liebe Jesu zu den Seinen als
Vorbild und Begründung gegenseitiger Bruderliebe (13,1b in Verbindung mit 13,15) ist sonst 13,34; 15,(9.)12; (17,23) typisches
Motiv der KR. Auf sie kann auch das sprachlich auffällige »bis zum
letzten« zurückgehen, das auch – statt temporal – qualifizierend
(»bis zum äußersten«) gedeutet werden kann.

Ebenso müssen V 2 (ohne: »während einer Mahlzeit«) und V 3 der
KR zugewiesen werden. Die Aussage über Judas widerspricht V
27, wonach der Teufel erst nach dem Bissen in Judas fährt. Darum
hat auch ein Teil der HSS den Satz verändert zu: »Als der Teufel in
(seinem eigenen) Herzen beschlossen hatte, daß Judas ... ihn verraten solle« (zur Textkritik vgl. Bultmann). Außerdem ist V 2 eine
störende Dublette zu V 18 und gehört mit V 10bf. zusammen: Judas gehörte nie zum Kreis der Erwählten, sondern zur Welt, d. h.
zum Teufel (vgl. 6,64 f.; 17,12 f.; sachlich auch 1 Joh 2,19; synop-
tisch: Lk 22,3). E sagte es 6,70 f.; 13,18 f. 27 anders: Judas gehört
zum Kreis der erwählten Zwölf, aber sein Verrat macht ihn zum
Teufel, bzw. den Verrat bewirkt der Teufel. E drängt das für seine
Gemeinde typische deterministische Denken zurück, das die KR
wieder zur Geltung bringt (vgl. Exkurs 3). Weil aber 13,2 die

Wirksamkeit des Teufels so betont wird, mußte der Gedanke der
Souveränität Christi angesichts der zu erwartenden Ereignisse hervorgehoben werden. Dies leistet V 3. Dabei wird von der Univer-
salvollmacht Jesu mit nahezu gleichen Worten noch 3,35; 10,29;
17,2 (alle KR) gesprochen, und die Wendung, Jesus sei »von Gott
ausgegangen«, ist außer 8,42 (E) vornehmlich bei der KR (16,27f.
30;17,8) zu Hause. Insgesamt hat das christliche Wegschema aus
13,3 in 16,28 eine besonders eindrückliche Parallele.

E formulierte also: »Vor dem Passafest wußte Jesus, daß seine
Stunde gekommen war, aus dieser Welt hinüberzugehen zum Vater, ... während einer Mahlzeit, ... (da) stand er auf ...« E verbindet
mit dem Motiv der »Stunde« die Mahlsituation mit 7,30; 8,20;
12,23.27: Hieß es zunächst, Jesu Todesstunde sei noch nicht gekommen, und ist dann 12,23.27 die Stunde nahe, so beginnt für E
nun mit 13,1 die Stunde der Passion. Wie alle anderen Stellen, so
zeigt auch 13,1 die Souveränität, mit der Jesus seine Stunde beherrscht. Die KR hat in 17,1 diese Linie einmal fortgesetzt. Auch
die Erwähnung des Passafestes ist von E durch 11,55; 12,1 vorbereitet (vgl. später 18,28.39; 19,14). Für E ist weiter beachtenswert,
daß er Jesu Tod als Hinübergehen aus dieser Welt zum Vater beschreibt. Das entspricht dem Erhöhtwerden in 12,32, mit dem dort
die Todesstunde Jesu als Stunde der Verherrlichung beschrieben
wurde (12,27f.). Nicht der Leidensgedanke, schon gar nicht der
stellvertretende Sühneopfergedanke, beherrschen die Anschauung,
sondern die im dualistischen Weltbild mit räumlicher Dimension
von unten und oben konstitutive Vorstellung der örtlichen Verlagerung der Existenz von der unteren Welt in das »Oben« bei Gott.
Sprachlich und sachlich gibt es zu 13,1a für E innerhalb des PB
zwei schöne Parallelen: 18,4; 19,28.

Insgesamt ergibt die Analyse zu V 1–3: E hat den Neuanfang nach
Joh 12 bewußt gestaltet. Die KR hat die Bedeutung dieser Stelle erkannt und sie durch drei Aussagen (Jesu Liebe zu den Seinen, des
Teufels Werk durch Judas, Jesu Vollmacht und Weg) zu einem
nunmehr unmöglichen Satzmonstrum erweitert.

V 4f. schildern die Fußwaschung. Der Text ist glatt. Der Erzähler
stellt den äußeren Ablauf ohne Wertung oder Gefühlsäußerung mit
auf das sachlich Notwendige beschränkten Angaben dar. Weder
wird der zeitliche Ort innerhalb der Mahlszene bestimmt, noch ist
von einem Abschiedsmahl die Rede, schon gar nicht von einem
Passamahl. Die Szene setzt eine beliebige Mahlsituation voraus. Es
ist auch nicht ganz richtig, wenn Jesu Tat als Sklavendienst gedeutet wird: Sicherlich waren für den niedrigen Dienst auch die Haus-

knechte zuständig, doch war er ebenso Frauenpflicht dem Mann
und Kinderdienst dem Vater gegenüber. Er gehörte naturgemäß
zur Situation der Heimkehr oder der Ankunft, doch das interessiert den Erzähler nicht. Er scheint von vornherein nicht an den äußeren Sinn der Reinigung gedacht, sondern die Szene als Mittel für
eine auf anderer Ebene liegenden Aussage gestaltet zu haben. So sicher also E, der zweifelsfrei hier zunächst spricht, die Szene kaum
frei erfunden haben wird, so wahrscheinlich hat seine von ihm aufgegriffene Tradition eine Deutung der Szene enthalten.
Die Deutung von E steht 13,6–10a. Dabei ist von 6,68 her Petrus
das Sprachrohr des Jüngerkreises. Ob er bei der Fußwaschung z. B.
als erster oder letzter dran war, bleibt szenisch im Dunkeln. Nicht
wann Petrus an der Reihe ist, sondern daß er die Funktion des Jüngers wahrnimmt, die Jesus zwingt, die Szene zu erklären, ist von
Bedeutung. Die Szene ist als dreifacher Gesprächsgang (V 6 f.8.9 f.)
aufgebaut. Dabei wäre es verfehlt, aus der Szene ein Persönlich-
keitsbild des Petrus zu entwerfen. Vielmehr ist der Dialog literarisches Gestaltungsmittel für E (vgl. die Jüngerdialoge in 4,31–34;
6,7–9.67–70; 11,8–10; 14,5 ff.) und hat die Funktion, daß Jesu
Deutung für den Leser zur Geltung kommt. Im Unterschied zum
Mißverstehen des Nikodemus (3,1–21), bei dem der Ratsherr nicht
zum Glauben kommt, vertritt Petrus Unverständnis, das ins Verstehen des Glaubens gehoben werden soll (V 7b). Petrus repräsentiert nicht den Unglauben sondern Glauben, der noch nicht verstanden hat (vgl. Exkurs 2). Also stößt sich Petrus auch nicht theologisch daran, daß er das Heil – symbolisiert in V 4 f. – nicht in
Knechtsgestalt sehen will (Bultmann); er redet als Unwissender,
der nur den irdischen Vorgang sieht.
In seiner ersten erstaunten Frage nimmt Petrus Anstoß, daß Jesus
an ihm den niedrigen Dienst ausüben will. Er versteht also die
Handlung irdisch, nicht als Heilssymbol. Jesu erste Antwort deutet noch nicht die Handlung, sondern gibt Petrus aufgrund einer
Zeitbestimmung recht: Er kann noch nicht verstehen; vielmehr
wird sich Verstehen erst später einstellen. Damit kann nicht die
Auflösung des Unverständnisses in V 12 ff. gemeint sein. Im Gegenteil: Das hier eröffnete Verstehen ist sperrig zu V 7: Das vorbildhafte Handeln Jesu nach V 12 ff. ist sofort verständlich. Denn
wenn anders V 7b mit 2,22; 12,16; 14,26.29 zusammen auf die
nachösterliche Einsicht der Jünger verweist, ist zwar das »Teilhaben« nach V 8 erst dann voll verständlich, aber kaum das Vorbild
nach V 12 ff. Das glaubende Verstehen des Teilhabens setzt den
Blick auf Jesu Gesamtwerk voraus, das z. Z. von Joh 13 noch nicht

abgeschlossen ist. Das Verstehen von V 4 f. als vorbildlich im Sinne von V 12 ff. ist jederzeit und immer möglich.

Damit ist weiter gesagt: V 4 f. sind für E keine Fußwaschung im irdisch-natürlichen Sinn, sondern zeichenhafte Entfaltung christologischer Soteriologie, d. h. des Heilssinnes Jesu. E macht sich V 4 f. dienstbar, um mit der Zeichenhandlung auszusagen, was sonst durchweg der Selbstoffenbarung durch das Wort (Joh 3; 5; 6 uw.) vorbehalten ist. Deren konstitutiver Vorrangigkeit wird nichts weggenommen. Das Wort Jesu muß ja auch die Fußwaschung erst deuten. Ebensowenig geschieht das sonst durch die Wunder (vgl. Exkurs 1 und die Auslegung in Joh 6; 11). Allerdings sollte man den joh Wunderbegriff *Semeion* dennoch nicht für 13,4 f. benutzen, weil die Fußwaschung kein wunderhafter Vorgang ist und durchweg nur für solche Ereignisse benutzt wird (vgl. Exkurs 1).

Petrus bestätigt durch sein beharrlich artikuliertes Unverständnis (V 8a) Jesu Verweis auf die kommende Zeit des Verstehens (Schnackenburg) und gibt ihm Gelegenheit, formal an Petrus, sachlich an die nachösterliche Gemeinde gerichtet, zur Sache selbst zu reden (V 8b). Formal gleicht Jesu Antwort Aussagen wie Joh 3,3.5; Apg 15,1. E bedient sich solcher Sprache, um die für ihn konstitutive Heilsbedingung zu benennen. Der Sinn ist derselbe, zu dem der Leser in 3,1–21 geführt wird: Nur durch den Glauben an Christus, vermittelt durch das Wort der Selbstoffenbarung, entfaltet als Einheit von Sendung und Erhöhung, ist Heilspartizipation möglich. Dabei ist die Formulierung »einen Teil«, bzw. »einen Platz mit jemandem haben« eine geprägte Redensart (vgl. 5 Mose 10,9; 14,27; Jes 57,6; Mt 24,51; Offb 20,6 usw.), die es ins joh Denken zu transponieren gilt. Nimmt man die lokale Komponente ernst, kann man deuten: Wem der Irdische als Gesandter nicht die glaubende Annahme ermöglicht, der hat auch keinen Anteil an Jesu Erhöhung (vgl. Joh 3,11–16; 12,32–36). Stellt man den räumlichen Aspekt zurück, ist diese Auslegung denkbar: Wem sich die Selbstoffenbarung des Gesandten nicht erschließt, der hat kein ewiges Leben. Von 12,36; 20,17 her kann man auch an die Teilhabe an der Sohnschaft denken (Richter). Doch ist die letzte Deutung wohl zu speziell. Eine Formulierung, die die typische Heilsaussage des Joh enthält, liegt näher. Nimmt man den Ausdruck noch abgeschliffener im Sinne der Schicksalsgemeinschaft (Bultmann), ergibt sich: Der sich im Wort Erschließende ist selbst das Heil, an dem man Anteil hat, indem man wie er durch den Tod den Weg in die Herrlichkeit geht. Alle diese Deutungen widersprechen sich nicht, sondern sind Ausformulierungen derselben Sache: Nur wem der Sohn sich als Gesandter des Vaters in der Einheit mit dem Vater erschließt, der hat ewiges Leben.

Ein Aspekt der Sendung ist Jesu Erhöhung (vgl. Joh 3,11–16). Sie,
von der irdisch nur der Tod sichtbar ist, ist zugleich Bewährung
des Sohnesgehorsams (4,34; 8,29b; 14,31; 19,28–30) wie Zerstörung der Macht der Finsternis (12,31; 14,30) und Ermöglichung,
für die Gläubigen im Sinne von 12,32; 14,18 ff. tätig zu werden. So
steht die Fußwaschung zu Beginn der Passion, um Jesu Erniedrigung als Sendung speziell angesichts seiner Rückkehr zum Vater zu
deuten. Sie besagt damit für E nichts anderes als die Abschiedsrede
13,31–14,31. Dabei ist beachtenswert, daß die negative Bedingung
in V 8b nicht an Petri Annahme oder Ablehnung orientiert ist, sondern an Jesu Tun (Richter, Fußwaschung 190), also daß das »Muß«
von 3,14 ausgelegt wird. Der christologische Heilsgrund ist also
Thema.

Ein letztes Mal meldet sich Petrus zu Wort (V 9): Seine Weigerung
schlägt ins andere Extrem um. Nun will er mehr, als er schon hat
und haben kann. Sein Unverständnis bestätigt dabei nicht nur abermals V 7, sondern gibt vor allem Jesus Gelegenheit, nach dem zeitlichen (V 7) und christologischen (V 8) Aspekt nun den qualitativ-
eschatologischen freizulegen (V 10a). Dabei greift E wie in V 7 eine
geprägte Aussage auf. Solche sprichwörtlichen Wendungen begegnen im Joh nicht selten (Schnackenburg, vgl. 3,29; 4,35a.37; 8,35;
12,35c).

Doch ob 13,10 eine solche vorliegt, wird erst nach textkritischer
Erörterung klar. Die Menge der HSS lesen: »Wer gebadet ist, hat
nur nötig, daß die Füße gewaschen werden.« Wenige HSS bieten:
»Wer gebadet ist, hat nicht nötig, gewaschen zu werden.« Die erste
Lesart redet von einer konstitutiven und einer zusätzlichen Waschung, die zweite von nur einem Vorgang. Das allein paßt zu V 8
(Bultmann): Die Fortsetzung »sondern der ist ganz rein« sperrt
sich gegen eine zusätzliche Waschung, die voraussetzt, der Gebadete sei doch noch nicht ganz rein (Schnackenburg). Der Langtext
ist also sekundär. Zudem ist auch sein Sinn schwierig. Will er etwa
besagen: Wer von Christus angenommen ist, bedarf noch ab und
an der Sündenvergebung (vgl. 1 Joh 2,1 f.; 3,19 f.)? Oder ist der
Langtext unter dem Druck von V 14b entstanden und will mit V 14
zusammen so gedeutet werden: Jeder bedarf immer wieder der Liebe Gottes in Christus, die sich in gegenseitiger Liebe verwirklicht
(vgl. 1 Joh 4,7–21)? Jedenfalls gilt für E: Er benutzt die traditionelle Wendung mit dem Sinn: Wer ein Vollbad nahm, für den erübrigen sich weitere Waschungen. Um den Satz übertragen auf Petrus

antworten zu lassen: Das Mehr, das Petrus sich wünscht, ist absurd. Das Heil ist nicht quantifizierbar, sondern ganz oder gar nicht da; es besitzt den Charakter unteilbarer Qualität. Das entspricht dem joh Dualismus. Man ist entweder »von oben«, »aus Gott« oder »von unten«, »vom Teufel«. Ein anderes Sein gibt es nicht.

Dies Verständnis zeigt E auch durch seinen Nachsatz an, mit dem er sich die traditionelle Wendung aneignet: » ... sondern ist ganz rein.« Der Akzent ruht auf »ganz«. Das Motiv der Reinheit ist kontextbedingt und, abgesehen von 15,3; 1 Joh 1,7.9, nicht typisch für die joh Sprache. Natürlich haben die Motive des Waschens und der Reinheit hinreichend Anlaß gegeben, sakramental auf die Taufe zu deuten (vgl. die Diskussion bei Richter). Sicherlich, im allgemeinen urchristlichen Sprachgebrauch ist solches Verständnis auch nachweisbar (z. B. Apg 22,16; 1 Kor 6,11; Hebr 10,22; Tit 3,5 usw.). Aber im Joh gebraucht nur einmal die SQ bei der Johannestaufe nebenbei die Metapher »Reinigung« (3,25). Die christliche Taufe jedoch wird von E und seiner Tradition sonst mit dem Bild von der Geburt ausgelegt (3,3.5). Auch 1 Joh gebraucht nur bei der Deutung des Todes Jesu die Vorstellung von der Reinigung (1,7), nicht bei Taufaussagen. Im übrigen ist nach obiger Auslegung der Sinn christologisch, nicht sakramental, und die aufgegriffene Sentenz hat mit der Taufe von Haus aus gar nichts zu tun. Ein Bezug auf die Taufe hat im Text keinen Anhalt (Richter, Fußwaschung 295–298).

Im Sinne von E ist V 10a alles gesagt. V 10b–11 sind Nachtrag der KR. Nun ist nicht mehr Petrus, sondern sind alle Jünger angeredet. Nun geht es nicht mehr um die nachösterliche Erkenntnis des Heilswerkes Christi, sondern – vom Stichwort »rein« ausgehend – um den Verräter, der aus dem Heil ausgeschlossen ist. Dabei ist die sprachliche Nähe zu 6,64f. (KR) augenfällig wie die Dublette zu 13,18f. störend. Der Zusatz redet deterministisch-seinshaft von Judas (vgl. zu V 2) im Unterschied von E.

In V 12–15(20) liegt die zweite Deutung der Fußwaschung vor. Sie achtet auf die vorangegangene Auslegung überhaupt nicht und setzt unter Umgehung von V 6–10(11) unmittelbar nach V 4f. die Erzählung fort. Nachdem allen Jüngern – von Petri szenischer Sonderstellung ist nicht die Rede, die Jünger sind vielmehr in V 12 wie in V 4f. eine geschlossene Gruppe – die Füße gewaschen wurden, Jesus sich wie vor Beginn der Fußwaschung abermals bekleidet hatte und wieder zu Tisch lag, gibt er der Handlung eine Deutung unter dem Aspekt der Vorbildlichkeit: War V 6–10a die Heilsbedeu-

tung Christi Thema, so nun das Verhalten der Gemeinde untereinander. Im Blick auf den paulinischen Ansatz der Ethik im Heilsin-
dikativ könnte man konstruieren: Die beiden Deutungen repräsentieren dieselbe Abfolge von christologisch begründetem Heil und
sich daraus ergebendem Verhalten. Aber Joh 13 liegen die Verhältnisse anders. Das Verhalten wird gerade nicht aus der der Gemeinde geschenkten »Reinheit« begründet, sondern ein und dieselbe
Einzelhandlung Jesu wird unabhängig voneinander in zwei Deutungen aufgearbeitet. D. h. V 12ff. folgen nur formal auf V 6ff.,
sachlich folgen beide getrennt auf V 4f., so daß nun V 4f. unvermittelt ohne Ausgleich zweierlei sein muß: heilsabbildendes Symbol und Exempel für Liebesverhalten. Die Unvermitteltheit dieser
Doppelfunktion entspricht sachlich einem Entweder – Oder. Es ist
klar: In V 4f. dient die penible Schilderung des Vorgangs dazu, die
unerwartete Dienstleistung – der Ranghöhere dient dem Rangniedrigeren – herauszustellen, so daß die Anlage auf Paradigmatisierung
hin zu V 12ff. gegeben ist. Die Deutung in V 6ff. ist insofern sekundär von E an V 4f. angefügt, als V 4f. gar nicht auf Heilsvermittlung abheben. Wenn die Exegeten immer wieder eine zumindest versteckte sakramentale Deutung von V 6–10 zu konstruieren
suchten – bisher mit keinem Erfolg –, dann kann dies als Ausdruck
dafür angesehen werden, daß das »Teilhaben« aus V 8 im Kontext,
also in V 4f., nicht vorbereitet ist und das Postulat einer anderen
versteckten Verankerung dafür aufkommen muß.
Begegnet V 4f. und V 12ff. die ursprüngliche Verbindung, und hat
E diese aufgebrochen, gibt es zwei Möglichkeiten: E übernimmt V
4f.12ff. und setzt V 6ff. ein (Bultmann u. a.); oder E läßt von seiner Vorlage nur V 4f. mit seiner neuen Deutung gelten und ver-
schweigt V 12ff. Dieser Zusammenhang wird durch die KR unter
Rückgriff auf die traditionsgeschichtliche ältere Verbindung von V
4f.12ff. wieder eingebracht (Richter u. a.). Die zweite, komplizier-
tere Entwicklung dürfte dabei dem Entstehungsprozeß des Joh
besser entsprechen. Die KR ist überhaupt nicht selten Sachwalter
des traditionellen joh Christentums (vgl. nur z. B. 1,29b; 5,28f.;
6,51c–58). Der Abschnitt V 12ff. ist in seiner Ausrichtung als Gemeindeparänese und in seinem Inhalt, sich gegenseitig aufgrund des
jesuanischen Vorbildes zu lieben, die erste entscheidende Verankerung dieses Anliegens in den Stücken von Joh 13–17, die ebenfalls
aus kontextuellen Gründen der KR zuzuweisen sind (13,34f.; 15).
Weitere Einzelbeobachtungen kommen hinzu, wie nun zu zeigen
ist.
V 12c setzt eingangs von V 12–15 mit der für eine Belehrung typi-

schen Frage ein: »Versteht ihr, was ich euch getan habe?« Damit
ist die Einweisung in den allezeit präsenten paränetischen Horizont des Vorbildes intendiert und V 13–15 gut vorbereitet. Die
Jünger nennen Jesus »Meister« (vgl. 1,38; 3,2; 11,28; 20,16) und
»Herr«. Die Hoheitsbezeichnung »Herr« ist sonst im Joh dem
Auferstandenen vorbehalten (20,2.18.20.25.28), nur die KR hat
4,1; 6,23; 11,2 sie dem Irdischen zuerkannt (natürlich kennt E
die davon zu unterscheidende allgemeine ehrenvolle Anrede
»Herr« 4,11.15.19.49; 6,34 usw.). Herr und Meister – das ist Jesus. Wenn er nun in dieser Würdestellung den niedrigen Dienst
tat, dann ist dies Verpflichtung für die Jünger (d. h. Gemeinde),
untereinander Gleiches zu tun, nicht im äußeren Sinn, sondern
im beispielhaft übertragenen Sinn, sich gegenseitig zu dienen,
d. h. joh: sich zu lieben. Diesen Sinn bestätigt V 1c und die nahezu wörtliche Parallele in 1 Joh 4,11, ebenso 13,34f. Daß Christus das Vorbild der Bruderliebe ist, entspricht 13,34 (KR); 1
Joh 2,6; 3,16. Das paränetische Muß als Folge des Vorbildes begegnet so noch 1 Joh 2,6; 3,16; 4,11, nie bei E. Die syntaktische
Ordnung: »Wie ich ... so auch ihr ...« ist ebenfalls typisch für
die KR (13,34f.; 15,12, vgl. 1 Joh 2,6.27; 3,7.23; 4,17–19) und
hat (im Er-Stil) seine traditionsgeschichtliche Verhaftung in der
allgemeinen urchristlichen Gemeindeparänese (vgl. Röm 15,7; 1
Kor 11,1; 2 Kor 10,7; Eph 5,2.25). Endlich ist die Rede vom
»Vorbild« im joh Schrifttum singulär (vgl. Jak 5,10). So bestätigt
sprachlich und sachlich die Einzelexegese das Urteil, V 12–15
stammen von der KR.
Mit V 15 ist die Mahnung abgeschlossen. Der Leser erwartet nichts
mehr. Doch folgen noch die schwierigen Verse 16–20. V 16 ist ein
in sich ruhender Einzelspruch, der auch Mt 10,24 = Lk 6,40 seine
Verwendung fand. Dabei steht die joh Form Mt näher, ist jedoch
so von ihr unterschieden, daß die joh Gemeinde eine Sonderform
aus mündlicher Tradition ihr eigen genannt haben wird (Noack
96f.; Dodd, Tradition 335–338). V 17 ist ein angehängter paränetischer Makarismus (vgl. Lk 12,37f.43; 14,14; Jak 1,25; Offb 14,13),
wie er allgemein in jüdischer und frühchristlicher Mahnung gebräuchlich ist. Die nachfolgende Verratsansage V 18f. folgt abrupt
und steht entfernt im Zusammenhang mit Mk 14,18. V 20 zeigt,
daß auch nach hinten V 18f. isoliert stehen. V 20 ist seinerseits wiederum ein Einzelspruch, der eine auffallend nahe Verwandtschaft
zu Mt 10,40 zeigt mit leichter joh Einfärbung, für die man am besten abermals die mündliche Tradition verantwortlich macht. Nun
ist weiter deutlich: V 15 und 17 zeigen Stichwortanschluß (»tun«)

und V 16 ist durch dasselbe Thema Herr – Knecht bestimmt, das V 13 f. ebenfalls variiert wird. V 16 f. lassen sich sachlich als zusätzlicher Kommentar zu V 13–15 verstehen: Weil der Knecht nicht mehr ist als sein Herr, darum gilt es, wie Jesus zu handeln. V 20 ist nun ebenfalls an V 16 f. durch Stichwortanschluß gekettet (»senden«) und zeigt auch einen Sachbezug: Soll der von Jesus Gesandte sich als aller Diener verstehen, so soll der, der einen von Jesus Gesandten aufnimmt, wissen, daß er Jesus selbst aufnimmt. V 16 f. appelliert also an das Verhalten des Gesandten, V 20 an das der Gemeinde gegenüber dem Gesandten. Das Gesandteninstitut ist demnach auf der Seite des Subjektes und des Objektes der Sendung mit einem Sollgehalt verknüpft, dessen Doppelseite erst den rechten Gebrauch des Gesandteninstituts ausmacht. Damit ergibt sich: V 16 f.20 gehören zusammen als zusätzlicher Nachtrag zu V 12–15. V 18 f. stehen nicht nur nach hinten und vorn isoliert, sondern zerstören einen sinnvollen Kontext. Nun ist weiter längst erkannt, daß V 18 f. sehr gut an V 10a anschließen (Schnackenburg): Der Gebadete ist ganz rein, aber diese Heilszusage hat eine Ausnahme, nämlich Judas. Also sind V 18 f. die ursprüngliche Fortsetzung von V 6–10a (E), die nun durch V 10b–11 ersetzt wurde. Umgekehrt sind V 16 f.20 die Fortsetzung von V 12–15 (KR). Somit ergibt sich insgesamt: E findet V 4 f.12–15.16 f.20 vor, benutzt nur V 4 f. und fügt V 6–10a. 18 f. an. Die KR fordert für V 12–15.16 f.20 alte Rechte ein und bringt bei dieser Einfügung den Text auf seine jetzige Form.

Ist die Geschichte des Textes so verlaufen, bleibt die Frage, ob E seine Tradition dem PB entnahm, oder ob er sie noch als Einzeltradition vorfand. Ein Entscheid muß zunächst davon ausgehen: V 4 f.12–15 mit V 16 f.20 sind gattungsgeschichtlich gerundet und haben für sich keinen Bezug zur Passion, auch nicht zur letzten Mahltradition (Onuki). Gattungsgeschichtlich ist dieser Text eine selbständige Gemeinderegel mit Eingangsszene, deren synoptische Form- und Sachparallelen in Mk 9,33–37 parr; 10,42–45 parr (vgl. auch Mt 23,8–11) liegen (Onuki). Der Sitz im Leben für diese Tradition in der joh Gemeinde war offenbar das Institut der Wanderprediger (vgl. 2 und 3Joh), deren Verhältnis zur Gemeinde (und umgekehrt) so bestimmt wird. Nun läßt sich jedoch weiter begründen, daß schon vor E dieses Stück dem PB zugeordnet wurde, selbst wenn die Rahmung in 13,1–3 (G) ganz von E stammt. Daß innerhalb des PB Einzeltraditionen Aufnahme fanden, ist nicht selten (vgl. Exkurs 14). Auch setzt 12,21–30 (G) schon vor E für den PB eine Mahlszene voraus, die durch V 4 f. wohl gegeben war. Ebenso sollte die Beziehung von V 16 f.20 zu 20,21 ernsthaft ins

Auge gefaßt werden (vgl. zu 20,21). Endlich fällt auf, daß auch Lk
die Rede mit dem Thema Dienen (Lk 22,24–30) an das Herrenmahl
anschließt (Lk 22,15–20). Damit wird nicht nur ein zweites Mal die
Nähe der joh Schilderung zu Lk deutlich, sondern angezeigt, daß
analog auch 13,4 f. 12–15. 16 f. 20 schon vor E im joh PB standen.
Nun kann auch eine alte Streitfrage Beantwortung finden, die aufgrund des Vergleichs von Joh 13 mit Mk 14,17–25 parr entsteht: Ist
die Fußwaschung Ersatz für das synoptische Herrenmahl oder versteckt selbst sakramental auf das Herrenmahl zu deuten? Versteckte Hinweise auf das Herrenmahl finden sich im ganzen Text
ebensowenig wie auf die Taufe (s. o.). Von Haus aus steht die Tradition der Fußwaschung nicht in Konkurrenz zur Herrenmahlstradition. Daß Jesu Abschiedsmahl, als Fußwaschung ausgestaltet,
jetzt das Herrenmahl ersetzen will, entbehrt auch jeden Beweises.
Dagegen spricht Joh 6,51c–58: Hier hat die KR die joh Herrenmahlstradition eingefügt, ohne Bezug zur Passion (vgl. Exkurs 6).
Dann hat zu gelten: Mk und Joh wissen aus ihrem PB um ein letztes Mahl Jesu. Mk hat dies zum Anlaß genommen, die Herrenmahltradition einzubauen (Wrege 56 f.; 74 f.), gefolgt von Mt und
Lk. E (oder schon seine Tradition) nahm das unabhängig von Mk
zum Anlaß, die Fußwaschung einzubringen.
Aufgrund dieser Annahmen können die Einzelheiten des Textes
beachtet werden. An den synoptischen Parallelen erweist sich abermals die Einleitung in V 16.20 (»Wahrlich, wahrlich ich sage euch
…«) als typisch joh. E benutzte sie Joh 3; 6 zur Gliederung. Hier
dient sie zur autoritativen Verstärkung von Einzelworten. Dabei
spiegelt V 16.20 jüdisches Botenrecht wider (Bühner 191–235). So
erklärt sich auch das im Joh ungebräuchliche Wort »Apostel«. Es
meint hier rein funktional den Gesandten. Nach Joh 20,21 hat der
Auferstandene seine Jünger gesandt. Daß der Gesandte Knecht seines Herrn ist, d. h. ganz von ihm und der Beauftragung abhängt, ist
ebenfalls Grundgedanke jüdischen Botenrechts (Bühner). Die
Wanderprediger des joh Gemeindeverbandes interpretieren also ihre Stellung von dieser jüdischen Tradition her. Aufgrund dieser Basis erklärt sich auch am besten die strukturelle und stilistische Nähe
zu Partien im 2 und 3 Joh, wobei allerdings die aktuelle Situation,
die dort vorausgesetzt ist, 13,16 f. 20 fehlt. Auch in 15,11–17 (KR)
wird die Thematik von V 4 f. 12–15. 16 f. 20 neu ausgelegt.
Ähnlich ungeschickt wie 13,34 f. ist hier V 18 f. eingefügt. Vielleicht will die Redaktion sagen: Der Gesandte kann sich verfehlen
wie Judas (Bultmann). Die aktuelle Situation aus 3 Joh 9 f. wird
man schwerlich im Text sehen können (gegen Thyen). Dessen un-

geachtet ist der Sinn von V 18 f. als Fortsetzung von V 6–10a und
Vorbereitung auf V 21 ff. im Sinne von E besser erkennbar. Nach E
demonstriert Jesus am Fall des Judas seine Souveränität: Judas als
miterwählter Jünger ist seit je von Jesus durchschaut (vgl. die Nähe
zu 6,70 E). Traditionsverhaftet (vgl. Mk 14,18), wird dies näher erläutert: So wird Ps 41,10 erfüllt. Zitiert wird mit Nähe zum hebräischen Text (Reim 39–42). Der Judasverrat ist kein mißliches Unge-
schick, das nicht vorhergesehen war, vielmehr war der Verrat
längst vor der Sendung zur Rückkehr des Gesandten eingeplant.
Vor dem Verrat sagt Jesus dies den Jüngern, so daß diese am Verlauf der Ereignisse ersehen können: »Ich bin es«, d. h. er ist mit
dem Vater eins (vgl. 8,28; 14,29). So ist der Judasverrat nicht Sta-
chel, der den Glauben quält, sondern providentia dei und enthüllt
dem Glauben Jesu Gottheit. Weil diese Zusammenhänge 18,5–9
fehlen, hier vielmehr das »Ich bin es« primär von der personellen
Identität Jesu her zu verstehen ist, liegt 18,5–9 keine Parallele zu
13,18 f. vor (gegen Onuki).

b) Die Identifizierung des Verräters 13,21–30

21 Als Jesus das gesagt hatte, wurde er innerlich erregt und
bezeugte und sprach: »Wahrlich, wahrlich ich sage euch, einer von euch wird mich verraten.«   22 Ratlos blickten sich
die Jünger gegenseitig an, wen er (wohl) meinte.   23 Einer
seiner Jünger lag an der Brust Jesu, (nämlich) der, den Jesus
liebte.   24 Ihm nun winkt Simon Petrus zu und spricht zu
ihm: »Frag, wer es ist, von dem er redet!«   25 Da neigt jener
sich an Jesu Brust zurück und fragt ihn: »Herr, wer ist
es?«   26 Da antwortet Jesus: »Der ist es, dem ich den Bissen eintauchen und geben werde.« Da taucht er den Bissen
ein, nimmt ihn und gibt ihn Judas, (dem Sohn) des Simon Iskariot.   27 Und nach dem Bissen, da fuhr in jenen der Satan. Jesus sagt zu ihm: »Was du tun willst, tue bald!«   28 Keiner jedoch derer, die zu Tisch lagen, verstand, wozu er ihm
das sagte.   29 Denn einige waren der Meinung, weil Judas
die Kasse hatte, habe ihm Jesus gesagt: »Kaufe ein, was wir
zum Fest brauchen!« Oder, er solle den Armen etwas geben.
30 Als nun jener den Bissen nahm, ging er alsbald hinaus. Es
war aber Nacht.

Literaturauswahl: Vgl. die Kommentare und Exkurs 9. *Onuki, T.:* Die johanneischen Abschiedsreden und die synoptische Tradition, AJBI

3 (1977) 157–268, hier: 177–198. – *Wilcox, M.*: The Composition of John
13,21–30, in: Neotestamentica et Semitica (FS. M. Black), Edinburgh 1969,
143–156.

Ohne Zweifel heben sich V 23–25 und V 28 f. als interpretatorische
Zugaben von einem in sich geschlossenen Text ab. Mag E in V 21a
(vgl. 11,33; 12,27) überleitend redigiert haben, im wesentlichen
stellen V 21 f.26 f.30 den Grundstock der Erzählung dar, wie sie E
in seinem PB vorfand. Dieser Text ist eine traditionsgeschichtliche
Variante von Mk 14,18–21. Dabei lehrt ein Vergleich, daß insbesondere Mk 14,18b (ohne V 18c) mit verdoppeltem »Wahrlich« in
Joh 13,21b wiederkehrt, zwischen V 22 und V 26 (vgl. Mk 14,19 f.)
ein alter Zusammenhang besteht, und nach Mk 14,20 = Joh 13,26
(in Umgestaltung) der joh PB eigene Wege ging. Für die Zuweisung an den joh PB sprechen weiter folgende Beobachtungen: Die
Teufelsbezeichnung »Satan« (V 27) ist unjoh und steht im traditionsgeschichtlichen Zusammenhang mit Lk 22,3. Judas wird wie
bei einer Erstbenennung mit vollem Namen angegeben. Da 12,4 f.;
13,2.10b–11.18 f. dem PB abzusprechen waren, ist dies in der Tat
die erste Erwähnung des Verräters im alten PB. Sie mag übrigens
auch darin Einfluß aus Lk 22,3 enthalten. Intern widersprechen
sich jetzt V 26 f. und V 28 f. Denn in V 28 f. ist angenommen, niemand habe Jesu Worte V 26 f. gehört. Wegen des genannten
Jüngerinteresses, wie es V 22 dokumentiert ist, darf man aber dies
nicht in den Text vorher eintragen. Daß die Identifikation des Juden als Verräter in V 26 heimlich erfolgt, wäre geradezu widersin-
nig. Endlich ergeben sich bei Herausnahme von V 23–25 und V
28 f. zwischen V 22 und V 26 und zwischen V 27 und V 29 auffällig
glatte Übergänge.
E hat eingangs die Überleitung in V 21a redigiert (vgl. 11,33; 12,27;
Bultmann, Schnackenburg). Es mag sein, daß E, der gerade zuvor
Ps 41,10 in 13,18 zitierte, einen Anklang an Ps 41,10 (LXX): »Mein
Inneres ist erregt«, einarbeitete (Dodd, Onuki). Doch bleibt das
unsicher. In jedem Fall will E Jesu Identifikation des Verräters so
als prophetisches Zeugnisablegen (vgl. die Charakteristik des Täu-
fers von E als zeugnisablegenden Propheten in Joh 1) kennzeichnen, damit von Anfang an klar ist: Jesu Souveränität umfaßt auch
das Werk des Judas. Für den Leser entsteht zwischen Jesu Verratsansage V 21b und V 18 f., die, von E gestaltet, unmittelbar voran-
geht, eine Spannung. Doch während V 18 f. die Person des Verräters unbenannt läßt, ist V 21b Beginn zu seiner Identifikation.
Auch wird das vollmächtige Herrsein Jesu über die Verratssitua-

tion, von der V 19 f. sprach, V 21 ff. für diese erste Episode demonstriert. Szenisch wird das »Einer von euch« (V 21) über das »Wer (von den Jüngern)?« (V 25) im »Der ist es, dem ...« (V 26), also als Dreischritt ausgebaut, zum Ziel gebracht. Wird bei Mk und Lk die Identifikation des Verräters noch nicht vollzogen, sondern bei personeller Unbestimmtheit nur der Verrat durch einen Jünger angezeigt, so hat schon Mt den Weg beschritten, auf Judas durch dessen indirekte Selbstanzeige abzuheben (Mt 26,25). Diese typisch legendarische Konkretion vollzog der PB, wie ihn E vorfand, auf andere Weise: Jesus ist der Agierende und Judas der Regierende. Jesus wählt den Augenblick der Enthüllung, benennt Judas als Verräter und schickt ihn ans Werk. Durch diese erzählerisch extrem deutlich gemachte Souveränität Jesu ist die Identifikation des Verräters überlagert durch die demonstrative Überlegenheit Jesu, die aus Judas eine Marionette im Heilsplan macht. Dies wird nochmals dadurch gesteigert, daß der Teufel nach dem Reichen des Bissens in Judas fährt. So wird auch er – wider seine eigene Natur – zum Werkzeug der Erlösung, indem seine Teufelei ihm belassen, aber für die Rückkehr Jesu zum Vater positiv ausgenutzt wird. Begegnen sich hier bei der Verratsansage Jesus und der Teufel gleichsam über einen Dritten, d. h. über Judas, so wird Jesu Tod die unmittelbare Konfrontation mit dem Teufel mit sich bringen (14,30). Dabei wird der Teufel dann entmachtet (12,31).

Judas erhält natürlich nicht durch Jesu Bissen die teuflische Besessenheit, sondern die Enthüllung des Verräters durch den Bissen ist Signalwirkung für den Teufel, nun in seinem Werkzeug Judas sofort tätig zu werden. Jesus treibt dann Judas zum sofortigen Handeln an. Der nimmt den Bissen und entfernt sich. Damit ist Jesus mit den ihm treu ergebenen Seinen allein und somit die Szene für 13,31–14,31 vorbereitet. Erst danach (18,1–11) wird es zur letzten Konfrontation zwischen Jesus und Judas kommen. Das kleine abschließende Sätzlein: »Es war aber Nacht« mag auch schon im E vorliegenden PB gestanden haben. Die Nachtsituation ist 18,3 bei der Gefangennahme vorausgesetzt, und Paulus verbindet, traditionsverhaftet, das letzte Mahl Jesu mit derselben Tageszeit (1 Kor 11,23). In jedem Fall hat dann E die Angabe als Metapher mit theologischem Symbolgehalt verstanden. Judas entfernt sich von Jesus als Licht und wird von der Nacht umfangen (3,19 f.), die zugleich für Jesus zur Nacht des abschließenden Heilswerkes wird (9,4; 11,10).

Die Jünger bleiben freilich für E diejenigen, die noch ahnungslos und unverständig sind (V 28 f.): 13,7b.19 werden sich erst später

erfüllen, wie ja auch der Jünger Unverständnis in 14,5.8f.22 (alles
E) weiter begegnet, und ebenso das zukünftige Erkennen noch
nicht eingelöst ist (14,29). So wird die traditionelle Anschauung der
joh Gemeinde, Judas habe die Kasse (12,6) benutzt, um den jesuanischen Befehl, Judas solle gehen, irdischem Unverständnis aus-
zusetzen. Dabei stört es E gar nicht, daß die Frage: Wozu? nach V
22.26f. geradezu unerträglich wirkt. E nimmt, wie so oft, erzählerische Unmöglichkeiten in Kauf, um einen theologischen Gedanken zu entfalten: Daß die Jünger aus Unkenntnis Judas ziehen lassen und ihn nicht hindern, erweist ihre Entschuldbarkeit. Zugleich
hebt sich von dieser Ahnungslosigkeit der Jünger Jesu Vorherwissen und Dirigieren des Verräters kontrastreich ab, ja auch die Unkenntnis der Jünger hilft dem Heilsplan. Die perturbatio hominum
ist allumfassend von der providentia dei umfangen. Das Verhör vor
Pilatus (18,28–19,16) wird mit anderen Personen und szenischen
Mitteln dasselbe eindrücklich machen: In dem ganzen Hin und Her
ist Jesus der einzige ruhende Pol. So hat E die Tendenz seiner Vorlage, von der bloßen Identifikation des Verräters zur Demonstration der Überlegenheit Jesu gerade auch angesichts des Verrates
fortzuschreiten, planvoll durch V 21a.28f. weiter ausgearbeitet,
denn so entspricht es seiner christologischen Gesamtkonzeption.
Diesem leitenden Interesse lassen sich V 23–25 nun aber nicht einfügen. Die Einführung des Jüngers, den Jesus liebte, hat vielmehr
eine andere, aus dieser Szene allein nicht unmittelbar deutlich wer-
dende Absicht: Er wird als Autorität des joh Gemeindeverbandes
für wahre Jesustradition aufgebaut (vgl. unten Exkurs 9). Seine Erwähnung steht also gegen die christologisch ausgerichtete Erzählung und verdankt sich ekklesiologischem Interesse. Solche Spannung begegnete z. B. in Joh 10 und sie trennt z. B. 13,31–14,31 von
Joh 15–17. Darum wird man V 23–25 der KR zuweisen müssen
(Thyen, freilich mit anderer Abgrenzung). Hätte E nicht auch
Platz und Zeit genug gehabt, schon früher den Lieblingsjünger ein-
zuführen (zu 1,35ff. siehe z. St.)? Warum kann Petrus 6,68;
13,6–10a.36–38 unmittelbar mit Jesus reden, nur 13,23–25 nicht?
Zeigt nicht der Bezug der KR in 21,20 auf diese erste Begegnung
des Lesers mit dem Lieblingsjünger in V 23–25, wie sie dadurch alle
Stellen zu einer Gesamtanschauung bündelt? Ihr Interesse am Lieblingsjünger liegt offen zutage, von einem solchen des E erfährt man
sonst im Joh nichts. Die Stellen über den Lieblingsjünger sind in
keinem Fall dem E vorgegebenen joh PB zuweisbar, sondern redaktionell (Lorenzen). Es fragt sich demnach nur, welcher Redaktion der Zuschlag zu geben ist. Dabei hat aufgrund von Joh 21 die

KR eindeutigen Vorrang. Könnte man E im übrigen wirklich zutrauen, V 28 zu formulieren: keiner der Jünger habe Jesu Identifikation des Verräters verstanden, und gleichzeitig ausdrücklich den Lieblingsjünger die Identifikation mit prompter Antwort erfragen lassen? Zumindest er und Petrus mußten doch wohl nach V 23–25 Judas als Verräter erkannt haben! Also, wer V 28 f. einfügte, konnte nicht auch V 23–25 schreiben (gegen Bultmann, Onuki u. a.). Endlich ist schon immer aufgefallen, daß die Erstbenennung des Lieblingsjüngers, gekennzeichnet durch die Aussage, er liege an der Brust Jesu, an 1,18 erinnere. So ergibt sich: Wie Jesus an der Brust des Vaters ruht, so der Lieblingsjünger an der Jesu. Zu 10,14 war unter Benennung aller verwandten Aussagen begründet, wie gerade die KR die Beschreibung des Verhältnisses von Jesus und seinem Vater analog zur Verhältnisbestimmung der Jünger (d. h. der Gemeinde) zu Jesus sieht. Sieht man 13,23 in diesem Zusammenhang, wird einsichtig, was die KR will, nämlich die Autorität des Lieblingsjüngers konstituieren. War gleich eingangs des Joh durch E die Autorität Jesu mittels 1,18 ausformuliert, so wird sofort eingangs der Einführung des Lieblingsjüngers für diesen mit demselben Mittel dasselbe von der KR getan. Ihre Anlehnung an Aussagen von E ist überdies auch sonst bekannt (vgl. zu 6,51c–58).

Exkurs 9: Die Gestalt des Lieblingsjüngers

Literaturauswahl: Agourides, S.: Peter and John in the Fourth Gospel, StEv 4 (1968) 3–7. – *Bauer, W.:* Kom. Exkurs zu 13,23. – *Bultmann, R.:* Kom. zu 13,21–30. – *Colson, J.:* L'énigme du Disciple, que Jésus aimait, Paris 1969. – *Cullmann, O.:* Kreis, 67–88. – *Culpepper, R.:* School, 418–427. – *Dauer, A.:* Das Wort des Gekreuzigten an seine Mutter und den »Jünger, den er liebte«, BZ 11 (1967) 222–239; BZ 12 (1968) 80–93. – *Eckhardt, K.A.:* Der Tod des Johannes als Schlüssel zum Verständnis der Johanneischen Schriften, Berlin 1961. – *Johnson, L.:* The Beloved Disciple – A Reply, ET 77 (1965/66) 380. – *Ders.:* Who was the Beloved Disciple, ET 77 (1965/66) 157–158. – *Jonge, M. de:* The Beloved Disciple and the Date of the Gospel of John, in: Text and Interpretation (FS M. Black) Cambridge 1979, 99–114. – *Heitmüller, W.:* Zur Johannes-Tradition, ZNW 15 (1914) 189–209, besonders 204 f. – *Kragerud, A.:* Lieblingsjünger (Lit.). – *Kümmel, W. G.:* Einleitung § 10,6. – *Lorenzen, Th.:* Lieblingsjünger (Lit.). – *Mahoney, R.:* Two Disciples at the Tomb, Theologie und Wirklichkeit 6, Bern – Frankfurt 1974, 70–103.286–301. – *Minear, P. S.:* The Beloved Disciple in the Gospel of John, NT 19 (1977) 105–123. – *Morris, L.:* Studies in the Fourth Gospel, Exeter 1969, 139–214. – *Parker, P.:* John the Son of Zebedee and the Fourth Gospel, JBL 81 (1962) 35–43. – *Rigg, H.:* Was Lazarus the »Beloved Disciple«?, ET 33 (1922) 232–234. – *Rogers, D. G.:* Who was the Beloved Disciple?, ET 77 (1965/66) 214. – *Roloff, J.:* Der johanneische »Lieblingsjünger« und der Lehrer der Gerechtigkeit, NTS 15 (1968 /69) 129–151 (Lit.). – *Sanders, J. N.:* »Those Whom Jesus Loved« (John 11,5), NTS 1 (1954/55) 29–41. – *Ders.:* Who was the Disciple whom Jesus loved?, in: F. L. Cross (ed.): Studies in the Fourth Gospel, London 1957, 72–82. – *Schnackenburg, R.:* Der Jünger, den Jesus liebte, in: EKK Vorarbeiten, Heft 2, Zürich – Neukirchen 1970, 97–117 (Lit.). – *Ders.:* Kom. III, Exkurs 18, 449–464. – *Schwartz, E.:* Johannes und Kerinthos, ZNW 15 (1914) 210–219. – *Solages, J. de:* Jean, fils de Zébédée et l'énigme de disciple qui Jésus aimait, BLE 73 (1972) 41–50. – *Swete, H. B.:* The Disciple whom Jesus loved, JSST 17 (1916) 371–378. – *Thyen, H.:* Johannes 13 und die »Kirchliche Redaktion« des vierten Evangeliums, in: Tradition und Glaube (FS K. G. Kuhn), Göttingen 1971, 343–356. – *Ders.:* Entwicklungen innerhalb der johanneischen Theologie und Kirche im Spiegel von Joh 21 und der Lieblingsjüngertexte des Evangeliums, in: M. de Jonge (ed.): L'Évangile de Jean, BEThL 44, 1977, 259–299. – *Ders.:* ThR NF 42 (1977) 213–270 (Lit.).

Mindestens seit Irenäus (vgl. die Einleitung 3c) gilt in der kirchlichen Tradition der Zebedäussohn Johannes in Identität mit dem Lieblingsjünger (im folgenden L) als Autor des Joh. Zwar wird diese These immer noch vertreten (z. B. bei Morris, Solages), aber zu viele Probleme sind mit ihr verbunden, als daß sie heute in der kritischen Forschung Anklang finden würde (vgl. die Einleitung 3c; Parker; Schnackenburg, Jünger). Seit dem Zerbrechen der Irenäus-These, wie es sich gegen Ende des 19. Jahrhunderts abzeichnete, sind allerdings die Hypothesen ebenso zahlreich wie oft kurzlebig geworden.

Zunächst ist zu klären, welche Stellen heranzuziehen sind. Man kann diese begrenzen auf Belege, an denen der Jünger ausdrücklich als der bezeichnet wird, den Jesus liebte, also auf 13,23–25; 19,26f.; 20,2–10; 21,2–8.20–24. Darüber hinaus werden andere Aussagen hinzugestellt, die mehr versteckt auf dieselbe Person abheben können: 1,37.40; 18,15f.; 19,34bf. (vgl. den Überblick bei Lorenzen). Methodisch ist es geboten, von den sicheren Stellen auszugehen und die anderen subsidiär zu benutzen. In der Auslegung zu den Texten ist begründet, warum 1,37.40 überhaupt von der Diskussion fernzuhalten ist. Umgekehrt bezieht sich 19,34bf. auf 19,26f., also hat der Zeuge als L zu gelten. Bei 18,15f. wird man wegen des Verhältnisses zu Petrus und derselben Benennung des Jüngers (»der andere Jünger«) in 20,2ff., hier mit Identifikation als L (20,7), ebenso urteilen. L-Texte sind also erst ab Joh 13 anzutreffen. Damit ist auch schon gesagt, daß der allzu gewagte Versuch, über Joh 11,5 L zu identifizieren (Eckhardt; Sanders), nur den Wert einer modernen biographischen Legende hat (vgl. die Auslegung; weitere namentliche Identifikationen bei Cullmann 80f.).

Eine besonders umstrittene Frage ist sodann die Erwägung, zu welcher Schicht im Joh die genannten Texte gehören. Wegen des Auftretens erst ab Joh 13 kann man – eventuell nur für einige Texte – an den alten PB denken. Das würde erklären, warum L so spät auftaucht. Aber soweit scheint heute Einigkeit zu herrschen: Die L-Stellen sind im Verhältnis zur Passionstradition redaktionell. Also können für sie E oder die KR oder beide verantwortlich gemacht werden. E allein käme nur dann in Frage, wenn man Joh 21 auch ihm zuschreibt. Wer aber zwischen E und Joh 21 differenziert, kann die Stellen E und der KR oder nur der KR zuweisen. Die Verteilung auf E und die KR (Bultmann, Schnackenburg, Lorenzen u. a.) ist zur Zeit die übliche. Sie ist aber nicht problemlos: Die »Hauptstelle 13,23–26« (so Schnackenburg, Kom. III 456), an der der Entscheid fällt, spricht gegen E (vgl. die Auslegung). Ordnet man das Interesse an L allgemeiner der kirchlichen Ausrichtung im Joh zu, liegt es viel näher, an die KR als an E zu denken. Eine Zuweisung an diese könnte auch eher erklären, warum L erst ab Joh 13 begegnet, nämlich weil insbesondere ab hier die KR umfangreich im Blick auf die gegenwärtige kirchliche Situation redigierte. Endlich steht das besondere Interesse an L in Joh 21 (KR) außer Zweifel. Dieses Interesse hat solange als Grund aller Stellen zu dienen, wie es nicht gelingt, E ein eigenes Interesse an der Gestalt sicher nachzuweisen. Kaum zufällig wird die KR in 21,20 auf dies erste Vorkommen 13,23 ff. im Joh verwiesen haben: Durch solche Rahmung bündelt man Stellen. So spricht also neben der Einzelexegese der betreffenden Stellen manches dafür, von E abzusehen und nur die KR am Werk sein zu lassen (so Thyen; als möglich angesehen von Roloff; ältere Vertreter: Schwartz; Bousset, RGG ³III 614 f.; Heitmüller). Damit hat man den Vorteil, eine einheitliche Theorie zu L aufstellen zu können, und entgeht dem Zwang, zwischen E und der KR differenzieren zu müssen (z. B. wie Bultmann, der für E eine Symbolgestalt, für die KR eine sekundäre Historisierung annimmt). Weiter kann man die konkretesten Aussagen aller Texte, die Joh 21 bietet, ins Zentrum der Interpretation rücken.

Auf dieser Basis kann als nächstes die Frage ventiliert werden, ob L eine symbolische Idealgestalt ist oder eine geschichtliche Person, die nur für den, dem der joh Traditionskreis fremd ist, der also kein Insider ist, anonym bleibt. Für die erste Möglichkeit haben insbesondere zwei Exegeten gestritten (Bultmann: E verstehe ihn als Symbol des Heidenchristentums; Kragerud: Symbolfigur für urchristlichen Prophetismus im Gegensatz zu Petrus, der das Gemeindeamt vertritt; weitere Vertreter bei Lorenzen, 75 f.). Andere (Mahoney) haben L rein literarisch–funktional, also als Fiktion erklärt. Aber mit Recht sind solche Deutungen im allgemeinen zurückgewiesen worden: Da Petrus sicherlich im Joh nicht rein symbolisch verstanden werden kann, kann auch die ihm zugeordnete Gestalt von L nicht Symbol allein sein. Abgesehen von der Namenlosigkeit wird der anonyme Jünger, der als L gekennzeichnet ist, behandelt wie alle anderen Gestalten im Joh auch. Vor allem aber spricht für eine geschichtliche Gestalt 21,20–24. Wer in Spannung zu Joh 21 die Stellen vorher nur symbolisch deutet, kommt nicht um die Annahme herum, daß dann die Leser im joh Gemeindeverband die sekundäre Historisierung in Joh 21,20–24 als Zumutung aufgefaßt haben müssen. Oder anders gesagt: Wenn die KR in Joh 21 großes Interesse daran gehabt hat, mit Hilfe von L die Autorität des Joh zu sichern, muß diese Autorität für den joh Gemeindeverband auch eine angesehene geschichtliche Person gewesen sein (Weiteres bei Lorenzen § 10).

Konstitutiv für die Deutung von L ist ferner die Verhältnisbestimmung zu Petrus. Zunächst ist dazu eine allgemeine Beobachtung hilfreich: Es gibt aus dem Jüngerkreis um Jesus überhaupt nur drei Personen, die im Joh überdurchschnittliches Interesse auf sich gezogen haben, Judas als Verräter, Petrus als unbezweifelbare allgemeine Autorität im Urchristentum und L (vgl. Minear 109). Im Unterschied zu diesem sind die beiden anderen mit Namen bezeichnet. Sie sind als Glieder des ältesten Jüngerkreises wie überall, so auch im joh Gemeindeverband bekannt. Demgegenüber ist L ohne Namen, also gehört er nicht zu den allgemein und traditionell namentlich bekannten Jüngern Jesu, sondern wird als eine spezielle Zentralfigur joh Gemeindegeschichte (und hier natürlich wohl bekannt, vgl. 21,24) an den Ort unmittelbarer Jesusnachfolge zurückprojiziert. An Judas hat die joh Gemeinde vornehmlich Interesse, um an dieser Negativfigur im engsten Jüngerkreis die Erwählungs- und Verwerfungsproblematik aufzuarbeiten. Petrus steht für den gesamtkirchlichen Horizont. So gehört schon für die SQ Petrus zu den Erstberufenen und wird sofort anläßlich seiner Berufung als »Fels« der Kirche umbenannt (1,40.42 vgl. Mt 16,18). Für E ist er fraglos und selbstverständlich der Sprecher des Jüngerkreises (6,68; 13,6–9). Auch an den Stellen, wo er mit L zusammen auftritt, gilt die Vorgabe, Petrus ist üblicherweise als Erster im Jüngerkreis anzusprechen (vgl. 20,1 ff.; 21,1 ff.).

Von diesen Voraussetzungen her muß nun das Verhältnis von L und Petrus geklärt werden. Demgegenüber bedarf das Verhältnis zu Judas darum keiner Erörterung, weil L nicht als literarische Kontrastfigur zu ihm aufgebaut ist (gegen Thyen). An der einzigen Stelle, der Anlaß geben könnte, solche Verhältnisbestimmung vorzunehmen, nämlich 13,21–30, hat L nur eine Hilfsfunktion zur Identifizierung des Verräters. Alles liegt daran, wie er die Initiative des Petrus zum Ergebnis führt. Ganz in der Linie der Stellen stehend, die die SQ und E zu Petrus bieten, zeigen auch die Belege der KR, an denen L und Petrus zusammen auftreten, wie Petrus die gesamtkirchliche Priorität zuerkannt wird: Er ist als anerkannter »Hirte« der gesamten Christenheit (21,15) angegeben. Dabei wird er von Jesus zum Martyrium würdig befunden, erfüllt also die Beschreibung eines wahren, guten Hirten (10,11–18 KR). In bezug auf diese beiden Aussagen steht L in keiner Konkurrenz zu Petrus. Diese gesamtkirchliche Erstplazierung des Petrus kommt auch an den Stellen, die die Rivalität zwischen beiden aussprechen, insofern noch zur Geltung, als Petrus als erster handelnd auftritt und ihm dann L den Rang abläuft (13,23–25; 18,15 f.; 20,1–10; 21,2–14.15–23). Petrus ist Repräsentant des Jüngerkreises (z. B. 21,2 ff.), L steht mehr isoliert. Seine im Unterschied zu Petrus partikulare Aufgabe für den joh Gemeindeverband (21,22–25) wird durch seine besondere Unmittelbarkeit zu Jesus herausgearbeitet (13,23; 19,26 f.; 20,8; 21,7) und dabei entsteht der Antagonismus zu Petrus, der bei genereller Anerkenntnis seiner gesamtkirchlichen

Funktion im einzelnen dann doch gegenüber L im Verhältnis beider zu Jesus das Nachsehen hat (Roloff).

So spricht sich das joh Selbstverständnis aus: Im Rahmen der Gesamtkirche versteht joh Christentum sich als unmittelbar zu Jesus – durch die Vermittlung von L. Dieser Unmittelbarkeit bedient sich selbst Petrus (13,23f.). Während dieser den Herrn verleugnet (18,12–27), harrt L am Kreuz bis zuletzt aus (19,26f.35f.) und ist für Jesu letzten Willen zur Stelle (19,26f.). Nicht Petrus (Lk 24,34; 1 Kor 15,5) ist der erste Glaubende nach Ostern sondern L (Joh 20,8). Dieser erkennt den Herrn 21,7a zuerst, und Petrus handelt in Abhängigkeit von dieser Erkenntnis dann prompt (21,7b). Petrus muß sich mit der besonderen Stellung von L aufgrund der Jesusautorität abfinden (21,20–23). Die gesamtkirchlich anerkannte Autorität des Petrus ist also benutzt, um die speziell joh orientierte Autorität von L zu begründen (Thyen, Cullmann) und dies zu partiellen Lasten des Petrus, insofern sich die Unmittelbarkeit von L zu Jesus zwangsläufig zwischen Petrus und Jesus schiebt. So wird bei Beibehaltung der kirchlichen Position des Petrus – hier hat L andere Aufgaben – sein Verhältnis zu Jesus dem von L zum Herrn nachgeordnet.

Wer ist L? Seine Identität läßt sich nur insoweit bestimmen, als seine Funktion innerhalb des joh Gemeindeverbandes erörtert wird. In jedem Fall ist er keine bekannte Figur aus dem engeren Jüngerkreis, sonst wäre er nicht anonym geblieben und hätte nicht erst so spät in das Joh Eingang gefunden – ganz abgesehen davon, daß das Joh aufgrund seines Werdeganges und seiner theologiegeschichtlichen Stellung im Urchristentum nicht von einem Jünger des irdischen Jesus herkommen kann (vgl. die Einleitung 2–4). In keinem Fall ist L mit der KR identisch, da diese auf den bereits gestorbenen Jünger zurückblickt (21,23). Auch E und L sind nicht identisch: Wenn anders E in wichtigen Fragen der joh Theologie (Eschatologie, Sakramentslehre, Gemeindeverständnis, Deutung des Todes Jesu usw.) eine profilierte selbständige Meinung vertritt und die KR unter Berufung auf L das Werk von E gerade an die Gemeindetheologie angleicht, dann ist L Garant gesamtjoh Theologie und nicht mit E identisch. Auch die Identifizierung von L mit dem »Alten« des 2 und 3 Joh (so Thyen) ist kaum mehr als ein phantasievoller Einfall. Ist L die joh Autorität schlechthin und darum im joh Gemeindeverband Autorität zur Begründung kanonischen Ansehens des überarbeiteten Joh (21,24), kann er kaum im Streit mit Diotrophes gelegen haben, mit dem der Alte sich abmüht. Bisher spricht auch sehr vieles dafür, daß 2 und 3 Joh nach Joh entstanden, dann war z. Z. des Streites aus 2 und 3 Joh L schon tot (Joh 21,23). Die personelle Identität von L ist also ins Dunkel der Geschichte gesunken.

Darum hat es mehr Sinn, aus allgemeinen strukturellen Analogien von antiken Schulbildungen her (Culpepper) und speziell im Vergleich mit dem Lehrer der Gerechtigkeit aus Qumran (Roloff) zu argumentieren, indem die Aussagen zu L in solchen Zusammenhang gestellt werden. Danach ist L im Bewußtsein des joh Gemeindeverbandes der Gründer und/oder der personelle Garant der joh Schule und Theologie. Zugunsten dieser Funktion wird er typisiert und idealisiert. Seine Schüler sind E und die KR. Darum stellt diese das Werk unter seine unmittelbare Autorität, ja macht ihn zum pseudonymen Verfasser des Joh (21,24). Damit folgt die KR einem allgemeinen Trend der damaligen Zeit, durch pseudonyme Personalautorität Lehrbildungen zu legitimieren (vgl. Kol, Eph, 1 Petr usw.). Die KR beschreibt die Autorität von L durch die Unmittelbarkeit von L zu Jesus und die bedingte Rivalität zu Petrus und durch den Namen selbst. Denn wie die Autorität der Qumrangemeinde – intern sicherlich namentlich bekannt – mit der Funktions- und Ehrenbezeichnung Lehrer der Gerechtigkeit benannt wird, so verfährt die joh Gemeinde mit L. Sie beansprucht, von Jesus geliebt zu sein (1.34; 14,21; 15,9.12; 1 Joh 4,10.19) und jedes Glied ist nach 15,1 ff. unmittelbar zu Jesus. So ist L idealisiert der geliebte Jünger und unmittelbar zu Jesus (13,23). Er ist das personalisierte Selbstverständnis der Gemeinde (Culpepper). Demgegenüber ist eine Ableitung der Bezeichnung von L aus 5 Mose 33,12 (so Minear) nicht begründbar. In dieser Funktion wird L so gekennzeichnet, daß er vor allem primäre Christuserkenntnis hat (20,8; 21,7) wahrer Garant der Jesustradition ist (21,24) und Autorität in der Schriftauslegung besitzt (vgl. 19,36; 20,9), d. h. er nimmt die Aufgaben der joh Schule wahr. Dies alles ist und tut er zugunsten der Gemeinde. Darum verläßt die KR bei den L-Stellen gern die fiktive historische Situation und blickt auf die kirchliche Gegenwart (Roloff, vgl. z. B. 19,35; 21,24). Wahrscheinlich soll man wegen dieser Anlage der Texte auch die Vorrangigkeit von L vor Petrus kirchengeschichtlich deuten: Mag Petrus im allgemeinen Hirt der Christenheit sein, die joh Gemeinden haben eine von Petrus anerkannte unmittelbare Zugehörigkeit zu Jesus. Petrus hat mit der Missionarisierung und theologischen Legitimität joh Christentum nichts zu tun. Sein gesamtkirchliches Primat in Ehren, joh Christentum ist über L autonom.

Die Funktionen von L sind nach 14,26; 15,26 teilweise parallel zum Parakleten. Auch dieser hält Jesustradition wach, ist Zeuge für die Wahrheit und leitet zum Schriftverständnis an (vgl. 2,22; 12,16). Doch nirgends wird L mit dem Parakleten ausdrücklich in Beziehung gebracht, noch ein Ausgleich zwischen beiden Gestalten versucht. Dies hängt sicherlich auch mit der Mehrschichtigkeit des Joh zusammen. Nimmt man z. B. die Aussagen von E zum Parakleten ernst (14,16 f.26), dann ist dieser allein Wahrheitsgarant joh Christentums und des Werkes von E. Der persongebundenen Legitimation bedient sich E (noch) nicht. Dies ist erst das Mittel der Endredaktion. Sicherlich wird E die Bedeutung von L nicht einfach abgestritten haben. Aber angesichts seiner theologischen Eigenständigkeit wird er kaum die Wahrheitsfrage so ausschließlich an eine Person gebunden haben, wie es 21,24 geschieht. Indiz dafür ist, daß E auch de facto von L nichts erwähnt, obwohl er die Gestalt als Glied des joh Kreises gekannt haben wird.

2. Die Abschiedsrede Jesu 13,31–14,31

Die Abschiedsrede 13,31–14,31 hebt sich nach vorn durch die Situationsangabe in 13,30 und 13,31 a ab. Die Aufforderung, nun konkret aufzubrechen

(14,31c), damit Gefangennahme (18,1a nimmt 14,31 auf) und Passionsereignisse ihren gewollten Gang nehmen können, bildet den szenisch durchdachten Abschluß. Innerhalb der Abschiedsrede stellen 13,31–38 den einleitenden Abschnitt dar. Joh 14,1 wird 14,27 aufgegriffen, ebenso 14,2f. durch V 28, so daß 14,27–31 als Schlußteil kenntlich wird. Der Mittelteil 14,1–26, dessen Feingliederung späterer Erörterung vorbehalten bleibt, ergibt sich so ungezwungen als ein Block. Die Abschiedsrede repräsentiert bei reichlich individuellen Eigenarten die überindividuelle Typik des literarischen Testaments. Vor der Einzelexegese soll darum dieser Zusammenhang besprochen werden.

Exkurs 10: Die Gattung des literarischen Testaments

Literaturauswahl: Aschermann, H.: Die paränetischen Formen der »Testamente der zwölf Patriarchen« und ihr Nachwirken in der frühchristlichen Mahnung. Diss. theol. Berlin 1955. – *Baltzer, K.:* Das Bundesformular, WMANT 4, ²1964. – *Becker, J.:* Die Abschiedsreden im Johannesevangelium, ZNW 61 (1970) 215–246. – *Ders.:* Untersuchungen zur Entstehungsgeschichte der Testamente der zwölf Patriarchen, AGSU 8, 1970. – *Ders.:* Die Testamente der zwölf Patriarchen, JSHRZ III/1, ²1980. – *Burchard, C. – Jervell, J. – Thomas, J.:* Studien zu den Testamenten der zwölf Patriarchen, BZNW 36, 1969. – *Cortès, E.:* Los Discursos de Adiós de Gn 49a Jn 13–17, Colectánea San Paciano 23, Barcelona 1976. – *Fascher, E.:* Art.: Testament, PRE 2. Reihe Bd 5, 1934, 856–1010, speziell 858–861. – *Hennekke, E. – Schneemelcher, W.:* Neutestamentliche Apokryphen I, Tübingen ³1959, 50f. – *Kolenkow, A. B.:* The Genre Testament and Forecasts of the Future in the Hellenistic Milieu, JSJ 6 (1975) 57–71. – *Ders.:* The Genre Testament and the Testament of Abraham, in: J. W. E. Nickelsburg, Jr. (Hg.): Studies on the Testament of Abraham, Septuagint and Cognate Studies 6, Missoula (USA) 1976, 139–152. – *Kübler, O.:* Die Abschiedsreden Jesu und Buddhas. Im Vergleich, in: Wort und Geist (FS K. Heim), Berlin 1934, 387–403. – *Küchler, M.:* Frühjüdische Weisheitstraditionen, Orbis Biblicus et orientalis 26, 1979, 415–547. – *Leipoldt, J.:* Der Tod bei Griechen und Juden, Leipzig 1942. – *Léon-Dufour, X.:* Jésus devant son mort à la lumière des textes de l'Institution eucharistique et des discours d'adieu, in: J. Dupont (Hg.): Jésus aux origines de la Christologie, BEThL 40, 1975, 141–168. – *Lohmeyer, E.:* Diatheke, UNT 2, 1913. – *Michel, H.-J.:* Die Abschiedsrede des Paulus an die Kirche Apg 20,17–38, StANT 35, 1973. – *Müller U. B.:* Die Parakletenvorstellung im Johannesevangelium, ZThK 71 (1974) 31–77. – *Munck, J.:* Discours d'adieu dans le Nouveau Testament et dans la littérature biblique, in: Aux sources de la tradition chrétienne (FS M. Goguel), Paris 1950 155–170. – *Nordheim, E. von:* Die Lehre der Alten.

Das Testament als Literaturgattung in Israel und im Vorderen Orient, Diss. theol. München 1973. – *Ders.:* Die Lehre der Alten I, ALGHL 13, 1980. – *Onuki, T.:* Die johanneischen Abschiedsreden und die synoptische Tradition, AJBJ 3 (1977) 156–268. – *Reicke, B.:* Diakonie, Festfreude und Zelos, VUA 5, 1951. – *Ronconi, A.:* Exitus illustrium virorum, RAC 6 (1966) 1258–1268. – *Schmidt, W.:* De ultimis morientium verbis, Diss. phil. Marburg 1914. – *Schmitt, A.:* Entrückung – Aufnahme – Himmelfahrt, Forschung zur Bibel 10, 1973. – *Schnackenburg, R.:* Art: Abschiedsreden Jesu, LThK ²I (1957) 68 f. – *Stauffer, E.:* Die Theologie des Neuen Testaments, Stuttgart ⁴1948. – *Ders.:* Art: Abschiedsreden, RAC I (1950) 29–35. – *Zimmermann, H.:* Struktur und Aussageabsicht der johanneischen Abschiedsreden (Joh 13–17), BiLe 8 (1967) 279–290.

Die Gattung des literarischen Testaments (LT) ist im atl-jüdischen Traditionsbereich zu einer besonderen Form ausgebildet worden. Sie kann quellenmäßig von der frühen Königszeit (im Zusammenhang mit der Erzählung von der Thronnachfolge Davids in 1 Kön 2) bis zumindest in die Entstehungszeit des Joh (vgl. nur entsprechende Abschnitte in 4 Esr; syrBar) verfolgt werden. Das frühe Christentum hat dieses Erbe gern angetreten, sei es durch Verchristlichung sehr vieler jüdischer Testamente, sei es durch Produktion neuer LT. Sie ist zu einem weiten Maße dem breiten Strom weisheitlicher Überlieferung zuzuordnen und hat wohl in der weisheitlichen Gattung der »Lehre« in Ägypten den nächsten Verwandten (von Northeim, Diss.). In der griechisch-römischen Welt kennt man zwar letzte kurze Worte Sterbender (W. Schmidt, Ronconi) und Schilderungen vom Sterben großer Männer, wobei diese Darstellungen sich gern an Platos Phaidon anlehnen. Aber mit dem atl-jüdischen LT vergleichbar ist offenbar überhaupt nur die Rede des sterbenden Cyrus in Xenophons Institutio Cyri VIII 7,1–28, wenn anders Sallust, Bellum Iurgurthinum 9,4–11,2 davon abhängig ist (von Northeim, Diss.). Hinweise auf nicht mehr vorliegende LT gibt es nur noch von den Wanderpredigern Apolonius von Tyana und Peregrinus Proteus (Küchler).

Der Name des Testaments kommt vom griechischen Gebrauch des Wortes *diatheke*, insofern dieses Wort auch unjuristisch und literarisch das geistige Vermächtnis berühmter Männer bezeichnen kann (Lohmeyer). Im hellenistischen Judentum ist dann dieser Ausdruck auch für das LT benutzt worden (vgl. z. B. TRub 1,1; TNaph 1,1; TAs 1,1 usw.), während im Hebräischen in solchem Zusammenhang gern verbal von »anordnen, befehlen« *(ziwwah)* gesprochen wird (z. B. 1 Kön 2,1). Dies wird auch von den griechisch sprechenden Juden übernommen (vgl. etwa *entellomai* TRub 1,1.5; 7,1 usw.). Das LT kommt sehr gern als Element in anderen Rahmengattungen vor wie in Geschichtsbüchern, Apokalypsen oder Briefen, begegnet daneben jedoch auch als selbständige pseudepigraphische Gattung (Test XII; Test Abr usw.). Es ist immer literarisches Mittel, Wegweisung als letzten Willen von Sterbenden oder von Personen, die z. B. eine Himmelsreise beginnen (so z. B. slavHen), darzustellen, wobei diese Personen große Gestalten der vergangenen Geschichte Israels sind. Diese literarische Funktion

war so beliebt, daß man alle mögliche gesetzliche, weisheitliche und apoka-
lyptische Belehrung auch nachträglich noch in solche Zusammenhänge einfügte, so daß Abschiedsszenen, einmal geschaffen, oftmals zum Sammel-
platz aller möglichen Überlieferungen wurden (vgl. etwa 1 Mose 47–50; 5
Mose 32–34; Jos 23 f.; Test XII). Dafür ist gerade auch Joh 13–17 ein in-
struktives Beispiel.

Typik und Variabilität des LT kann man sich an folgenden Texten verdeutlichen: 1 Mose 47–50; 5 Mose (ganz); speziell 5 Mose 31–34; Jos 23 f.; 1 Sam
12; 1 Kön 2; 1 Chr 28 f.; Tob 4; 14; 1 Makk 2,49–70; Jub 7,20–39;
10,14–17; 20–23; 35 f.; AssMos; Test XII; slavHen 1–3; 13–20; 22; 55–67;
äthHen 81–91; 92+94–105; 4 Esr 14; syrBar 43–46; 76–80; LibAnt 19; 21;
23 f.; 28; 33; Test Hiob; Test Abr; Test Isaak; Vit Ad 30–48; 49 f.; Ap Sedr
9–16; Test Sal; Asc Jes. Hinzu kommen aus den Qumranfunden fragmenta-
rische Reste verschiedener Testamente mit stofflicher Verwandtschaft zu
dem Test XII (genauer zu: TLev, TJud, TNaph, TJos und TBen) und sonstige (Testamente von Kehat und Amram), die zum Teil noch nicht ediert
sind (zum Stand der Forschung vgl. Küchler 422 f.) und deren Testaments-
charakter nicht immer gesichert ist (Becker, Testamente 21–23). Aus dem
christlichen Traditionsbereich kommen hinzu: Mt 28,16–20; Lk 22,14–38;
Joh 13–17; Apg 20,17–38; 1/2 Tim; 2 Petr; vgl. auch Mk 16,14–19. Es fällt
auf, daß die ntl Texte alle der nachapostolischen Zeit entstammen und wie
ihre jüdischen Vorbilder pseudepigraphisch sind. So begründet man in dieser Spätzeit des Urchristentums offenbar die Verbindlichkeit von Tradition
und kirchlicher Institution. Darum sind es auch die der Kirche vorgegebenen Autoritäten wie Jesus und die Apostel, die ihr LT kundtun. Endlich
lehrt ein Blick in die gnostische Literatur, daß dort die andere Gattung der
Geheimreden des Auferstandenen beliebt ist, nicht aber die Gattung des
LT. Es interessiert die Wesensschau des himmlischen Erlösers im Status seiner Verherrlichung (vgl. z. B. Apoc Joh; EvTh; weiteres bei Hennecke –
Schneemelcher), nicht aber wie im Joh die Verankerung von Jesu Vermächtnis in der Todessituation. Insofern ist Joh (noch) ungnostisch.

Im Blick auf das Joh seien folgende Einzelelemente des LT besonders erwähnt:

a) Zum Inventar solcher Rede gehört konstitutiv das Motiv der Todesnähe,
bzw. des Abschieds vor der Himmelsreise. Dabei wird dies entweder in der
Rahmenerzählung angegeben (1 Mos 47,29 f.; Jos 23,2; 1 Kön 2,1; AssMos
1,1; TRub 1,1; TSim 1,1 usw.) oder vom Sterbenden selbst eingangs seiner
Rede als Eröffnung ausgesprochen (1 Mos 48,21; 5 Mos 31,2; Tob 14,1; Jub
21,1; TRub 1,3 f. usw.). Beides ist oft kombiniert (z. B. 1 Mos 47,29 f. +
48,21; Jos 23,1 + 23,2.14; 1 Kön 2,1 + 2,2; AssMos 1,1 + 1,15; TRub 1,1
+ 1,3 f. usw.). Dabei ist der nahe Tod dem Sterbenden gewiß aufgrund von
Ahnung, Traum, Engelanzeige o. ä. (vgl. 5 Mos 3,26 f.; Jub 35,6; TLev 1,2;
TestAbr 1–7; 4 Esr 14,9.13 f.; slavHen 55,1 f.). Der Sterbende wird ausdrücklich eingangs mit Namen genannt (z. B. 1 Mos 47,28; Jos 23,1; 1 Kön
2,1; alle Test XII eingangs usw.) und gern sein hohes Alter angegeben (Jos
23,1; TRub 1,1; TSim 1,1; Tob 14,2 f.; Jub 21,1 f. usw.). Bis auf die Alters-
angabe kennt Joh 13–17 Entsprechungen (13,1.3.31–33; 17,1). Da Jesus ei-

nen vorzeitigen unnatürlichen Tod erwartet, hat eine Angabe zum hohen Alter keinen Platz.

b) Zum personellen Inventar gehören, nach dem Sterbenden möglichst frühzeitig genannt, die Adressaten der Rede. Es sind immer Zuhörer, die meist ausdrücklich und vollständig herbeigerufen, mit dem Scheidenden funktional im bisherigen Lebensvollzug konstitutive Gemeinschaft pflegten. Die kulturell typische Situation eines scheidenden Familienvaters, der die Seinen zum Abschied um sich sammelt, ist literarisch umgesetzt (vgl. Test XII). Die Adressaten sind also nie ein zufälliger und beliebiger, sondern immer ein begrenzter und sachlich begründeter Kreis. So redet der sterbende Vater seine Söhne oder die Großfamilie an (Tob 14,3; 1 Makk 2,49; Jub 20,1; 35,1; TRub 1,2; TSim 1,1 f.; syrBar 44,1; slavHen 57,1 f. usw.) oder leitende Personen von Großgruppen, herausragende Vertreter dieser Gruppe (5 Mose 31,28; Jos 23,2; AssMos 1,6; syrBar 31,1 f.; slav Hen 57,1 f.) oder den Gesamtkreis wie das Volk (5 Mos 1,1–3; Jos 24,2; syrBar 77,1 usw.). Daß Jesus also Joh 13–17 nur den Jüngerkreis anredet, ist ganz typisch.

c) Die Szene der Abschiedsrede wird gern so ausgemalt, daß eine letzte Mahlzeit arrangiert wird, sie kann noch einmal die Lebensgemeinschaft betonen oder die Lebensfreude, doch z. B. auch kultischen Sinn haben (1 Mos 27,25.33; Jub 22; 35,27; 36,17; TNaph 1,2). Auch hier werden kulturelle Gepflogenheiten im Hintergrund stehen. Joh 13,4 ff. gibt dazu eine glatte Entsprechung.

d) Aus der Abschiedsrede selbst kann man zunächst die vornehmlich persönlichen Elemente abheben, wie sie vor allem eingangs und ausgangs der Rede anzutreffen sind und sicherlich auch wieder ihre kulturgeschichtliche Seite haben. Hierher gehören die Selbstentlastung oder Anklage und Reue des Sterbenden (1 Sam 12,3–5; Jub 21,2 f.; 22,7 f.; nahezu alle Test XII), die auch im Zusammenhang mit der Mahnung (s. u.) die Paradigmatisierung des Sterbenden für die Nachkommen betreibt. Hierher gehören weiter Begräbniswünsche oder andere persönliche letzte Wünsche (1 Mos 47,29 f.; Tob 14,9; TJud 26,3; TJos 20,2 f. u. a. m., bzw. 5 Mos 31,10–13; 1 Kön 2,5–9; Jub 31,29 f. usw.). Die Situation der Hinterbliebenen wird behandelt, indem ihnen Trost (5 Mos 31,6; 1 Sam 12,20; TSeb 10,1; syrBar 81,1–82,1) und Segen (1 Mos 48,9–20; 5 Mos 33; Jub 21,25; slavHen 64,4 usw.) zuteil wird. Ihnen wird das Versprechen oder sogar ein Eid abgenommen, daß sie den letzten Willen des Scheidenden auch erfüllen (1 Mos 47,29.31; Jub 35,10.18 f.; TLev 19,2 f. usw.). Verschiedene andere Abschiedsgesten können noch szenisch eingefangen werden (1 Mos 48,10; TRub 1,5; TBen 1,2 usw.). Auch hierfür hat das Joh Analogien: 13,1b; 14,30 f.; 17,4.6.12.14.22; 19,30 gehören zur selbstentlastenden Rechenschaftsabgabe. Auch das Motiv der Vorbildhaftigkeit und Paradigmatisierung begegnet 13,15. Einen Begräbniswunsch äußert Jesus nicht, denn dem himmlischen Gesandten ist die Sorge für seine sterbliche Hülle Nebensache, jedoch im PB sind 19,26–29 letzte Wünsche. Das Element von Trost und Segen wird z. B. 14,1.27; 16,33 verarbeitet. In gewisser Weise kann auch die Fußwaschung als letzter Gestus gelten (13,1–20).

e) Eine konstitutive Aufgabe kommt dem LT dort zu, wo der Sterbende seine Funktion, sein Amt, seine Aufgaben zum Wohle der Gemeinschaft, die er hinterläßt, auf andere Personen (Nachfolger) überträgt. Es wird also durch letzte Verfügung für institutionelle Kontinuität gesorgt. Daß solche Willenskundgabe nicht einfach persönlicher Vorliebe für eine Person entspricht, kommt dadurch zum Ausdruck, daß der Nachfolger als eigentlich von Gott bestimmt gilt (vgl. z. B. 5 Mos 3,28; 31,3–23; AssMos 1,7–9; 10,15). Im Joh gibt es zwei Zusammenhänge, die hier einschlägig sind: einmal die Gesandtenthematik (13,16.20 vgl. 20,21–23), zum anderen die Verheißung des Parakleten, den ausdrücklich der Vater senden wird als »anderen Parakleten« (14,16 f.25 f. usw.; vgl. Müller und Exkurs 12).

f) Auffällig breiten Raum innerhalb des LT nimmt meistens die Mahnung (Paränese) an die Zuhörer ein. Hier wird das weisheitliche Milieu der Abschiedsreden in seiner herausragenden Dominanz besonders manifest. War der Sterbende funktional und biographisch Repräsentant der Lebensweisheit, deren Befolgung das Wohl der Gemeinschaft garantierte, so muß diese der Gemeinschaft gehörige und ihr zugute kommende Lehre neuer personeller Bindung zugeführt werden. Die Herstellung von Kontinuität in bezug auf Vermittlung der paränetischen Tradition bedeutet also Ermöglichung von Prosperität der Gemeinschaft für die Zukunft. Es geht demnach um Traditionsbewahrung zugunsten des Wohles der Gemeinschaft. Dabei dient die Paradigmatisierung der Biographie des Scheidenden gern zur Absicherung des Zusammenhangs von Befolgung der Mahnung und Wohlergehen, bzw. Nichtbefolgung und Unheil (so vor allem in den Test XII). Ebenso dienen Geschichtsrückblicke der Einschärfung des Grundgedankens, von Gottes Wegen nicht abzuweichen (vgl. z. B. 1 Mos 3–7; 5 Mos 1–3; Jos 24,2–15; 4 Esr 14,19–36). Individuelle und überindividuelle Erfahrung wird also eingesetzt, um ein gutes Verhältnis von Tun und Ergehen für die Zukunft der Gemeinschaft als einsichtiges Ziel anzustreben. Diesem Ziel dient auch die Verheißung von Segen oder Fluch bei gutem oder schlechtem Wandel (5 Mos 4,25–31; 32,20–43; Jos 23,12–16; AssMos 12,9–13; TRub 6,5 f.; TSeb 10,2 f. usw.). Je nach theologischer Herkunft stößt man innerhalb der Paränese auf Leitgedanken wie z. B. auf die Einschärfung von Bundes- und Gesetzestreue (5 Mos; Jos 23 f.; Jub 21,22 usw.), auf die Ausrichtung nach Tugend und Lastern (z. B. TRub; TSim), auf sozial oder berufsspezifisch orientierte Mahnung (z. B. T Lev; TIss). Dies alles kann sich auch verbinden wie in den Test XII. Der Hang, innerhalb des LT grundsätzliche Mahnung zu geben und dabei die Einzelmahnungen zusammenfassende Grundsatzparänese zu formulieren, führt dazu, daß z. B. nicht selten das Liebesgebot als solcher Grundsatz aufgestellt wird (vgl. Jub 20,2; 36,4.8; Test XII passim, dazu Becker, Untersuchungen 380 ff.). Die Mahnung ist ein besonders bevorzugter Ort für Auffüllungen, was wegen der beschriebenen Herkunft, Funktion und Ausrichtung der Mahnung auch einsichtig ist (vgl. nur 5 Mos; Test XII). Typisch ist endlich die Anrede in der Mahnung: Die Anrede »(meine) Kinder« ist zwar auch genealogisch bestimmt, doch vor allem die Anrede im weisheitlichen Lehrbetrieb (vgl. TRub 1,3; 3,9; 4,5 usw.). Es leidet kaum einen Zweifel, daß die joh Abschiedsreden sich diesem Bild einfügen: funktional (Sicherung der Gemeinschaft), inhaltlich (bis hin zum Liebesgebot 13,34) und formal (als Ort geschichteter Sammlung von Tradition, z. B. Joh 15 f. und in bezug auf die Anrede vgl. 13,33).

g) Allgemein kulturgeschichtlich schreibt man im Altertum Sterbenden die Möglichkeit zu, daß sich ihnen Zukunftsperspektiven eröffnen können. Denkt man weiter an den futurischen Grundzug der Abschiedsrede (Zukunftssicherung der Gemeinschaft), so ist von beiden Gegebenheiten her einsichtig, daß man den Sterbenden innerhalb des LT die Zukunft der Gemeinschaft, die er verläßt, andeuten läßt. Somit ist es kaum zufällig, wenn die meisten LT prophetisch-apokalyptische Zukunftsschau, der Paränese (meist) nachgeordnet, aufweisen. Daß auch hier ein beliebter Ort für Auffüllungen aus dem allgemeinen Traditionszusammenhang der Gemeinschaft war, versteht sich von selbst. Als Beispiele für Angaben zum zukünftigen Geschick seien genannt: 1 Mos 48,21 f.; 49,1–27; 5 Mos 4,25–31; Tob 14,4–7; Jub 31,14–20; AssMos 2–10; TJud 22–25; TNaph 4–7; TJos 19 usw. Auch das Joh reiht sich dieser Linie ein: 15,18–16,4; 17,24.

h) Gebete und Segenshandlungen von Sterbenden haben besondere Dignität. Beides begegnet im LT (Jub 19,15–29; 21,25; 22,28–30; Ass Mos 12,6; Lk 22,31 f.) und so auch in Joh 14,1b.27; 17,1 ff.

i) Der rahmende Abschluß des LT (das Ende des Scheidenden wird erzählt; sein Begräbnis geschildert; die Hinterbliebenen führen seinen letzten persönlichen Willen aus) hat im Joh nur insofern eine Entsprechung, als der traditionsgeschichtlich selbständige PB, speziell Joh 19 f., diese Umstände von Haus aus enthielt. Traditionsgeschichtlich lief ja die Entwicklung hier so, daß in dem vorgegebenen PB die Abschiedssituation ausgenutzt wurde, um – ganz ähnlich wie in Lk 22 – nachträglich Abschiedsreden als LT einzuarbeiten.

Findet so die Typik der joh Abschiedsreden im atl-jüdischen LT ihre geschichtliche Einordnung, so kann auf diesem Hintergrund das besondere Gesicht derselben benannt werden: Es liegt – vor allem in 13,31–14,31 – in der christologischen Ausrichtung: Zuerst ist deutlich, daß der nur für eine kurze Zeit auf Erden weilende himmlische Gesandte des Vaters über den Tod dorthin zurückkehrt, wo er vorher war. Es verabschiedet sich also nicht ein großer Mensch wie Abraham oder Mose von den Seinen, noch ein Mensch, der für kurze Zeit eine Himmelsreise antritt wie z. B. Henoch, sondern die Rückkehr Jesu ist abschließender Teil seines Sendungsauftrages (Bühner, 257–261), und unter diesem Gesichtspunkt ist gleich eingangs der Abschiedsrede von E programmatisch formuliert (13,31–33; vgl. 13,1–3). Sodann ist herauszustellen: Der, der erhöht wird, scheidet nicht für immer von den Seinen, sondern wird gerade als der Erhöhte für sie gegenwärtig sein (14,18 ff.). Sein Tod ist Weltüberwindung (14,30 f.), und darum ist er für die Seinen der Weg zum Vater (14,6). Jesu Tod ist also nicht einer innerhalb der üblichen Generationenabfolge (vgl. dazu 1 Mos 47 ff.; Jos 23 f.; die LT in Jub), sondern steht gerade außerhalb solchen Geschicks: So ist er Ermöglichung weltenthobener Existenz jenseits des Todes (14,2–10). So tritt an die Stelle endgültigen, unwiderruflichen Abschieds als Thema die nachösterliche Gegenwart des Herrn. In bezug auf die formale Typik bleibt zu erwähnen, daß im Joh in der Ausgestaltung sehr viel Selbständigkeit zutage kommt. Die Gebundenheit der Form, die bei vielen LT erkennbar ist, ist recht frei gehandhabt.

a) Die Ankündigung der Verherrlichung Jesu und der Verleugnung des Petrus 13,31–38

31 Als er (d.h. Judas) nun fortgegangen war, sagt Jesus: »Jetzt ist der Menschensohn verherrlicht, und Gott ist durch ihn verherrlicht. 32 Wenn Gott durch ihn verherrlicht ist, so wird auch Gott ihn durch sich verherrlichen, ja alsbald wird er ihn verherrlichen. 33 Kinder, nur noch kurze Zeit bin ich bei euch; ihr werdet mich suchen, und wie ich zu den Juden gesagt habe: ›Wohin ich gehe, dorthin könnt ihr nicht kommen‹, so sage ich (es) jetzt auch zu euch.
34 Ein neues Gebot gebe ich euch, daß ihr euch untereinander lieben sollt. Wie ich euch geliebt habe, so sollt (auch) ihr euch untereinander lieben. 35 Daran werden alle erkennen, daß ihr meine Jünger seid, wenn ihr untereinander Liebe übt.«
36 Sagt Simon Petrus zu ihm: »Herr, wohin gehst du?« Jesus antwortete: »Wohin ich gehe, (dorthin) kannst du mir jetzt (noch) nicht folgen; du wirst mir aber später folgen (können).« 37 Petrus sagt zu ihm: »Herr, warum soll ich dir nicht sofort folgen können? Mein Leben will ich für dich hingeben!« 38 (Da) antwortete Jesus: »Dein Leben willst du für mich hingeben? Wahrlich, wahrlich, ich sage dir, der Hahn wird noch nicht gekräht haben, bevor du mich dreimal verleugnen wirst.«

Literaturauswahl: a) allgemein zu den Abschiedsreden: Vgl. den Exkurs 10; außerdem: *Behler, G.-M.:* Die Abschiedsworte des Herrn. Joh 13–17, Salzburg 1962. – *Boyle, J. L.:* The Last Discourse (Ju 13,31–16,33) and Prayer (Ju 17): Some Observations on their Unity and Developement, Bibl 56 (1975) 210–222. – *Brown, R. E.:* Kom. II, Nr. 48. – *Bussche, H. van den:* Les discours d'adieux de Jésus, Turnai 1959. – *Corssen, P.:* Die Abschiedsreden Jesu in dem vierten Evangelium, ZNW 8 (1907) 125–142. – *Dodd, C. H.:* Interpretation, 390–423. – *Gächter, P.:* Der formale Aufbau der Abschiedsreden, ZKTh 42 (1934) 155–207. – *Hauret, C.:* Les adieux du Seigneur (S. Jean 13–17), Paris 1951. – *Könn, J.:* Sein letztes Wort. Die Abschiedsreden des Herrn. Joh 13–17, Einsiedeln 1955. – *Kundsin, K.:* Die Wiederkunft Jesu in den Abschiedsreden des Johannesevangeliums, ZNW 33 (1934) 210–215. – *Langbrandtner, W.:* Gott, 50–69. – *Reese, J. M.:* Literary Structure of Jn 13,31–14,31; 16,5–6.16–33, CBQ 34 (1972) 321–331. – *Richter,*

G.: Studien, 58–73. – *Schick, E.:* Das Vermächtnis des Herrn, Kevelaer 1977. – *Schneider, J.:* Die Abschiedsreden Jesu, in: Gott und die Götter (FS E. Fascher), Berlin 1958, 103–112. – *Zimmermann, H.:* Struktur und Aussageabsicht der johanneischen Abschiedsreden (Joh 13–17), BiLe 8 (1967) 279–290. –
b) zu V 31–38 vgl.: *Becker, J.:* Die Abschiedsreden Jesu im Johannesevangelium, ZNW 61 (1970) 215–246, hier: 219f. – *Caird, G. B.:* The Glory of God in the Fourth Gospel. An Exercise in Biblical Semantics, NTS 15 (1968 /69) 265–277. – *Cerfaux, L.:* La charité fraternelle et le retour du Christ (Jn 13,33–38), EThL 24 (1948) 321–332. – *Leroy, H.:* Rätsel, 51–72. – *Moloney, F. J.:* Son of Man, 186–202. – *Schniewind, J.:* Parallelperikopen, 28–32. – *Schulz, S.:* Untersuchungen, 120–124. – *Thüsing, W.:* Erhöhung, 234f. –
c) Zu V 34f. speziell vgl. den Exkurs 11.

An dem Abschnitt kann man gut beobachten, wie der Exeget bei der Analyse der Abschiedsreden vor der Alternative steht, erhebliche Umstellungen zu verantworten oder mit nachträglicher Bearbeitung zu rechnen. Die richtige Erkenntnis, 14,31 und 18,1 gehören unmittelbar zusammen, macht es zwingend, die Stellung von Joh 15–17 für deplaziert zu erklären. Wer Neuordnungen bevorzugt, sucht für Joh 15–17 traditionellerweise in 13,31–38 einen Platz, weil man hier den Eindruck lockeren Aufbaus gewinnt. Dann kann man als ursprüngliche Abfolge vorschlagen: 13,31a; 15–16; 13,31b–38; 14; 17 (Bernhard); 13,31–35; 15,1–16,33; 13,36–14,31; 17 (Wendt) oder 17; 13,31–35; 15,1–16,33; 13,36–14,31 (Bultmann) oder zusätzlich zu Umstellungen noch sekundäre Stücke ausscheiden (Bacon: 13,36–38 sind interpoliert). Aber nicht 13,31–38 haben das Problem, Textmangel zu haben, sondern 15–17 stehen deplaziert und situationslos. Abgesehen davon, daß Joh 17 weder vor 13,31 noch nach 14,31 sinnvoll steht, ist die Einordnung von Joh 15f. nach 13,31a reine Willkür, weil 13,31bf. den programmatischen Eingang der Abschiedsreden bilden. Alle Einfügungen zwischen 13,35 und 13,36 zerstören den kompositorisch gewollten Zusammenhang zwischen V 33 und 36 (Sach- und Stichwortanschluß!). Umstellungsversuche schaffen also neue Probleme, statt vorhandene zu lösen.
Umgekehrt führt die Beobachtung zum unmittelbaren Zusammenhang zwischen V 33 und 36 dazu, nicht nur V 31–38 nicht aufzufüllen, sondern zu entlasten: V 34f. sind von der KR eingesprengt (Heitmüller, Wellhausen, Richter, Becker, Schnackenburg u. a.). Das eigentliche Thema von V 31–38 ist ein christologisches: der Fortgang Jesu, nicht aber ein kirchlich orientiertes: die gegenseitige Bruderliebe. V 34f. gehören zu den Stücken wie 13,15 ff.; 15,12 ff.,

die sich bewußter KR verdanken. Im Unterschied dazu hat E seine
Abschiedsrede (13,31–14,31) ganz auf das Verhältnis Jesu zu seinen
Jüngern abgestellt; das Verhältnis der Jünger untereinander wird
nicht behandelt. Die gegenseitige Bruderliebe, als neues Gebot ausgelegt, ist hingegen Thema des 1 Joh (2,7 f.; vgl. 2 Joh 5) und zeigt
damit seine Zugehörigkeit zur allgemeinen joh Gemeindetradition.
Auch die syntaktische Konstruktion in V 34 f. hat die engsten Parallelen in 13,15; 17,21 (beide KR). »Daran erkennen« (V 35a) begegnet nur noch im 1 Joh (vgl. 2,3; 3,16.19.24 usw.). Wenn weiter
in V 35b die Gemeinde von der Welt abgehoben wird, erinnert das
an den verkirchlichten Dualismus der Gemeindetradition (vgl. Exkurs 3). Nach Ausscheidung von V 34 f. entsteht in der Abfolge
13,31–33.36–38 ein vorzüglicher Zusammenhang, den zweifelsfrei
E geschaffen hat.

V 31 f. reden in betont formgebundener Sprache: fünf Zeilen mit
wenig variablem Wortfeld und nahezu gleicher Länge teilen sich in
einen zwei- und einen dreiteiligen Parallelismus. Der vorangehende
zweizeilige Vers ist mit dem nächsten durch Wiederaufnahme (Stu-
fenparallelismus) verkettet. Im ersten ist im Blick auf den Menschensohn gesprochen, im zweiten ist Gott Subjekt. Alle Zeilen
sind durch dasselbe Verb bestimmt, das zunächst dreimal im Aorist
und dann zweimal im Futur begegnet. Die erste und letzte Zeile
verbindet je eine Zeitangabe (jetzt, alsbald). Diese Beobachtung sichert zunächst die Ansicht, daß die dritte Zeile, die in einigen Hss
fehlt, in den anderen Hss nicht Nachtrag ist, sondern durch Homoioteleuton ausfiel: Die Zeile nimmt die vorangehende Aussage
bewußt auf und ist damit Scharnier (Schnackenburg) für die nachfolgenden Zeilen.

Die Beobachtungen zur Form stellen sodann vor die Frage, ob Tradition vorliegt (Schulz) oder E eingangs der Abschiedsrede selbst
redet (so die meisten Exegeten). Bei Annahme von Tradition weist
der Aorist der ersten beiden Zeilen auf die geschehene Erhöhung
und das abschließende Futur auf die nahe Parusie. Sowohl solche
Erhöhungstheologie (vgl. zu 3,13) als auch die Naherwartung (vgl.
21,22) ist der frühen joh Gemeinde durchaus zuzutrauen. E hätte
dann durch die kontextuelle Einordnung neu interpretiert: Die
Kreuzigung als Vorgang der Erhöhung beginnt jetzt und wird bald
abgeschlossen sein. Dennoch macht solches Verständnis Schwierigkeiten: Der Titel Menschensohn begegnet sonst in keiner hymni-
schen oder bekenntnishaften urchristlichen Tradition. Wahrscheinlich hat überhaupt in der joh Tradition erst E die Verbindung von
»Erhöhen« und »Menschensohn« geschaffen (vgl. zu 3,13). Das

präsentisch-eschatologische Jetzt als Ausdruck von Erhöhung und Verherrlichung Christi strebt von 12,23.27f.31f. über 13,1a direkt zu 13,31: Das ist gute Werkstattarbeit von E. Also: Theologisch würde 13,31f. sich zwar in die frühjoh Tradition einordnen, aber andere Beobachtungen lassen doch eher an E denken.

Judas sollte den Verrat, den er plante, nach Jesu Worten bald vollziehen (13,27). Als er fortgeht, geht er in die Nacht der Finsternis (V 30). In diese Situation spricht Jesus sein Wort V 31f. Licht und Finsternis sind nun geschieden: Seine zum Licht gehörige Verherrlichung wird jetzt im Kreis der Getreuen ausgelegt, indem der umfassende Horizont der Worte von Jesu Stunde und ihr Verständnis seit 12,20ff. in verdichteter Form zur Geltung kommt. Dabei bezeichnet das »Jetzt« die gefüllte Zeit der folgenden Vorgänge bis zur Auferstehung, also den Gesamtablauf des Erhöhungsvorganges. Nicht temporales Maß macht das Jetzt zum Augenblick, sondern der Inhalt der Erhöhung bestimmt die Möglichkeit, diesen Ablauf als Jetzt zu bezeichnen. Temporale Erstreckung, ausgedrückt im »bald« V 27 und im »alsbald« V 32 sowie in den futurischen Verbformen V 32 sind darum in dieses Jetzt zu integrieren. Nicht eigentlich temporales Nebeneinander ist ausgedrückt – so sicher das mitschwingen kann –, sondern inhaltliches Zueinander: Der Verherrlichungsvorgang des Sohnes ist untrennbar wechselseitige Verherrlichung von Vater und Sohn, beruht also auf der soteriologischen Offenbarungseinheit von Vater und Sohn. Jesu Gang in den Tod bedeutet seine Verherrlichung. Durch ihn, den Verherrlichten, wird zugleich Gott verherrlicht, d.h. Jesu Erhöhung ist Erfüllung des väterlichen Heilswillen, Jesu Weg und Gottes Wille sind identisch. Auf die Adressaten des Wortes formuliert: Jesu Tod ist Heilsgrund für alle Menschen im Sinne von 3,16 aufgrund der Einheit von Vater und Sohn.

Jesu Erhöhung bedeutet als Abschluß des Sendungsauftrages (Bühner 257–261) für die Jünger Fortgang und Trennung, die Jünger werden zu »Waisen« (vgl. 14,18). Diese zum Heil notwendige Distanz zwischen christologischem Erhöhungsvorgang und noch nicht irdisch beendetem Leben der Jünger im Glauben, aufgrund dessen sie auch hoffen, einmal erhöht zu werden (12,32; vgl. 17,24), aber zunächst nur Jesus erhöht wissen dürfen, wird nun angesprochen (V 33). Dabei verzahnt E die Abschiedsrede mit Jesu öffentlicher Rede in 7,33f. Zur Traditionsgeschichte des Wortes finden sich dort entsprechende Angaben. Diese Spannung zwischen Jesu Erhöhung und der Jünger Zurückbleiben wird die weitere Abschiedsrede grundlegend bestimmen und durch den Trost

aufgearbeitet werden, daß der Erhöhte doch in bestimmter Weise
bei den Seinen bleiben wird. Bevor dies geschieht, wird aber festgehalten, daß die Jünger jetzt Jesus nicht folgen können. Nicht sie
gehen mit ihm, sondern er wird wieder zu ihnen kommen. Sie können ihm jetzt nicht folgen, in ihrem Tode werden sie dann zu ihm
gezogen werden (12,32; vgl. 13,36c), aber eben: Erst muß er erhöht
werden, und sie können dabei nur passive, glaubende Zuschauer
sein: Der Heilsgrund wird allein christologisch gelegt. Dies will E
dadurch szenisch einfangen, daß er den Willen, jetzt schon mit Jesus fortgehen zu wollen, durch Petrus aussprechen läßt (V 36).
Doch jetzt – darauf liegt der Ton – kann Petrus nicht folgen. Er
wird im zeitlichen Abstand folgen dürfen. Doch gerade dieses zeitlich unaufgebbare Später signalisiert das christologisch unaufgebbare exklusive Moment, daß der Menschensohn allein, von allen
anderen als Heilsgrund abgehoben, erhöht werden muß. Nur er
kann Tod und Teufel (als Einheit vgl. 8,44; außerdem: 12,31;
14,30) besiegen. Kraft dieses Sieges können die Jünger dann Anteil
am bereits errungenen Heil erhalten (12,32).

So ist der Zusammenhang zwischen V 33 und V 36 ff. ein szenisch
gewollter, weil theologisch notwendiger. Hatte dabei E in V 33 auf
Tradition zurückgegriffen, so tut er es V 36–38 ebenfalls: Die Verratsansage des Petrus ist dem synoptischen PB bekannt (Mk
14,26–31 parr), und E wird davon auch in seinem PB etwas gelesen
haben. Dabei ist der Kontakt zu den Synoptikern trotz stofflicher
Verwandtschaft recht locker. Die relative Nähe zu Lukas (Schniewind) paßt dabei zum sonstigen Bild des joh PB. Allerdings hat E
um seines Aussagezieles willen sehr selbständig umgestellt, so daß
eine Textrekonstruktion für den PB allzu hypothetisch wäre. Ohne
synoptische Tradition ist die Andeutung des petrinischen Martyriums, doch weiß die joh Tradition davon (21,18 f.). E benutzt die
Aussage, um klarzustellen, daß die Partizipation an der Erhöhung
Jesu über den Tod geht. Die Äußerungen des Petrus sollten nicht
zur Ausmalung seines Charakterbildes benutzt werden. So sicher
seine historische Individualität und sein Geschick nicht aufgehoben
sind, so deutlich ist er primär literarische Figur, um dem christologischen Konzept von V 31–33.36–38 Ausdruck zu geben.

Eingesprengt von der KR wurde die joh Tradition vom neuen Gebot gegenseitiger Liebe. Mit der Einfügung gleich eingangs der Abschiedsrede wird akzentuiert: Dies Liebesgebot als Zeichen wahrer
Jüngerschaft ist betonte testamentarische Verfügung des Herrn. Es
ist im übrigen auch sonst so in der Testamentsliteratur anzutreffen
(vgl. Exkurs 10). Das Gebot gilt als »neu«, weil es durch den Herrn

(13,1b.12–15; 15,12–17) seinen konstitutiven Inhalt und seine sachlich zwingende Autorität erhalten hat. Die Neuheit versteht sich also nicht als Abgrenzung zum AT (vgl. 3 Mos 19,18) oder zur Umwelt. Die Jünger hören als Vertreter der Gemeinde überhaupt, denn über die Jüngerschaft als Bruderliebe hinaus gibt es für V 34 f. kein Christentum. Weil Christi Liebe das Wesen seines Erlösungshandelns ist, können Erlöste, die sich solcher Liebe verdanken, nur dem entsprechen, wenn anders sie nicht ihrem neuen Wesen untreu werden.

Exkurs 11: Urchristliches und joh Liebesgebot

Literaturauswahl: Becker, J.: Untersuchungen zur Entstehungsgeschichte der Testamente der zwölf Patriarchen, AGSU 8, 1970, 377–401 (Lit.). – *Berger, K.:* Die Gesetzesauslegung Jesu, WMANT 40, 1972, 56–257 (Lit.). – *Billerbeck, P.:* Kom. I 353–371; 459 f.; IV 559–610. – *Bornkamm, G.:* Das Doppelgebot der Liebe, in: Gesammelte Aufsätze III, München 1968, 37–45. – *Burchard, Chr.:* Das doppelte Liebesgebot in der frühen christlichen Überlieferung, in: Der Ruf Jesu und die Antwort der Gemeinde (FS J. Jeremias), Göttingen 1970, 39–62. – *Cerfaux, L.:* La charité fraternelle et le retour du Christ (Jn 13,33–38), in: ders.: Recueil L. Cerfaux II, Grembloux 1954, 27–40. – *Dibelius, M.:* Joh 15,13. Eine Studie zum Traditionsproblem des Johannes-Evangeliums, in: Botschaft und Geschichte I, Tübingen 1953, 204–220. – *Friedrich, G.:* Was heißt das: Liebe? Calwer Hefte 121, Stuttgart 1972 (Lit.). – *Käsemann, E.:* Wille, Abschnitt 4. – *Lattke, M.:* Einheit. – *Lührmann, D.:* Liebet eure Feinde, ZThK 69 (1972) 412–438. – *Lütgert, W.:* Die Liebe im Neuen Testament, Leipzig 1905. – *Moffat, M.:* Love in the New Testament, New York 1929. – *Montefiore, H.:* Thou shalt love the Neighbour as thyself, NT 5 (1962) 157–169. – *Nissen, A.:* Gott und der Nächste im antiken Judentum, WUNT 15, 1974. – *Schillebeeckx, E.:* Jesus. Die Geschichte von einem Lebenden, Freiburg – Basel – Wien ⁶1978, 221–227 (Lit.). – *Schnackenburg, R.:* Die Johannesbriefe, HThK XIII 3, ⁵1964, Exkurs 5. – *Ders.:* Die sittliche Botschaft des Neuen Testaments, München ²1962, 65–71; 172–178 (Lit.). – *Schottroff, L.:* Gewaltverzicht und Feindesliebe in der urchristlichen Jesustradition, in: Jesus Christus in Historie und Theologie (FS H. Conzelmann), Tübingen 1975, 197–221. – *Schrage, W.:* Die konkreten Einzelgebote in der paulinischen Paränese, Gütersloh 1961, 249–271. – *Seitz, O. J.:* Love your Enemies, NTS 16 (1969/70) 39. – *Spicq, C.:* Agape dans le Nouveau Testament. Analyse des Textes I–III, Paris 1958–1960. – *Stern, I. B.:* Jesus' Citation of Dt 6,5 and Lv 19,18 in the Light of Jewish Tradition, CBQ 28 (1966) 312–316. – *Thyen, H.:* »... denn wir lieben die Brüder« (1 Joh 3,14), in: Rechtfertigung (FS E. Käsemann), Tübingen 1976, 527–542.

Das Liebesgebot begegnet weder erstmals im Urchristentum noch immer in derselben Auslegung. Jesus und das frühe Christentum erben das Thema aus dem AT (3 Mos 19,18) und dem Judentum, wobei in der Auslegungsgeschichte und der christlichen Aneignung das hellenistische Diasporajudentum eine besondere Rolle spielte. Das Christentum selbst hat nie die religionsgeschichtliche Neuheit und Eigenständigkeit in bezug auf dieses Gebot für sich reklamiert, wohl aber mit ihm ihr eigenes Verhalten als besonders klar zusammengefaßt empfunden.

Als Thema im Rahmen des Christentums begegnet das Liebesgebot zuerst bei Jesus. Dabei muß die synoptische Jesustradition auf Echtheit traditionskritisch hinterfragt werden. Für Jesus selbst wird man als kritisches Minimum den Grundstock aus Mt 5,44 f. = Lk 6,35 und Lk 10,30–35 ansehen und des weiteren vor allem Mt 5,39b–42 par; Mt 18,23–35 sachlich heranziehen. Mit Recht geht man allgemein davon aus, daß die Nächstenliebe – auch ohne daß der Begriff immer fällt – das innere Zentrum von Jesu eigenem und dem von ihm geforderten Verhalten ist. Diese selbstverständliche und stillschweigende Konzentration auf einen Generalnenner wirkt in Jesu palästinisch-jüdischer Umwelt schon als solche gesetzeskritisch, denn Zusammenfassungen der 613 Ge- und Verbote sind selten und allenfalls Randerscheinungen, weil jede atl Willensäußerung dieselbe göttliche Autorität beanspruchen kann (Becker, Burchard u. a.). Es besteht auch kein Zweifel, daß diese Grundausrichtung bei Jesus sich im einzelnen immer wieder gesetzeskritisch auswirkte, also das Liebesgebot die Fülle atl Verhaltensanweisungen mit eingeplantem Kollisionskurs hinterfragte. Jesu Annahme des Verlorenen (Mt 11,19 par) ist der allgemeinste Ausdruck dafür und z. B. ein spezieller seine Kritik an der Institution des Sabbats um des Menschen willen (Mk 2,27; 3,4). Gehen ferner das AT und Judentum davon aus, daß der Nächste zuerst der Volksgenosse ist und in abgestufter Form ihm sodann auch z. B. Fremdlinge im Land zugezählt werden können, so ist bei Jesus das Objekt der Liebe unmittelbar als Feind bestimmt, also der äußerste Grenzfall als Basisaussage gewählt, um die Diskussion über Zumutbarkeitsgrenzen gar nicht erst aufkommen zu lassen. Die Begründung ist – im Rahmen von Jesu Gottesreichsbotschaft nicht zufällig – schöpfungsorientiert: Das andauernde Schöpferhandeln macht zwischen Bösen und Guten keinen Unterschied. Weil dies keine spezielle heilsgeschichtliche Erfahrung erfordert, sondern jedermann erkennbar zutage liegt, kann das bestgehaßte Stiefkind der Heilsgeschichte, der Samaritaner, Vorbild liebevollen Verhaltens sein. Er ist es nicht, weil er ein Gesetz erfüllt, sondern weil eine allgemeine jedermann erkennbare Not eines anderen ihn zum spontanen Handeln herausfordert. Ist der Mensch als Geschöpf ständiges Objekt göttlicher Fürsorge (Mt 5,45 par) und göttlichen Erbarmens als Entlastung von verfehlter Vergangenheit (Mt 18,23 ff.), dann ist entsprechend Subjekt und Objekt liebevollen Verhaltens zu jeder Zeit jedermann ohne Einschränkung. Schon eine Qualifizierung des Nächsten als Feind, schon eine Fixierung, er könne sich als Feind verstehen, ist dann Verrat an der Liebe als eschatologischer Vollkommenheitsforderung.

Abgesehen von der internen Entwicklung der synoptischen und joh Tradition wird das Liebesgebot sonst nirgends mehr als Jesuswort zitiert, wohl aber benutzt als Grundbestimmung christlichen Seins. Darf man z. B. in 1 Thess 4,1–12; 5,12–22; Röm 12,3–21 von Paulus verarbeitete allgemeine urchristliche Paränese sehen, so zeigt sich für dieses frühe Christentum: Das Innenverhältnis der geistgeleiteten Hausgemeinden ist der Rahmen der Mahnung. Das Außenverhältnis begegnet nur an zweiter Stelle am Rande (vgl. 1Thess 4,12; 5,14 f.; Röm 12,14.18). Das Verhältnis zu Feinden bleibt zwar Thema (Röm 12,14.18 f.), aber die Aufforderung zur Liebe hat nicht mehr als Objekt den Feind, sondern den Bruder: Die Gemeinde ist von Gott durch den Geist belehrt, Bruderliebe als Konkretion der Heiligung zu üben (1 Thess 4.9 f.). Objekt der Liebesforderung ist das »untereinander, gegenseitig« (1 Thess 4,8; vgl. Röm 12,16; 1 Thess 5,15b). Diese Konzentration ist sozialgeschichtlich nicht auffällig: Neuen Kleingruppenbildungen im Umfeld distanzierter, argwöhnischer oder feindlicher Umwelt ist solche Konzentration auf ein stark ausgeprägtes und hoch bewertetes gutes Innenverhältnis im allgemeinen eigen. Doch bleibt festzuhalten: Das Liebesgebot ist der Schöpfer- und Gottesreichsthematik enthoben, nicht als jedermanns Verhalten zu schlechthin jedem – auch dem Feind – angesehen, sondern geistgewirktes Einheitsband der Bruderschaft als Heiligkeitsgemeinde.

Nicht die jesuanische, sondern diese urchristliche Tradition, die Paulus wohl aus Antiochia kennt, interpretiert der Heidenapostel weiter. Dabei sind drei Akzente vor allem beachtenswert: a) Die Bruderliebe wird aus dem Wesen der Heilsgabe erklärt: Die Liebe Christi, die den Heilsstand des Glaubenden schaffte, bestimmt Wesen und Verhalten der Christen: Geliebte können ihrem Wesen a n ch nur wieder lieben. Bruderliebe ist dankbar gelebter Glaube (vgl. 2 Kor 5,14–19; Röm 14,7–10; 15,1–13; Phil 2,1–11). b) Im Kampf mit dem Judenchristentum werden der Geist Christi und die christliche Freiheit zugleich als Liebe bestimmt. Aus dieser Einheit lebt die Liebe, und sie erkennt obendrein, daß sie so auch das ganze Gesetz – zitiert wird 3 Mos 19,18 – auf ihrer Seite hat (Gal 5,13–26; vgl. noch Röm 13,8–10). c) Gegenüber dem Welt- und Sozialbezüge vernachlässigenden korinthischen Geist, der sich schon mit dem erhöhten Christus herrschend weiß, wird die Liebe als angemessenes Pendant zur Kreuzestheologie verstanden. Sie ist größer als Glaube und Hoffnung, weil sie die Einheit der Gemeinde unter irdischen Bedingungen nicht zu Lasten des Schwachen aufs Spiel setzt, sondern fördert (1 Kor 13 f.).

In der nachpaulinischen Zeit vertreten Kol 3,1–4,6; Eph 5,1–9 verändertes paulinisches Erbe: Wie bei Paulus ist die Liebe christologisch begründet, also Folge des Heilsindikativs. Die Liebe ist das Gemeinschaftsband der Vollkommenheit, weil so die Berufung zum Frieden Christi am besten zur Geltung kommt (Kol 3,14 f.). Die Liebe Christi als Wesensbestimmung der Christen führt zum Wandel in Liebe (Eph 5,2). Dementsprechend ist das Liebesgebot zur Thematisierung des Innenverhältnisses benutzt, das Außenverhältnis (z. B. Kol 4,5) bleibt Randthema und ohne direkte Aufforderung zur Liebe. Neu ist, daß Kol und Eph erstmals im Urchristentum sog. Haustafeln in verchristlichter Form verarbeiten, dabei dient das Liebesmo-

tiv dazu, innerhalb der großfamiliären Ordnung den stärkeren und überge-
ordneten Teil an seine Pflichten gegenüber den Rangniedrigeren zu gemah-
nen (Kol 3,19; Eph 5,25).

Im groben zeitlich parallel bringt auch Mk eine neue Verwendung des Liebesgebotes in die frühe Christenheit ein: Gottesliebe und Nächstenliebe als
Kombination von 5 Mos 6,4 f. und 3 Mos 19,18 werden als Inbegriff israeli-
tisch-jüdischen und christlichen Glaubens begriffen (Mk 12,28–34). Dies
erinnert stark an die Aufteilung im hellenistischen Judentum, wenn hier
Pflichten gegenüber Gott und gegenüber dem Nächsten als strukturelle
Ordnungsprinzipien der Religion verstanden werden: Mk 12 entstammt
darum dem hellenistischen Judenchristentum (detaillierte Begründung bei:
Berger, Burchard, Schillebeeckx). Zur Wirkungsgeschichte dieser Konzeption gehören Mt 22,35–40; Lk 10,25–28 und Did 1,2a; Justin Dial 93,2 f.;
Polykarp 3,3. Erwägenswert bleibt, ob 1 Joh 4,21 auf das Doppelgebot anspielen will, doch liegt es näher, kontextuelle ad-hoc-Formulierung von der
Basis der Bruderliebe her anzunehmen. Das Judentum bietet zwar bisher
keinen Beleg für die Kombination von 5 Mos 6,4 f. und 3 Mos 19,18, wohl
aber kennt das hellenistische Judentum das doppelte Liebesgebot dem Inhalt nach. Dabei kommen TIss 5,2; TDan 5,3 und Philo, Spec leg II 63 in
der Formulierung Mk am nächsten. Im übrigen bezeugen gerade die Texte
des hellenistischen Judentums, wie eifrig man sich mit dem Liebesgebot be-
faßte und in ihm das jüdische Verhalten auf einen Grundnenner gebracht
wußte (vgl. dazu Test XII; 4 Makk; Arist; JA und Philo; näheres bei Bek-
ker). Auch hier herrscht die Regelung des Innenverhältnisses vor, Feinde
und Freunde können auch ausdrücklich aus dem Liebesverhalten ausgeschlossen werden. Jedoch wird in TIss 7,1–7; TSeb 5,1–3; TBen 4,1–5,3 das
Liebesgebot – innerhalb der Test XII nicht spannungsfrei – auf alle Menschen ausgedehnt, und in TJos ist Joseph gerade Beispiel, wie die Verge-
bung den feindlichen Brüdern (noch nicht den Fremden) gegenüber als Liebestat gilt. Wenn sich so jüdische Minorität im römischen Reich äußert, ist
dies soziologisch und sachlich neben die frühchristlichen Gemeindetexte zu
stellen.

Leicht ließe sich zeigen, wie diesem Milieu – nicht aber unmittelbar der Jesustradition – auch Texte wie Jak 2,1–13; Hebr 13,1–6; 1 Petr 2,13–17;
3,8 f.; 4,7–11 entstammen. Denn diese Texte machen klar, wie hellenistisches Judenchristentum – vornehmlich angesiedelt in den Städten – das Erbe des hellenistischen Judentums verchristlicht in die Gemeinden der dritten Generation einbringt.

Zeitlich parallel, doch selbständig daneben, hat joh Christentum für
sich das Liebesgebot ausgelegt. Die wesentlichen Texte sind: Joh
13,1b.12–15.34 f.; 15,8–17; 17,24–26 (alle KR) und 1 Joh 2,1–17; 3,1–24;
4,7–5,4. Dabei fällt auf, daß E nur selten mit begrenzter Konnotation überhaupt vom Lieben spricht: Als Evangelium im Evangelium formuliert er
3,16: Gott liebt die Welt; dies führt zum Heilswerk Christi (vgl. Röm 5,8; 1
Joh 4,10). Für die joh Gemeinde lag das Provokative in der Objektsangabe.
Statt kirchlich-dualistisch von den Seinen, redet E umfassend von der Welt,
der Gottes Liebe im Sohn gilt. Daneben benutzt E das Liebesverhalten zur

Bezeichnung von Annahme und Ablehnung Jesu bzw. Gottes. Ablehnung als Mangel an Liebe signalisieren 5,42; 8,42; 12,43. Das echte Verhältnis des Jüngers zu Jesus ist 14,15–28 mit »lieben« beschrieben, dieser Liebe korrespondiert die Liebe Gottes und des Sohnes zum Jünger. Solche Liebe des Jüngers ist für E sonst als Glaube und Erkennen beschrieben. Nächstenliebe wie überhaupt Sozialverhalten thematisiert E nicht, weil Glaube und Unglaube gegenüber dem gesandten Sohn das Thema ist, auf das hin alles ausgerichtet ist.

Um so beredter hat die KR und der 1 Joh das Liebesgebot aufgegriffen. Dabei ist ein einheitliches Grundkonzept gut erkennbar. a) »Gott ist Liebe« (1 Joh 4,8). Dies gilt es zu korrelieren mit der Aussage, daß hassen, nicht lieben, töten – also Lebensverneinung – vom Teufel ist (8,44; 1 Joh 3,10–16). Als Gegenteil zur Lebensverneinung ist das göttliche Sein Liebe, Leben und Lebenspenden (5,21.16; 1 Joh 3,13–15). Liebe ist schon im Ansatz, also beim Gottesbegriff, dualistisch ausgerichtet. b) Gott ist nicht in sich ruhende Liebe, vielmehr – weil lebenschaffend – auf Heilsvermittlung aus. Die joh Gemeinde redet von Gott als von dem, der sich in Christus ihr als Lebensgabe mitgeteilt hat. Von Gott reden, heißt also, von Christi Heilstat reden. So ist von der Liebe Gottes zu Christus (3,35; 5,20; 10,17; 15,9; 17,23) und von der Sohnesliebe zu Gott (14,31) die Rede. Das meint: beide sind in der Lebensvermittlung eine Einheit. c) Diese wechselseitige Liebe ist vom Vater her Gabe und Auftrag an den Sohn, vom Sohn her gehorsame Annahme und Ausführung des Auftrages – also auf die zu erlösenden Menschen gerichtet. Allerdings begegnet zur Näherbezeichnung der Menschen bei der KR und im 1 Joh nicht einfach die Welt, sondern Objekt der Liebestat sind »die Seinen«, also die Gemeinde (vgl. 10,11–18; 13,1b; 15,9.16; 17,2.6.9 usw.). So spricht sich der verkirchlichte Dualismus mit deterministischem Einschlag aus (vgl. dazu Exkurs 3). Man kann diese Aussagen nicht mit Hilfe von Joh 3,16 (E); 4,1ff. (SQ und E) ausweiten, um ihnen wenigstens tendenziell einen weltweiten missionarischen Horizont zu geben (gegen Thyen), weil so die schichtenspezifischen Theologien im Joh vermengt werden. Die KR formuliert betont eingrenzend: Gott und Jesus lieben die Gemeinde (1 Joh 3,1; 4,9; Joh 13,1b.34). d) Die KR beschreibt die Liebestat des Sohnes dabei gern als seine Lebenshingabe für die Seinen (10,11.15–18; 15,13; 1 Joh 2,2; 3,16). e) Von der Gemeinde wird nun so gesprochen, daß sie von der Vorgabe der göttlichen Liebe lebt (1 Joh 3,1; 4,9f.). Diese ist der Gemeinde präsent im Wort und Werk des Sohnes (1 Joh 1,1–4; 3,8; 4,9f.14). So gilt sie als »erwählt« (15,16), als Jesus »bekannt« (10,14), als »Schafe« des »guten Hirten« (10,1ff.), als »Reben« am »Weinstock« (15,1ff.), als »Freunde« Jesu (15,14), als von Gott Jesus »gegeben« (17,1ff.), als »Gottes Kinder« (1 Joh 3,1), als »aus Gott geboren« (1 Joh 3,9), als »vom Tod ins Leben hinübergeschritten« (1 Joh 3,14). f) Ist die Vorgabe der Gemeinde Wesensbestimmung durch Liebe, kann ihr Leben nur Bleiben in der Liebe sein (15,9f.; 1 Joh 3, 17; 4, 12f. 16). Dieses »Gebot« (13, 34; 1 2,7–11; 3,24) ist kein ihr fremdes Gesetz von außen. Bei dieser Gebotsformulierung ist dann die urbild- und vorbildhafte Liebe Jesu gern benannt (13,1.12ff.34f.; 15,9–17; 1 Joh 3,16). g) Innerhalb der KR des

Joh wird die Liebesforderung an die Gemeinde nicht mehr nur als Folge der Erwählung, vielmehr als Teil der Erlösung selbst angesehen. Göttliche und menschliche Tat schaffen gemeinsam die als Ziel gesetzte Vollkommenheit (vgl. die Auslegung zu 15,1–17). h) Wie das Wechselverhältnis der Liebe zwischen Vater und Sohn Leben für die Gemeinde ist, so wird sie ihrem neuen Sein durch Bruderliebe, also gegenseitiges Lieben gerecht (13,14f.34f.; 15,12.17; 1 Joh 3,11.23; 4,7.11f.). Solches Lieben ist Leben (1 Joh 3,14). Umgekehrt äußert sich Welt als Haß und Töten (15,18–16,4; 1 Joh 3,13). Darum ist das Weltverhältnis der Gemeinde Abstand von diesen teuflischen Werken (1 Joh 2,15–17; 5,19) und Angst vor der Welt (15,18–16,4.33). Im Rahmen dieses verkirchlichten Dualismus fehlen Aussagen zu einem positiven Weltverhältnis. Alles ist auf die innergemeindliche Situation hin orientiert (1 Joh 2,9; 3,15; 4,7–12). Abkapselung nach außen und Erleiden der Welt dominieren. Darum ist es sehr fraglich, ob in 1 Joh 3,14; 4,21 die Bruderliebe zur Nächstenliebe geöffnet wird (so Schnackenburg). Der Kontext beider Stellen thematisiert das Innenverhältnis der Gemeinde, und die theologische Systematik zum Stichwort Liebe, wie sie gerade entfaltet wurde, ist solcher Auslegung nicht freundlich gesonnen. Sicherlich, zum Haß der teuflischen Werke tritt nicht wie in Qumran (vgl. 1 SQ 1,3f.9f.; 8,16.21f.) der Haß gegenüber den nicht Erwählten hinzu (so richtig Schnackenburg, Johannesbriefe; gegen Käsemann), aber positive Aussagen zum Außenverhältnis wird man noch erst suchen müssen, weil Thesen wie 1 Joh 4,6; 5,1 eine positive Ausformulierung gar nicht erwarten lassen.

Vergleicht man diese Position mit dem Urchristentum, kann man feststellen: Die Konzentration auf das Innenverhältnis ist als solches schon der frühen nachösterlichen Gemeinde eigen. Aber sie thematisiert an zweiter Stelle auch positiv das Außenverhältnis; dies unterbleibt in der joh Gemeinde wegen des verkirchlichten Dualismus. Durchweg wird auch sonst die Konkretion des Liebesgebotes im Urchristentum in mannigfaltiger Paränese dargeboten. Die KR kennt nur das Liebesgebot selbst als Mahnung, so wirkt es blaß und formal. Die gezielte Verankerung des Liebesverhaltens im Heilswerk Gottes und des Sohnes ist bei dualistischen Sondertönen auch ein Weg, den sonst das Urchristentum gegangen ist. Hier ist eine strukturelle Nähe besonders zu Paulus erkennbar. Auffällig ist die Distanz zur Jesusverkündigung: Eine Begründung vom göttlichen Schöpferhandeln her und eine Radikalisierung der Liebe als Feindesliebe ist in weite Ferne gerückt. Was als testamentarisches Jesusvermächtnis ausgegeben wird (13,14f.), ist doch weit von ihm abgerückt. Insgesamt bleibt die Einzeichnung des Liebesgebotes in das dualistische Weltbild problematisch und im Urchristentum singulär.

*b) Die Gegenwart des Erhöhten als Vermächtnis
des scheidenden Gesandten   14,1–26*

1 »Euer Herz erschrecke nicht! Glaubet an Gott und glaubet an mich!   2 Im Hause meines Vaters sind viele Wohnungen; wäre es nicht so, hätte ich euch dann gesagt: Ich gehe, um euch eine Stätte zu bereiten?   3 Und wenn ich fortgegangen bin, um euch eine Stätte zu bereiten, werde ich wiederum kommen und euch zu mir nehmen, damit auch ihr dort seid, wo ich bin.
4 Und wohin ich fortgehe, (dahin) kennt ihr den Weg.«   5 Thomas sagt zu ihm: »Herr, wir wissen nicht, wohin du gehst, wie sollen wir den Weg kennen?«   6 Sagt zu ihm Jesus: »Ich bin der Weg und die Wahrheit und das Leben, niemand kommt zum Vater außer durch mich.
7 Habt ihr mich erkannt, kennt ihr auch meinen Vater. Von jetzt an kennt ihr ihn und habt ihn gesehen.«   8 Sagt Philippus zu ihm: »Herr, zeige uns den Vater, und es genügt uns!«   9 Spricht Jesus zu ihm: »So lange Zeit bin ich schon bei euch, und du hast mich nicht erkannt, Philippus? Wer mich gesehen hat, hat den Vater gesehen. Wie kannst du sagen: Zeige uns den Vater?   10 Glaubst du nicht, daß ich im Vater bin, und der Vater in mir (ist)? Die Worte, die ich zu euch geredet habe, rede ich nicht von mir aus. Der Vater, der bleibend in mir ist, tut seine Werke.   11 Glaubt mir, daß ich im Vater bin, und der Vater in mir ist. Wenn (ihr) aber (mir) nicht (glaubt), so glaubt (doch) in bezug auf die Werke selbst!
12 Wahrlich, wahrlich, ich sage euch: Wer an mich glaubt, wird die Werke, die ich tue, auch selbst tun, ja er wird größere als diese tun, denn ich gehe zum Vater.   13 Und worum ihr in meinem Namen bitten werdet, das werde ich tun, damit der Vater durch den Sohn verherrlicht wird.   14 Wenn ihr mich in meinem Namen um etwas bitten werdet, werde ich es tun.   15 Wenn ihr mich liebt, werdet ihr meine Gebote halten.
16 Und ich werde den Vater bitten, und er wird euch einen anderen Parakleten geben, damit er für immer bei euch ist.   17 den Geist der Wahrheit, den die Welt nicht empfangen kann, weil sie ihn nicht sieht noch kennt. Ihr aber kennt ihn, denn er bleibt bei euch und wird in euch sein.
18 Ich will euch nicht als Waisen zurücklassen; ich komme (wieder) zu euch.   19 Nur noch kurze Zeit, und die Welt sieht mich nicht mehr. Doch ihr werdet mich sehen, weil ich lebe,

und auch ihr leben werdet.   20 An jenem Tage werdet ihr erkennen, daß ich in meinem Vater bin und ihr in mir (seid) und
ich in euch (bin).   21 Wer meine Gebote hat und sie bewahrt, der ist es, der mich liebt. Und wer mich liebt, wird
auch von meinem Vater geliebt werden, und ich werde ihn
lieben und mich ihm offenbaren.«   22 Sagt zu ihm Judas –
nicht der (mit Beinamen) Iskariot –: »Herr, wie kommt es, daß
du dich uns und nicht der Welt offenbaren willst?«   23 Jesus antwortete und sprach zu ihm: »Wenn mich jemand liebt,
wird er mein Wort halten; und mein Vater wird ihn lieben,
und wir werden zu ihm kommen und bei ihm wohnen.
24 Wer mich nicht liebt, hält meine Worte nicht, und das
Wort, das ihr hört, ist nicht mein (Wort), sondern das (Wort)
des Vaters, der mich gesandt hat.
25 Das habe ich zu euch gesprochen, während ich (noch)
bei euch weilte.   26 Der Paraklet jedoch, der heilige Geist,
den der Vater in meinem Namen senden wird, der wird euch
alles lehren und euch an alles erinnern, was ich euch gesagt
habe.

Literaturauswahl: Vgl. die Lit. bei Exkurs 10 und zu III A 2a; speziell zum
Parakleten den Exkurs 12. Außerdem: *Barrett, C.K.:* The Father is greater
than I (John 14,28), in: Neues Testament und Kirche (FS R. Schnackenburg), Freiburg 1974, 144–159. – *Becker, J.:* Auferstehung der Toten im
Urchristentum, SBS 82, 1976, 117–120. – *Charlier, C.:* La présence dans
l'absence (Jean 13,31–14,31), BVC 2 (1953) 61–75. – *Fischer, G.:* Die himmlischen Wohnungen. Untersuchungen zu Joh 14,2f., EHS. T XXIII/38,
1975 (Lit.). – *Gollwitzer, H.:* Außer Christus kein Heil? (Joh 14,6) in: Antijudaismus im Neuen Testament?, ACJD 2, 1967, 171–194. – *Gundry,
R.H.:* »In my Father's House are many *Monai* (John 14,2), ZNW 58 (1967)
68–72. – *Heise, J.:* Bleiben, 93–161. – *Lattke, M.:* Einheit, 218–245. – *Leal,
J.:* Ego sum via et veritas et vita (Jn 14,6), VD 33 (1955) 336–341. – *Potterie,
J. de la:* Je suis la Voie, la Vérité et la Vie (Jn 14,6), NRTh 88 (1966)
907–942. – *Riedl. J.:* Heilswerk, 283–290. – *Schaefer, O.:* Der Sinn der Rede Jesu von den vielen Wohnungen in seines Vaters Haus und von dem Weg
zu ihm (Joh 14,1–7), ZNW 32 (1933) 210–217. – *Schnackenburg, R.:* Das
Anliegen der Abschiedsrede in Joh 14, in: Wort Gottes in der Zeit (FS
K.H. Schelkle), Düsseldorf 1973, 95–110. – *Ders.:* Johannes 14,7, in: Studies in New Testament Language and Text (FS G. D. Kilpatrick), NT. S 44,
1976, 345–356. – *Schulz, S.:* Untersuchungen, 159–168.

Auf den ersten Blick machen 14,1–26 den Eindruck einer lockeren
Abfolge von Elementen des Trostes, der Verheißung und Mahnung. Eine traditionelle Einteilung ordnet V 1–14 unter dem Stich-

wort »glauben« und V 15–24 unter dem Thema »lieben« (z. B.
Bultmann; Brown; Lattke). Doch bei differenzierterer Einsicht in
die Textstruktur ergibt sich eine andere Ordnung (Becker, Abschiedsreden; vgl. Schnackenburg, Fischer): Nach der für Abschiedsreden typischen einführenden Thematik vom Fortgehen
(bzw. Sterben) in 13,31–33(36–38) behandelt 14,1–3 programmatisch den Trostzuspruch für die Zurückbleibenden. Dabei nimmt
besondes 14,2 f. die Funktion wahr, die nachfolgenden Aussagen
zu gliedern. Denn der Fortgang Jesu und seine Wiederkehr, wie sie
14,2 f. als trostvoller Heilszuspruch den Jüngern gegenüber zur
Geltung gebracht werden, werden in 14,4–17 (Fortgang) und
14,18–26 (Wiederkehr) näher ausgelegt. Diese beiden Hauptteile
lassen sich nochmals untergliedern, wobei die Parallelität beider
sichtbar wird: In 14,4–17 erkennt man zwei Abschnitte, die je unter anderem Gesichtspunkt den Fortgang Jesu behandeln: V 4–11
(Einheit von Vater und Sohn) und V 12–17 (Verhältnis Jesus bzw.
Paraklet und Jünger). Ebenso ist 14,18–26 zweigeteilt: V18–24 (Jesu Gegenwart bei den Seinen) und V 25 f. (die Gegenwart des Geistes). Beide ersten Abschnitte enthalten Gesprächselemente, beide
zweiten Abschnitte thematisieren die Parakletverheißung. Der
Gliederung entspricht die Beobachtung, daß V 4 und V 18 sofort
eingangs die entscheidenden Stichworte aus V 2 f. aufnehmen, die
dann je die Abschnitte weiter bestimmen, und daß auch V 12
(»Wahrlich, wahrlich ich sage euch ...« vgl. dazu Joh 3; 6) und V 25
(»Das habe ich zu euch gesprochen ...«) eine Zäsur markieren. Alle
Abschnitte sind eingangs durch den Verheißungsstil bestimmt (V 4
steht eine Vergewisserung an dieser Stelle), ihr Tenor ist dann weitere Explikation solcher Verheißung. Damit ist das Grundanliegen
der Rede freigelegt, die sich aus dem Fortgang Jesu ergebenden
Verheißungen als Trost für die Jünger zu entfalten. Das bedeutet
inhaltlich, den Fortgang Jesu als Ermöglichung ständiger Gegenwart des Erhöhten zu erklären.

Die typische Tröstung V 1 folgt stilgemäß der Ankündigung des
Fortgangs (13,31–38). Ist das »Herz« angesprochen, so gilt es als
Personzentrum, als Sitz des fühlenden, handelnden, sich selbst be-
obachtenden Ich (vgl. 12,40; 13,2; 14,1.27; 16,6.22; 1 Joh 3,20 f.).
Das entspricht semitischer Anthropologie. Der negierte Imperativ
(»... erschrecke nicht«) wird durch die Glaubensforderung interpretiert: Durch Einlassen auf den Glauben wird das Herz fest.
Schwierigkeiten bereitet den Exegeten das Objekt »Gott« bei der
ersten Glaubensforderung, da es so singulär im Joh ist. Darum hat
man anders konstruiert: »Glaubt ihr an Gott? Dann glaubt ihr auch

an mich« (Bultmann) oder: »Da ihr an Gott glaubt, glaubt auch an
mich!« (Fischer). Aber beides paßt nicht recht in den Kontext, es
liegt näher, V 1 einheitlich imperativisch zu deuten. Immerhin ist
5,24; 11,42; 17,8.21 der sendende Vater Objekt des Glaubens, und
so sollte man V 1b als praktisch synonyme Imperative deuten (vgl.
V 7–10). Der Glaube an Gott und Jesus ist die Rezeption des Gesandten des Vaters. So ergibt sich zu V 1 theologisch: Der Glaube,
der den im Wort angebotenen Trost (V 2f.!) annimmt, erfährt Jesu
Rückkehr zum Vater als bleibende Gegenwart des Erhöhten.
Das Trostwort V 2f. hat zunächst in V 2b ein unbequemes Problem, wie nämlich der Halbvers: »Wäre es nicht so, hätte ich euch
dann gesagt: Ich gehe, um euch eine Stätte zu bereiten?« zu verstehen ist. Der Text läßt viele Übersetzungsmöglichkeiten offen (diskutiert bei Fischer). Die hier gebotene wird von den meisten bevorzugt. Aber sie hat Probleme: Solche Konstruktion ist auffällig
(6,62; 11,40 sind keine wirklichen Parallelen); Jesus hat vorher nie
inhaltlich so gesprochen (auch nicht 13,33). Wie immer man deutet, nie fügt sich der Satz ungezwungen in V 2f. ein – selbst bei
Zuflucht zu einer Konjektur (so Schnackenburg). Darum sollte
man V 2b als stilistisch schlecht gelungenen Kommentar von E zu
einer ihm vorgegebenen Tradition ansehen, durch den er sachlich
den tröstlichen Klang unterstreichen wollte.
Auf Tradition deutet nun noch vieles hin (vgl. Schulz; Becker, Abschiedsreden 221f.; Becker, Auferstehung 118–120): die »vielen
Wohnungen«, das »Haus« des Vaters, das »Zubereiten« und das
»zu sich nehmen« als Heilsbegriff sind singulär. Das »wiederum
kommen« wird zwar 14,18.23 aufgegriffen, aber nie mit »wiederum«. Es wird interpretiert als Jesu geistliches Kommen und Wohnen *im* Glaubenden (14,19.21.23), V 3 heißt es jedoch: Jesus
kommt abermals und holt die Jünger *zu* sich. Das kann man nicht
anders verstehen, als auf die Parusie bezogen (vgl. Hebr 9,28 als
sachlich und zeitlich nahe Aussage), mit der die endzeitliche Lebensgemeinschaft mit Christus verwirklicht wird (vgl. 1 Thess
4,17c; 5,10 usw.). Man entgeht der These, V 2f. sei ein Offenbarungsspruch verarbeitet, nicht dadurch, daß man für V 2 zwar traditionelle Motive zugesteht (Schnackenburg, Fischer), aber V 3 für
sich ganz im Sinne der Aussagen von V 18ff. erklärt und insgesamt
E selbst formulieren läßt. Denn so ist verkannt, daß auch V 3 zu V
18ff. in Spannung steht und V 2f. von der einheitlichen Vorstellung Erhöhung Christi – Parusie – Zusammensein mit den Seinen
lebt, die frühchristliche Tradition ist (vgl. 1 Kor 16,22; 1 Thess
1,9f. usw.). Außerdem sind V 2f. durch ein sinnvolles, räumlich-

konkretes Wegschema verbunden. Daß ferner das fehlende apoka-
lyptische Repertoire, das zur Konzentration auf das Kommen Jesu
und den Heilssinn für die Gemeinde führt, gegen die These von
Traditionsverarbeitung spricht (so Fischer), ist als Argument hin-
fällig, wenn gesehen wird, daß sowohl die urchristliche Gemeinde
als auch Paulus solche Konzentration in weitem Maße betreiben.
Nun kommt hinzu, daß V 2 f. außerdem einen gut gebauten, in sich
geschlossenen Spruch ergeben:

1a »Im Hause meines Vaters sind viele Wohnungen [...],
 b (und) ich gehe, um euch eine Stätte zu bereiten.
2a Und wenn ich fortgegangen bin, um euch eine Stätte zu bereiten,
 b werde ich wiederum kommen und euch zu mir nehmen,
 c damit auch ihr dort seid, wo ich bin.«

Diese Tradition enthält folgende einheitliche Theologie: Jesu Tod
und Auferstehung sind Fortgang, um im Hause des Vaters, d. h.
dem Ort der Gegenwart Gottes, also im Himmel, Wohnstätten für
die Gemeinde vorzubereiten. Die Erhöhung Jesu ist nicht als Welt-
herrschaft (Phil 2,10) gedeutet, sondern dient der außerweltlichen
Präparation des endgültigen Heilsortes. Das entspricht joh Heilserwartung (12,32; 17,24). Nach der Zubereitung kommt der Erhöhte
zurück, offenbar bald (vgl. 21,22), denn indessen ist die Gemeinde
verwaist, steht im Wartestand des futurischen Heils. Sie hat nicht
im Glauben und in der Liebe den Herrn jetzt bei sich, wie E später
auslegt (V 18ff.), um die heilsleere Zeit der Hoffenden durch die
heilsgefüllte Zeit der Glaubenden zu ersetzen, sondern hofft auf die
noch ausstehende Endzeit immerwährender Gemeinschaft mit dem
Erhöhten. Dies paßt strukturell zu 1 Kor 16,22; 1 Thess 1,9 f.;
4,13 ff. usw., gehört zur urchristlich-apokalyptischen Menschen-
sohnchristologie (Schulz, Becker) und hat nicht von ungefähr auch
in bezug auf die Vorstellung von den himmlischen Wohnungen in
der jüdischen Apokalyptik seine nächsten Parallelen (äthHen
14,15–23; 39,4f.; 41,2; 71,5–10; slavHen 61,2f.; vgl. auch Lk 16,9;
Schulz, Fischer). In 14,2f. ist also ein frühjoh apokalyptischer Offenbarungsspruch von E benutzt. Damit werden die Abschnitte V
4ff. und V 18ff. sachlich zu einer Exegese und entschiedenen Uminterpretation von V 2f. Ähnlich interpretierte E z. B. Joh 3 geprägte Tradition neu. Der Uminterpretation der gemeindlichen
Eschatologie widmete sich E schon 3,17f.; 5,19–30(G); 11,21–27
(vgl. Exkurs 7).
E legt nun ab V 4 in zwei Etappen (V 4–11; 12–17) als erstes den
Fortgang Jesu aus. Zuerst bestimmt er dabei, daß der Weg, auf dem

Jesus fortgeht, seiner räumlichen Vorstellung zu entkleiden ist,
weil Jesus und der Vater schon immer eine Einheit bilden. Das
Stichwort »Weg« ist dabei nur Hilfsmittel. Es begegnet nicht in V
2f und nur V 4f. als Hinführung zu V 6, um dann ganz zu verschwinden. Die Behauptung: »Wohin ich fortgehe, dahin kennt ihr
den Weg«, greift betont sachlich den Fortgang Jesu V 2 auf, aber
sprachlich die Ausdrucksweise aus 13,33. Nun wird aber nicht auf
das »dorthin könnt ihr nicht folgen« (13,33) abgehoben, sondern
gesagt, daß der dortigen christologischen Exzeptionalität zugleich
eine soteriologische Mittlerrolle für die Jünger eigen ist: V 6. Zu V
6 leitet – wie oft bei E – das Jüngerunverständnis über als literarisches Mittel zur Ermöglichung weiterer Explikation. Wer redet, ist
dabei gleichgültig; daß Unverstehen sich äußert, ist allein wichtig.
V 6 gehört zu den E vorgegebenen Ich-bin-Worten (vgl. Exkurs 5).
Der Spruch ist in sich geschlossen, schießt mit den Heilsbegriffen
»Wahrheit« und »Leben« über den Kontext hinaus und dient E dazu, die Exklusivität jesuanischer Gottesoffenbarung durch Selbstoffenbarung zu betonen. Der Trost in der Verheißung V 2f. erschließt sich nur dem, der Jesu und Gottes Einheit in der Selbstoffenbarung des Sohnes wahrnimmt. Das allein ist der Weg zum Vater. Die parataktische Zuordnung der drei Heilsbegriffe: Weg,
Wahrheit und Leben ist wohl so zu verstehen, daß der Ton auf dem
»Weg« liegt, da der soteriologische Verheißungssatz (»niemand …
außer durch mich«) darauf aufbaut. »Wahrheit« und »Leben« gelten als das Heilsziel, wie es im Nachsatz mit dem Vater benannt ist.
Das Stichwort »Leben« weist abermals darauf hin, daß Gott Leben
ist und das Heilsziel joh darin besteht, Leben zu erlangen, und
zwar durch Gotteserkenntnis (vgl. Exkurs 4). Neben 3,16 gilt gerade 14,6 mit Recht als Kompaktaussage joh Christentums. E expli-
ziert in V 7–11 dann die Relation Jesu zum Vater, indem er Aussagen wie 1,18; 5,37; 6,46 jetzt abschließend positiv formuliert: Wer
Jesus sieht, sieht den Vater. Das Heilsziel, in der Zukunft einmal
beim Vater sein zu können (V 2f.), wird präsentisch überboten:
Wer glaubt, daß Jesus Weg, Wahrheit und Leben ist, sieht den Vater, denn in dem sich selbst offenbarenden Sohn ist der Vater (V
10). Damit ist der Heilsstand schon jetzt erreicht, denn wer den
Vater hat, hat ewiges Leben. Die Zukunft ist im annehmenden
Glauben schon gegenwärtig. Daß an die Stelle des Glaubens an Jesu
Wort scheinbar auch die göttlichen Werke treten können (V 11), ist
einmal um des Stichwortanschlusses zu V 11ff. gewählt, und ist
zum anderen sachlich keine Differenz: Selbstoffenbarung und göttliche Werke sind identisch (5,31 ff.; 10,38).

In V 12–17 wird mit neuem Einsatz (»Wahrlich, wahrlich, ich sage euch ...«) der Fortgang Jesu – das Stichwort ist wieder betont genannt – als zweites nach V 4–11 unter einem weiteren Gesichtspunkt verarbeitet: Die unmittelbare Folge für die Jünger ist die Sendung des Parakleten. War die Glaubenserfahrung V 4–11 die Erkenntnis der Offenbarungseinheit von Vater und Sohn als Lebensgabe, so wird dem Glauben nun die Geisterfahrung als Folge der Erhöhung aufgewiesen. War im Irdischen die Offenbarung des Vaters gegeben, so sorgt der Erhöhte dafür, daß diese Offenbarung unbegrenzt der Gemeinde zugängig ist. Die bestehende Heilsgegenwart endet nicht mit Jesu Erhöhung, sondern der Erhöhte sorgt so gerade dafür, daß sie nie Vergangenheit werden kann. Das joh Heilsverständnis ist also aufgebaut auf dem Geistverständnis. Geist ist Heilspräsenz, dies konstituiert die Gemeinde. Joh Christentum ist in diesem Sinn Geistchristentum. Dies entspricht strukturell dem Geistverständnis der ersten Generation des Urchristentums: Geist ist wie im Joh der Gesamtgemeinde gegeben (Gal 3,2.5; 5,25), Zeichen der Gottunmittelbarkeit (1 Thess 4,8 f.; 1 Kor 2,10; Röm 8,14 ff.) und konstituiert die Heilszeit (Röm 5,1–5; 8,23 f.) und das ganze Leben der Geistbegabten (1 Thess 4,8 f.; Gal 5,25). Unter diesem Gesichtspunkt ist joh Christentum in der dritten Generation den Anfängen des Christentums noch näher als das sonst mit ihm gleichzeitige Christentum.

Geht es um die Heilszeit der glaubenden Gemeinde, dann ist der Kontrast zur Theologie in V 2 f. abermals gegeben: V 2 f. stellten die hoffende Gemeinde in den Wartestand auf Heil in einer an sich heilsleeren Zeit der Abwesenheit des Herrn. V 12 ff. definieren die Zeit des Erhöhten als Heilszeit der Gemeinde aufgrund der Gegenwart des Geistes. Diese Zeit ist bestimmt durch die weitergeführten Werke Jesu (V 12): Ist in der worthaften Selbstoffenbarung des Irdischen der Vater präsent, so im worthaft sich äußernden Geist (V 26) das Werk des Sohnes (V 26) und damit der Vater, der den Geist sendet (V 16). Vermittels des Geistes dauert also Jesu Offenbarung des Vaters an. Diese Meinung fordert auch V 4–11, so daß man die Werke schwerlich speziell auf Jesu Wunder oder Ereignisse neben dem Wort wird deuten dürfen. Zunächst befremdlich ist die Angabe, der Glaubende werde sogar noch »größere« Werke als der gesandte Sohn tun. Es ginge völlig am Kontext vorbei, dächte man dabei an noch exorbitantere Wunder als etwa in Joh 11. Doch auch, wer an die expansiveren oder qualitativ tieferen Missionserfolge denkt, wird dem speziellen Anliegen des Textes nicht ganz gerecht. Wenn nämlich die Steigerung mit Jesu Fortgehen zum Vater begründet wird, und dieser Vater auf Bitten Jesu den Geist sendet, dann muß die Steigerung mit dem Geist zusammenhängen. Weit entfernt, daß dieser Geist mehr oder bessere Kenntnis des Vaters geben kann, ist ihm über Jesus hinaus eines eigen: Er bleibt immer bei der Gemeinde (V 17). Dann ist die Steigerung qualitativ zu verstehen: Der Geist wird den Werken, also der Vater-Sohn-Offenbarung unbegrenzte Dauer verleihen (Bultmann). Das ist gerade angesichts Jesu Fortgang und somit seiner befristeten Offenbarung ein deutliches Plus.

Zum Glauben an Jesus gehört das Bitten des Glaubenden, so wird nun mit V 13 eine allgemeine urchristliche Tradition (vgl. Mk 11,24, besonders Lk 11,13b) aufgegriffen, die auch sonst der joh Gemeinde bekannt ist (16,23). Wer in Jesu Namen ihn bittet, d. h. wer im Glauben an ihn bittet (vgl. die Parallelität mit V 12a), der wird erhört, und zwar so, daß Jesus handelt, damit nicht nur durch den Irdischen (13,31 f.) der Vater verherrlicht wird, vielmehr auch durch den Erhöhten. So sind die größeren Werke Jesu Werke als Erhöhter durch die Gemeinde, d. h. in der Verkündigung der Gemeinde setzt sich die Selbstoffenbarung des Sohnes dauerhaft fort. Diese Aussage wird unmittelbar in V 16 weiter entfaltet. Dafür spricht die strukturelle Zusammengehörigkeit von V 13 und 16:

V 13	V 16
Worum ihr in meinem Namen bitten werdet, das werde ich tun, damit der Vater durch den Sohn verherrlicht wird.	Und ich werde den Vater bitten, und er wird euch einen anderen Parakleten geben, damit er für immer bei euch ist ...

Also: Die Gemeinde wird den Erhöhten bitten, der wird die Bitten erhören, damit er so den Vater verherrlicht. Doch darüber hinaus wird der Sohn selbst den Vater bitten, der erhört den Sohn, damit Vater-Sohn-Verherrlichung immer geschieht. Weiter: Was der Erhöhte V 13 tut, ist, der eine »Paraklet« der Gemeinde zu sein. Doch wird der Erhöhte den Vater bitten, noch einen »anderen« Parakleten auf Erden zu senden. Ist der Erhöhte Paraklet durch die uneingeschränkte Zusage der Gebetserhörung, so der Geist-Paraklet durch das uneingeschränkte immerwährende Sein bei der Gemeinde. Der Geist-Paraklet übernimmt also die Aufgabe des scheidenden Sohnes auf Erden. Wie der Irdische Weg, Wahrheit und Leben ist (14,6), so hält der Paraklet unbegrenzt für immer dies wach (V 26). Er sorgt dafür, daß Jesus nicht Weg war, sondern

immer ist, daß der Vater nicht offenbart wurde, sondern weiter offenbar ist. So ist der Paraklet die testamentarische Zusage des scheidenden Jesus, dennoch im Modus des Geistes immer präsent zu
sein (zum Ganzen vgl. Exkurs 12). Der Fortgang Jesu schafft nicht
heilsleere Zeit, sondern dauerhafte Heilszeit, weil in ihr fortwäh-
rend durch den Geist z. B. 14,6 artikuliert wird.
Zu diesem Gedankengang passen V 14f. nicht. V 14 ist traditionsgeschichtliche Dublette zu V 13, entbehrt aber der Zweckangabe
aus V 13, die für V 16 wichtig ist. Der traditionelle Spruch zur Ge-
betszusage (vgl. 16,23) hilft also kaum, V 13 zu präzisieren (gegen
Schnackenburg). Auch V 15 ist traditionelle joh Paränese (vgl.
14,21; 15,10; 1 Joh 5,3 usw.). Sie unterbricht hier störend den Zusammenhang zwischen V 13 und V 16. V 14f. sind ferner gleich
gebaut und ergeben sachlich einen guten, selbständigen Zusammenhang: Wenn ihr mich bittet, will ich es tun, doch ebenso muß
gelten: Wenn ihr mich liebt, dann haltet meine Gebote! Der Sohn
wird sich selbst treu bleiben, nun soll die Gemeinde auch ihm die
Treue halten. Es geht also um die beiderseitige Bindung an ein
durch Fürsorge und Liebe geprägtes Verhältnis, wobei der mah-
nende Akzent an die Adresse der Gemeinde nicht zu übersehen ist.
Dies paßt gut in die typische Testamentssituation (vgl. Exkurs 10),
stört aber wie 13,34f. einen Zusammenhang, der nicht durch Mahnung, sondern Verheißung bestimmt ist. Also war die KR am
Werk (vgl. Wellhausen, Spitta, Hirsch, Heitmüller), die – wie so
oft – ein christologisches Grundanliegen des Textes paränetisch
und gemeindeorientiert ergänzt.
Die Aussagen zum Parakleten in V 16f. enthalten im einzelnen folgendes: Der Erhöhte wird den Vater bitten, der wird einen anderen
Parakleten der Gemeinde geben. Ebenso sendet der Vater V 26.
Später 15,26; 16,7 wird der Sendende Jesus selbst sein. Das ist
zweifelsfrei ein späteres Stadium des Verständnisses, denn da der
Paraklet Nachfolger Jesu ist, ist zu erwarten, daß jener wie dieser
vom Vater herkommt. So wird die Parallelität beider deutlich. Im
Unterschied zu Jesus, dessen irdische Zeit des Wirkens begrenzt ist
(12,8.35; 13,33), ist der Paraklet der Gemeinde dauerhaft gegeben.
Die joh Gemeinde blickt auf die abgeschlossene Sendung des Soh-
nes zurück. Mit dessen Erhöhung beginnt die nicht begrenzte Zeit
des Geistes (vgl. 7,39) und damit die Zeit der Kirche (20,21–23).
Der Geist garantiert dauerhafte Kontinuität für das Werk des scheidenden Gesandten; das entspricht der Testamentssituation.
Während so V 16 die Funktion des Geistes verdeutlicht, beschreibt
V 17 sein Wesen: Er ist Geist der Wahrheit. Die funktionale Anga-

be, Paraklet zu sein, wird vervollständigt durch Rückgriff auf die der joh Gemeinde sicher geläufige Bezeichnung des Geistes als Geist der Wahrheit. Ebenso wird V 26 der Paraklet als heiliger Geist näher bezeichnet. Geist und Wahrheit sind auch 4,24; 15,26; 16,13; 1 Joh 4,6; 5,6 – meist als »Geist der Wahrheit« – verbunden. Die Aussage entstammt wohl dem joh Dualismus (vgl. Exkurs 3), doch gewinnt »Wahrheit« dabei schon mehr den Sinn, Inbegriff der Offenbarung überhaupt zu sein. Dem weiteren Kontext der Abschiedsrede kann man noch speziell entnehmen, daß so Kontinuität zum Sohn hergestellt ist, der 14,6 sich als Wahrheit bezeichnete (vgl. noch 1,14.17; 17,17.19 – alle nicht E – und für E 8,32; 18,37). Die dualistische Komponente klingt an, wenn ausdrücklich weiter gesagt wird, die Welt könne den Geist nicht empfangen; ja sie verstehe von der Geistbegabung der Gemeinde schlechterdings nichts (vgl. 3,11; 8,26f.; 12,37–41). Sicherlich sagt das gesamte Urchristentum, daß der Geistbesitz als Differenz zwischen Kirche und Welt fungiert, jedoch wird dies joh zugespitzt: Die Welt ist diesem Geschehen gegenüber total blind und uneinsichtig (3,6). Typisch für joh Christentum ist ebenso, daß Welt und Jüngerschaft in bezug auf den Geist nur kontrastiert werden als Habenichtse oder Besitzende. Mehr ist über die Welt nicht zu sagen, um so beredter ist der Gemeinde in der Welt zu bestätigen, daß ihr der Geist eigen ist und bleibt. Weltverhältnis spricht sich aus als Bewahren des Eigenen in der Welt und als Abgrenzung gegenüber ihr. Selbst E, der 3,16 formuliert, steht noch oft genug unter dem Druck des allgemeinen joh Denkens. Er hätte ja auch formulieren können, so könne die Gemeinde mit Hilfe des Geistes sein Werk im Sinne von 3,16 fortsetzen.

Das Bleiben des Geistes als betonter Abschluß von 14,4–17 bereitet sachlich V 18ff. vor. Zunächst ist jedoch der Einsatz V 18 verwirrend: Steht nicht das »ich komme wieder zu euch« in Konkurrenz zum »anderen Parakleten«? Doch das will V 18–26 gerade aufweisen: Jesus selbst kommt im Parakleten. Der redende Geist ist sein Mund. Dabei teilt sich auch V 18ff. auf in einen christologischen (V 18–24) und einen pneumatologischen (V 25f.) Abschnitt (s. o.). Beide stehen unter dem zweiten Stichwort aus V 3f., der Rückkehr Jesu zu den Seinen (V 18.19b.21c.23c). Diese Einsicht verbietet es, V 18ff. unmittelbar an V 15 anzuschließen und so den »Parakletspruch« V 16f. als nachträglich eingefügtes Spruchgut anzusehen (Windisch, Schulz). Nicht nur ist V 16f. so kontextbezogen formuliert, daß nur E als Autor in Frage kommt, sondern auch V 18ff. setzen kontinuierlich den Gedankengang fort. Ist dies gesehen, dann sollte man nicht mit Hilfe von 20,22 – einer traditionellen Formulierung – und wohl auch stillschweigend im Blick auf die spätere Trinitätslehre sich gegen die Identifikation von Geist und kommendem Jesus wehren (so Schnackenburg), denn anders kann die theologisch von E gewollte Koinzidenz von Ostern, Pfingsten und Parusie, wie sie V 18ff. beschreibt, nicht gemeint sein (mit Bultmann; Brown u. a.). Folge davon ist, daß z. B. der Geist in der Gemeinde die Ich-bin-Worte spricht – eben als Jesusrede (vgl. Exkurs 5).

V 18 lebt ganz von der Testamentssituation und dem Thema aus V 3. V 19 präzisiert: Der Verweis auf die nur noch kurze Zeit erinnert an 13,33. Doch mag die Welt Jesus dann nicht mehr sehen (vgl. den Zusammenhang mit V 17), die Jünger werden ihn sehen, denn – das Osterkerygma klingt an – »ich lebe und ihr werdet auch leben«. Diese abreviatorische Rede besagt: Daß Jesus »lebt«, wird die sichtbare Ostererfahrung der Jünger sein (Joh 20; Mk 16,11; Lk 24,23; Röm 14,9 usw.). Ostern ist jedoch kein christologischer Selbstzweck, sondern impliziert dieselbe Lebensgabe für die Jünger. Das futurische »Ihr werdet leben« entspricht dem Verheißungsstil und darf nicht gegen die präsentischen Aussagen in 3,17f.; 5,24f.; 11,25f. ausgespielt werden. Auch der präsentische Lebensbesitz geht ja nicht innerweltlich auf, sondern hat transmortale Zukunft (11,25f.; 12,31f.). Leben haben, heißt, jetzt und für immer Leben haben, sei es in der Welt, oder sei es nach dem individuellen Tod. V 19 will also nicht einfach nur Hoffnung begründen wie V 2f., sondern die Heilserfahrung des »Ich lebe und ihr werdet auch leben« als gegenwärtige Erfahrung beschreiben, die futurische Dimension hat. Damit dieser Sinn gegeben ist, erläutert V 20: Ostern (»an jenem Tage«) werden die Jünger die Heilserkenntnis gewinnen, daß Jesus im Vater ist – so wird das »Ich lebe« aufgegriffen – und die Jünger in ihm und er in ihnen, wie V 19 »und ihr werdet leben« nun interpretiert wird. Gott haben, heißt Leben haben; dies ist primär Christus eigen. Wo Christus ist, ist darum auch Leben (vgl. Exkurs 4). Doch außerdem enthält die Aussage eine klare Parallelität zu V 17: Wie dort der Paraklet in den Jüngern ist, so ist es nun Christus. Geisterfahrung und Ostererfahrung fallen zusammen. Der lebendige Christus wird als Geist erfahren.

Heben V 19f. auf die Ostererfahrung der Jünger ab, so wollen V 21–24 dies als Möglichkeit der Gemeinde überhaupt herausstellen. Ostern ist keine einmalige Erfahrung eines begrenzten Kreises, sondern Ostererfahrung ist immer möglich – so wie der Geist V 16f. immer bei der Gemeinde ist. Dabei bedient sich E zur Ausführung seines Gedankens in den eng verwandten Kernaussagen des Stückes, nämlich in V 21.23, wohl geprägter Tradition, wobei V 21 und V 23 sich als schon vor E umlaufende Varianten einer typischen Aussage verstehen lassen, die E sich dienstbar macht (vgl. zu ähnlichen Beobachtungen z. B. 3,3.5; 6,44.65). So ist das »Halten der Gebote« traditionelle joh Paränese und das Motiv der Liebe neu im Kontext, erwartet man doch eine Glaubensaussage. Daß es nicht um Nächstenliebe geht, beweist zwar das Objekt, aber warum, wenn nicht durch Tradition geleitet, läßt E die Glaubensforderung aus V 12 nun als Jesusliebe erscheinen? E will zweifelsfrei die inhaltliche Verwandtschaft zu V 12 beachtet wissen, aber formuliert wie die Tradition in V 15. Ebenso untypisch für E ist das Verb für »offenbaren« V 21 und die Parallelaussage vom »Wohnung nehmen« in V 23, die sicherlich im Sinne von E V 2 neu interpretieren soll, jedoch mit E sonst ungebräuchlichen sprachlichen Mitteln. So greift also E wahrscheinlich Varianten einer Tradition auf. Für E ist dann also das Halten der Gebote V 21 traditionelle Formulierung, die er im Sinne der Glaubensforderung ausgelegt wissen will (vgl. 6,28 f.). Es kann ihm ja nicht um je verschiedene Imperative gehen, die einzuhalten sind, sondern der Kontext verlangt eine grundsätzliche Einstellung: Wer der Aufforderung zum Glauben nachkommt, der liebt Jesus. Wer ihn liebt, erfährt vom Vater Gegenliebe und des Sohnes liebende Offenbarung. »Offenbaren« verdeutlicht wieder vom Kontext her (V 18 f.) die österliche Situation (vgl. Apg 10,40; Mk 16,9), die dem Sehen und Erkennen aus V 20 f. entspricht, von dem die Welt nichts weiß (vgl. parallel V 17b). Ostern ist also Glaubenserfahrung zu jeder Zeit und hat immer denselben Inhalt.

Dies will Judas – nicht der Verräter – erklärt wissen. Dieser Judas zählt stillschweigend zum Zwölferkreis und begegnet nur noch Lk 6,16; Apg 1,13. Judas will ausgedeutet wissen, warum Jesus sich nicht der Welt offenbart (vgl. abermals V 17!). Dahinter mag ein alter Einwand aus urchristlicher Umwelt stehen, der bemängelt, daß das Osterzeugnis der Jünger nicht von unverdächtigen Zeugen bestätigt werden kann (so Schnackenburg). Aber V 23 betreibt dagegen keine Apologie, vielmehr ist E und seiner Gemeinde die Ausklammerung der Welt eher selbstverständlich als problematisch. So benutzt E V 22 nur dafür, um V 21 nochmals auszulegen, indem er V 21 traditionsgeleitet variiert. Nun werden Vater und Sohn (zum Einheitsgedanken vgl. 10,30) zum Liebenden kommen und bei ihm Wohnung machen, wie nun deutlich V 2 f. sachlich uminterpretiert wird. Die Parusie Christi ist also mit Ostern gleichgesetzt. Anstelle geduldigen Wartens auf die himmlischen Wohnungen bei Gott wird die Erwartung gesetzt, daß in einer umgekehrten Bewegung Vater und Sohn zum Glaubenden kommen und ihn zu ihrer Wohnung machen (Bultmann). Die Heilspräsenz Christi in der Einheit mit dem Vater ist dauerhafte Folge der Erhöhung des Sohnes. Solche Wohnungnahme entspricht wiederum präzise der Geistaussage V 17. Hatte Judas gerade im Blick auf die Welt nachgefragt, wird dieser Aspekt V 24 besprochen. Er enthält einen stereotypen Gedanken, der Jesu Legitimation vor den ungläubigen Juden ausformuliert (7,16; 8,26.28 usw.; Schnackenburg): Die Einheit von Vater und Sohn – also die Ostererfahrung von V 20.23 – erschließt sich nur dem Glauben. Glaubensverweigerung schließt den Zugang zu ihr aus. Darum kann die Welt nur abseits der Ostererfahrung leben. Wiederum ist damit die Welt (vgl. V 17) nur negativ von der Gemeinde abgesetzt.

V 25 f. kommen nun – nachdem V 18 ff. die Zusammengehörigkeit von Ostern und Pfingsten durch Parallelisierung der Aussagen begründete – nochmals auf den Parakleten zu sprechen. Sein dauerhaftes Bleiben bei und in den Jüngern ist kein Selbstzweck, seine Funktion ist ja die des Parakleten. Aber was heißt das? Er wird Jesu Wortoffenbarung lehrend und erinnernd vollständig und lebendig erhalten: Im Wort des Geistes, also in der Verkündigung der Jesustradition bleibt Jesus bei den Seinen. Durch die typische Erinnerung daran, daß nun seine Abschiedsrede inhaltlich beendet ist (vgl. 15,11; 16,1.4.25.33), rückt dabei V 25 f. bewußt im Aufbau parallel zu V 16 f. und setzt das dort Gesagte fort. Heißt es dort, daß der Geist gegeben wird, so wird nun von seiner Sendung gesprochen. Dies fällt um so mehr auf, als sonst urchristlich nur ausnahmsweise so formuliert ist (Gal 4,6; 1 Petr 1,12). Offenbar kommt für E damit die Parallelisierung zur Sendung des Sohnes zum Ausdruck, zumal beide Sendungsvorgänge Gott zum Subjekt haben. Der gesandte Geist ist die neue Modalität des gesandten Sohnes, der gerade sein irdisches Werk abschließt und als Erhöhter sich im Parakleten weiter offenbart als Erinnern an die Offenbarung des Irdischen. D. h. was der Irdische in Selbstoffenbarung kundtat, ist vollständige Offenbarung des Vaters, ein Mehr kann der Geist nicht bieten. Er kann nur die Selbstbekundung des Gesandten wachhalten. So bleiben Vater (vgl. V 23), Sohn und Geist in der Offenbarungseinheit bei der Gemeinde. Die Zeit der Gemeinde ist nicht heilsleer (V 2 f. 18), sondern gefüllte Zeit. In ihr fallen Ostern, Pfingsten und Parusie für die Glaubenden immer wieder zusammen als Lebensgabe (V 19).

Exkurs 12: Paraklet und Geistvorstellung im Joh

Literaturauswahl: Bammel, E.: Jesus und der Paraklet in Joh 16, in: Christ and Spirit in the New Testament (FS C. F. D. Moule), Cambridge 1973, 199–217. – *Barrett, C. K.:* The Holy Spirit in the Fourth Gospel, JThS 1 (1950) 1–15. – *Behm, J.:* Art: *Parakletos*, ThWNT V, 798–812 (Lit.). – *Betz, O.:* Der Paraklet, AGSU 2, 1963 (Lit.). – *Bornkamm, G.:* Der Paraklet im Johannes-Evangelium, in: *Ders.:* Geschichte und Glaube I, BEvTh 48, 1968, 68–89. – *Brown, R. E.:* The Paraclete in the Fourth Gospel, NTS 13 (1966/67) 113–132. – *Forestell, J. T.:* Jesus and the Paraclete in the Gospel of John, in: Word and Spirit (FS D. M. Stanley), Willowdale 1975, 151–197. – *Holwerda, D. L.:* The Holy Spirit and Eschatology in the Gospel of St. John, Kampen 1959. – *Ibuki, Y.:* Zwei Themen zur johanneischen Anamnese, Bulletin of Seikei University 13 (1977) 19–43. – *Johansson, N.:* »*Parakletoi*«, Lund 1940. – *Johnston, G.:* The Spirit-Paraclete in the Gospel of John, MSSNTS 12, 1970. – *Klein, G.:* Paraklet, RGG³ V, 102 (Lit.). – *Kysar, R.:* Evangelist, 234–240. – *Malatesta, E.:* The Spirit/Paraclete in the Fourth Gospel, Bib 54 (1973) 539–550. – *Michaelis, W.:* Zur Herkunft des johanneischen Paraklet-Titels, CNT 11 (1947) 147–162. – *Miller, J.:* The Concept of the Church in the Gospel according to John, Michigan 1976, 133–165. – *Mowinckel, S.:* Die Vorstellungen des Spätjudentums vom heiligen Geist als Fürsprecher und der johanneische Paraklet, ZNW 32 (1933) 97–130. – *Müller, U. B.:* Die Parakletenvorstellung im Johannesevangelium, ZThK 71 (1974) 31–77. – *Mußner, F.:* Die johanneischen Parakletsprüche und die apostolische Tradition, BZ 5 (1961) 56–70 = *Ders.:* Praesentia salutis, KBANT 1967, 146–158. – *Porsch, F.:* Pneuma, 215–324 (Lit.). – *Potterie, I. de la:* Le Paraclet, in: *Ders.* – *S. Lyonnet:* La vie selon l'Esprit, Un Sa 55, 1965, 85–105. – *Ders.:* Parole et esprit dans S. Jean, in: M. de Jonge (Hrsg.): L'Evangile, 177–201. – *Sasse, H.:* Der Paraklet im Johannesevangelium, ZNW 24 (1925) 260–277. – *Schlier, H.:* Zum Begriff des Geistes nach dem Johannesevangelium, in: *Ders.:* Besinnung auf das Neue Testament, Freiburg – Basel – Wien ²1967, 264–271. – *Schnackenburg, R.:* Die johanneische Gemeinde und ihre Geisterfahrung, in: Die Kirche des Anfangs (FS H. Schürmann), Leipzig 1977, 277–306. – *Schulz, S.:* Untersuchungen 142–157. – *Schulze-Kadelbach, G.:* Zur Pneumatologie des Johannes-Evangeliums, ZNW 46 (1955) 279–280. – *Ders.:* Zur Pneumatologie des Johannesevangeliums, ThLZ 81 (1956) 351–354. – *Schweizer, E.:* Art: *pneuma*, ThWNT VI, 436–443 (Lit.). – *Ders.:* Heiliger Geist, Th Th 1978. – *Sleeper, C. F.:* Pentecost and Resurrection, JBL 84 (1965) 389–399. – *Windisch, H.:* Die fünf johanneischen Parakletsprüche, in: Festgabe A. Jülicher, Tübingen 1927, 110–137. – *Ders.:* Jesus und der Geist im Johannesevangelium, in: Amicitiae Corolla (FS J. R. Harris), London 1933, 303–318.

Im Rahmen der urchristlichen Überlieferung kennt nur die joh Tradition Aussagen vom Parakleten, die theologisch Gewicht haben, denn Did 5,2; Barn 20,2; 2 Clem 6,9 sind zufällige und unspezifische Aussagen, die dem Gebrauch im joh Gemeindeverband nicht nahestehen, noch ihn erklären helfen. Die joh Aussagen finden sich bei E (14,16f.26), der KR (15,26f.; 16,7b–11.13–15) und in 1 Joh 2,1f. Diese Belege lassen sich – unbeschadet ihrer quellenmäßigen Zugehörigkeit – in zwei Gruppen einteilen, in christologische Parakletaussagen (1 Joh 2,1f. und indirekt Joh 14,16f.) und in Geistaussagen (alle Stellen im Joh). Die christologischen Belege sprechen von Christi Erhöhungsfunktion, nach der er als Beistand zugunsten der Gemeinde vor dem Vater eintritt (1 Joh 2,1f.; indirekt: Joh 14,13.16f.). Für diesen Zusammenhang gibt es Sachparallelen im NT ohne Parakletaussage: Röm 8,34; Hebr 7,25; 9,24. Diese joh Anschauung von Christi Parakletfunktion läßt sich also theologiegeschichtlich einordnen. Bei der Tradition zum Geist-Parakleten fällt auf, daß bis auf 16,7b–11 der Paraklet immer durch eine traditionelle Geistaussage erklärt wird (Geist der Wahrheit, heiliger Geist). Bedarf der Paraklet solcher Bestimmung, ist deutlich, daß offenbar traditionelle Geistaussagen mit Hilfe des Begriffs Paraklet gedeutet wurden. Diese Annahme bestätigt 1 Joh, der seine Geistaussagen durchweg ohne Parakletbezeichnung macht. Wird also »Paraklet« christologisch für den Irdischen wie auch für den Erhöhten verwendet und wird in der Pneumatologie die Erklärungsbedürftigkeit von Parakletaussagen durch traditionelle Geistaussagen sichtbar, außerdem die Aussagen von zwei Parakleten (14,16) erkennbar, dann ist »Paraklet« verwendungsoffener Funktionsbegriff, der geprägte traditionelle christologische und pneumatologische Konzepte ausdeutet. Die joh Christologie und Geistvorstellung haben also je ihre eigene Geschichte, in deren Verlauf u. a. auch die Parakletbezeichnung Verwendung fand.

Die Forschungsgeschichte (vgl. die Überblicke bei Betz, Brown, Johnston, Müller und Schnackenburg) hat vor allem unter vier Fragehinsichten versucht, den Geist-Parakleten zu deuten: begriffsgeschichtlich, religionsgeschichtlich, gattungsgeschichtlich und theologiegeschichtlich. Die Begriffsgeschichte (vgl. Behm) zeigt Wandlungsoffenheit. Grundbedeutung bleibt durchweg »der Herbeigerufene«, z. B. der Beistand vor Gericht, noch spezieller der Fürsprecher vor Gott. So kennt vor allem das Judentum viele Fürsprecher (Engel, große Gestalten der israelitischen Geschichte), die für Israel vor Gott eintreten. Im Joh ist der Paraklet der »Beistand«, der Jesus auf Erden bei den Jüngern vertritt. Insofern paßt diese Funktion in die allgemeine Begriffsgeschichte. Allerdings ist man sich heute darüber einig, daß diese insgesamt nicht sehr viel für das Joh hergibt, daß im Geist-Paraklet eher in ihr etwas abseits steht, ja seine Spezifika eher aus der joh Anschauung vom Geist als von der Begriffsgeschichte zum Parakleten erhalten hat.

Die religionsgeschichtliche Frage hat zu vielen Thesen geführt, weil man hoffte, so die eigentümlichen joh Aussagen am besten deuten zu können. Die jüngste Diskussion begann mit der gnostischen Herleitung (Bultmann) aufgrund der mannigfaltigen Helfergestalten im Mandäismus. Jedoch die Vielzahl und der Mehrfachauftritt gnostischer Helfergestalten sowie der bei

ihnen nicht nachweisbare joh Grundgedanke der Bezogenheit zweier Gestalten aufeinander sprechen so deutlich gegen diese Ableitung, daß man sie
aufgegeben hat (vgl. die Kritik bei Behm, Michaelis, Bornkamm). Sodann
wurde die jüdische Idee vom Vorläufer und seinem Vollender (Bornkamm)
herangezogen: Der Täufer ist Vorläufer Jesu, Elia Vorläufer des Messias
usw. So soll auch Jesus Vorläufer und der Paraklet Vollender sein (vgl. Joh
16,12), der die Erfüllung bringt. Speziell soll die jüdische Menschensohnvorstellung dabei noch beide Gestalten stark geprägt haben (diesen Gedanken führt Ibuki weiter). Doch auch dieses Konzept reicht nicht hin: Zur joh
Christologie paßt schlechterdings nicht, daß Jesus Vorläufer ist. Der Paraklet ist nicht Vollender. Menschensohnthematik läßt sich auch mit einem
angenommenen Rückgriff von 14,15 auf 13,31 f. (Ibuki) nicht fassen. Die
Ableitung von jüdischen Fürsprechergestalten vertreten andere Forscher
(Mowinckel, Johansson u. a.). Aber der Geist-Paraklet ist nicht Fürsprecher vor Gott wie der Erhöhte 1 Joh 2,1 und sinngemäß 14,14, sondern vor
allem als Stellvertreter des nun Erhöhten bei den Jüngern verstanden. Wer
dies sieht, kann den Erzengel Michael bemühen, der zwar Fürsprecher Israels vor Gott, aber auch Israel zugewandt ist (Betz). Kann er im übrigen mit
dem »Geist der Wahrheit« aus den Qumranschriften gleichgesetzt werden,
so führt und erleuchtet er wie der joh Paraklet, der auch Geist der Wahrheit
heißt, die Gemeinde. Aber an der Wiege joh Geist-Parakletvorstellung haben kaum personal-angelologische Vorstellungen Pate gestanden (Brown),
und eine unmittelbare Ableitung des joh Geistes der Wahrheit aus Qumran
verbietet sich aus religionsgeschichtlichen Gründen (vgl. Exkurs 3). So ist
die religionsgeschichtliche Ausbeute nicht besonders ertragreich. Dies wird
auch mit einem methodischen Mangel zusammenhängen: Der unmittelbare
religionsgeschichtliche Vergleich – durchweg ideengeschichtlich konzipiert
– läßt gattungs- (vgl. Müller) und theologiegeschichtliche Erörterung (Müller, Brown, Porsch u. a.) außer Betracht.
In der Tat gilt es (mit Müller; vgl. Schnackenburg, Ibuki), die Aufgabe des
Parakleten in seiner überindividuellen Prägung im Rahmen des literarischen
Testaments (vgl. Exkurs 10) ernst zu nehmen: Alle joh Geistaussagen aus-
serhalb der Abschiedsreden im Joh reden vom Geist ohne den Parakleten,
d. h. es liegt nahe, die Einführung dieses Begriffs mit der Gattungsfrage zu
koppeln. Im Rahmen der Gattung läßt sich die Funktion des Parakleten gut
erklären: Der Scheidende sorgt durch Nachfolger für die Kontinuität seines
Werkes. Daß der Geist der Gemeinde nach Jesu Erhöhung gegeben wurde,
ist allgemeine urchristliche Anschauung, so auch dem Joh bekannt (vgl. nur
7, 39; 20, 22). Dies ist Voraussetzung, um das typische Thema der Funk-
tionskontinuität in der Abschiedsrede im Joh durch die Rede vom Geist als
Parakleten zu präsentieren. »Paraklet« drückt nun aus: Der Geist ist anstelle des Erhöhten Beistand der Gemeinde auf Erden, indem er für die Präsenz
und unbegrenzte Kontinuität des Werkes des Irdischen sorgt. Dafür ist er
der »Herbeigerufene« (vgl. die Wortgeschichte). Bei dieser Deutung sollte
bedacht sein, daß so nur die Bezeichnung des Geistes als Parakleten erklärt
wird. Doch Jesu Kennzeichnung als Paraklet hat keinen Bezug zur Abschiedssituation und geht offenbar der Bezeichnung des Geistes als

Parakleten voraus, ist also Vorbedingung, unter der es zur Geistbezeichnung als Paraklet kam. Der Erhöhte wiederum ist himmlischer Paraklet und als Fürsprecher vor Gott herausgestellt, dabei wird die Anlehnung an die Vorstellung von Fürsprechergestalten (s. o.) für die joh Begriffswelt und für die urchristliche Sachaussage insgesamt wohl in Rechnung zu stellen sein. Damit ist schon zu einem Teil auf die theologiegeschichtliche Dimension eingegangen. Wenn es stimmt, daß die Parakletbezeichnung joh Deutekategorie für den Geist ist, ist zunächst auf das Geistverständnis einzugehen. Dabei gilt allgemein, der joh Gemeindeverband steht im Zusammenhang derjenigen urchristlichen Geisttradition, die den Geist verstehbarer Rede zuordnet, also wort- und traditionsbezogen versteht. Ekstatische Phänomene, Wundertätigkeit und Charismen im Sinne der korinthischen Gemeinde (1 Kor 12–14) werden dem der Gemeinde gegebenen Geist nirgends direkt zugesprochen. Er wird in Zusammenhängen genannt, die Lehre, Zeugnis, Bekenntnis und Schriftauslegung zum Thema haben (Joh 6,63; 7,39; 1 Joh 4,1–6.13; 5,6.8) Ebenso urchristlich ist die Anschauung, daß der Geist mit der Taufe den Gläubigen gegeben ist (Joh 3,3.5; 1 Joh 3,24; 4,13). Von daher besitzt die getaufte Gemeinde insgesamt den Geist (1 Joh 2,20 f.27; vgl. 1 Thess 4,8 f. usw.), und es wird verständlich, daß der Geist als Lebensträger gilt (Joh 6,63; vgl. Röm 8,6.10 f. usw.), wie auch mit ihm allein die wahre Anbetung Gottes erfolgen kann (Joh 4,13 f.; vgl. Röm 8,15 f. usw.) und die Vollmacht zur Sündenvergebung gegeben ist (Joh 20,22 f.). Geistbesitz unterscheidet ganz allgemein Gemeinde und Welt (Joh 14,17; vgl. Gal 3,2.25 f.; Apg 19,1–7 usw.).

In diesen Kontext ist die joh Rede vom »Geist der Wahrheit« einzuzeichnen (Joh 14,17; 15,26; 16,13; 1 Joh 4,6 vgl. 1 Joh 5,6). Er ist nach 14,26; 20,22 mit dem heiligen Geist, bzw. 1 Joh 4,2 mit Gottes Geist identisch. Der besondere Ausdruck der joh Tradition ist wohl joh Eigenbildung aufgrund zweier Zusammenhänge: Einmal ist »Wahrheit« Heilsbegriff im joh Dualismus, so daß der Geist als Geist der Wahrheit die Differenz zur negativ gezeichneten Welt gut ausdrückt (14,17.19.22.27). Zum anderen gilt Christus als Zeuge der Wahrheit, ja als Wahrheit selbst (14,6; 18,37). Insofern nun der Geist diese Wahrheit nach Ostern bei der Gemeinde lebendig erhält, ist für ihn die Benennung als Geist der Wahrheit besonders einsichtig (vgl. zu 14,17).
Auffällig ist, daß E dem Parakleten als Geist der Wahrheit in Joh 14,16 f.25 f. zuschreibt, zu lehren, und zwar speziell an die Jesusworte zu erinnern, also die Selbstoffenbarung des Gesandten lebendig zu erhalten, dies so umfassend zu tun, daß »alles« (zweimal betont V 26; vgl. Mt 28,10), was Jesus lehrte, gegenwärtig bleibt, und dies durch sein unbeschränkt dauerhaftes Sein bei der Gemeinde immer und unbegrenzt tun zu können. Er sichert also für die Jesusverkündigung der Gemeinde deren Autorität, Vollständigkeit und Beständigkeit. Solche Aufgabenzuweisung kann kaum anders gesehen werden als im Zusammenhang der Problematik der dritten Generation, christliche Tradition zu sichern (Brown), wie soziologisch als Selbstverständnis der joh Schule, kraft des Geistbesitzes Träger wahrer Je

suskündigung zu sein (vgl. die Einleitung 3a). E geht darüber hinaus noch einen Schritt weiter: Er läßt den Erhöhten selbst als Geist der Wahrheit in der Gemeinde wirken (vgl. die Exegese zu 14,16f.25f.). Die exklusive Zuweisung von Gottes- und Lebenskenntnis an den Sohn (vgl. 1,18; 5,37; 6,46) sorgt dafür, daß auch der Geist zugunsten eines christologisch enggeführten Offenbarungsbegriffs christologisch gedeutet wird. Dafür kann sich E in gewisser Weise auf das Urchristentum berufen, da auch dort der Geist als Geist Christi gilt (vgl. nur Röm 8,9–11; 2 Kor 3,18). Ob E selbst innerhalb der joh Tradition dem Geist die Bezeichnung als Paraklet erstmals gab? Das ist sehr gut möglich: Er kannte die Parakletaussage zum Erhöhten, er schuf innerhalb joh Tradition im Joh die erste Abschiedsrede. Zu seiner Deutung des Geistes und seiner Funktionszuweisung an ihn eignet sich die Parakletbezeichnung vortrefflich.

Die Rede vom Geist-Parakleten hat die KR übernommen, allerdings nur beschränkt auf die Abschiedsrede 15,18–16,15. Der Verfasser dieser Rede gibt im Unterschied zu E die Einheit von Geist und gegenwärtigem Christus auf. Der Paraklet ist nun Gesandter Jesu, des Erhöhten (15,26; 16,7 vgl. Apg 2,33). So kann man rekonstruieren: Wie Gott Jesus sandte, so sendet der Erhöhte als seinen Stellvertreter auf Erden den Geist. Wie Gott im Himmel ist, so ist der Erhöhte im Himmel bis zu seiner Parusie. In der Zwischenzeit ist der Geist Christi Abgesandter, der die Zeit der Kirche von der Erhöhung bis zur Parusie bestimmt. Diese Zeit ist durch dreierlei Geistaussagen, die sachlich konvergieren, bestimmt: 1. Es findet angesichts der durch den Dualismus wesenhaften Anfeindung durch die Welt eine Neuinterpretation der urchristlichen Verfolgungstradition statt (Mt 10,17–25; Mk 13,9–13; Lk 12,11f.), wobei der Paraklet mit seinem Zeugnis in den Jüngern die ursächliche Vorbedingung für deren Bezeugen als Angeklagte vor Gericht ist (15,26f.). Die Jünger sind dazu ferner befähigt, weil sie »von Anfang an« mit Jesus waren. Kontinuität zu Jesus und Vollmacht zum Bezeugen der Jesustradition koinzidieren also im aktuell wirkenden Geist und in geschichtlicher Herkunft des Zeugnisses aus der Ursprungssituation des Christentums. Der Geist bewirkt Aktualität von Tradition. 2. In 16,7–11 macht das Wirken des Geistes aus der Kirchen- und Weltgeschichte ein apokalyptisch-kosmisches Endgericht – entgegen der gesamten urchristlichen Tradition, die das Wirken des Geistes sonst streng auf die Gemeinde allein bezieht. Die Weltgeschichte wird zum Weltgericht, wobei der Paraklet die Welt vor dem Forum Gottes bei ihrem sündigen Unglauben behaftet. 3. Der Geist-Paraklet erweitert das vom Irdischen her der Gemeinde bekannte Offenbarungswissen und – wieder tritt im Unterschied zu E Apokalyptisierung ins Blickfeld – tut Zukünftiges kund. Das Fortschreiten der Offenbarungserkenntnis in Kontinuität zur Jesusoffenbarung ist also Zeichen der Zeit der Kirche.

Gern hat man den Parakleten mit dem Lieblingsjünger (vgl. Exkurs 11) identifiziert (Loisy, Sasse, Kragerud). Dies wäre nach der im Kommentar vertretenen Position, nach der die Lieblingsjüngertexte zur KR gehören, nur so denkbar, daß die KR beide gleichsetzte. Aber auch abgesehen von dieser literarkritischen Position, kein Paraklettext und kein Lieblingsjün-

gertext geben zu solcher These wirklich Anlaß. Die Abschiedsrede
15,18–16,15, die über E hinaus Parakletaussagen macht, geht auf den Lieblingsjünger, der offenbar einer anderen Schicht der KR angehört, gar nicht
ein; dasselbe gilt umgekehrt von den Lieblingsjüngertexten. Viel eher stehen beide Gestalten in Konkurrenz (vgl. Exkurs 11). Ebensowenig überzeugt die These, der Paraklet sei aus dem Anlaß, Häresie zu bekämpfen, so
verstanden, wie er in den Abschiedsreden gedeutet wird (Johnston). Doch
erst 1 Joh kennt eine innerkirchliche Front, der Geist-Paraklet ist im Rahmen des Verhältnisses von Kirche und Welt zugunsten der Gemeinde ausgelegt und diese immer als nicht strittige Einheit beschrieben. Die frühesten
Stellen, also das Verständnis bei E, zeigen außerdem, wie der Paraklet nur
positive Aufgaben hat.

c) Abschließende Worte 14,27–31

27 Frieden lasse ich euch zurück, meinen Frieden gebe ich
euch; nicht wie die Welt ihn gibt, gebe ich (ihn) euch. Euer
Herz sei nicht verwirrt, noch verzage (es)! 28 Ihr habt gehört, daß ich zu euch sagte: ›Ich gehe fort und komme zu
euch.‹ Wenn ihr mich liebt, werdet ihr euch freuen, daß ich
zum Vater gehe, denn der Vater ist größer als ich. 29 Und
jetzt habe ich (es) euch gesagt, bevor es geschieht, damit ihr
glaubt, wenn es geschieht. 30 Nicht mehr viel werde ich
mit euch reden, denn es kommt der Herrscher der Welt. Aber
an mir hat er nichts (zum Angreifen), 31 doch soll die Welt
erkennen, daß ich den Vater liebe. Und wie (es) mir der Vater
aufgetragen hat, so tue ich (es). Steht auf, laßt uns von hier
fortgehen!«

Literaturauswahl: vgl. den vorangehenden Abschnitt.

Die Gabe des scheidenden Gesandten ist sein Friede. »Friede« ist
als endzeitlicher Heilsbegriff gewählt (Röm 5,1; 14,17; Eph 2,14).
Abschließende Friedenszusprüche sind typisch (vgl. Röm 15,33;
16,20; 2 Kor 13,11; Gal 6,16; 1 Thess 5,23). E benutzt den Begriff
wohl unter solchem Einfluß. Auch der Auferstandene grüßt so die
Jünger (20,19.21.26). Der Friede wird ausdrücklich als Christi
Friede definiert (vgl. Eph 2,14): So wird der Gesamtsinn der Abschiedsrede auf einen Nenner gebracht. Christi Friede ist dort, wo
die Verheißungen aus 14,1–26 Wirklichkeit sind, also wo der
Geist-Paraklet wirkt. Friede und Freude (V 27) sind traditionellerweise Gaben des Geistes (Röm 14,17; Gal 5,22). Solchen Frieden
gibt die Welt nicht (vgl. dieselbe Abgrenzung V 17.22.24), d. h. ihr

ist wie Geistesgabe und österlicher Christus so auch der Friede
fremd. Der folgende Aufruf zur Furchtlosigkeit kehrt zum Anfang
der Rede zurück (V 1): Durch Inklusion wird sie also strukturiert.
1 Joh 4,16–19 erklärt, daß Furcht nicht in der Liebe sein kann, so
ist der Aufruf das Gegenstück zur Liebe, von der V 21–24 sprachen. Auch V 28a rekapituliert das strukturelle Grundgerüst der
Rede, insofern Jesu Fortgang und Wiederkunft (V 2f.4–17.18–24)
die Abschiedsrede gliederten. Nach dieser Rede kann in der Tat Jesu Fortgang für die, die ihn lieben (vgl. V 21–24), nur Freude bedeuten (V 28b). Die Wende der Trauer in Freude ist typisches
Grundmotiv joh Abschiedsreden (15,11; 16,20–24; 17,13). Als Begründung der Freude ist der auffällige Satz angegeben, daß der Vater größer als Jesus sei. Dieser Satz kann seinem Sinn nach nur wie
V 27ff. überhaupt eine Zusammenfassung der Abschiedsrede sein.
Das, was in ihr nur der Vater tut, ist aber die Sendung des Geistes
(V 16.26). So wird der Satz wohl daran erinnern sollen. Auch V 29
blickt auf die ganze Rede zurück. E hatte schon 13,19 ähnlich gesprochen (vgl. 16,4): Die Vorankündigung des Fortgangs Jesu hilft,
dieses Ereignis selbst glaubend zu bestehen, ist es doch nun als
göttlicher Plan und Abschluß der Sendung des Sohnes begreifbar.
Nicht mehr viel wird Jesus mit seinen Jüngern reden. Das ist eine
ähnliche typische Floskel wie 16,12; 3 Joh 13, d.h. die Abschiedsrede wird nun abgeschlossen. Es mag sein, daß diese Worte Anlaß
waren, Joh 15–17 später anzufügen (Schnackenburg), doch zeigen
Stücke wie 3,31–36; 12,44–50, daß die KR solchen äußerlichen
Grund auch gegebenenfalls gar nicht brauchte. Nun blickt Jesus
auf die unmittelbar anstehenden Ereignisse, die – weit vorgreifend
– nach 13,21–30 zurücktraten: Der Herrscher dieser Welt naht.
Das kann konkret meinen, Judas als Werkzeug des Teufels (13,27)
naht (vgl. 18,2f. mit demselben Verb für das Kommen von Judas).
Dies kann noch dadurch eine Stütze bekommen, daß Mk 14,42a
nicht nur das abschließende: »Steht auf, laßt uns fortgehen!« kennt,
sondern vielleicht auch Mk 14,42b: »Siehe, der mich verrät, ist nahe!« in der Ankündigung des Herrschers dieser Welt wiederer-
kannt werden kann. Dann fänden sich 14,30f. zwei Splitter der Gezemanehperikope, die E kennt, aber uminterpretiert (vgl. zu
12,27f.). Man kann aber auch bei V 30 von solcher konkreten Deutung absehen und nur (oder kombiniert) die grundsätzliche Perspektive von 12,31 hier ausfindig machen: An Jesus wird der Teufel
nichts finden, d.h. keine Macht im Sinne von 8,44 ausüben können, weil Jesus aus der Einheit mit dem Vater heraus in den Tod
geht, denn wie der Vater ihm auftrug, so wird er gehorsam das

Werk vollenden. Darum wird das Leben triumphieren und der Teufel als Lebensverneiner entmachtet werden, das Heilswerk für die Jünger also vollendet werden. Ja, an seinem Verhalten in der Todesstunde wird auch die Welt erkennen, daß er den Vater liebt, d. h. seinem Selbstzeugnis gemäß, also als Gesandter des Vaters, auch den Tod bestehen wird. So wird nun doch (vgl. 14,17.22.24) am Schluß noch einmal ähnlich wie 3,16 von E die Heilsperspektive hin zur Welt geöffnet.

Die konkret gemeinte Aufforderung zum Aufbruch zeigt, daß nun die Zeit zum Reden vorbei ist und die Zeit zum Sterben da ist. 14,31c und 18,1 gehören unmittelbar zusammen.

3. Erster Nachtrag: Die Bildrede von Rebstock und Reben 15,1–17

Wenn anders 14,31c und 18,1 unmittelbar zusammengehören, stehen Joh 15–17 deplaziert (Wellhausen; Becker, Abschiedsreden u. v. a.). Es ist unvorstellbar, daß Joh 15–17 oder auch nur Teile daraus auf dem Weg vom letzten Mahl zum Garten in 18,1 ff. gesprochen wurden. Diese absurde Vorstellung vertreten Joh 15–17 auch nicht selbst, sie stehen einfach situationslos da. Darum sind zu Joh 15–17 auch frühzeitig Umstellungsmöglichkeiten diskutiert worden (vgl. die Einleitung 2a/b). Sie versuchen zwischen 13,20 und 13,31a den Stoff aus Joh 15–17 einzubauen, belassen aber dabei gern Joh 17 nach 14,31. Solche Neuordnung gelingt allerdings aus vielen Gründen nicht: Joh 13 gibt nirgends von sich aus Anlaß, an Auffüllungen zu denken. Vor allem Joh 15,18–16,33 hat auffällige Parallelitäten zu 13,31–14,31, so daß man eher an Dubletten denken muß. Joh 15–17 tragen andere theologische Akzente als 13,31–14,31, dies weist auf Konkurrenz, nicht auf ein ehedem einheitliches Konzept. Es will nicht gelingen, Neuordnungsversuche so zu begründen, daß eine alte, geplante Ordnung erreicht wird. Im Gegenteil, die Auslegung zu 13,21–30 (31a) hat gezeigt, daß Einfügungen mehr Probleme machen als sie lösen, weil bestehende Zusammenhänge zerstört werden. Man muß auch fragen, warum die Endredaktion nicht selbst auf die Idee kam, Joh 15–17 vor Kp 14 zu stellen. Ob nicht die Abstinenz vor solcher Tat anzeigt, daß man selbst Joh 15–17 als Nachtrag und Ergänzung verstand?

Scheiden Umstellungsversuche aus, bleibt nur noch, in Joh 15–17 Zusätze zu sehen, die die KR anfügte, bevor das Joh zum Kanonteil der joh Gemeinden wurde (vgl. weiter die Einleitung 3). So erklären sich auch die theologischen Differenzen zu E am besten. Wegen der theologischen Unterschiede scheidet auch die Annahme aus, E selbst habe mehrere Versionen von Abschiedsreden geschaffen. Allerdings ist Joh 15–17 nicht aus einem Guß. Wie bei Abschiedsreden auch sonst üblich (vgl. Exkurs 10), muß man mit verschiedenen Zusätzen anonymen Wachstums rechnen. Eine erste Redekomposition ist dabei 15,1–17 (Bultmann, Becker, Langbrandtner u. a.). Daß der Text nach 14,31 und mit 15,1 ganz unvermittelt einsetzt, steht selbstverständlich fest. Ähnlich gravierend wirkt der Bruch zwischen 15,17 und 15,18: Mit 15,17 endet das vorher verhandelte Thema vom Bleiben in Christus und vom Fruchtbringen durch Bruderliebe, der Blick auf die nur internen Gemeindeverhältnisse verändert sich danach zur Darstellung des Hasses der Welt gegenüber der Gemeinde und der Tröstung der Gemeinde in dieser Not. Dabei enthalten 15,1–17 kein Element aus der Abschiedssituation und könnten darum aus diesem Grund ebensogut dort stehen, wo die KR z. B. das Hirtenthema abhandelt (Joh 10,1 ff.), mit dem Joh 15 das ekklesiologische Grundkonzept bei verschiedenem Bildmaterial teilt. Hingegen tragen 15,18–16,15 wieder deutlich Kennzeichen einer Abschiedsrede (vgl. die Exegese), so daß auch aus diesem Grunde 15,1–17 für sich stehen. Beide Reden haben, von allgemein typischen Aussagen abgesehen (vgl. 15,11a mit 16,1a.4a, aber auch 14,25; 16,25), keine Verbindungen zueinander, bis auf die redaktionelle Klammer 15,19b–20a (vgl. 15,15 f.), die bei Anfügung der Rede entstand. Vielmehr sind beide in sich gerundet und so strukturiert, daß sie je für sich als vollständig gelten können. Beide wurden aneinandergefügt, weil das Gegensatzpaar lieben – hassen (vgl. 3,19 f.; 1 Joh 2,9–11; 3,13–15 usw.) traditionell ist. Diese traditionelle Verbindung darf jedoch nicht dazu verleiten, 15,1–16,4a als Einheit anzusehen (so Schnakkenburg u. a.), da natürlich beide Begriffe auch je für sich Verwendung finden (vgl. 13,34 f. bzw. 7,7).

1 »Ich bin der wahre Rebstock, und mein Vater ist der Winzer. 2 Jede Rebe an mir, die nicht Frucht bringt, entfernt er; und jede (Rebe), die Frucht bringt, reinigt er, damit sie (noch) mehr Frucht bringt. 3 Ihr seid schon rein um des Wortes willen, das ich zu euch geredet habe. 4 Bleibt in mir, so (bleibe) ich in euch! Wie die Rebe von sich aus keine Frucht bringen kann, wenn sie nicht am Rebstock bleibt, so (könnt) auch ihr nicht (Frucht bringen), wenn ihr nicht in mir bleibt.
5 Ich bin der Rebstock, ihr die Reben. Wer in mir bleibt und in wem ich (bleibe), der bringt viel Frucht; denn getrennt von mir könnt ihr nichts tun. 6 Wenn jemand nicht in mir bleibt, wird er weggeworfen wie eine Rebe und verdorrt. Und man sammelt sie, wirft sie ins Feuer, und sie verbrennen. 7 Wenn ihr in mir bleibt, und meine Worte in euch bleiben, dann bittet, um was ihr wollt, und es wird euch zuteil werden. 8 Dadurch wird mein Vater verherrlicht, daß ihr viel Frucht bringt und meine Jünger werdet.
9 Wie mich der Vater geliebt hat, so habe ich euch geliebt; bleibt in meiner Liebe! 10 Wenn ihr meine Gebote haltet,

werdet ihr in meiner Liebe bleiben, wie ich die Gebote meines Vaters gehalten habe und in seiner Liebe bleibe.
11 Dies habe ich zu euch gesagt, damit meine Freude in
euch sei und eure Freude vollkommen werde.
12 Das ist mein Gebot, daß ihr einander liebt, wie ich euch
geliebt habe. 13 Größere Liebe als diese hat niemand, daß
er sein Leben hingibt für seine Freunde. 14 Ihr seid meine
Freunde, wenn ihr tut, was ich euch auftrage. 15 Ich nenne
euch nicht mehr Knechte, denn der Knecht weiß nicht, was
sein Herr tut. Euch jedoch habe ich Freunde genannt, weil
ich euch alles kundgetan habe, was ich von meinem Vater
gehört habe. 16 Nicht ihr habt mich erwählt, sondern ich
habe euch erwählt; und ich habe euch dazu bestimmt, daß
ihr hingeht und Frucht bringt und eure Frucht bleibt, damit,
um was ihr den Vater in meinem Namen bittet, er (es) euch
gebe. 17 Das gebiete ich euch, daß ihr euch untereinander
liebt.«

Literaturauswahl: Vgl. III A 2a und Exkurs 10. – *Borig, R.:* Der wahre
Weinstock, StANT 16, 1967 (Lit.). – *Bussche, H. van den:* La vigne et ses
fruits (Jean 15,1–8), BVC 26 (1959) 12–18. – *Dibelius, M.:* Joh 15,13. Eine
Studie zum Traditionsproblem des Johannes-Evangeliums, in: *ders.:* Botschaft und Geschichte I, Tübingen 1953, 204–220. – *Grundmann, W.:* Das
Wort von Jesu Freunden (Joh 15,13–16) und das Herrenmahl, NT 3
(1959) 62–69. – *Heise, J.:* Bleiben, 80–92. – *Jaubert, A.:* L'image de la Vigne (Jean 15), in: Oikonomia (FS O. Cullmann), Hamburg 1967, 93–99. –
Johnston, G.: The Allegory of the Vine, CIT 3 (1957) 150–158. – *Langbrandtner, W.:* Gott, 61–63. – *Lattke, M.:* Einheit, 162–188. – *Miller, J.:*
The Concept of the Church in the Gospel according to John, Michigan
1976, 74–85. – *Richter, G.:* Studien, 58–73; 383–414. – *Schulz, S.:* Komposition, 114–117. – *Schweizer, E.:* Ego eimi, 39–41.157–161. – *Ders.:*
Gemeinde und Gemeindeordnung im Neuen Testament, AThANT 35,
1959, 105–124. – *Stählin, G.:* Art: *philos,* ThWNT IX, 149–169. – *Thüsing, W.:* Erhöhung, 109f. 117–120.123–126. – *Thyen, H.:* »Niemand hat
größere Liebe als die, daß er sein Leben für seine Freunde hingibt« (Joh
15,13), in: Theologia crucis – Signum crucis (FS E. Dinkler), Tübingen
1979, 467–481.

Die Gliederung der Rede ist gut erkennbar: Das allegorisch verwendete Bildmaterial bestimmt den ersten Teil (V 1–8) und das Liebesgebot den zweiten (V 9–17). Beide Teile sind nochmals untergliedert: In V 1–8 wird in zwei Durchgängen, jeweils beginnend
mit dem »Ich bin …« (V 1.5), derselbe Grundgedanke variiert. V 8
kehrt in gewisser Weise zu V 1 zurück. In V 9–17 markiert V 11

einen Abschluß. V 12 und V 17 rahmen (Inklusion) den Schluß.
Der Konnex zwischen V 1 ff. und V 9 ff. wird gebildet durch
Gleichsetzung von »Frucht bringen« (sechsmal in V 1 ff. und V 16),
»Gebote halten« (V 10.12) und »einander lieben« (V 12.17).
Die Rede ist Mahnung des Erhöhten. Jesus redet nicht anläßlich
seines Fortgangs, sondern blickt auf sein abgeschlossenes Wirken
auf Erden zurück (vgl. V 3.10.11.12 f. 15.16). Er adressiert die
nachösterliche Gemeinde. Wird ihre Situation beschrieben oder an
sie die Mahnung gerichtet, ist das Präsens gewählt. Aufschlußreich
ist dafür ein Blick auf V 7.16c: Die Erhörungszusage ist nicht durch
das »Ich gehe zum Vater« (14,12c.13) bestimmt, vielmehr an das
Bleiben der Gemeinde in Jesu Wort (15,7) bzw. an den Auftrag,
Frucht zu bringen (V 16), gebunden (vgl. 1 Joh 3,21 f.). Wenn anders solche Rede des Erhöhten nicht vom Himmel ertönt, wohl
aber durch den Mund von Lehrern der joh Schule an die Adresse
der joh Gemeinden, dann ist zu erwägen, ob dies nicht so verstanden wurde, daß sich der himmlische Christus als Paraklet im Sinne
von 14,26 so äußerte. Dann wäre jedenfalls auch ein Zusammenhang freigelegt, warum 15,1 ff. ausgerechnet nach der ersten Abschiedsrede zu stehen kam.
Noch unmittelbarer als im Joh 10,1 ff. sind Bildmaterial und allegorische Identifikation ineinander verzahnt, so daß Bildrede und eigentliche Rede eine Einheit eingegangen sind. Vorausgesetzt ist als
traditionelles Material, daß ein Winzer Rebstöcke mit dem Ziel
pflanzt und pflegt, daß sie viel Frucht bringen. Reben, die das nicht
tun, werden abgeschnitten, verdorren und werden verbrannt. Dieser Vorgang erhält drei allegorische Identifikationen: Gott ist Winzer, Jesus Rebstock, die Jünger (Gemeinde) sind Reben. Im ersten
Durchgang ist Jesus und der Vater identifiziert (V 1), die Jünger
nur stillschweigend (vgl. den Übergang von V 2 zu V 3 f.), im zweiten Jesus und Jünger (V 5), der Vater jedoch stillschweigend auch
(V 8). Diese Einsicht macht klar: Es liegen keine eigentlichen Ich-
bin-Worte vor (vgl. Exkurs 5), sondern wie Joh 10 unmittelbar allegorisch präsentiertes Bildmaterial mit dem Charakter eigentlicher
Rede.
Woher kennt die joh Tradition das Material? Bestechend sind zunächst die Parallelen bei den Mandäern (Ginza 59,39–60,2;
181,27 f.; 301,11–14; 325,4–327,23). Hier ist der Ich-bin-Stil anzutreffen. Der Weinstock ist himmlisch-mythischer Lebensbaum,
dessen Duft Leben schafft. Mit ihm identifiziert sich der Gesandte.
Doch so sicher sonst der identifikatorische Ich-Stil beim Rebstock-
material fehlt, setzt Joh 15 kaum den Rebstock als himmlischen Le-

bensbaum voraus, sondern eine irdisch-natürliche Gestaltung des
Materials. Das Duftmotiv fehlt ganz, und anstelle des Lebens ist
das Fruchtbringen konstitutiv (vgl. ausführlicher: Schweizer, Ego;
Borig). Dieses letzte Motiv sowie die dem Irdischen verhaftete Ma-
terialgestaltung weist auf die atl.-jüdische Tradition. Hier ist Gott
der Winzer, der bei seinem Weinberg Frucht sucht, darum pflegt er
ihn (vgl. Jes 5,1–7; Ps 80,15–18; Ez 17,1–10; 19,10–14). Nach Sir
24,23 f. vergleicht sich die Weisheit mit einem Rebstock, der reichlich Frucht bringt. In syrBar 36–39 ist die messianische Heilszeit
wie ein Weinstock (weiteres Material bei Borig). Man wird annehmen können, daß die joh Gemeinde in Anlehnung an solches Material formulierte, freilich mit tendenziell gnostisierenden Akzenten.
Denn die heilsgeschichtliche Ausrichtung im atl.-jüdischen Bereich
ist wesenhafter Darstellung auf dem Hintergrund eines verkirchlichten Dualismus (vgl. Exkurs 3) gewichen, und das christologische Ich-bin kennt die atl.-jüdische Tradition noch nicht.
Nach atl.-jüdischer Tradition erwartet man V 1 als Einstieg etwa:
Gott pflanzte einen Weinstock. Aber einmal ist die christologische
Aussage energisch dominierend an den Anfang gerückt (so auch V
5), zum anderen beherrscht das »Ich bin« die Szene. Der Erhöhte
stellt sich als »wahren Weinstock« vor. Also grenzt er sich gegenüber anderen analogen Heilsaussagen ab (so Bultmann)? Aber der
gesamte Text hat kein Gegenüber im Blick, er konzentriert sich
ganz ausschließlich auf die Gemeinde, ihr Verhältnis zu Jesus und
untereinander. Will der Autor speziell die atl.-jüdische Tradition
so christologisch engführen? Doch jeder kleinste Hinweis einer
heilsgeschichtlichen Ausrichtung fehlt im Text. Nun ist »Wahrheit« in der joh Gemeindesprache in der Zeit nach E zum Inbegriff
der Heilsoffenbarung überhaupt geworden (17,17.19; 2 Joh 1; 3
Joh 1.3.4), und dementsprechend kann auch »wahr« Verwendung
finden (1 Joh 2,8; 5,20). So wird es auch hier sein: »Wahr« ist of-
fenbarungsorientierte Wesensbeschreibung. Jesus als Weinstock
bekommt nur eine der Gemeinde zugewandte positive Funktion
(wie 10,1 ff.; 17,1 ff.), während Gott als Winzer nur indirekt positiv, nämlich über Jesus, handelt und unabhängig von ihm Subjekt
der Gerichtsaussagen ist. Drei Nuancen haben sich damit theologisch gegenüber E verschoben: Auch für E ist zwar Jesu Werk
durch die Vorrangigkeit des Heils bestimmt, doch zugleich ist Jesu
Kommen Gerichtssituation (3,1–21; 5,19–30). Für E sind ferner
Vater und Sohn – auch in bezug auf die Gerichtsfunktion (5,19 ff.!)
– eine Offenbarungseinheit (10,30 usw.), jetzt aber geschieht das
negative Handeln Gottes unabhängig von Jesus. War endlich für E

das Gericht als Vollzug der Sendung des Sohnes definiert (3,17 f.; 5,24 f.), so ist es jetzt dauerhaftes bedrohliches Element im Zusammenhang der Gemeindegeschichte, weil die Gerichtsaussage der Sendungschristologie entbehrt und der Einschärfung der Paränese, also der Mahnung zum guten Wandel, zugeordnet ist. Der Erhöhte garantiert die Heilsvoraussetzung für den Wandel, nun sollen die Jünger angesichts der göttlichen Gerichtsbedrohung die Mahnung zur gegenseitigen Liebe ernst nehmen.

So definiert V 2 die typische Arbeit des Winzers als göttliches Handeln. Der Vers spricht ganz im Bild, doch zeigt V 3 f., wie unmittelbar nahe die paränetische Übertragung ist. Fruchtlosigkeit, d. h. Lieblosigkeit, führt zum Ausschluß aus dem Heil. Wer hingegen Frucht bringt, wird um noch größeren Ertrages willen gereinigt (vgl. 1 Joh 1,9). Dieses Motiv bleibt im folgenden ungenutzt, der erste Gedanke tritt V 6 wieder auf. Das Gericht ist göttlicher Hoheitsakt, kein Anlaß, an ein gemeindliches Ausschlußverfahren zu denken. Überhaupt will der Text insgesamt zum Fruchtbringen mahnen, hat also ein positives Ziel, um dessentwillen die dunkle Folie des Gerichts Mittel ist, die Ernsthaftigkeit der Situation zu bestimmen.

Die unmittelbare Fortsetzung von V 2 ist der Imperativ V 4. V 3 ist am ehesten wohl eine sachlich von 13,10 her beeinflußte Randbemerkung zum Stichwort »reinigen« (Schnackenburg). Die Reinheit der Jünger ist dabei keine ethische Feststellung, sondern wie die Erwählung V 16 Aussage über den grundsätzlichen Heilsstand. Mit dem Wort Jesu ist kein einzelner Satz aus dem Joh gemeint, wohl aber seine Wortoffenbarung überhaupt (6,63). Mit V 4 kommt dann der Prediger zu seinem Hauptthema, der Mahnung. Nun wird ohne Bild gesprochen: Bleibet in mir! So wird aus V 2 »jede Rebe an mir« (»an« und »in« sind im Griechischen dasselbe Wort) aufgegriffen. Vom »Bleiben« ist 15,1–17 auffällig oft die Rede (zehnmal). E kennt die theologische Verwendung des Ausdrucks nur am Rande (5,38; 9,41; 12,24.34; 14,10.17) und nie als Mahnung an die Jünger oder als Reziprozitätsformel. Hingegen ist das Wort Lieblingswort der joh Gemeinde (vgl. 3,36; 6,27.56; 12,46 alle KR; 8,31 ist Tradition; 26mal in den joh Briefen), hier typischer paränetischer Leitbegriff (z. B. 1 Joh 2,6.17.24.27 f.; 3,6.14–17.24; 4,12 f.), mit dem Liebesgebot gekoppelt (vgl. nur 1 Joh 3,14 f. 17; 4,12) und als Reziprozitätsformel bekannt (vgl. außer Joh 6,56; 15,4 f. dazu 1 Joh 4,16). Der Grundsinn ist dieser, die zuvorkommende Erwählung (vgl. 15,16), also allgemein den Heilsstand, nicht durch Vernachlässigung der Gebote, speziell des Liebesgebotes, aufs Spiel zu setzen. Wie die Rebe dazu da ist, Frucht zu bringen, so ist die Erwählung geschehen, um das Bleiben in Jesus als Fruchtbringen im Sinne der Bruderliebe zu üben. Erst beides zusammen, Heilsgabe und Wandel, machen den Erlösungsvorgang aus. Nur so ist man vor dem Gericht sicher (V 2.6).

Nun könnte man V 4 noch so deuten: Bleibet in mir, wie ich (als Vorgabe) in euch bleibe! Aber schon die lange Begründung, die nachgestellt ist, ordnet die Sorge um das Bleiben am Rebstock den Jüngern zu, denn nur so können sie Frucht bringen. Gelingt ihr »Bleiben« nicht, ist (V 6) die Gerichtsbedrohung akut. Ebenso ist V 7 die Gebetserhörung konditional an das Bleiben gebunden (nicht etwa an die treue Zusicherung des Herrn). Zum vollkommenen Heilsstand von Freude und Jüngerschaft (V 8.11) gehört der gute Wandel als Bedingung. So liegt es nahe, V 4 so zu verstehen: Bleibet in mir, so bleibe ich in euch! Also Erwählung und Wandel konstituieren gemeinsam das Heil. Die Imperative sind nicht einfach Gewährung und aus der Gabe erschlossenes Können (Bultmann, Heise, Thyen), so würde der Ansatz paulinischer Ethik in Joh 15 eingetragen. Joh 15 redet umgekehrt nahe verwandt zum 1 Joh (vgl. Becker, Abschiedsreden; Richter, Schnackenburg, Langbrandtner): Paränese und Wandel sind neben der göttlichen Erwählung notwendige Bedingungen für das Heil. Hatte E bei Heilsdrohung die Heilspräsenz Christi und den Glauben ausgelegt (Joh 13 f.), so ist der Glaube nun durch die geforderte Bruderliebe ersetzt. Dieser Schritt von E zur KR entspricht theologiegeschichtlich z. B. dem Schritt von Paulus zu Jak.

V 5–8 wiederholen weitgehend mit neuen Worten V 1–4. Dabei fällt die breite Parallelisierung von Heil und Unheil in V 5b.6 besonders auf. In V 6 ist Gott als Richter hinter der passivischen Formulierung zu denken. Die Zusage der Gebetserhörung V 7 wird nochmals V 16b aufgenommen. Sie ist typische joh Tradition (vgl. zu 14,13), doch hier nicht als Selbstbindung Christi verstanden, sondern an den Imperativ gebunden. Die Bitte ist offenbar als Bitte um Entlastung von der Anklage, noch nicht genug Frucht gebracht zu haben (vgl. 1 Joh 2,1; 3,18–24), gedacht. So ist der Vers Trost angesichts von V 6 und nimmt das göttliche Reinigen V 2c auf. Daß V 2 im Blick steht, zeigt auch die Fortsetzung und Schlußaussage V 8. Das Fruchtbringen der Rebe ist Absicht des Winzers. So sucht Gott bei den Erwählten Frucht. Geschieht dieser göttliche Wille, ist Gott verherrlicht. Im Unterschied zu E ist dabei »verherrlichen« nicht exklusiv für das Verhältnis von Vater und Sohn vorbehalten (E: 7,39; 8,54; 11,4; 12,16.23.28; 13,31 f.; 14,13).

Der Paränet setzt nun ohne Bild bei gleicher Sachaussage seine
Mahnung fort (V 9–11; vgl. insgesamt Exkurs 11). Dabei entspricht
V 9a der Vorbedingung in V 1.5a und der sofort folgende Imperativ
V 4.5b. Ausgang allen Heils ist die göttliche Liebe zum Sohn, der
in dieser Liebe bleibt, indem er die Gebote des Vaters hält. Das
hätte E wieder so nicht formulieren können. Die nächsten Aussagen stehen 10,18; 12,49 f. (alle KR; vgl. noch 14,31 als sekundäre
Lesart): Gott gab dem Sohn ein »Gebot« (E formuliert einmal verbal 14,31). Wie dieser Wechsel zwischen »Geboten« und »Gebot«
Stileigentümlichkeiten des 1 Joh (2,3 f.7 f.; 3,22–23) ist, so wechselt
der Gebrauch auch von 15,10 zu 15,12. Der pluralische Gebrauch
ist offenbar judenchristliche Sprachgepflogenheit. Da nach Joh
13,34 f.; 15,1 ff. und 1 Joh Gottes Wille mit dem einen Liebesgebot
zusammenfällt, ist der Singular daneben im Gebrauch. Worin besteht nach V 10 der Wille des Vaters gegenüber dem Sohn? Nach
12,49 f. ist es der Heilswille zum Leben für die Menschen, nach
10,18 die Lebenshingabe für die Seinen. 15,13 steht dieser letzte
Sinn im Vordergrund. Also: Wie der Sohn unter der Vorgabe göttlicher Liebe den Willen des Vaters tat und so in der Liebe blieb, so
sollen die Jünger die Vorgabe der Liebe Jesu zu ihnen nicht verspie-
len, sie sollen in ihr bleiben, indem sie untereinander Liebe üben.
Dieses hat der Irdische den Jüngern gesagt (nämlich 13,34 f. KR;
vgl. 1 Joh 2,7 ff.). Der Erhöhte kann sie jetzt daran erinnern wie
der Schreiber des 1 Joh. Hier speziell daran, daß das Ziel gegenseitiger Liebe die so erreichte Vollkommenheit der Freude ist (Zur
Formulierung vgl. 16,24; 17,13; 1 Joh 1,4; 2 Joh 12). Wandel ist
abermals nicht Dankbarkeit aufgrund der Heilsgabe, sondern Teil
des Heilsprozesses.
In einem letzten Durchgang (V 12–17) variiert die KR das Thema
nochmals. V 12 macht dabei – zusammen mit V 17 als Rahmung
auftretend – klar: Das Liebesgebot ist Jesu Gebot, weil er Urbild
und Vorbild desselben ist. Dies führt V 13 aus, der für sich betrachtet eine allgemeine, dem hellenistischen Freundschaftsideal verbundene Gnome ist (Dibelius, Stählin). Vorher und nachher herrscht
formal Stichwortanschluß (von V 12 zu 13a über »lieben«; von V
13b zu V 14 über »Freunde«). Doch wird die traditionelle Maxime
nicht etwa als Umweg im Gedankengang zu verstehen sein (so Dibelius), sondern mit ihr wird das der KR wesentliche Thema der
Christologie angeschnitten. Hellenistisches Ideal wird christologisch verwendet, um zu zeigen: So hat Jesus seine Liebe gezeigt.
Nicht nur ist Jesu Lebenseinsatz für die Gemeinde überhaupt christologisches Thema der KR und des 1 Joh (vgl. zu 10,11.15), son-

dern wird speziell auch so im paränetischen Zusammenhang verwendet (Richter). Nach E ist Jesu Tod nie Tod nur für die Seinen
noch als Vorbild aller christlichen Liebe hingestellt, wohl aber im 1
Joh, vor allem 1 Joh 3,16. Alle entsprechenden Stellen zeigen, sachlich steht V 13 an typischer Stelle, doch ist die spezielle Ausfor-
mung des Gedankens in der joh Tradition einmalig. Sie bot sich an,
weil der Autor von 15,1–17 vom verkirchlichten Dualismus (vgl.
Exkurs 3) her denkt und demzufolge Jesu Tod nur noch gemeinde-
bezogen auslegen kann (vgl. 10,11.15; 17,19). So entspricht auch
der Tod für die Seinen vorbildhaft dem Lieben innerhalb der Gemeinde; Freunde, Brüder sind so ganz konsequent Objekte der
Liebe, die Jesus fordert. So ist die Liebe in der Gemeinde Spiegelbild und Abglanz der Liebe Jesu.

Zum antiken Ideal der Freundschaft gehört die völlige, vorbehalt-
lose Offenheit (Stählin). Dies greift V 15 auf: Weil Jesus sein ganzes
Offenbarungswissen (nicht: sich selbst, so wäre es im Sinne von E)
den Jüngern vollständig mitteilte, behandelte er sie als Freunde,
nicht als Knechte, die Befehle ohne Begründung erhalten. Doch
auch dabei hat dieses Wissen verpflichtenden Charakter, ist Gebot.
Dies zeigt – auffällig vorangestellt – V 14: Die Jünger müssen sich
als seine Freunde immer wieder erweisen durch Tun des Befohle-
nen. Entfällt dieser Beweis der Tat, ist das Gericht nach V 6 Folge.
So bleibt in dieser Freundschaft doch Jesu Vorrang gewahrt – er
allein kann beauftragen, sein Liebeserweis steht schon unbestritten
für immer fest. Es ist keine Freundschaft, aufgebaut auf gegenseitiger Gleichrangigkeit; insofern ist das hellenistische Freundschaftsideal nicht verwirklicht. Dieser Vorrang Jesu kommt nochmals
durch den atl-jüdischen Erwählungsgedanken (V 16) zum Ausdruck (vgl. 6,70; 13,18), der hier deterministischen Klang hat (vgl.
Exkurs 3). Erwählung ist zuvorkommende Gnade, der sofort die
Verpflichtung folgt, denn Erwählung ist Erwählung, um Frucht zu
bringen, wie zu V 1 f. zurückgelenkt wird. Offenbar können Heilsaussagen hier nur getroffen werden, wenn zugleich die Verpflichtung betont ist. Den Verfasser treibt die Sorge um, Erwählung und
Wandel könnten angesichts der Gemeindesituation auseinanderfal-
len. Nochmals fügt er auch die Verheißung der Gebetserhörung an,
die abermals unter die Kondition des guten Wandels gestellt ist. Ihre Erwählung hat offenbar denselben Sinn wie in V 7.

Was leistet 15,1–17 im Joh und in der joh Gemeindegeschichte?
Gern sieht man heute eine unmittelbar polemische Situation im
Text, wie sie dann im 1 Joh als innergemeindlicher christologischer
Streit begegnet (Langbrandtner, Thyen, Richter). Aber die konkre-

ten Verhältnisse des 1 Joh kann man in Joh 15 nur schwer angedeutet finden. Dennoch dürfte deutlich sein, daß der Text von der Sorge gezeichnet ist, Heilsgewißheit und Bruderliebe, individueller
Erwählungsglaube und Gemeinschaftsverhalten würden auseinan-
derklaffen. Wer so intensiv mahnt und den Wandel zu einem heils-
konstitutiven Element erhebt, hat offenbar konkreten Anlaß. Hatte nicht E allein den Glauben ausgelegt bis hin zur Individualisierung der traditionellen Eschatologie? Was braucht denn der, der im
Glauben das Leben hat, noch zu fürchten? Das Gericht jedenfalls
nicht. Warum muß er sich um die Gemeinschaft kümmern, wenn
sein Glaube und seine Liebe allein an dem Gesandten hängen (Joh
14)? Und hat nicht auch eine Stimme der KR in Joh 10 den Bezug
der Schafe zum Hirten betont und von der Beziehung der Schafe
untereinander geschwiegen? Steht nicht die Ausrichtung auf himmlisches, weltfernes Heil, wie es joh-dualistische Theologie überhaupt vertritt, immer in der Gefahr, Sozialbezüge zu vernachlässigen? Man wird jedenfalls vermuten können, daß der Paränet aus
Joh 15 solchen Tendenzen Einhalt gebieten wollte. Steht er nicht
insofern und soweit noch dicht bei Paulus, wenn dieser sich gegen
Korinth äußert? Aber freilich, so berechtigt das energische Eintreten für die Liebe im Kontext der eben angedeuteten Strukturen joh
Denkens gewesen sein mag, die Mittel, deren sich 15,1 ff. bedient,
sind hinterfragbar. Wenn die Ethik zum zweiten konstitutiven Teil
der Erlösung wird, ist das solus Christus, das E so energisch vertritt, preisgegeben. Der Paränet aus 15,1 ff. enthebt sich der Chance, die Verengung auf Bruderliebe innerhalb eines verkirchlichten
Dualismus aufzusprengen. Auch hier sagte E mehr (vgl. 3,16).
Endlich, so sicher 15,1 ff. den Sozialbezug thematisieren, die sozial
konkrete Auslegung des Liebesgebotes, wie sie etwa Kol, Eph, Jak,
1 Petr betreiben (alles auch Repräsentanten der sog. nachapostolischen Zeit!), fehlt bei ihm. Er begründet, daß Bruderliebe um des
eigenen Heiles willen zu üben ist, aber dann hört er auf. Also: sein
Verweis auf die Liebe ist wohl E und Strömungen der joh Gemeinden nicht grundlos ins Stammbuch geschrieben, doch dies in einer
Weise, die mit Recht wohl so E nicht zufriedengestellt hätte.

4. Zweiter Nachtrag: Der Haß der Welt und ihr Gericht durch den Parakleten 15,18–16,15

Mit 15,18 beginnt eine neue Rede (vgl. zu III A 3), deren Abschluß nach
hinten umstritten ist, weil man in 16,4a häufig eine große Zäsur sieht oder

bis V 11 bzw. 15 die Rede gehen läßt. In der Tat steht die Ankündigung des
Fortgangs (16,5) in der Regel am Anfang der Abschiedsrede (vgl. Exkurs
10), aber die Einführung dieses Topos setzt mit V 4b ausdrücklich schon
Gesagtes voraus bei zum Teil wörtlichem Aufgriff von V 4a. Auch ist die
Parakletfunktion, nämlich das Gericht an der Welt zu vollziehen, die Antwort auf den Haß der Welt gegenüber dem Gesandten und seiner Gemeinde
(16,4b–11). 16,12 setzt mit einer üblichen abschließenden Bemerkung ein
(vgl. 2 Joh 12;3 Joh 13); und 16,16 ist wiederum ein traditioneller Einsatz
einer Abschiedsrede (vgl. nur 13,33), so sollte man in 16,12–17 den Abschluß der Rede 15,18ff. sehen. Im Unterschied zu 15,1–17 liegt mit ihr
wieder eine typische Abschiedsrede vor (vgl. Exkurs 10), und nach dem
Gesagten kann nicht zweifelhaft sein, daß sie zwei große Teile besitzt mit
der Zäsur in V 4. Die Rede ist reiner Monolog, weist im Unterschied zu
13,31–14,31 und 16,16–33 keine Dialogstücke auf.

a) Der Haß der Welt 15,18–16,4a

18 »Wenn die Welt euch haßt,
  wißt, daß sie mich vor euch haßte.

19 Wenn ihr aus der Welt wäret,
  würde die Welt das Eigene lieben.

  Aber weil ihr nicht aus der Welt seid, sondern weil ich
  euch aus der Welt erwählt habe, darum haßt euch die
  Welt.   20 Erinnert euch an das Wort, das ich zu euch gesprochen habe: ›Der Knecht ist nicht größer als sein
  Herr.‹

  Wenn sie mich verfolgt haben,
  dann werden sie (auch) euch verfolgen.

  Wenn sie mein Wort gehalten haben,
  dann werden sie (auch) das eure halten.

  21 Aber das alles werden sie gegen euch tun um meines
  Namens willen, denn sie kennen nicht den, der mich gesandt hat.

22 Wenn ich nicht gekommen wäre und zu ihnen geredet
  hätte,
  hätten sie keine Sünde.
  Jetzt aber haben sie keinen Vorwand für ihre Sünde.
  23 Wer mich haßt, haßt auch meinen Vater.

24 Wenn ich nicht die Werke unter ihnen getan hätte, die
kein anderer tat,
hätten sie keine Sünde.
Jetzt aber haben sie (sie) gesehen und haben mich und
meinen Vater gehaßt.

25 Aber das Wort, das in ihrem Gesetz geschrieben steht,
soll sich erfüllen: Sie haßten mich grundlos.
26 Wenn der Paraklet kommt, den ich euch vom Vater
senden werde, der Geist der Wahrheit, der vom Vater ausgeht, der wird Zeugnis für mich ablegen.
27 Auch ihr legt Zeugnis ab, weil ihr von Anfang an mit
mir seid.
16,1 Das habe ich zu euch gesagt, damit ihr keinen Anstoß nehmt. 2 Sie werden euch aus der Synagoge aus-
stoßen, ja es kommt sogar die Stunde, daß jeder, der
euch tötet, meint, Gott einen Dienst zu erweisen. 3 Und
das werden sie tun, weil sie weder den Vater noch mich
erkannt haben. 4 Doch ich habe es euch gesagt, damit
ihr euch, wenn ihre Stunde kommt, erinnert, daß ich (so)
zu euch sprach.«

Literaturauswahl: Vgl. III A 2a, die Exkurse 10 und 12. – *Baumbach, G.:*
Gemeinde und Welt im Johannes-Evangelium, Kairos 14 (1972) 121–136. –
Kremer, J.: Jesu Verheißung des Geistes, in: Die Kirche des Anfangs (FS H.
Schürmann), Leipzig 1978, 247–276. – *Langbrandtner, W.:* Gott, 63–66. –
Porsch, F.: Pneuma, 267–275. – *Schwank, B.:* »Da sie mich verfolgt haben,
werden sie auch euch verfolgen« (Joh 15,16–16,4a), SuS 28 (1963) 292–301.
– *Wrege, H.-Th.:* Jesusgeschichte und Jüngergeschick nach Joh 12,20–33
und Hebr 5,7–10, in: Der Ruf Jesu und die Antwort der Gemeinde (FS J.
Jeremias), Göttingen 1970, 259–288, hier: 262f.

Dieser erste Redeteil gliedert sich in zwei Stücke: In V 18–27 ist
hauptsächlich die Welt Subjekt, so daß der von ihr ausgehende Haß
Thema ist. Das Stück ist dadurch gekennzeichnet, daß ein ehedem
selbständiger Offenbarungsspruch kommentierend aufgegriffen
wird. Das zweite Stück (16,1–4a) blickt auf die Reaktion der Gemeinde; ihr Anstoß an der Verfolgungssituation wird aufgearbeitet
(V 4a). Ebenso wird der zweite Redeteil zuerst das Handeln des Parakleten an der Welt und dann an der Gemeinde behandeln (16,4b–
11.12–15). Damit ist eine deutliche Rundung der Rede gegeben.
Die Aussage in V 18–27 wird verständlich, wenn man Vorlage und

Kommentar trennt (Becker, Abschiedsreden 236f.). Der verarbeitete Offenbarungsspruch zeigt einen typisch geordneten Stil mit
Parallelismen, die einfachen, wiederholten Stilmitteln folgen. Der
Ort des Spruchgutes ist nicht die Abschiedssituation, sondern die
Zeit der Kirche, die auf Jesu abgeschlossenes Werk zurückblickt (V
22–24; vgl. formal analog 15,1–17), indem ein theologisch zusam-
menfassendes Urteil gefällt wird, das Endgültigkeitscharakter hat.
Deutlich wird ein apologetischer Ton erkennbar. Dabei herrscht
ein dualistischer Gegensatz zwischen Welt und Gemeinde, die nun
an Jesu Stelle den ihm geltenden Haß erfährt, d. h. der verkirchlichte Dualismus joh Prägung ist Grundlage (vgl. Exkurs 3). Erst
durch den jetzigen Kontext kommt unmittelbar jüdische Feindschaft ins Blickfeld (16,2). So wird die Synagoge zu der Repräsen-
tantin des bösen Kosmos. Geschichtliche Erfahrung wird verallge-
meinert und typisiert: Das Judentum ist feindliche Welt schlechthin (vgl. auch den scharfen Antijudaismus von E in Joh 8,30–58).
Endlich lassen sich jeweils stilistisch und sachlich die erklärenden
Zusätze erkennen, die ganz bestimmte selbständige Anliegen gegenüber der Vorlage zu erkennen geben. Der Offenbarungsspruch
als Ich-Rede des Erhöhten an die Gemeinde entspricht wohl wieder
der joh Paraklettheorie aus 14,25f. (vgl. Exkurs 5 und unmittelbar
vorher die Rede 15,1–17). Hier sein Aufbau:

I 1a »Wenn die Welt euch haßt,
   b wißt, daß sie mich vor euch haßte.
   2a Wenn ihr aus der Welt wäret,
   b würde die Welt das Eigene lieben (…).
   3a Wenn sie mich verfolgt haben,
   b dann werden sie (auch) euch verfolgen.
   4a Wenn sie mein Wort gehalten haben,
   b dann werden sie (auch) das eure halten (…).
II 1a Wenn ich nicht gekommen wäre und zu ihnen geredet hätte,
   b hätten sie keine Sünde.
   c Jetzt aber haben sie keinen Vorwand für ihre Sünde (…)
   2a Wenn ich nicht die Werke unter ihnen getan hätte, die kein
       anderer tat,
   b hätten sie keine Sünde.
   c Jetzt aber haben sie (sie) gesehen und haben mich (…) ge-
       haßt (…).«

Lieben und Hassen sind dualistische Grundaussagen zur Erklärung
von Welt und Geschichte. Man liebt das Eigene, das Fremde haßt
man. Dieser am grundsätzlichen Verhalten orientierte Dualismus

hat 3,19–21 seine wohl älteste Gestalt in der joh Geschichte. Die
Orientierung am Verhältnis von Welt und Kirche zeigt u. a. 1 Joh
(vgl. Exkurs 3). Hier in Joh 15 wird der Gemeinde verständlich gemacht, warum ihr Haß und Feindschaft begegnet. Begriffene Feindschaft macht diese grundsätzlich erträglicher. Wenn die Feindschaft
der anderen dann außerdem als unentschuldbare Sünde und darum als
endgültige Verlorenheit ausgewiesen wird, ist der Gegner, dessen
Haß man erleidet, verurteilt. Weiter hilft der Gemeinde auch, zu
wissen, sie habe mit dem Haß nur die Jesusnachfolge angetreten.
Nicht primär sie, sondern ihr Meister ist gemeint. Sie leidet um seinet-
willen. In den Jesusnachfolgern will die Welt Jesus treffen.
Das Spruchgut setzt ein mit dem Haß, den die Gemeinde erleidet.
Die Welt begegnet ihr dabei als grundsätzlich hassende, wobei mit
Welt die gesamte nichtchristliche Menschheit gemeint ist (vgl. V
20.22–24). Sie wird darum am Schluß endgültiger Verurteilung zugeführt. Die grundsätzlich jesusfeindliche Welt hat im Rückblick
auf Jesus irdisches Wirken so reagiert, wie es nach dem Grundsatz:
Die Welt liebt ihr Eigenes, zu erwarten war: Sie hat die ihr im Wort
und in der Tat zugewandte Offenbarung verstoßen, weil sie ihr
fremd war. Qualifiziert als Verurteilte haßt sie die Gemeinde, die
nicht »aus der Welt« ist, wie Jesus es nicht war. Die Gemeinde leidet angstbesetzt. Die Angst soll ihr mit diesem Spruch genommen
werden, das Leid selbst kann ihr nicht erspart werden. Ihr Verhältnis zur Welt ist zusammengeschrumpft auf Erleiden, denn daß in V
20c ein missionarischer Auftrag und seine Ausrichtung sichtbar
werde (so zuletzt Schnackenburg), ist zuviel gesagt. Gerahmt von
V 18 f. 22–24 und unmittelbar V 20b nachgeordnet, kann V 20c nur
de facto irrealen Sinn haben: Der Welt die Botschaft auszurichten,
ist von vornherein umsonst. Die Gemeinde verstärkt durch ihr
Wort nur Feindschaft und Haß der Welt, insofern im Wort ja gerade das Fremde gegenüber der Welt zum Ausdruck kommt. V 20c
hat also nicht missionarische Tendenz, sondern so wird nur immer
wieder V 22–24 bestätigt, weil die Welt von dieser endgültigen Verurteilung nicht mehr wegkommen kann. Dies ist ein am horizonta-
len Gegensatz von Kirche und Welt orientierter Dualismus, der –
gnostisierend – Wesensbeschreibungen vornimmt, die ungeschicht-
lich immer gelten. Der Welt ist die Chance der Veränderung genommen, sie kann Jesus und der Gemeinde gegenüber nur sich
selbst (vgl. V 19) reproduzieren. Der Kirche ist die Chance der
Mission genommen, sie kann als der Welt fremde Kirche nur Haß
erleiden. Sie ist die abgekapselte Kleingruppe, deren Kirchenver-
ständnis der Sache nach in 10,1–18 anzutreffen ist.

Der Kommentator hat auf dieser Grundlage weitergearbeitet. Als erstes hat er V 19b–20a eingefügt. Er erklärt aufgrund zuvorkommender Gnadenwahl – also deterministisch –, warum die Kirche nicht aus der Welt ist. Die Erwählung aus der Welt zeigt, es ist eine partielle, exklusive Bestimmung: Gott liebt nicht die Welt (anders E in 3,16), sondern Determination zum Heil und Kirche fallen zusammen (vgl. 17,14). Sprache und Sache erinnern deutlich an 15,16. »Erwählen« ist sonst selten gebraucht (E: 6,70; 13,18; vgl. 2 Joh 1.13), darum wird der Bezug zur vorangehenden Rede absichtlich als redaktionelle Klammer geplant sein. Auch der Verweis auf das Knechtswort Jesu hat wohl solche Verbindungsfunktion, nämlich zu 13,16 eine Brücke zu schaffen (15,15 liegt ferner). Zweimal hat der Autor das Erinnern an Worte des Irdischen (15,20; 16,4) benutzt, um sicherzustellen, daß der Gemeinde nichts Unvorhergesehenes zustößt, vielmehr ist ihr Geschick vorhergesehen als mit Jesu Geschick identisch. Wenn sich der Kommentator auf das Knechtswort im Zusammenhang der Verfolgungssituation besinnt, kommt dies nicht von ungefähr, wie Mt 10,24 (vgl. Lk 6,40) erweist (Wrege, Porsch). Nicht, daß er unmittelbar die Aussendungsrede kennt, wohl aber dürfte auch der joh Tradition für dieses Wort solcher Zusammenhang vertraut gewesen sein. Dies zeigt auch seine nächste Einlassung V 21, denn daß die Verfolger »um meines (= Jesu) Namens willen« die Gemeinde bedrängen, erinnert an Mt 10, 22; 24,9; Mk 13,13; Lk 21,17, zumal die Formulierung so im Joh nicht mehr begegnet. Die Selbigkeit von Jesusgeschick und Gemeindeschicksal – und dieses um Jesu willen – ist also überindividuell vorgegeben aus demselben Zusammenhang wie das Knechtswort. Doch ist V 20 joh gestaltet, wenn der die ganze joh Christologie beherrschende Sendungsgedanke anklingt. Wenn die Welt Gott nicht kennt und dies Grund ihrer Feindschaft gegenüber dem Gesandten ist, dann ist damit 1,18; 5,37; 6,46 neu verarbeitet. E hatte 8,30ff. ähnlich polemisch den Juden die Gotteskindschaft ab-, die Teufelskindschaft zugesprochen und die Glaubensverweigerung damit begründet, daß die Juden nicht aus Gott sind (8,47). Sendungschristologie unter dem Grundsatz der Einheit von Sendendem und Gesandtem (Bühner, 209ff.) läßt der Kommentator noch V 23 und 24c anklingen. So macht er die Schwere des Hasses deutlich: Es ist Gotteshaß.

Mit deutlicher Distanz zum AT (»ihr Gesetz«, vgl. 8,17; 10,34) wird dann dieses gegen die Juden zu ihrer Anklage benutzt (V 25). Spätestens hier wird klar, wie der Kommentar zum Offenbarungsspruch auf die Juden abhebt. Das Zitat ist freies Zitat (vgl. etwa Ps

35,19; 69,5; 109,3; 119,161), das mit einer umständlichen Einführungsformel versehen ist. Nicht nur der Irdische (V 20), vielmehr
auch die Schrift der Juden hat deren grundlosen Haß vorhergesehen. Beide gehen auch in 2,22 zusammen. Offenbar gehörte es zur
joh Schultradition, beide Größen zur eigenen Selbstvergewisserung
gegen die Juden zu wenden.

Die folgende Parakletaussage in V 26f. steht zunächst etwas befremdlich im Kontext. Ohne sie wäre der Rückbezug von 16,1 auf
V 18–25 besser, und man würde auch wegen der noch folgenden
breiten Paraklettthematik ab 16,7ff. bei Fortfall von 15,26f. nichts
vermissen. So kann man einen nachträglichen Einschub vermuten
(so Wellhausen, Bauer, Windisch, Becker u. a.). Aber einmal auf
die dem Verfasser vorgegebene Verfolgungstradition aufmerksam
geworden (vgl. V 20f.), wie er sie zur Interpretation seiner Vorlage
benutzt, ist damit zu rechnen, daß diese ihn auch hier beeinflußt
hat, wie Mt 10,19f. (vgl. Mk 13,9–13; Lk 12,11f.) belehrt, wenn
dort »der Geist eures Vaters« (ist Joh 15,26 der »vom Vater« gesandte Geist nur zufällige Formulierung?) durch die Jünger vor
Gericht reden wird. Denn »Zeugnis ablegen« ist der Gerichtssprache entnommen (vgl. zu 5,31ff.). Offenbar wird der Geist so von
Jesus Zeugnis ablegen, daß das Bezeugen der Jünger vor Gericht als
Folge davon gelten kann. Jedenfalls sind Jüngerzeugnis und Geistzeugnis nicht einfach identifiziert wie bei Mt, sondern eher wie in
Lk 12,12 voneinander etwas abgehoben. Die Jünger qualifiziert zu
diesem Zeugnis auch noch der Umstand, daß sie »von Anfang an«
mit Jesus waren. So ist das bereits abgeschlossene Werk des Gesandten lebendig. Im Unterschied zu E (vgl. 14,16f. 25f.) sind hier
Paraklet und Erhöhter nicht identifiziert, vielmehr sendet der Erhöhte ihn nur, so daß der Geist von ihm Zeugnis gibt. Darum sichert die Qualifikation der Zeugen aufgrund ihres Ursprungs (vgl.
1 Joh 1,1–4; 2,7.24; 3,11) genuine Jesusbezeugung zusammen mit
dem gegenwärtig wirkenden Geist, so daß die Welt immer wieder
vor die Worte und Werke Jesu im Sinne von 15,22–24 gestellt sein
kann. Im übrigen ist der Paraklettext recht redundant formuliert
(vgl. formal die Umständlichkeit des Verfassers in V 25): Der Geist
erhält (im Anschluß an E 14,16f.?) eine Doppelbezeichnung (Paraklet und Geist der Wahrheit) und zweimal ist die letztlich göttliche
Abkunft derselben beschrieben (vgl. den Kommentator in V
21.24). Das spricht dafür, daß die KR hier traditionelle Aussagen
sammelt, eine vorgegebene Spruchtradition läßt sich jedoch nicht
rekonstruieren (gegen Windisch, Schulz). Wie die anderen Paraklettexte, so ist auch dieser ad hoc für seinen Kontext mit traditio

nellen Motiven geschaffen. Dies bedingte wohl auch, daß er in der gedanklichen Klarheit etwas Schwächen zeigt, jedenfalls sind die nachfolgenden Parakletaussagen in derselben Rede konkreter und präziser.

Mit 16,1–4a wird die Rede konkret. Der Anfang von V 1 markiert einen Absatz; der Bezug auf den Anstoß der Jünger kann sich nur über 15,26f. zurück auf 15,18–25 beziehen. Seine Erwähnung könnte abermals zur Typik der Verfolgungstradition gehören (vgl. Mt 24,10). Die Mahnung, nicht Anstoß zu nehmen, denkt dabei konkret an Glaubensabfall (vgl. 6,61), der für Judenchristen, die aus der Synagoge ausgeschlossen werden, weil man dort meint, so gerade Gott zu dienen (V 2), sicher gegeben ist, stehen doch jesuanische Vateraussage und jüdische Gottesaussage in Konkurrenz. Der Synagogenausschluß, auf den V 2 eingeht, ist die einzige geschichtlich fixierbare Tatsache der joh Gemeindegeschichte (vgl. die Einleitung 3b und Joh 9,22; 12,42). Daß auf sie hier eingegangen wird, ist wieder durch die Typik der Verfolgungstradition bedingt, wie Mt 10,27; Lk 21,12 mit ihren Verweisen auf synagogale Feindschaft bezeugen. Auch die Verfolgung bis hin zur Tötung ist dabei traditionelles Motiv (vgl. Mt 10,21.28; 24,9; Mk 13,12; Lk 21,16), so sicher das nicht ausschließt, die joh Gemeinde habe solche Martyrien erlebt. Auch die Ankündigung: »es kommt sogar die Stunde« wird apokalyptischer Verarbeitung des Verfolgungsmotivs entstammen (vgl. Jes 39,6; 4 Esr 5,1; 13,29 usw.). So zeigt sich, der, der 15,18ff. kommentierte, redet weiter mit Hilfe der Verfolgungstradition. Auch die V 3 benannte Unkenntnis Gottes ist dieselbe Abqualifikation der Juden als Welt wie 15,24, wie V 4 – den Teil abschließend – dieselben Interessen vertritt wie 15,20. Das Erinnern ist Mittel, dem Ärgernis (V 1) zu wehren.

b) Der Paraklet als Gericht der Welt und Offenbarer für die Gemeinde 16,4b–15

4 »Das habe ich zu euch von Anfang an nicht gesprochen, denn ich war bei euch. 5 Jetzt jedoch gehe ich zu dem, der mich sandte, und keiner von euch fragt mich: ›Wohin gehst du?‹ 6 Sondern weil ich das zu euch gesagt habe, ist euer Herz von Trauer erfüllt. 7 Aber ich sage euch die Wahrheit: Es ist zu eurem Nutzen, daß ich fortgehe. Ginge ich nämlich nicht fort, käme der Paraklet nicht zu euch. Wenn ich aber gehe, werde ich ihn zu euch senden. 8 Und wenn er kommt, wird er die Welt überführen in bezug auf Sünde, Ge-

rechtigkeit und Gericht. 9 In bezug auf (die) Sünde: weil
sie nicht an mich glauben; 10 in bezug auf (die) Gerechtigkeit: weil ich zum Vater fortgehe und ihr mich nicht mehr
seht; 11 in bezug auf (das) Gericht: weil der Herrscher dieser Welt gerichtet ist.
12 Noch vieles habe ich euch zu sagen, aber ihr könnt es
jetzt nicht tragen. 13 Wenn aber jener kommt, der Geist der
Wahrheit, wird er euch in alle Wahrheit führen. Denn er wird
nicht von sich aus reden, sondern was er hört, wird er reden,
und das Kommende wird er euch verkündigen. 14 Jener
wird mich verherrlichen, denn von dem Meinen wird er nehmen und (es) euch verkündigen. 15 Alles, was der Vater
hat, ist mein; deswegen habe ich gesagt: Er wird von dem
Meinen nehmen, und wird (es) euch verkündigen.«

Literaturauswahl: Vgl. II A 2a, die Exkurse 10 und 12. – *Bammel, E.:* Jesus
und der Paraklet in Johannes 16, in: Christ and Spirit in the New Testament
(FS C. F. D. Moule), Cambridge 1973, 199–216. – *Blank, J.:* Krisis,
316–340. – *Kremer, J.:* Jesu Verheißung des Geistes, in: Die Kirche des Anfangs (FS H. Schürmann), Leipzig 1978, 247–276. – *Lindars, B.: dikaiosyne*
in Jn 16,8 und 10, in: Mélanges B. Rigaux, Grembloux 1970, 275–285. –
Schwank, B.: »Es ist gut für euch, daß ich fortgehe« (Joh 16,4b–15), SuS 28
(1963) 340–351. – *Zerwick, M.:* Vom Wirken des Heiligen Geistes in uns
(Joh 16,5–15), GuL 38 (1965) 224–230.

Dieser zweite, abschließende Redeteil ist durch Parakletaussagen
bestimmt. Sie standen auch 14,16 f. 25 f. am Abschluß von Redetei-
len. Darin zeigt sich Typik. 16,4b–15 teilt sich zwanglos wegen V
12a und der klaren Aufteilung der Parakletaussagen in solche, die
das zur Welt gewandte Handeln und das zur Gemeinde hin orientierte Wirken nacheinander behandeln, in zwei Teile. Diese entsprechen in ihrer Abfolge der zweiteiligen Gliederung in
15,18–16,4a.
V 4a setzt neu ein unter Rückgriff auf Vokabular aus 15, 27; 16,4a:
Vom kommenden Haß der Welt hatte der Gesandte bisher zu den
Jüngern nicht gesprochen, war er doch bei ihnen. Nun, anläßlich
seiner Abschiedsstunde, hat er ihnen ihre bedrohliche Zukunft an-
gekündigt (vgl. zur Typik Exkurs 10), wobei diese Ankündigung
von der Sorge um Bewahrung umgetrieben war. Da dies geschehen
ist, muß nun endlich auch sein Abschied selbst thematisiert werden
(vgl. zur Typik Exkurs 10). Dies geschieht mit dem joh Spruchgut,
das auch E 7,33 f.; 13,33 verwendet. Freilich wird diese Tradition
unabhängig, ja in Konkurrenz zu 13,33.36; 14,5 verarbeitet. Ließ E

die Jünger in der Abschiedssituation gerade nachfragen, wohin Jesus geht, so wird ihnen nun zum Vorwurf gemacht, sie fragten nicht danach (V 5). Man muß sehen: Beides sind konkurrierende stilistische Mittel, damit Jesus den Jüngern seinen Fortgang entfalten kann. Daß die Jünger nicht fragen, wird ausdrücklich begründet: Die Ausführungen in 15,18–16,4 haben sie in Trauer versetzt. Sie denken nicht an den Fortgang Jesu, weil sie das ihnen eröffnete Geschick traurig stimmt. Nichtsdestoweniger muß Jesus seinen Fortgang erklären. Er tut es freilich nicht, indem er das Wohin auslegt (so E in 14,1 ff.) – davon spricht er nur V 10b mehr nebenbei –, sondern er setzt stillschweigend voraus, das Wohin sei mit der Erhöhung zum Vater geklärt, nun gelte es, das für die Jünger daraufhin folgende Ereignis, nämlich die Sendung des Parakleten, anzukündigen, damit er die Funktionen des Irdischen fortsetzen kann (vgl. zur Typik Exkurs 10).

In V 8–11 wird dann das Wirken des Parakleten beschrieben als ein vor Gott geführter kosmisch-geschichtlicher Rechtsstreit, in dem der Paraklet zugunsten der Gemeinde die Welt als Ankläger bei ihrer Sündhaftigkeit behaftet. Dabei wird der Paraklet als selbstverständlich bekannte Größe eingeführt und seine offenbar neue Funktion wird erklärt. Da sonst der Paraklet nur innergemeindliche Aufgaben wahrnimmt, fällt die Funktionszuweisung in V 8–11 deutlich aus dem Rahmen des Üblichen. Vor allem gegenüber der eng begrenzten Aufgabe des Parakleten bei E (14,16 f. 25 f.) ist hier dem Parakleten eine viel weitergehendere und selbständigere Betätigung zuerkannt. Zur näheren Charakteristik der nicht ganz leicht verständlichen Aussagen ist zunächst wichtig zu sehen, daß der Geist-Paraklet nach V 7 – wie auch sonst immer – der Gemeinde gegeben wird. D. h. die Welt erfährt von diesem Prozeß gegen sie nichts. Ihr bleibt der Vorgang subjektiv verborgen, vielmehr erhebt die Gemeinde den Anspruch, von ihrer Sicht her die objektive Situation der Welt angemessen zu beschreiben. Also ist Jesu Fortgang angesichts der kommenden Anfeindungen der Welt darum für die Gemeinde besser, weil der vom Erhöhten gesandte Geist die Gemeinde vergewissert, sein Wirken in ihr – also allgemein: ihre Lebensäußerung – sei Weltgericht für den Unglauben. Nicht daß die Gemeinde durch geistgewirkte Predigt die Welt so in die Enge zu treiben hofft, daß diese sich selbst des Gerichts für schuldig bekennt, wohl aber, daß die Gemeinde die dauerhaften Anfeindungen der Welt für sich innerlich so verarbeitet, daß sie ihr Sein als Weltgericht versteht (vgl. dazu vor allem Porsch 278–289). So kann man sagen: Die Geschichte der Gemeinde ist das apokalyp-

tischkosmische Gericht über die Welt (vgl. die Tradition in
3,19–21).

Im einzelnen wird die Aufgabe des Parakleten als Überführen der
Welt beschrieben, d. h. den Jüngern wird gewiß, daß, von Gott
her gesehen, die Glaubensverweigerung und Feindschaft der Welt
als Sünde aufgedeckt ist. Indem der Paraklet die Gemeinde ihres
Heils vergewissert (vgl. sofort im Anschluß V 12–15), macht er ihr
unmittelbar als Kehrseite desselben Wirkens die Verlorenheit der
Welt klar. Der Geist vollzieht im Urteil der Gemeinde die Schei-
dung wie das Licht in 3,19–21. Mag die Welt Jesus und die Seinen
hassen, aus der Synagoge ausschließen, ja als Gottesdienst töten,
die Gemeinde weiß: Nicht dies ist in den Augen Gottes die rechte
Interpretation der Geschichte, sondern die andere Sicht: Die Gemeinde hat Gott, Jesus und Geist für sich, ist also Heilsgemeinde,
die Welt hingegen schafft sich ihr eigenes Gericht. Religionsgeschichtlich wird so dem Geist die Aufgabe zugewiesen, die sonst
Gott oder eine andere Richtergestalt im apokalyptischen Endgericht hat (grHen 1,9; 4 Esr 12,32; 13,37f.; syrBar 40,1f. vgl. Müller, Parakletvorstellung 69f.). Durch das Wirken des Geistes wird
dieses mit der Geschichte gleichgesetzt. Hier sind nun gleich drei
Differenzen zu E bedeutsam: Einmal ist für E der Gesandte und
sein Werk das Gericht (3,1–21; 5,21–30 usw.). Hier ist die Bindung
des Gerichts an die Christologie des Gesandten aufgegeben. Zum
anderen: Der Gesandte stellte nach E vor die Glaubensentschei-
dung und diese ist das Gericht. Hier findet nur noch Aufdecken
der Sündhaftigkeit zum Zwecke endgültigen Verurteiltseins statt,
d. h. die Welt ist gegenüber der Gemeinde dualisiert und wesenhaft
unveränderbar böse. Kann nur noch ihre Sünde offengelegt werden, bestätigt sich die Auslegung zu 15,20. Drittens: Geist und Erhöhter sind nicht identifiziert wie bei E, sondern der Paraklet ist
Gesandter des Erhöhten und als solcher wirkt er selbständig. Der
Erhöhte ist vielmehr für die Gemeinde da – durch die Vermittlung
des Geistes (vgl. V 7.12ff.), er ist also strukturell Hirte der Schafe
(Joh 10) und Rebstock der Reben (Joh 15), aber nicht z. B. Licht
der Welt.

Das richtende Überführen wird V 8–11 durch drei Stichworte, die
durch explizierende Sätze erläutert werden, näher gekennzeichnet.
Als erster Gesichtspunkt der Verurteilung wird auf die Sünde verwiesen. Dabei geht es nicht um eine moralische Wertung, sondern
um das Bloßstellen des Wesens der Welt als ungläubige Finsternis
(vgl. 3,19). Glaube als Heilsstand bedeutet im verkirchlichten Dualismus zwangsläufig, Unglaube ist Sünde mit dem Sinn: Glaubens-

verweigerung ist Sichtbarwerden des Seins »aus der Welt«. An zweiter Stelle ist von der Gerechtigkeit gesprochen. Sie macht am meisten Probleme. Bei der Erklärung ist davon auszugehen, daß sie durch den Satz gedeutet wird: »weil ich zum Vater fortgehe und ihr mich nicht mehr seht«. Auszuschließen ist, daß »nicht mehr sehen« eine Negierung der Ostererfahrung sei, dann dürften Joh 20 (E) und 21 (KR) nicht mehr im Joh stehen. Also ist die einmalige, besondere Ostererfahrung nicht im Blick. Dann kann nur von der Zeit der Kirche im allgemeinen die Rede sein: Die Gemeinde kann auf ihrer Erdenwanderung den Erhöhten nicht sehen, sie wird ihn nämlich erst am Ende der Tage wiedersehen: 1 Joh 3,2f.; Joh 17,24. Also setzt die KR – wie so oft im Joh (5,28f.; 6,54; 12,48; 21,22 usw.) – die traditionelle Parusieerwartung voraus, und es fragt sich nur: in welchem speziellen Sinn. Doch zunächst: Der Erhöhte ist jetzt nicht für die Gemeinde zugängig (anders E in 14,18ff.!); die Gemeinde lebt vielmehr vom Geist als Gesandten des Erhöhten. Sie kann ihren Herrn nicht sehen, aber der Geist äußert sich ihr gegenüber z. B. so, daß zukünftig dies möglich sein wird (V 13c!). Dann ist »Gerechtigkeit« doch offenbar Beschreibung vom Status des Erhöhtseins Christi. In 1 Tim 3,16 heißt dies: »Gerechtfertigt« in der himmlischen Sphäre des Geistes. Dabei kann »Gerechtigkeit« den Sinn von Besiegung der Feinde annehmen (vgl. sachlich: 1 Kor 15,54–57; Phil 2,10; zur Philologie vgl. Porsch). Im joh Traditionsbereich wird man speziell an 12,31 denken – und an 16,11. Doch zeigt der Hymnus in 1 Tim 3,16 noch einen anderen damit verbundenen Aspekt, nämlich den der Aufnahme »in Herrlichkeit«, also die Transformation in das himmlische Sein. In diesem Sinn ist OdSal 17,2; 29,5; 31,5 von »Gerechtigkeit« gesprochen. Im Joh wird man dabei wieder an 17,24; 1 Joh 3,2f. erinnern: Der Erhöhte ist der »Gerechte« (vgl. 1 Joh 1,9; 2,1.29), weil er wieder in seine himmlische Herrlichkeit eingesetzt ist. Die Gemeinde, die eigentlich mit ihm wesenseins, aber als solche noch nicht offenbar ist, wird am Ende der Tage »ihn sehen« und dann auch in seine Herrlichkeit verwandelt werden, – so wird nun auch die spezielle, versteckte Parusieerwartung des Textes erkennbar. Dann ergibt sich: Der Paraklet vergewissert die Gemeinde, daß Christus verherrlichter Erhöhter ist. Dieser, ihr Glaube, ist die Antithese zur Welt, darum ist diese verloren.

Wenn damit die zweite Angabe sachlich deckungsgleich mit der ersten wird, dann verwundert es nicht, wenn auch die dritte Angabe so zu deuten ist: Der Gesichtspunkt, daß der Herrscher dieser Welt gerichtet ist, ist nur Explikation des Sieges Christi. Auch 1 Joh

3,7 f. tritt das christologische Attribut der Gerechtigkeit zusammen mit der Zerstörung der Werke des Teufels auf. Der Paraklet vergewissert also die Gemeinde, daß der Haß der Welt nur diesen Sinn hat: Der Teufel ist schon entmachtet, sein Treiben auf Erden ist ohnmächtiger Zorn für begrenzte Zeit (Offb 12,12). Nach 1 Joh 2,13 f. hat auch die Gemeinde den Teufel besiegt, so sicher die Welt noch seiner Macht untersteht (5,19).

Ist so gegen die Konzeption von E, bei dem Eschatologie und Christologie des Gesandten, Paraklet und gegenwärtiger Christus zusammenfallen, eine kirchlich orientierte Apokalyptisierung der Geschichte vollzogen, bei der der Geist als Gesandter des Erhöhten eine grundlegende selbständige Funktion wahrnimmt, dann ist zu erwarten, daß sich dementsprechend auch die Aufgaben des Parakleten in bezug auf die inneren Gemeindeverhältnisse erweitern. Davon reden V 12–15. Dabei hat man sich das Wirken im Sinne von V 7 ff. und das von V 12 ff. nicht so vorzustellen, als seien es verschiedene Geistäußerungen, die nebeneinander stehen. Vielmehr das eine Wirken des Geistes führt zum Offenbarungswissen der Gemeinde, aus dem heraus diese im Sinne von V 7 ff. die Geschichte der Welt verstehen lernt und von dem her sie offenbar doch auch das Zeugnis im Sinne von 15,26 ablegen kann.

V 12 setzt mit einer Abschlußformulierung ein: Noch vieles hat der Scheidende zu sagen, aber die zurückbleibenden Jünger können es jetzt nicht tragen. Das steht im glatten Widerspruch zu 14,26 (E), wenn dort der Paraklet an die durch den Irdischen vollständig bezeugte Offenbarung erinnern soll. Zwar bringt die nachösterliche Glaubenserkenntnis der Jünger auch Neues (vgl. 2,22; 7,38 f.; 12,16), aber Neues, das sich rückwärts auf den Irdischen bezieht. Dessen Offenbarung bleibt vollständig und endgültig (z. B. 14,4–11), und das Neue ist ein vertieftes Verstehen des Alten. Hingegen sprechen 16,13 f. von einem zukunftsorientierten Führen in die ganze Wahrheit. Der Geist erinnert nicht an den irdischen Gesandten, sondern erfährt je vom Erhöhten, was er offenbaren soll (V 13: »was er hört …«, also Präsens), und ausdrücklich ist dies Künden von Zukunft genannt. Das Erinnern und der Bezug zum Irdischen, wie beides für E konstitutiv ist, ist in allen drei Paraklettexten dieser Abschiedsrede nicht genannt. Dies alles kann nicht Zufall sein, sondern ist theologische Absicht. Bewußt stehen Geist und Jesus in einem anderen Verhältnis, und bewußt ist die Ausrichtung des Parakleten statt zur Vergegenwärtigung von Vergangenem auf Zukunft unter dem Erhöhten hin konstruiert. Dazu gehört außerdem, daß der Paraklet nicht den Erhöhten selbst vergegenwärtigt, sondern quantifizierbare Lehre des Erhöhten. So führt er in Anlehnung an die Funktion der jüdischen Weisheit (vgl. Weish 9,11; 10,10.17) oder des heiligen Geistes (Ps 142,10), der auch mit der Weisheit in eins gesehen ist (Weish 9,17), in »alle Wahrheit«, und nur neutrische Plurale bestimmen die Aussagen über die Offenbarung. »Wahrheit« ist zur quantifizierbaren kirchlichen Offenbarungslehre geworden. Sie unterliegt geschichtlicher Fortentwicklung. Diese sanktioniert der Geist. Im einzelnen bleibt offen, was alles inhaltlich darunter zu verstehen ist. Jedenfalls wird man nicht so einengen dürfen, als könnten die Jünger jetzt die Konkretionen des Hasses der Welt noch nicht ganz ertragen (Schnackenburg). Man kann dann nur gegenfragen: Wieviel konkreter als 16,2 soll das nicht Erträgliche noch sein? Auf der anderen Seite wird man sehen müssen, daß das Kommende, das der Paraklet künden wird (vgl. Jes 41,23), betont am Schluß der Aussagenkette steht. Und dies klingt nach 16,7–11 abermals sehr apokalyptisch, so daß man auch hier eine Apokalyptisierung der Parakletfunktion wird sehen müssen. Da auch V 10 die Parusieerwartung als futurisches Ereignis nicht aufgegeben ist, wird man auch V 13c mit daran denken. Durch diesen Vollzug der Aufgabe wird der Paraklet den ihn sendenden Erhöhten verherrlichen (V 14). So hat der gesandte Sohn den Vater auch verherrlicht (13,31f.; 17,1f.). Die Aussage macht klar, daß abermals Grundaspekte des Gesandtenstatus anklingen: War Jesus Gesandter des Vaters, so ist der Geist Gesandter des Erhöhten. Ein Gesandter hat jeweils strikt zu tun, was Sendungsauftrag ist. So ist Gehorsam ohne Eigenmächtigkeit Grundprinzip jedes Gesandten. Entspricht er dem, »verherrlicht« er den Sendenden. Darum wird erklärend hinzugefügt, daß der Paraklet von Jesus die Offenbarungsinhalte nimmt und verkündigt. So ist die Lehrentfaltung, vermittelt durch den Parakleten, unmittelbar Lehre des Erhöhten. Aber, so wird hinzugefügt, diese geht letztlich auf Gott selbst zurück, weil zwischen Gott und Jesus Gemeinsamkeit aller Heilsgüter besteht. Schon mehrfach hatte der Verfasser der Rede auf diesen letzten Heilsgrund verwiesen (15,21.24; 16,3.5).

5. Dritter Nachtrag: Die Rückkehr des Gesandten zum Vater und das Wiedersehen mit den Jüngern 16,16–33

Die Abgrenzung der Abschiedsrede (vgl. dazu Exkurs 10) ist relativ unproblematisch. Stilgemäß steht die Ankündigung des Fortgangs am Anfang (V 16), am Ende stehen ebenfalls typisch Friedensmotiv und Trostzuspruch (V

33). V 25a markiert einen Absatz. Dies wird dadurch bestätigt, daß V 16–24 vom Gegensatzpaar: Trauer und Freude, V 25–33 vom Gegensatz verschlüsselter und offener Rede Jesu bestimmt sind. Jeweils ist das erste Wort der vorösterlichen Zeit und das zweite der nachösterlichen Zeit zugewiesen.

a) Die Umkehr der Abschiedstrauer in Wiedersehensfreude 16,16–24

16 »Eine kurze Zeit und ihr seht mich nicht mehr; und wiederum eine kurze Zeit, so werdet ihr mich sehen.« 17 Da sagten von seinen Jüngern (einige) zueinander: »Was bedeutet das, was er zu uns sagt: ›Eine kurze Zeit und ihr seht mich nicht mehr; und wiederum eine kurze Zeit, so werdet ihr mich sehen‹? Und: ›Ich gehe hin zum Vater‹?« 18 Sie sagten nun: »Was bedeutet das, was er ›kurze Zeit‹ nennt? Wir wissen nicht, was er redet.« 19 Jesus erkannte, daß sie ihn fragen wollten, und sprach zu ihnen: »Macht ihr euch untereinander Gedanken darüber, daß ich sagte: ›Eine kurze Zeit und ihr seht mich nicht mehr; und wiederum eine kurze Zeit, so werdet ihr mich sehen‹?
20 Wahrlich, wahrlich ich sage euch: Ihr werdet weinen und klagen, aber die Welt wird sich freuen. Ihr werdet traurig sein, aber eure Trauer wird sich in Freude verwandeln. 21 Wenn eine Frau gebiert, hat sie Traurigkeit, weil ihre Stunde gekommen ist. Wenn sie aber das Kind geboren hat, denkt sie nicht mehr an ihre Not vor Freude, daß ein Mensch zur Welt gekommen ist. 22 So seid nun auch ihr jetzt traurig. Aber ich werde euch wiedersehen. Dann wird sich euer Herz freuen, und eure Freude nimmt niemand von euch. 23 Und an jenem Tag werdet ihr mich nichts (mehr) fragen. Wahrlich, wahrlich ich sage euch: (Um) was ihr den Vater bitten werdet, (das) wird er euch in meinem Namen geben. 24 Bis jetzt habt ihr noch nicht (um) etwas in meinem Namen gebeten. Bittet und ihr werdet empfangen, damit eure Freude vollkommen ist.«

Literaturauswahl: Vgl. IIIA 2a und den Exkurs 10. – *Feuillet, A.:* L'heure de la femme (Jn 16,21) et l'heure de la Mère de Jésus (Jn 19,25–27), Bib 47 (1966) 169–184.361–380.557–573. – *Langbrandtner, W.:* Gott, 66f.

Die Ankündigung des Fortgangs Jesu erweckt bei den Jüngern Unverständnis, das Jesus aufklärt. Das zweimalige »Wahrlich, wahrlich ich sage euch ...« nimmt wie so oft (vgl. zu Joh 3; 6) Gliederungsaufgaben wahr, denn V 20–23a thematisieren die Umwandlung der Trauer in Freude und V 23b–24 die Gebetsvollmacht, die die Freude vollkommen macht. Die drei Elemente Fortgang, Trost und Verheißung aus der Typik der Abschiedsrede (vgl. Exkurs 10) sind so nacheinander verhandelt. Auffällig für das Joh ist wohl, daß, obwohl eine Abschiedsrede vorliegt, Parakletaussagen fehlen. Die Zeit der Kirche wird nicht als Zeit des Geistes, sondern als österliche Freudenzeit bestimmt.

Die Rede setzt ein mit einem der joh Tradition vertrauten Wort (vgl. zu 7,33, außerdem 13,33; 14,19). Die erste kurze Zeit, von der ab Jesus nicht mehr zu sehen ist, ist die Zeit von der Rede bis zu Jesu Tod. Die zweite kurze Zeitspanne markiert die Zeit von der Kreuzigung bis zu den österlichen Erscheinungen. Dann werden die Jünger den Auferstandenen »sehen« (vgl. 14,19; 20,18.20.29). Daß auf Ostern abgehoben wird und nicht auf die Parusie (so Wellhausen), wird später daran kenntlich, daß das Gebet im Namen Jesu den Weg der nachösterlichen Gemeinde kennzeichnet (V 23f. 26f.). Nach der Parusie ist solches Gebet überflüssig. Auch die Zusage der nicht verhüllten Offenbarung ist konstitutiv für die Gemeinde in der Welt (V 25). Umständlich redundant wird dann geschildert, wie eine Jüngergruppe unter sich das unverstandene Wort, also die ihnen als Rätselrede erscheinende Aussage (V 25), ratlos bedenkt. Der allwissende Jesus (1,47f.; 2,24; 6,61.64; 11,6–16) erkennt das und wiederholt das Wort zum drittenmal. V 16 ist offenbar ein Kernsatz, der mehrfach eingeprägt werden soll. In diesem Zusammenhang hineingedrängt hat sich nur in V 17c das Sätzchen: »und: ›Ich gehe hin zum Vater‹.« Es tritt unvermittelt auf, da Jesus vorher so gar nicht sprach, ist nach V 17b überflüssig und wird in der ganzen Rede nicht mehr aufgegriffen (V 28 ist sprachlich und sachlich eigenständig). Darum sollte man darin eine redaktionelle Brücke sehen, die zu 13,3.33.36; 14,4f. 28; 16,5.10.17 nachträglich Kontakt herstellen soll. Der Redaktor, der 16,16ff. anschloß, hat so mit geringem Aufwand seine Rede an den Kontext angebunden.

Erst mit V 20 beginnt dann wieder inhaltlich Neues. Der Kontrast von »nicht mehr sehen« und »wiederum sehen« aus V 16 wird nun dadurch inhaltlich gefüllt, daß Trauer und Freude die beiden Zeiten bestimmen. Jesu Rückkehr zum Vater bedeutet Trauer für die Jünger, jedoch Freude für die Welt. Doch als Trost kann gelten: Das baldige österliche Wiedersehen bringt den Jüngern Freude. Das können sich die Jünger an einem traditionellen Bild klarmachen (Jes 21,3; 26,17f.; 37,3; 66,7–10; 1 QH 3,9–18 usw.): Nach der

Geburt hat eine Frau Freude und aller Schmerz ist vergessen, so
wird auch nach Jesu Auferstehung der Jünger Trauer von Freude
abgelöst werden. Diese Freude wird ihnen niemand nehmen können. Inhalt der Freude ist das österliche Sehen des Auferstandenen.
So herrscht Gewißheit, daß Jesus als Gesandter des Vaters sein
Werk vollendete und mit dem Vater eins ist (V 28.32). Damit steht
die Gemeinde vor ihrem Heilsgrund, und dies verursacht die Freude. Darum braucht sie Jesus auch nichts mehr zu fragen (V 23),
denn sie hat nun christologisch begründete Heilsgewißheit. Was sie
für ihren Weg noch braucht, wird ihr durch die Zusicherung der
Gebetserhörung gegeben. Offenbar ist diese Tradition ein fester
Bestandteil joh Tradition (15,7.16) und von E auch in der Abschiedsrede verwendet (14,13 f.). Die Tradition ist relativ fest ge-
fügt, weist aber Variabilität aus. Hier ist das »in meinem Namen«
vom Bitten der Jünger weggestellt zum Geben des Vaters. Die erste
Version ist sicher ursprünglicher, jedoch diese nicht ohne Sinn: Die
Jünger haben so direkten Zugang zu Gott, der sich um Jesu Werk
willen, das von ihm ausgeht, an das Geben gebunden weiß. So
empfangen die Jünger, was sie auf Erden noch benötigen; ihre
Freude ist vollkommen.
Die Ausführungen in V 20–24 zeigen: Ostern ist nicht als einmaliger und längst abgeschlossener Zeitpunkt der Erscheinungen des
Erhöhten verstanden. Vielmehr ist die Zeit der Gemeinde immer
österliche Freudenzeit. Osterfreude und Gebetsgewißheit sind die
Heilskennzeichen der Gemeinde überhaupt. Daß dies beides bei
ihr ist, der Erhöhte also dies in ihnen schafft, ist ständiges Ostern.
Der Erhöhte macht sich in der Gemeinde eindrücklich als Freude
und Gebetsvollmacht. Damit ist eine dritte theologische Theoriebildung für die Zeit der Gemeinde aufgedeckt. E hatte Ostern,
Pfingsten und Parusie in der ständigen Gegenwart des Erhöhten
zusammenfallen lassen (14,18–26); der Verfasser von 15,18–16,15
hatte den Parakleten als Gesandten des Erhöhten ausgelegt; nun
sind die existentiellen Folgen (Freude, Gewißheit) als österliche
Gaben des Erhöhten Heilsgaben und Heilszeichen der Gemeinde.

b) Die Umkehr der Rätselrede in offene Rede 16,25–33

25 »Dies habe ich in Rätselrede zu euch gesprochen. Es
kommt die Stunde, dann werde ich nicht mehr in Rätselrede
zu euch sprechen, sondern werde euch offen von meinem
Vater verkündigen. 26 An jenem Tage werdet ihr in meinem Namen bitten, und ich sage nicht zu euch, daß ich den

Vater für euch bitten werde.   27 Denn der Vater selbst liebt
euch, weil ihr mich geliebt und weil ihr geglaubt habt, daß ich
von Gott ausgegangen bin.
28 Ich bin vom Vater ausgegangen und in die Welt gekommen; wiederum verlasse ich die Welt und gehe zum Vater.«
29 (Da) sagen seine Jünger: »Sieh, jetzt redest du offen und
sagst nichts Rätselhaftes.   30 Jetzt wissen wir, daß du alles
weißt und nicht nötig hast, daß dich jemand fragt. Darum
glauben wir, daß du von Gott ausgegangen bist.«   31 Jesus
antwortete ihnen: »Jetzt glaubt ihr?   32 Siehe, es kommt
die Stunde und (sie) ist schon gekommen, daß ihr zerstreut
werdet, jeder für sich, und mich allein laßt. Aber ich bin nicht
allein, denn der Vater ist mit mir.   33 Dies habe ich euch gesagt, damit ihr in mir Frieden habt. In der Welt habt ihr Bedrängnis; aber seid getrost, ich habe die Welt besiegt.«

Literaturauswahl: Vgl. zu III A 2a und Exkurs 10. – *Bruns, J. E.:* A Note
on John 16,33 and 1 John 2,13–14, JBL 86 (1967) 451–453. – *Fascher, E.:*
Johannes 16,32, ZNW 39 (1940) 171–230.

V 25, neu einsetzend, macht sofort klar, daß die Abfolge von Trauer und Freude der von Rätselrede und offener Rede entspricht.
Freude und volles Verstehen gehören also zusammen. Dabei liest
sich V 25 zunächst so, als habe der Irdische generell nur Rätselrede
gegeben und der Auferstandene brachte die verstehbare Rede, als
ginge es also um eine strukturelle Beschreibung des Wesens der Offenbarung, wie Jesus sie irdisch bzw. erhöht kundtut. Aber die
Jünger erfahren z. B. V 28 gar nichts anderes, als der Gesandte des
Vaters im Sinne von E und der joh Tradition schon immer gesagt
hat, nämlich Jesu Selbstdarstellung als Gesandten, und dennoch
reagieren sie darauf so, als sei dies für sie erstmals offene Rede. Also nicht Wesen und Inhalt der Rede sind vorösterlich und nachösterlich anders, sondern gerade unter der Bedingung inhaltlicher
und formaler Selbigkeit ist die subjektive Aufnahmebereitschaft der
Jünger verändert. Was ihnen am Irdischen noch nicht voll erschlossen ist, wird ihnen nachösterlich verstehbar. So entspricht es nicht
nur Stellen wie 2,22; 12,16, sondern gerade auch dem Unverständnis der Jünger in V 17 nach einem eigentlich gut verständlichen Wort. Aber ist nicht dann V 20f. ein verhülltes Wort, und
ist nicht vielleicht gemeint, Jesus würde nach Ostern solche meiden und nur direkte, offene Rede bringen? Nein, denn nicht V
20f. ist den Jüngern unverständlich, sondern V 16; V 20f. ist ge-

rade als Verstehenshilfe für V 16 angeführt (Mk 4,10–12 ist nicht einzutragen!).

V 26–28 dienen dann dazu, deutlich zu machen, warum für das Verstehen der Jünger nach Ostern Jesu Offenbarung ihrem Verstehen offen ist. Diese Funktion der Ankündigung Jesu ist darum sicher, weil V 29 die Jünger entsprechend reagieren. Nun verstehen sie, erfahren also Jesu Rede als ihnen verständlich. Also antizipiert Jesus für einen Augenblick durch seine Ankündigung über die Zeit nach Ostern nachösterliches Verstehen. Was kennzeichnet nachösterliches Verstehen? Die Unmittelbarkeit des Zugangs zum Vater (V 26 f.). Dabei wird die Tradition zur Zusage der Gebetserhörung aus V 23 nochmals neu gefaßt: Hieß es V 23, nachösterlich wird der Vater im Namen Jesu das Bitten der Gemeinde erhören, so lautet nun die Ankündigung, nach Ostern werden die Jünger im Namen Jesu beten, und der Vater wird ohne die Intervention des Erhöhten aus unmittelbarer Liebe zu ihnen Erhörungsbereitschaft zeigen. Dies ist zweifelsfrei eine zugespitzte Überbietung der in 14,13 f.; 15,7.16; 16,23 verarbeiteten Tradition. Zeigten diese Formulierungen schon durchweg, wie für die joh Gemeindetradition das Gebet im Namen Jesu mit der Zusicherung der Erhörung nachösterliche Gewißheit der Gemeinde ist, so wird der darin ausgesprochene Zutritt zum Vater nun in einer Unmittelbarkeit ausformuliert, die der vermittelnden Intervention des Erhöhten beim Vater nicht mehr bedarf. Dies erinnert sachlich an Röm 8,15; Gal 4,6; Eph 3,12; Hebr 4,16; 10,19 und vor allem auch an 1 Joh 3,21. Der Vater öffnet sich nach V 27 der Gemeinde in einem unmittelbaren Freundschaftsverhältnis (zur Freundschaft vgl. zu 15,12–15). Einen direkteren Zugang zu Gott kann man sich irdisch kaum noch vorstellen. So schafft die Unmittelbarkeit zum letzten Heilsgrund offenes Verstehen in dem Sinn, daß die Gemeinde sich selbst versteht als Objekt unmittelbarer göttlicher Zuwendung. Diese wiederum ist darin begründet, daß die Jünger den Irdischen liebten und ihm als Gesandtem Gottes Glauben schenkten. So trägt vorösterliche Nachfolge nachösterliche Unmittelbarkeit ein.

Eigentlich ist damit alles gesagt, doch formuliert V 28 (mit Stichwortanschluß zu V 27) noch einmal abschließend den Gesamtweg Jesu aus, so wie er sich rückblickend ergibt. Damit endet das christologische Selbstzeugnis in dieser Rede. Es liegt ein chiastisch aufgebauter zweizeiliger Parallelismus vor, der das joh Wegschema des Gesandten auf einen zusammenfassenden Nenner bringt. Die Annahme eines Offenbarungsspruchs liegt nahe.

> 1a »Ich bin vom Vater ausgegangen
> b   und in die Welt gekommen;
> 2a wiederum verlasse ich die Welt
> b   und gehe zum Vater.«

Die Jünger in der Welt erfahren vom Vater über den, der von ihm
ausging und zu ihm zurückkehrt. So vermittelt der Gesandte
Kenntnis des Vaters. Nach seiner Rückkehr haben dann die Jünger
zum Vater Unmittelbarkeit.
Die Jünger reagieren nachösterlich auf diese vorösterliche Verheißung nachösterlicher Unmittelbarkeit (V 29). Sie bekunden nämlich, daß Jesu Verheißung aus V 26f. in ihrem Erkennen schon
Wirklichkeit ist. Ist so Jesu Zukunftsaussage bei den Adressaten
antizipierte Erfahrung, können sie, durch Erfahrung begründet,
Jesu göttliche Allwissenheit bekennen (V 30). Sie sind von Jesu
Vorherwissen überzeugt, wie z. B. Nathanael 1,47–49 (vgl. noch
2,25; 4,16–19 usw.). Sie sind so fest überzeugt, daß Jesu Allwissenheit für sie nicht mehr einer erprobenden Befragung ausgesetzt
werden muß (vgl. 21,15–17). Auch diese Fraglosigkeit als unmittelbare Überzeugtheit von Jesus ist Zeichen nachösterlicher Erkenntnis. Forderte die als Rätselrede aufgenommene Ankündigung V 16
gerade zu Nachfragen heraus, so macht unmittelbares Erkennen
solches Nachfragen überflüssig. Aus dem Fragen (V 17) wird glaubende Gewißheit im Bekenntnis ausgesprochen (V 30): Nun gilt Jesus aufgrund seines Selbstzeugnisses (V 28) als von Gott ausgegangen. Oder anders: In Jesus begegnet der Gesandte des Vaters. Da
joh Tradition Christologie von der Sendung her betreibt, ist dies
abschließende volle christologische Einsicht. Sachlich und objektiv
haben die Jünger vorher dies auch schon geglaubt (V 27c). Wie Jesu
Offenbarung, so ist auch das Bekenntnis immer schon dasselbe,
nur dies hat sich geändert: Es gilt nun ohne unverständige Nachfragen, es ist zur unmittelbaren Gewißheit geworden.
Doch muß Jesus die vor der Zeit geäußerte Gewißheit durch Aufweis der unmittelbar anstehenden Zeit korrigieren. Dies geschieht
exemplarisch für alle Jüngerschaft in der Zeit der Kirche: unmittelbare Gewißheit und drohender Abfall liegen nahe beieinander. Un-
gefragt (V 30) äußert Jesus ein letztes Mal die Kenntnis der Zukunft: Der Glaubensäußerung wird das Versagen folgen; die Jünger werden sich zerstreuen, wenn Jesu letzter Weg beginnt. Die
Formulierung verrät joh eingefärbte synoptische Tradition (Mk
14,31; Mt 20,31). Die Anklänge an Sach 13,7 können aus Mt/Mk
übernommen sein. Ob eine Beziehung zu Sach überhaupt gewollt

ist, bleibt im Text offen. Entscheidend ist auch allein, daß der Gesandte, dessen Jünger ihn verlassen, nicht vom Vater verlassen ist.
Sonst wäre der Abschluß des Heilswerkes gefährdet. So ist sichergestellt: Heil beruht nicht auf dem Glauben der Jünger, sondern
auf der Einheit von Vater und Sohn, die sich selbst treu bleiben
(vgl. 1 Tim 3,13). Das kommende Versagen der Jünger ist so im
voraus tröstlich aufgearbeitet.

Zugleich ist deutlich: V 31 f. gehen so konkret auf die letzten Stunden Jesu zu, daß die Verse den Abschluß der Rede einläuten. So
bringt dann auch V 33 das letzte Trostwort. Damit ist die Parallelität zu 14,25–31 augenfällig gegeben. Besteht zwischen beiden Texten funktionale Konkurrenz, erweist dies abermals die Selbständigkeit beider Reden. V 33 setzt mit der Verheißung des Friedens ein,
wie 14,27 die Friedensgabe thematisiert war. Er soll Bestimmung
der Jünger angesichts der Bedrängnis der Welt sein. Die Abgrenzung von der Welt besprach auch 14,27. Solche Bedrängnis ist die
Kehrseite der Freude der Welt (V 20). Die Welt kommt in der Abschiedsrede 16,16–33 nur vor als Raum der Jesusoffenbarung (V 28),
als Feind der Gemeinde (V 20.33) und abschließend als Besiegte
Christi: Jesu Werk ist gemeindeorientiert beschrieben, weder er
noch die Gemeinde kennen eine positive Zuwendung zur Welt.
Der verkirchlichte Dualismus (vgl. Exkurs 3), wie er gerade zuvor
die Rede 15,18–16,18 bestimmte, steht auch hier im Hintergrund.
Die Gemeinde in der Welt ist insofern weltenthoben, als sie am
Sieg Christi über die Welt teilnimmt (vgl. 1 Joh 5,4f.). Das ist
Grund ihrer Tröstung und Inhalt ihres Friedens.

6. Vierter Nachtrag: Das Gebet des scheidenden Gesand-
ten 17,1–26

1 Das sprach Jesus; dann erhob er seine Augen zum Himmel
und sprach: »Vater, die Stunde ist gekommen. Verherrliche
deinen Sohn, damit der Sohn dich verherrlicht, 2 wie du
ihm Macht gegeben hast über alles Fleisch, damit er allen,
die du ihm gegeben hast, ewiges Leben gebe. 3 Das aber
ist das ewige Leben, daß sie dich, den einzigen wahren Gott,
erkennen, und den, den du gesandt hast, Jesus Christus.
4 Ich habe dich verherrlicht auf der Erde, indem ich das
Werk vollendet habe, das du mir zu tun übergeben hast.
5 Und jetzt, Vater, verherrliche du mich bei dir mit der Herrlichkeit, die ich vor Beginn der Welt bei dir hatte.

6 Ich habe deinen Namen den Menschen kundgetan, die du mir aus der Welt gegeben hast. Dein waren sie, und mir hast du sie gegeben, und dein Wort haben sie gehalten.

7 Jetzt haben sie erkannt, daß alles, was du mir gegeben hast, von dir kommt. 8 Denn die Worte, die du mir gegeben hast, habe ich ihnen gegeben, und sie haben sie angenommen. Und sie haben in Wahrheit erkannt, daß ich von dir ausgegangen bin, und geglaubt, daß du mich gesandt hast.

9 Ich bitte für sie; nicht für die Welt bitte ich, sondern für die, die du mir gegeben hast. Denn sie sind dein, 10 und was mein ist, ist alles dein, und was dein ist, ist mein. Und in ihnen bin ich verherrlicht. 11 Und ich bin nicht mehr in der Welt, doch sie sind in der Welt, und ich gehe zu dir. Heiliger Vater, bewahre sie in deinem Namen, den du mir gegeben hast, damit sie eins sind wie wir. 12 Solange ich bei ihnen war, bewahrte ich sie in deinem Namen, den du mir gegeben hast. Und ich habe sie behütet, und keiner von ihnen ist verlorengegangen außer dem Sohn des Verderbens, damit die Schrift erfüllt wird. 13 Jetzt aber gehe ich zu dir, und dies rede ich (noch) in der Welt, damit sie meine Freude vollkommen in sich haben.

14 Ich habe ihnen dein Wort gegeben, aber die Welt haßte sie, weil sie nicht aus der Welt sind, wie ich nicht aus der Welt bin. 15 Ich bitte nicht, daß du sie aus der Welt nimmst, sondern daß du sie vor dem Bösen bewahrst. 16 Sie sind nicht aus der Welt, wie ich nicht aus der Welt bin.

17 Heilige sie in der Wahrheit. Dein Wort ist Wahrheit.

18 Wie du mich in die Welt gesandt hast, habe auch ich sie in die Welt gesandt. 19 Und für sie heilige ich mich, damit auch sie in (der) Wahrheit geheiligt sind.

20 Doch nicht nur für diese bitte ich, sondern auch für die, die durch ihr Wort an mich glauben, 21 damit alle eins sind; wie du, Vater, in mir bist und ich in dir, damit auch sie in uns sind, damit die Welt glaubt, daß du mich gesandt hast.

22 Und ich habe ihnen die Herrlichkeit, die du mir gegeben hast, gegeben, damit sie eins sind, wie wir eins sind: 23 ich in ihnen und du in mir, damit sie vollkommen eins sind, damit die Welt erkennt, daß du mich gesandt hast und sie geliebt hast, wie du mich geliebt hast. 24 Vater, ich will, daß die, die du mir gegeben hast, bei mir (dort) sind, wo ich bin, damit sie meine Herrlichkeit schauen, die du mir gegeben hast, weil du mich geliebt hast (schon längst) vor Grundlegung der

Welt. 25 Gerechter Vater, die Welt hat dich nicht erkannt,
aber ich habe dich erkannt, und diese haben erkannt, daß du
mich gesandt hast. 26 Und ich habe ihnen deinen Namen
kundgetan und werde ihn kundtun, damit die Liebe, mit der
du mich geliebt hast, in ihnen ist und ich in ihnen (bin).«

Literaturauswahl: Agouridis, S.: The »High Priestly Prayer« of Jesus, StEv
4,1 (1968) 137–145. – *Appold, M.:* Motif 194–236 (Lit.). – *Becker, J.:* Aufbau, Schichtung und theologiegeschichtliche Stellung des Gebetes in Johannes 17, ZNW 60 (1969) 56–83 (Lit.). – *Bonsirven, J.:* Pour une intelligence
plus profonde de Saint Jean, RSR 39 (1951) 176–196. – *Bornkamm, G.:* Zur
Interpretation des Johannesevangeliums, EvTh 28 (1968) 8–25, = in: *Ders.:*
Geschichte und Glaube I, München 1968, 104–121. – *Bühner, J.-A.:* Gesandte, 189 f.; 224–235; 258–261; 293 f. (vgl. außerdem das Register 473). –
Cranny, T.: John 17: As we are one, New York 1966. – *Deichgräber, R.:*
Gotteshymnus und Christushymnus in der frühen Christenheit, StUNT 5,
1967, 87–105. – *George, A.:* »L'Heure« de Jean 17, RB 61 (1954) 392–397. –
Giblet, J.: Sanctifie-les dans la vérité (Jean 17,1–27), BVC 19 (1957) 58–73.
– *Greeven, H.:* Gebet und Eschatologie im Neuen Testament, NTF 3,1,
1931. – *Käsemann, E.:* Wille. – *Langbrandtner, W.:* Gott, 67–69. – *Lattke,
M.:* Einheit, 194–206 (Lit.). – *Laurentin, A.:* We 'attah-kai nyn, Bib. 45
(1964) 168–195.413–432. – *Malatesta, E.:* The Literary Structure of John
17, Bib. 52 (1971) 190–214. – *Michel, O.:* Das Gebet des scheidenden Erlö-
sers, ZSTh 18 (1941) 521–534. – *Morrison, C. D.:* Mission and Ethic: An
Interpretation of John 17, Interp. 19 (1965) 259–273. – *Randall, J. F.:* The
Theme of Unity in John 17,20–23, Diss. theol. Louvain 1962 (Lit.). – *Rigaux, B.:* Die Jünger Jesu in Joh 17, TThQ 150 (1970) 202–213. – *Ritt, H.:*
Das Gebet zum Vater, FzB 36, 1979. – *Schnackenburg, R.:* Strukturanalyse
von Joh 17, BZ 16 (1973) 67–78; 17 (1974) 196–202 (Lit.). – *Thüsing, W.:*
Herrlichkeit und Einheit, Düsseldorf 1962; Münster ²1975. – *Ders.:* Die
Bitten des johanneischen Jesus in dem Gebet Joh 17 und die Intention Jesu
von Nazareth, in: Die Kirche des Anfangs (FS H. Schürmann), Leipzig
1978, 307–338.

Zur Struktur, Gliederung und Gedankenführung von Joh 17 gibt es
in jüngster Zeit eine lebhafte Diskussion (vgl. nur Greeven, Bultmann, Thüsing, Merlier, Becker, Schnackenburg, Appold, Ritt).
Die Bandbreite der Möglichkeiten reicht dabei von dem Urteil: Joh
17 sei »monotones Glockengeläut, wo in beliebiger Folge die Elemente desselben Akkordes auf- und abwogen« (Wellhausen, vgl.
Schulz), bis zu einer Gliederung, die schon einer Filigranarbeit na-
hekommt (Thüsing). Auch die Mittel, mit denen die Typik in Joh
17 erhoben wird, sind recht verschieden. Das traditionelle Mittel
ist, den Inhalt zum Maß zu erheben. Oder es werden Vorlage und
Kommentar literarkritisch getrennt (Bultmann). Andere suchen,

aufgrund religionsgeschichtlicher Vergleichung wenigstens teilweise dem Gebet Typik abzugewinnen (Bauer, Greeven, Bultmann). Weiter sind gattungsgeschichtliche Beobachtungen, verbunden mit literarkritischen Entscheiden (Becker), linguistisch-strukturale Diagnostik (Ritt) und letztere verbunden mit begrenzter Literarkritik (Schnackenburg) zur Klärung angewendet worden. Solche Zugangsweisen sollten sich nicht gegenseitig ausschließen, sondern gemeinsam in der Weise reflektierter Konvergenz helfen, der Eigenart des Gebetes gerecht zu werden.

Die ehemals übliche und auch heute noch weit verbreitete Gliederung (ein Überlick zu dieser Frage findet sich bei Becker 57–60; hinzu kommen vor allem noch Schnackenburg, Appold und Ritt) geht vom Inhalt aus und vermutet einen dreiteiligen Aufbau: 1. Jesus bittet für sich V 1–5; 2. Jesus bittet für die Jünger V 6–19; 3. Jesus bittet für alle Glaubenden V 20–26. Also: Um einen Mittelpunkt (Jesus) lagern zwei konzentrische Kreise (Jüngerkreis, Christenheit). Anderen ist dabei die Zuordnung von V 6–8 problematisch, so daß sich die Variante ergibt: V 1–8.9–19.20–26 (z. B. Michel, Brown). Diese Dreiteilung hat allerdings Probleme. Die recht unterschiedlichen Abschnitte sind in sich noch unerschlossen, und formale Hilfen des Textes bleiben ungenutzt. Im einzelnen hat man mit Recht besonders hervorgehoben, daß V 24–26 die zukünftige Vollendung aller im Blick hat. Damit wird aber das Bild der konzentrischen Kreise durch die Zeitdimension aufgehoben, wie es auch erforderlich wird, die Verse nicht mehr einfach zum dritten Teil zuzuschlagen. Darum ziehen viele folgende Gliederung in vier Teile vor: 1. V 1–5; 2. V 6–19 (Variante: 1. V 1–8; 2. V 9–19); 3. V 20–23; 4. V 24–26 (Heitmüller; Bauer). Aber diese Aufteilung unterliegt bis auf die bessere Einschätzung des Schlusses sonst denselben Bedenken wie die Dreiteilung. Methodisch ist man dort zweifelsfrei besser beraten, wo man den Inhalt nicht einfach als Gedankenfolge bestimmt, sondern sieht, daß er z. B. auch eine religionsgeschichtliche, literarkritische und formale (Gattung, Struktur) Seite hat (vgl. Bultmann, Becker, Schnackenburg). Mögen die Ergebnisse dabei auch noch divergieren, wie der Vergleich der drei zuletzt genannten Autoren zeigen kann, so bleibt dieser Weg doch verheißungsvoll, zumal bei näherem Hinsehen erhebliche Übereinstimmungen erkennbar sind. So soll nun von diesen differenzierteren Möglichkeiten her das Gefüge des Textes bedacht werden.

Als Einsatz bietet sich die Beobachtung an, daß gerade auch Joh 17 von der Christologie des Gesandten, noch spezieller von der Abschiedssituation als Rückkehr des Gesandten geprägt ist. Sachlich bedarf dabei der zurückkehrende gesandte Sohn des Vaters für sich ebensowenig des Gebetes wie nach 11,41 f.; 12,27–30. Kraft seiner Einheit mit dem Vater benötigt er für sich keine besondere Hinwendung zu Gott oder eine Stärkung für den Todesweg. Sein Gebet, dennoch an den Vater gerichtet, ist demonstrative Entfaltung der Gesandtenchristologie und der Situation der Adressaten der Sendung nach seiner Rückkehr, und zwar für die Gemeinde. Sind somit die Leser die eigentlich Angeredeten in Joh 17, dann sind die Selbstdarstellung des Sohnes und sein Eintreten für die Seinen als Mittel der Vergewisserung der Gemeinde anzusehen. Dies bedeutet formal und funktional: Das Gebet ist literarisches Mittel zur theologischen Entfaltung der genannten Themenfelder. Also: Das Gebet ist so nie von Jesus gesprochen worden, noch im Gottesdienst der Gemeinde verwendet worden. Was natürlich nicht ausschließt, daß typische Elemente der Gebetssprache aus der joh Gemeinde für dies literarische Gebilde benutzt wurden. Dies bedeutet inhaltlich: Das Verhältnis von Sendendem, Gesandtem, Sendungsauftrag und -ziel kommen angesichts der Rückkehr des Gesandten nochmals zu einer letzten und grundlegenden Darstellung. Insofern hat die Annahme, Joh 17 sei eine letzte Summe der joh Theologie, durchaus ein Recht, nur ist zu fragen, ob es die Summe ist, die E zu ziehen wünscht. Ist E hier nicht am Werk, dann gilt jedoch diese funktionale Wertung genauso für den Theologen der joh Schule, der sich hier zu Wort meldet.

Abschiedsgebete begegnen des öfteren als typische Äußerungen innerhalb des literarischen Testaments (vgl. Exkurs 10), und zwar immer nach der Abschiedsrede (vgl. 5 Mos 32; Jub 22,7–9; 23,1; slavHen 22; LAnt 19,8 f.; 21,2–6; 33,4 f.; VitAd 50; aus dem späteren gnostischen Bereich vgl. vor allem ActThom 142–149). Zweifelsfrei ist dies ein unterstützendes Argument dafür, daß man Joh 17 nicht in Joh 13 transponieren soll (gegen Bultmann, mit Brown). Themen solcher Abschiedsgebete sind signifikant oft der Rückblick auf das nun abgeschlossene Lebenswerk des Sterbenden als Rechenschaftsablegung (vgl. Appold 202–204) und die Bitte für die Hinterbliebenen: Die Sorge für die Seinen, die der Scheidende bisher selbst wahrnahm, wird nun Gott übertragen. In der Todessituation, die als Abbruch von Funktionswahrnehmung erfahren wird, wird Kontinuität thematisiert durch an den gerichtete Bitten, der Kontinuität im Tode garantieren kann. Zweifelsfrei sind in diesem Sinn auch in Joh 17 diese beiden Themen Strukturprinzipien: Jesu Lebenswerk ist nunmehr abgeschlossen, und die Bewahrung der Gemeinde ist dominantes Anliegen.

Doch läßt sich diese von der Rahmengattung (literarische Abschiedssituation) und von der Funktion (letzte Aufarbeitung der Abschiedssituation) her gewonnene Einsicht in die typische Grundstruktur solchen Gebetes, innerhalb der sich bestimmte Inhalte aussprechen, in bezug auf Joh 17 noch verfeinern, wenn bedacht wird, daß sich in dieser Typik noch spezieller die Gesandtenthematik (Bühner) widerspiegelt. Gesandte haben einen Auftrag (17,4: das Werk Jesu) z. B. an eine Zielgruppe (z. B. 17,2: bestimmten Menschen ewiges Leben zu geben). Deshalb und dafür haben sie Anteil an Autorität »(Voll)macht« 17,2a), Funktion (vgl. 17,4.6.11.14f. 17.22) und Besitz des Sendenden (17,5.22.24) Solcher Auftrag ist zeitlich begrenzt und erfordert die Rückkehr zum Sendenden (Abschiedssituation), um Rechenschaft abzulegen und den Auftrag zurückzugeben. Das bedeutet gattungsgeschichtlich: Der Rechenschaftsbericht als Rückblick über den durchgeführten Auftrag vor dem Sendenden ist von grundlegender Bedeutung. Wenn weiter der Gesandte während der Durchführung seines Auftrages die Seinen, die ihm der Sendende als Anteil an seinem »Besitz« gab, bewahrte (17,6.12), so fordert die Stunde der Rückkehr, dem Vollmachtsgeber diesen Personenkreis zurückzugeben, d. h. ihn nun selbst wieder für diesen Sorge tragen zu lassen. Also ist die Bitte an Gott für die Bewahrung der Seinen eine im Gesandteninstitut fest verankerte Folge der Sendung. So folgt auch in Joh 17 gattungsgeschichtlich dem Rechenschaftsbericht die Bitte für die Bewahrung des durchgeführten Werkes. Diese beiden Elemente, Rechenschaftsbericht (V 4.6–8.14.22f.) und Bitte um die Bewahrung der Gemeinde (V 1b.5.11b.17.24), bilden also nicht von ungefähr die konstitutive Grundstruktur des Gebetes. Mit anderen Worten: Der Rückblick auf das abgeschlossene Leben und die Bitte um Bewahrung der Hinterbliebenen, wie sie für Abschiedsgebete im allgemeinen von ausschlaggebender Bedeutung sind, werden in Joh 17 nochmals aufgrund der Gesandtenchristologie speziell geprägt. Diese Einsicht sollte den Ausgangspunkt bilden für alle Bestimmung überindividueller Typik in Joh 17. Sie ist auch maßgeblich für die Grundbestimmung des Gebetes als ganzem. Insofern Jesus als Gesandter Abschied nimmt, legt es sich nahe, in Joh 17 das »Gebet des scheidenden Gesandten« zu sehen (Schulz; vgl. Michel: »das Gebet des scheidenden Erlösers«).

In der Tat gibt es neben diesen beiden Grundelementen nur noch der Bitte vor- oder nachgeordnete Ausführungen, die man als Einleitung zur Bitte (V 9–11a.15f.) und als Begründung zur Bitte (V 2.12f. 18f. 25f.) bestimmen kann (Becker), also Elemente, die unselbständige Nebenfunktionen wahrnehmen und darum auch nur unregelmäßig begegnen. Sie haben mit der Abschiedssituation und der Gesandtenchristologie von Haus aus nichts zu tun, sind vielmehr überhaupt ganz allgemein in Bittgebeten zu Hause. Damit ergibt sich als Schema für die Abfolge der Elemente: 1. Rechenschaftsbericht, 2a. Einleitung zur Bitte (kann fehlen), 2b. Bitte, 2c. nachgestellte Begründung zur Bitte (kann fehlen). Diese Abfolge ist nur durch Auslassung von 2a oder 2c variabel, im übrigen aufgrund der beschriebenen Gesandtenthematik nicht veränderbar.

Der Rechenschaftsbericht (vgl. V 4.6–8.14.22 f.) beginnt immer mit einem Hauptsatz, in dem der Gesandte mit betonter Voranstellung des »Ich« mit einem Verb des Offenbarens in einer Vergangenheitsform auf seinen nunmehr abgeschlossenen Sendungsauftrag zurückblickt. Dem Verb zugeordnet ist eine Angabe zum Offenbarungsinhalt und über die Empfänger. Weitere nachgeordnete Sätze entfalten Aspekte der Sendung in verschiedenen Richtungen. Strukturell vergleichbare Satzaussagen zum einleitenden Hauptsatz finden sich mit relativer Nähe in V 12b.26a. Dabei zeigen die Unterschiede das Recht auf, den Rechenschaftsbericht auch sprachlich-syntaktisch für sich zu nehmen (gegen Appold 219 f.): In V 12 beginnt die Satzperiode mit einem temporalen Nebensatz, wobei das einleitende »solange« im »jetzt aber« (V 13) seine Aufnahme findet. Also ist der vergleichbare Satz »... bewahrte ich sie in deinem Namen« (V 12b) einem ganz anderen Zusammenhang eingeordnet und eröffnet nicht die Aussage. In V 26 ist V 26a Explikat zu V 25, also kein Neueinsatz (vgl. auch das verbindende »und«) und seine eigentliche Ausrichtung folgt mit: »... und werde ihn kundtun, damit ...«, ist also futurisch-verheißend. Wichtig für den zurückblickenden Rechenschaftsbericht ist noch: Er atmet ausnahmslos die Gewißheit, daß das irdische Werk der Sendung erfolgreich abgeschlossen ist. Es ist ein Urteil testamentarischer Endgültigkeit: So wird der Heilsgrund der Gemeinde gelegt. Weil der Gesandte sein Werk voll und ganz zum Ziel gebracht hat, ist die Gemeinde ihres Standes als aus der Welt erlöster Gemeinschaft sicher.

Die Bitte (V 1b.5.11b.17.24) trägt bis auf V 17 die Vateranrede auf der Stirn. Solche Anrede begegnet nie im Rechenschaftsbericht und außerhalb der Bitte, sondern nur noch einmal am Schluß des Gebetes in der nachgestellten Begründung zur Bitte eingangs von V 25f.: Das Gebet, durch die Anrede eingeleitet, endet auch mit solcher Anrede. Dabei ist davon ausgegangen, daß V 20f. Nachtrag sind (s. u.). Die Anrede ist immer, ausschließlich oder adjektivisch er-

gänzt, die Vateranrede. Sie ist nicht wie in Lk 11,2 par; Röm 8,15;
Gal 4,6 Anrede der Gemeinde an den himmlischen Vater, sondern
wie im Joh überhaupt exklusive Anrede des Sohnes. So kommt das
besondere Verhältnis des gesandten Sohnes zum Vater (V 1b.4f.
24) zum Ausdruck. Konstitutiv für die Bitten sind ferner die Verbformen (Imperative, die einen Wunsch äußern, oder sachlich
gleichwertige Formulierungen: »Ich will ...« V 24). Nur in diesen
Bitten stehen in Joh 17 solche Verbformen. Sie sind von hoheits-
voller Zuversicht geprägt: Gott muß nicht erst zur Erfüllung derselben motiviert werden, er erfüllt vielmehr schon immer aus freien
Stücken. Die Bitten demonstrieren die Einheit von Vater und Sohn
im Heilswillen gegenüber der Gemeinde. Ist des Vaters Wille die
Sendung des Sohnes zugunsten der Gemeinde, so ist des Sohnes
Wille die Erhaltung der Gemeinde nach abgeschlossener Sendung.
So wird die unverbrüchliche Dauerhaftigkeit des christologischen
Heilsgrundes, wie ihn der Rechenschaftsbericht beschrieb, ausgesprochen durch Rekurs auf den sendenden Vater, der letztlich Sendung und Sendungsziel verantwortet und dem darum an der Bewahrung der Gemeinde gelegen ist. Darum ist es sprachlich durchaus typisch, daß in den Bitten dieser finale Heilssinn ausdrücklich
benannt wird.
Die Einleitung zur Bitte (V 9–11a.15f.) wird beherrscht durch das
»ich bitte« (V 9 zweimal; V 15), das sonst nur noch eingangs des
sekundären Stückes V 20f. begegnet (s. u.). Die Aufgabe der Einleitung ist es, von vornherein Mißverständnisse der Bitte abzuweh-
ren und in rechter Weise auf diese vorzubereiten. Sie hat also nur
dienende Funktion. Auch die Begründung zur Bitte (V 2.12f. 18f.
25f.) hat solche dienende Aufgabe. Sie begründet den Inhalt der
Bitte und endet durchweg mit einem finalen Satz, der das Heilsziel
ausformuliert.
Geht man aufgrund solcher Einsicht in die Formelemente des Gebetes den ganzen Textbestand durch, so ergeben sich bei V
3.12b.16.20f. Probleme, die sich nur literarkritisch lösen lassen. Sicherlich, Joh 17 ist kein logischer Abfolge gehorchender philoso-
phischer Traktat, darum wird man Wiederholungen und Nebengedanken nicht schon aus Gründen lockerer Zuordnung zum Kontext herausnehmen dürfen, aber was formal und sachlich außerhalb
des Rahmens des Gebetes steht, muß als solches benannt werden
dürfen. Dabei ist als erstes V 3 auffällig (vgl. Bultmann, Becker,
Schnackenburg): Er entbehrt den Gebetsstil und ist ein typischer
Definitionssatz, genauer eine exegetische Zusatzbemerkung, die
erläutert, was »ewiges Leben« (V 2) ist. Nicht die Beziehung von

Jesus zu Gott, sondern die eines interpretierenden Lesers des Gebetes zu den anderen Lesern nach ihm ist für den Satz kennzeichnend, wenn anders nicht der Sohn dem Vater einen Vortrag halten kann, was ewiges Leben sei. Solche exegetischen Definitionssätze kennt das Gebet sonst nicht mehr. Dabei ist es typisch, daß der Exeget den joh Heilsbegriff schlechthin, nämlich »ewiges Leben«, zum Anlaß nimmt, Ausführungen dazu nachzutragen. Allerdings spricht er dabei in einer auffälligen Sprache: die Verwendung des Hoheitstitels »Jesus Christus« ist nicht nur stilwidrig, sondern begegnet im Joh überhaupt nur noch 1,17 in einer geprägten Tradition (vgl. 1 Joh 4,2; 1 Tim 6,13). Die Gottesbezeichnung »einziger, wahrer Gott« ist sonst im Joh ungebräuchlich und ist aus jüdisch-hellenischem Raum in die christliche Missionssprache übergegangen (1 Thess 1,9; vgl. 1 Clem 43,6). Sie fand dann auch im Bekenntnis Aufnahme (1 Tim 1,17; 6,15 f. Offb 6,10 usw.). Gerade auch die Dreigliedrigkeit: »erkennen« mit den Objekten »einziger, wahrer Gott« und »Jesus Christus« hat seine strukturellen Parallelen in 1 Joh (4,2;) 5,20; 1 Tim 6,13 usw. Endlich ist noch »das ewige Leben« sprachlich auffällig. Im Joh steht sonst nie der Artikel, wenn »ewig« bei »Leben« steht, und außerdem ist dann das Adjektiv stets nachgestellt. V 3 ist also nachträgliche Erläuterung, die den zentralen joh Heilsbegriff so beschreibt, daß die Gemeinde, die im Sinne von V 3 um Gott und Gesandten weiß, sich damit im exklusiven Heilsstand weiß.

Als nächstes macht V 12b Probleme (Becker, Schnackenburg). Mit syntaktisch schlechtem Anschluß (V 12a: »ich bewahrte sie« ... V 12b: »und ich behütete sie ...«, vgl. Schnackenburg) wird abermals die Gebetssituation verlassen und dem Leser eine Rechtfertigung nachgereicht, warum Jesus, obwohl er Judas »verlor«, sagen darf, er habe sie alle bewahrt: Die eine Ausnahme erklärt sich aus der Festlegung göttlichen Willens in der Schrift, was Jesus nicht zu verantworten hat. Ganz analog zu V 1 muß gelten: Jesus braucht Gott nicht umständlich das Judasproblem zu erklären, wohl aber hat die KR es sonst im Joh mehrfach für notwendig erachtet, die Judasproblematik für den Leser einzuarbeiten (vgl. 6,64 f.; 13,2.10b–11). Die Anspielung auf Judas ist einzige Reminiszenz in Joh 17 an eine einzelne menschliche Person und der Ausdruck »Sohn des Verderbens« im ganzen joh Schrifttum einmalig. Formal vergleichbare Bildungen (2 Sam 12,5; Jes 57,4; 1 QS 9,16 f.; CD 6,15; Jub 10,3; Mt 23,15 usw.) zeigen den semitischen Spracheinfluß und den Sinn: Judas ist vom Heil ausgeschlossen. Ob dabei die Bildung des Ausdrucks von der vorangehenden Aussage des Verderbens abhängt (so Schnackenburg) oder diese von jener, die dann feststehender Ausdruck für Judas in der Gemeinde war (vgl. 2 Thess 2,3 die geprägte Bezeichnung des Antichristen), muß offen bleiben. Der Verweis auf die Schrift bezieht sich hingegen wohl auf 13,18 (Schnackenburg), so daß V 12b Joh 17 auch noch mit dem Joh verzahnen will. Nimmt man V 12b aus dem Zusammenhang, schließt V 13 viel glatter an V 12a an.

Im Textverlauf macht sodann V 16 Probleme. Er ist Dublette zu V 14b und unterbricht den guten Zusammenhang zwischen V 15 und V 17. Daß er in einigen HSS fehlt, ist aber kaum bessere Texttradition, sondern Abschreibfehler (Homoioteleuton). Er enthält einen ganz typischen, ja schon stereotypen Gedanken des joh Kirchenbegriffs, so daß damit sein Nachtrag gut erklärt ist.

Endlich stören V 20f. (Becker, Schnackenburg): Die Unterscheidung von Jüngern erster und zweiter Hand ist Joh 17 sonst ganz fremd, ja V 22 redet deutlich von den Jüngern, die jetzt das Gebet hören (Wellhausen, Hirsch), also so, als sei die Differenzierung gar nicht soeben eingeführt. Sie widerspricht auch den vorangehenden Ausführungen, die mit den hörenden Jüngern alle späteren Gläubigen inklusiv meinen (V 2!). Außerdem ist abermals der Dublettencharakter des Nachtrags deutlich, denn nirgends im Joh findet sich so auffällig vom Satzbau und Inhalt her eine so glatte Dublette wie zwischen V 21 und V 22b.23 (vgl. Appold 157). So folgen aufeinander: a) Damit-Satz mit kirchlichem Einheitsgedanken, b) Wie-Satz, der die Einheit von Vater und Sohn beschreibt, c) Damit-Satz mit kirchlichem Einheitsgedanken, d) Damit-Satz mit Weltbezug, e) Daß-Satz mit christologischem Inhalt. Näherhin ist V 21 verkürzter Aufgriff von V 22f., wobei die Sprache stereotyper wird. Also wird der kontextfremde Gedanke aus V 20 eingefügt, indem ihm durch Verdoppelung V 22b.23 beigefügt wird. Weiter fällt auf: Die Bezeichnung »Wort«, hier für die Missionsrede der Jünger verwendet, ist sonst im Joh allein für das Wort Gottes, das Jesus offenbart, benutzt (vgl. nur Joh 17,6.14.17). Ohne V 20f. wird der Anschluß von V 22 an V 19 besser. Da endlich die Nähe von V 20f. zu Joh 10,16 augenfällig ist und auch hier in einen sekundären Zusammenhang hinein V 16 nachgetragen wurde, ist die Analogie durchschlagend (vgl. 11,51f.). Zum möglichen Sinn des Nachtrags vgl. zu 10,16.

Nach diesen literarkritischen Operationen ist der Weg für eine Strukturierung des Textes weitgehend geebnet. Zwei Hilfen des Textes sind nur noch zu benennen: V 1f. heben sich vom gesamten Gebet dadurch ab, daß der Er-Stil, nicht der Ich-Stil begegnet.

Dem Inhalt nach liegt in Kompaktaussage das ganze Gebet vor, so
daß man V 1 f. als die Grundbitte ansehen sollte, die in den folgenden Einzelbitten dann entfaltet wird (vgl. Bultmann, Thüsing, Bek-
ker). Außerdem zeigt eine Durchsicht der Abfolge Rechenschaftsbericht und Bitte, daß jeder Durchgang von Stichwörtern geprägt
ist und dabei der Anfang am Ende wieder aufgenommen wird. Somit ergibt sich als Gliederung:

A. Grundbitte   V 1b–2   } Stichwörter:
   Bitte und Begründung   Herrlichkeit, Vollmacht,
                                                   ewiges Leben

B. Entfaltung der Grundbitte in
   vier Einzelbitten
   I. Der Sohn bittet um seine
      Verherrlichung   V 4 f.   } Stichwörter:
      1. Rechenschaftsbericht   V 4   Werk, Herrlichkeit
      2. Bitte   V 5

   II. Die Offenbarung des
       Namens Gottes und die
       Bewahrung der Gemeinde
       in der Einheit   V 6–13   } Stichwörter:
       1. Rechenschaftsbericht   V 6–8   Name, Freude
       2a. Einleitung zur Bitte   V 9–11a
       2b. Bitte   V 11b
       2c. Begründung zur Bitte   V 12a.13

   III. Die Offenbarung des Wortes
        Gottes und die
        Heiligung der Gemeinde
        in der Wahrheit   V 14–19   } Stichwörter:
        1. Rechenschaftsbericht   V 14   Wort, Wahrheit
        2a. Einleitung zur Bitte   V 15
        2b. Bitte   V 17
        2c. Begründung zur Bitte   V 18f.

   IV. Das Schauen der himmlischen
       Herrlichkeit Jesu   V 22–26   } Stichwörter:
       1. Rechenschaftsbericht   V 22 f.   Herrlichkeit, Name,
       2a. –   Liebe
       2b. Bitte   V 24
       2c. Begründung zur Bitte   V 25 f.

Diese Einsicht in den Aufbau von Joh 17 erlaubt es, die inhaltlichen Aussagen in ihrem Gewicht und ihrer speziellen Funktion zu analysieren. Die Überleitung erfolgt so formal und situationsgelöst wie z. B. 12,44, wobei sprachlich 12,36b nahe ist. Man sollte also nicht fragen: Wo spricht Jesus das Gebet? Denn eigentlich ist zwischen 14,31 und 18,1ff. kein Platz mehr für weitere Reden oder ein Gebet, und alle Versuche, einen möglichen Ort im zeitlichen und geographischen Sinn zu suchen, tragen nur Textfremdes ein. Der Autor, der Joh 17 anfügte, wußte nur: Für ein Abschiedsgebet ist traditionellerweise nach den Reden der typische Ort. Diesen wählte er und formulierte eine typische Überleitung. Wenn als Gebetsgestus der Blick zum Himmel genannt wird, so erinnert das an 11,41 (vgl. etwa auch Apg 7,55). Möglicherweise hat die joh Gemeinde auch so gebetet. Der Himmel gilt als Ort Gottes (1,51), hat aber durchaus weltbildhaft seine lokale Komponente, ist also keinesfalls nur symbolisch gemeint (vgl. 12,32), zumal das »auf der Erde« V 4 sofort den Gegenbegriff bringt. Das dualistische Oben und Unten (vgl. Exkurs 3) will mitgehört werden.

V 1b erinnert an 12,23; 13,31f. Da auch 13,31f. ein Wechselverhältnis im Verherrlichen zwischen Gott und Menschensohn ausgesprochen ist, ist es erwägenswert, zwischen dem Eingang der Abschiedsreden und dem abschließenden Gebet eine beabsichtigte Brücke zu sehen. Jedoch bleibt zu beachten: Statt von Gott und Menschensohn ist 17,1 vom Vater und vom Sohn gesprochen (vgl. 14,13), und 13,31f. fehlen die Aussagen aus 17,2 sowie der Blick auf die präexistente Herrlichkeit aus 17,5. So wird Nähe bei Verschiedenheit sichtbar, so daß Joh 17 vom Thema der Verherrlichung auch reden könnte aufgrund allgemeiner Gemeindesprache und ohne bewußt den Kontakt zu 13,31f. zu suchen. Die Stunde, die gekommen ist, ist wie in 7,30; 8,20; 12,23.27; 13,1 die nahe Todesstunde Jesu, die als Stunde der Verherrlichung begriffen ist. Der Vater verherrlicht den Sohn durch Erhöhung zu sich (12,32), und darin kann der Sohn wiederum den Vater verherrlichen, indem er seine Aufgabe nach V 2 erfüllt. Dabei sind die Bitte um die eigene Verherrlichung und die Lebensvermittlung wie zwei Seiten derselben Medaille zusammenzusehen, weil V 1 und V 2 gemeinsam die Grundbitte ausmachen. Auch hier kommt Christologie nur in ihrer Bedeutung als Soteriologie in den Blick. V 5.24 führen weiter aus: Jesu Verherrlichung durch Gott ist seine Einsetzung in die präexistente Herrlichkeit, die er vor der Sendung besaß. Also: Gott soll den Sohn in die ehemalige Herrlichkeit einsetzen, damit dieser Gott verherrlichen kann, was dadurch geschieht, daß der Sohn als

Lebensspender der Seinen auftritt. Dies tut er, indem er die Seinen seine himmlische Herrlichkeit schauen läßt. Diese Schau ist ewiges Leben (V 24). Dieser Zusammenhang verdeutlicht, wie Anfang und Ende des Gebetes durch einen umfassenden Bogen verbunden sind. Diese inhaltliche Klammer entspricht der formalen Struktur. Weit entfernt, lockere Gedankenassoziationen zu bringen, erweist sich das Gebet als Einheit von Form und Inhalt, also als wohl gestaltet. Zugleich ist damit inhaltlich gleichsam definiert, was ewiges Leben für Joh 17 ausmacht: himmlisches, weltfernes Schauen ewiger Herrlichkeit des Sohnes. Damit gewinnt das transmortale entweltlichte Sein den Sinn eigentlichen Lebens. E hatte sowohl die Aussagen zur Verherrlichung des Sohnes möglichst eng an die irdische Sendung gebunden und dabei vermieden, von der präexistenten Herrlichkeit Christi und der Reinstitution in sie zu reden, als auch vom ewigen Leben so gesprochen, daß der Glaubende jetzt schon ewiges Leben hat wie ebenso eine transmortale Zukunft (vgl. vor allem 3,14–18; 11,25 f.; 12,31 f.). Joh 17 sind die Akzente zugunsten himmlisch-herrlicher Wesenheit verschoben.

Daß nach V 2 Jesus Macht hat über alles Fleisch, ist sachlich Sendungsvollmacht (Bühner). Für die Sendung erhält der Sohn Anteil an der Machtfülle Gottes (Ausstattung zur Sendung). Aber diesem weiten allgemeinen Machtbereich entspricht dennoch eine begrenzte, eingeengte Heilsaufgabe (Sendungsauftrag): Der Gesandte soll nur denen, die ihm der Vater gegeben hat, ewiges Leben vermitteln. »Alles Fleisch« ist semitisierende Rede, die nur hier im Joh Verwendung findet und alle Menschen meint, jedoch kaum neutral, sondern wertend: »Fleisch« trägt den Akzent: nur Fleisch, vergänglich im Unterschied zu Gott als Ewigem. Aus allem Fleisch soll der Gesandte die aussondern, die Gott ihm gegeben hat, so entsteht die dualistische Spannung zwischen Kosmos und Gemeinde. Die Macht des Sohnes über alles Fleisch vollzieht sich also so, daß der Sohn die zum Heil Vorherbestimmten sammelt und die anderen damit indirekt vom Heil ausschließt. Während E die Sendung als Gericht der Welt bestimmte (die Gerichtsterminologie fehlt Joh 17 ganz), in dem Annahme und Ablehnung, Glaube und Unglaube sich angesichts der Selbstoffenbarung des Sohnes vollziehen und beide Verhaltensweisen jedem ermöglicht werden (3,14–18; 5,24; 6,32–47; 11,25 f.), beschreibt Joh 17 den Heilsvorgang anders: Nicht die geschichtliche Entscheidung als Glaube und Unglaube ist das Gericht – Glaubensaussagen fehlen Joh 17 fast ganz (vgl. V 8) und wohl kaum zufällig –, sondern eine vor der Sendung festgelegte kleine Adressatengruppe aus »allem Fleisch« wird

kraft göttlicher Setzung bestimmt, durch die Sendung ewiges Leben zu erhalten. Analog den christologischen Herrlichkeitsaussa-
gen mit ihrer Zentrierung in der Präexistenz wird auch die Heils-
lehre verwurzelt in der Ewigkeit vor aller menschlichen Geschichte. Weltgeschichte ist vorzeitlich in der Ewigkeit festgelegte Heils-
und Unheilsgeschichte und mündet wieder in derselben Ewigkeit
(V 24). Dabei ist der die Geschichte bestimmende Determinismus
und verkirchlichte Dualismus von Kosmos und Kirche (vgl. Exkurs 3) nicht nur V 2 angesprochen, sondern durchzieht das ganze
Gebet, wie z. B. kein joh Abschnitt so oft und stereotyp durch
Wendungen des göttlichen Gebens den Determinismus immer wieder betont. Darum ist es in der Tat auch überflüssig geworden,
vom Glauben zu reden, weil – statt mit E Glauben und Leben engstens zusammenzubinden – Determination und entweltlichtes Leben eine Korrelation eingegangen sind. Darum stehen auf der
menschlichen Seite gesteigertes Erwählungsbewußtsein, Abgrenzung von der Welt, Ausrichtung auf die zu erwartende himmlische
Existenz und das Bewahren der mit der Sendung des Sohnes gesetz-
ten Erkenntnis. Strukturell hat solche Ekklesiologie ihre nächsten
Ausführungen in Joh 10,1–18; 15,1–17 (KR). Mithin gehört auch
Joh 17 zu der Schicht im Joh, die von der KR verantwortet wird.
Nachdem ein Leser von 17,1 f. an zentraler Stelle im Aufbau nachträglich in V 3 klarstellte, daß das ewige Leben der joh Heilsbegriff
schlechthin ist und wie dieses Heil am alleinigen Gott und am Gesandten hängt, folgt in V 4 f. die erste Entfaltung der Grundbitte V
1 f. Dabei stellt der Rechenschaftsbericht V 4 fest: Jesus hat als Gesandter seinen Auftrag, d. h. sein Werk, ausgeführt. Da das Werk
Auftrag des Vaters ist, ist der Vater verherrlicht, wenn der Sohn
dem Auftrag gerecht wurde. Der Inhalt des Werkes wurde schon V
2 angedeutet und erhält in den folgenden Rechenschaftsberichten
(V 6–8.14.22 f.) weitere Präzision. Dabei zeigt sich schon hier: Das
Werk ist »etwas«, das der Vater als Auftrag erteilt. E lag im Rahmen seiner Konzeption der Gesandtenchristologie alles daran, Person und Werk des Sohnes als Einheit zu erfassen; so sprach er immer wieder vom Glauben an den Sohn, ließ die Offenbarung in der
Selbstoffenbarung (»Ich bin ...« vgl. Exkurs 5) den genuinen Ausdruck finden. In Joh 17 verhalten sich Jesus und sein Werk wie im
allgemeinen Gesandter und Sendungsauftrag, d. h. der Gesandte
offenbart den Namen des Vaters (V 6a), sein Wort (V 14) usw.,
doch ist er nicht selbst in Person das väterliche Wort. Er ist Gesandter, der ganz hinter seinen Auftraggeber zurücktritt, indem er
ihn als determinierenden Gott kundtut. Zu dieser irdischen Funk-

tion als Gesandter tritt erst nach Abschluß des Sendungsauftrages hinzu, daß der in seine Herrlichkeit wieder eingesetzte Sohn nun auch im Jenseits selbst als himmlisch Verherrlichter Heilsgarant der Seinen wird (V 5.24). Es wird also christologisch im Rahmen des Zwei-Stockwerke-Weltbildes (Himmel – Erde V 1.4) zwischen dem irdischen Gesandten und dem himmlischen Christus unterschieden. Die Bitte um Verherrlichung in V 5 setzt demzufolge nicht nur des Gesandten Entäußerung für seinen Sendungsauftrag als Zurücklassen himmlischer Herrlichkeit bei Gott voraus (Kenose), sondern sagt auch etwas über den Offenbarungsbegriff aus: Der Entäußerte (vgl. Phil 2,6 f.) teilt Gott im Wort als Sendungsauftrag mit. Der wiederum in seine Herrlichkeit eingesetzte Sohn ist selbst Gegenstand der Schauung, die ewiges Leben ausmacht. Ewiges Leben also ist so weltfern geworden, daß es selbst in der Person des Sohnes irdisch nicht mehr anwesend sein kann; es ist nur noch als transmundale Wirklichkeit beschreibbar. Die Einheit von Gesandtem und seiner Selbstoffenbarung als Leben, das der Glaubende jetzt schon hat, ist auf dem Weg von E zu Joh 17 zerbrochen. Dementsprechend hat V 5 als Bitte des Sohnes um seine Verherrlichung als Restitution seiner ehemaligen für die Sendung verlassenen Herrlichkeit den Sinn, zu ermöglichen, daß V 24 sich ereignen kann, ist also Auslegung von V 2b.

Wenn soeben die kenotische Aussage in V 4 den vergleichenden Blick auf Phil 2,6 f. als Eingang des alten urchristlichen Hymnus freigab, so kann darüber hinaus eine entscheidende Differenz dazu die Eigenart von Joh 17 markieren: Nach Phil 2,9 f. erhält der Erhöhte eine Stellung zugeteilt, die den präexistenten Status vor der Entäußerung übersteigt. Dieser Machtzuwachs besteht in der Herrschaftsübertragung über alle, die Phil 2 als drei Stockwerke beschriebene Wirklichkeit. Davon kann Joh 17 nicht reden. Das verbietet der Dualismus. Christus kann nur seine ehemalige Herrlichkeit wieder erhalten, weil die himmlische Einheit von Herrlichkeit und ewigem Leben sozusagen Urdatum ist, über das hinaus kein Mehr gedacht werden kann, und das sich auch nur jenseits der Welt verwirklichen läßt. Christus wird nach Joh 17 nie Herr der Welt, sondern nur himmlisch Verherrlichter, und so Gegenstand himmlischer Schauung der Seinen.

Die zweite Entfaltung der Grundbitte (V 6–13) setzt diesen theologischen Ansatz fort. Gleich eingangs wird im Rechenschaftsbericht (V 6–8) festgestellt, daß die Adressaten der Sendung die Jünger sind – und mit ihnen die Gemeinde –, also die, die dem Gesandten aus der Welt von Gott gegeben sind. Ihnen offenbart der Gesandte den

»Namen« Gottes. Die Welt insgesamt als Objekt göttlicher Heilsveranstaltung (vgl. etwa 3,16) kommt nicht ins Blickfeld, und die Theozentrik des Offenbarungsinhaltes wird akzentuiert. »Kundtun« ist Offenbarungsterminus, allerdings nicht eigentlich typisch für E (vgl. 9,3), eher für den 1 Joh (1,2; 3,5.8; 4,9 usw.). Parallele Begriffe in Joh 17 sind z. B.: Die Worte, die Gott Jesus gegeben hat, den Jüngern geben (V 8), das Wort ihnen geben (V 14). Es geht also um worthafte Offenbarung, und zwar in der Weise, daß V 6 nicht einen Einzelaspekt der Offenbarung angibt, sondern – ganz entsprechend den anderen Aussagen in den Rechenschaftsberichten (V 14.22f.) – diese insgesamt meint. Der Name Gottes ist dabei 17,6.11.12.26 besonders häufig Offenbarungsbegriff (vgl. sonst 12,28). Er läßt seine gnostisierende Bedeutung noch erkennen. Denn atl Stellen wie Jes 52,6; Ez 39,7 kennen nicht die Vermittlung durch einen Gesandten und reden von weiterer Ausbreitung göttlicher Erkenntnis und tieferer Einsicht in die Lebensführung nach Gottes Willen. Aber V 6 geht es um Kenntnis oder Unkenntnis des göttlichen Wesens durch den Gesandten überhaupt, dies im Zusammenhang dualistischer Weltsicht mit dem Ziel weltferner Heilsverwirklichung. Namenskundgabe schafft Kenntnis des der Welt fernen Gottes und damit Zugang zur eigenen Entweltlichung. Das hat so auffallende Nähe zur Gnosis, daß es nicht Wunder nimmt, wenn hier der Name Gottes ganz ähnliche Verwendung findet (OdSal 41,16; 42,20; CH 5,10.11 usw.).

Die Adressaten der Offenbarung sind unter direktem Rückgriff auf V 2 die zuvor Determinierten als Teil, der aus der Menschheit genommen ist, doch nun nicht mehr zu ihr gehört. Offenbarung ist Realisation von vorzeitlicher göttlicher Bestimmung. Die Gemeinde ist so zwar quantitativ eine Teilmenge »aus der Welt«, aber der Qualität nach nicht »aus der Welt« (V 14). Dies zeigt sich im Werk des Gesandten, hat jedoch seinen Grund in der exkludierenden Gnadenwahl Gottes vor aller Zeit. Weil die Jünger im Sinne der göttlichen Wahl schon immer Gott gehörten, hat er seinen Gesandten diesen »Besitz« gegeben. So nahmen sie durch den Gesandten das göttliche Wort auf (V 6b). Dies führt zu einem spezifischen Erkenntnisstand der Jüngergemeinde (V 7): Als Jesusbesitz weiß sie sich von Gott her bestimmt. Dies führt V 8 weiter aus, ohne Neues zu sagen. Die Begrifflichkeit wirkt stereotyp. Der Sinn ist dublett zu V 6b–7. Man kann eine Ergänzung vermuten, ohne daß Sicherheit gegeben wäre.

Dem Inhalt des Rechenschaftsberichts korrespondieren Einleitung zur Bitte, Bitte und Begründung (V 9–13): Jesu Bitte bezieht sich nur auf die Gemeinde, ausdrücklich nicht auf die Welt. Nun wäre es wohl verständlich, daß der scheidende Gesandte vornehmlich und konzentriert an die Seinen denkt, aber der direkt ausgesprochene Ausschluß des Kosmos aus der Bitte sagt mehr: Seine Sendung bezieht sich überhaupt nicht auf die Welt (V 2.6a). Das Modell des Hirten, der aus dem allgemeinen Schafpferch nur die Seinen ruft und herausführt (10,1–18), ist ganz analog. Jesus kann nur für die Jünger bitten, weil seine Sendungskompetenz nichts anderes zuläßt, also Gottes Erwählen einer Bitte für die Welt entgegensteht. Man darf hierbei nicht mit E harmonisieren, als habe die Welt Offenheit für die Entscheidung zum Glauben oder Unglauben und verantworte dementsprechend selbst ihr Gericht bzw. Heil (so typisch für viele: Schnackenburg). Vielmehr ist die Linie von V 2 über V 6a zu V 9 zwingend. Nicht Glaubensermöglichung für alle steht zur Disposition (vgl. 3,1–19), sondern Jesu Sendung ist Ausführung göttlicher Vorentscheidung.

V 10a mag vielleicht wiederum eine Zusatzbemerkung sein, jedenfalls genügt als Begründung »denn sie sind dein« (V 9c), V 10a formuliert nur nochmals als Reziprozitätsaussage, und V 10b bringt erst wieder einen Gedankenfortschritt: Jesus ist insofern in den Jüngern verherrlicht, als sie der sichtbare Beweis für sein erfolgreich abgeschlossenes Werk vor Gott sind (vgl. V 4). V 11a macht dann deutlich, daß Jesus dieses Werk verlassen wird, also nicht mehr bei den Jüngern in der Welt ist, darum muß nun dem Sendenden mit Abschluß der Sendung sein Besitz wieder anvertraut werden. Wie V 1a.4, so ist dabei auch V 11a wieder dem räumlichen Denken von oben und unten verhaftet.

War die Sendung Gottes Wille, muß nun auch die Erhaltung des Ertrages der Sendung in seinem Sinn sein. Darum wird V 11b gebeten. Die Sendung war im Rechenschaftsbericht formuliert als Kundtun des Namens Gottes gegenüber den Seinen (V 6), jetzt lautet die Bitte, die Jünger darin zu bewahren. Die Anrede »heiliger Vater« ist ohne Parallele im Joh und bereitet V 17 vor. Das Attribut »heilig« drückt Weltdistanz aus, wie das »Heiligen« V 17 Trennung von der Welt und Hineinnahme in die göttliche Sphäre bedeutet. So ist im Dualismus von Joh 17 Gott als Heiliger der Gemeinde nahe und der Welt fern. Aus jüdischen und christlichen Gebeten ist solche Anrede bekannt (Schemone Esre 3; Did 10,1; Offb 6,10; vgl. 1 Clem 35,3; 4 Makk 7,4; 14,7), wenn auch im Unterschied zu anderen Gottesprädikationen recht selten (vgl. Deichgräber). Ob die joh Gemeinde Gott so prädizierte, ist darum ungewiß, zumal joh der Vaterbegriff exklusiv an das Sohnesverhältnis gebunden ist.

Greift der Name Gottes deutlich auf V 6 zurück, so ist nun der dortige Gedanke erweitert: Der göttliche Name gilt als Jesus gegeben, d. h. Jesus tut die Offenbarung kund, die ihm der Vater gab. Außerdem wird der finale Sinn solcher Offenbarung angesprochen: Es ist der Einheitsgedanke als Ziel aller Offenbarung, der hier erstmals anklingt und vor allem V 22–26 entfaltet wird (s. u.).

Die Begründung der Bitte (V 12a.13) reflektiert die Abschiedssituation, wie sie V 9–11a schon bestimmend war. Das Bewahren, das nunmehr dem Vater obliegt, war bisher darum nicht nötig, weil Jesus als Gesandter diese Vateraufgabe wahrnahm. Nun bedeutet seine Rückkehr aus der Welt zum Vater, daß die Gemeinde in der Welt, aber nicht von der Welt ohne Bewahrung dastehen würde. Sie ist also verwaist (vgl. 14,2f. 18ff.). Doch im Gegensatz zu E, der diese Situation so aufarbeitete, daß er die Erhöhung als Koinzidenz von Ostern, Pfingsten und Parusie und in diesem Sinn als immerwährende Gegenwart des Erhöhten auslegte, wird in Joh 17 ein anderes Verständnis vorgetragen: Mit Jesu Sendung geht auch seine Aufgabe gegenüber der irdischen Gemeinde zu Ende. Für die alleingelassene Gemeinde sorgt nun Gott. Die Verlagerung von der Christologie auf die Gotteslehre ist unverkennbar. Das Ziel göttlicher Sorge für die Gemeinde ist V 13b angegeben. Das Motiv der Freude erinnert dabei an 15,11; 16,20–24 (alle KR). Das Bewahren des Vaters für die Schau nach V 24 äußert sich bei der Gemeinde als Freude. So wird die Anfeindung durch die Welt (V 14) durch das Bewußtsein der Weltenthobenheit aufgearbeitet.

Die dritte Entfaltung der Grundbitte (V 14–19) bedenkt gegenüber der zweiten Entfaltung die Weltsituation der Gemeinde als neuem Aspekt im Erlösungsvorgang. Der Dualismus von Gemeinde und Welt, wie er vor allem 15,18–16,15 (KR) breit ausgeführt war, wird in den Zusammenhang von Joh 17 eingebracht. Nach dem Grundsatz, daß sich Gleiches liebt (vgl. V 24.26) und Ungleiches haßt, muß die Welt die Gemeinde, die nicht aus der Welt ist, hassen. Die Gemeinde ist nicht aus der Welt, weil der Gesandte ihr Gottes Wort gegeben hat (parallel steht V 6). Sie ist aber noch in der Welt, darum ist sie der Gefährdung durch den Haß ausgeliefert. Ist der Haß der Welt unmittelbar Folge des Sendungsauftrages, muß der Gesandte bei Abschluß seiner Sendung den Sendenden um Bewahrung angesichts dieses Hasses bitten. Er bittet ausdrücklich nicht um vorzeitige Herausnahme aus der Welt, sondern um Bewahrung – nun nicht positiv in dem göttlichen Namen wie V 11 – wohl aber vor dem Bösen (V 15). Der Böse ist 1 Joh 2,12f.; 3,12; 5,18f. Bezeichnung der Teufelsgestalt. E formuliert so nie. Wegen der spe-

ziellen Nähe zu diesen Stellen wird man wohl auch V 15 an den
Teufel denken müssen, obwohl grammatisch auch eine neutrische
Bedeutung möglich wäre. Es fällt auf, daß der Gemeinde das Erleiden des Hasses nicht genommen wird, nur soll sie bewahrt werden,
durch solches Erleiden aus dem göttlichen Heilsbereich ins Unheil
zu stürzen. Bewahren hat den Sinn, irdisch die Anwartschaft auf
die himmlische Schau (V 24) aufgrund der Vorherbestimmung
nicht zu verlieren. Gott wird also gebeten, seine vorzeitliche Erwählung durchzuführen, auch angesichts des Hasses der Welt. V
16 formuliert dann nochmals nachträglich (s. o.) das grundsätzliche Selbstverständnis der Gemeinde nach V 14.

V 17 nimmt als Bitte den Anfang des Rechenschaftsberichtes V 14
auf und will realisieren, was in der Einleitung zur Bitte als »Bewahren vor dem Bösen« benannt war. Außerdem ist die strukturelle
Parallelität zu V 11b (vgl. V 6) unübersehbar. Heiligen (vgl. die
Anrede V 11b) bedeutet dann Sonderung von der Welt und Erhaltung des Zusammenhangs mit Gott. Dies geschieht über das Wort,
das Wahrheit ist. Dabei wird Wahrheit wie der »Name« V 11b Inbegriff der Offenbarungswirklichkeit und steht nahe beim Gebrauch des Ausdrucks in 1/2 Joh, wenn dort die Wahrheit die von
der Gemeinde angenommene christliche Verkündigung wird (vgl.
z. B. 2 Joh 1). Aus der parallelen theologiegeschichtlichen Entwicklung des Urchristentums ist ein analoger Gebrauch bekannt
(vgl. Kol 1,5; 2 Thess 2,12; 1 Tim 2,4; 2 Tim 2,15.25; 3,7 usw.).
Auffällig ist, daß sich bei dieser Bitte die KR nicht der Tradition
des Geist-Parakleten bediente, wie sie bei E in 14,16f. 26 vorlag
und auch in der Rede 15,18–16,15 (KR) Verarbeitung fand. Gern
hat man die Bitte mit Hilfe von Did 10,5 auf die Herrenmahlfeier
der Gemeinde bezogen, jedoch bleibt dies so vage, daß man von
solcher Vermutung Abstand nehmen sollte (richtig: Schnackenburg).

Der Gründung der Gemeinde in der Heiligung durch das Wort
entspricht nach V 18 eine nach außen gerichtete Hinwendung, wie
nun V 15 weiter ausgeführt wird. Die Gemeinde kann nicht vorzeitig aus der Welt genommen werden, weil sie in ihr noch eine Aufgabe wahrzunehmen hat. Dabei versteht man V 18 gern als Mission
in der Welt und für sie und möchte mit Hilfe von V 18 den determi-
nistisch-exklusiven Kirchenbegriff aus Joh 17 überhaupt aufspren-
gen. In der Tat, wer Christi Sendung z. B. von 3,16 her versteht,
kann kraft der Analogisierung von Christi Sendung und der Jünger
Sendung in V 18 entsprechend deuten. Jedoch trägt man so in Joh
17 ein, was das Gebet gerade nicht sagt. Man muß vielmehr die

Sendung Christi aus Joh 17 selbst inhaltlich bestimmen und dann
die Analogie ziehen. Überhaupt gilt es, nicht V 18 zum Schlüssel
des Kirchenbegriffs in Joh 17 zu machen, sondern V 18 im Kontext
des Gesamtentwurfs von Joh 17 zu erklären. Das Werk des Gesandten ist nun in V 2b. 6a.9 hinlänglich klar beschrieben: Der
Auftrag des Gesandten bezieht sich auf die, die Gott dazu vorher
bestimmt hat. Also besagt die Analogisierung V 18, daß die Gemeinde diejenigen unter das Wort führen soll, die in der Welt als
Teilmenge der Menschheit erwählt sind. Sendung ist Sammlung der
Determinierten, nicht Mission als Ermöglichung von Glaube für
jeden. Das Senden »in die Welt« benennt also den Ort, an dem die
Sammlung der Erwählten geschehen soll. Natürlich wird auch nach
Joh 17 die Gemeinde jeden auf das Wort hin ansprechen, weil ja für
die Gemeinde nicht von vornherein feststeht, wer von Gott erwählt
ist. Doch ist es eines, ob man dies als Glaubensermöglichung auslegt, und ein anderes, ob es nur Sammlung von Erwählten ist. Bei V
18 ist weiter zu beachten, daß die Sendung des Sohnes von diesem
als Sendungsauftrag an die Jünger weitergegeben wird (Dies ist insoweit ein allgemein joh Gedanke, vgl. 20,21): Gott sendet Jesus,
dieser sendet die Jünger. So wird Kontinuität der Wortverkündi-
gung über Jesu Tod hinaus gewährleistet. Solche Aussendung
durch den himmlischen Gesandten kennt die Gnosis offenbar nicht
(Bultmann). Es ist christliches Bewußtsein, das so die einmalige geschichtliche Sendung Jesu und die eigene Geschichte als Gemeinde
reflektiert.

V 19 wurde erstmals von D. Chytraeus (1531–1600) als Schlüssel
zum Verständnis des ganzen Gebetes genommen, wenn er es als
praecatio summi sacerdotis versteht und damit Anlaß gab, daß man
Joh 17 traditionellerweise als hohepriesterliches Gebet bezeichnete.
Doch scheint hier mehr der Einfluß des Hebr, nach dem Christus
Hoherpriester und Opfergabe zugleich ist (Hebr 9,14; 10,5–14), zu
dominieren, als die Zuordnung von V 18 zum Gesamtgebet Joh 17
Beachtung zu finden. Jedenfalls ist Joh 17 durch und durch von einer Gesandtenchristologie geprägt, innerhalb derer dann auch V 18
ein Aspekt ist. Die Nähe zum Sendungsgedanken bezeugt gerade
auch für die Heiligung Joh 10,36 (vgl. Bühner 230 f.; Appold
194 f.). Wie hier Gott aussondert zur Sendung (= »heiligen« und
»senden«), so vollzieht der Sohn Joh 17,19 im Gehorsam den Sendungsauftrag (= »heiligen«) für die Gemeinde, d. h. der Sendungs-
wille des Vaters kommt vollkommen durch den Sohn zum Austrag.
Erst innerhalb dieses Rahmens kann nun weitergefragt werden, inwiefern in V 19 speziell auch an Jesu Tod gedacht ist. Von der V 1b

beschriebenen Stunde her ist solche Frage positiv zu beantworten, zumal gerade die KR Interesse am Heilstod Jesu für die Seinen hat (vgl. zu 1,29) und dies durch den Stellvertretungs- und Opfergedanken ausdrückt. Ob man innerhalb dieses Opfergedankens noch speziell an die Herrenmahlstradition denken soll (vgl. 6,51c), ist negativ zu entscheiden: Hier fehlt das »Heiligen« Jesu, und das »für ...« als Deutekategorie bei Jesu Tod ist einer viel breiteren Tradition verbunden. Der finale Sinn von Jesu Opfer in 17,19 wird als Heiligung, d. h. Aussonderung der Gemeinde in der Sphäre der Wahrheit angegeben. Daß der sich Heiligende Geheiligte schafft, ist typischer Gedanke (vgl. Hebr 2,11; 10,10.14.29). Da strukturell diese finale Angabe parallel zu V 11c.22b.23b steht, ist das Geheiligtsein anderer Ausdruck für die Einheit der Gemeinde. Opfer und Heiligung haben weniger mit Tilgung von Schuld und Sünde zu tun als mit der Realisation der Determination, deren Endziel die Einheit der Erwählten ist. Man darf also nicht das frühchristliche Bekenntnis (1 Kor 15,3b; Röm 4,25 usw.) vorschnell in V 19 eintragen.

V 20f. haben sich schon als Nachtrag erwiesen. Inhaltlich stehen sie V 22f. bis auf eine Aussage nahe. Daß nämlich die Welt glauben soll, daß Jesus Gesandter des Vaters ist, deckt sich weder mit dem Gebet überhaupt noch mit V 23. Hier wird die Welt erkennen, daß Gott Jesus sandte und – nun folgt die entscheidende Aussage – die Seinen liebte. Also die Welt wird erkennen, wie Jesu Sendung an ihr vorbei sich als Liebe der Seinen realisiert. Das Erkennen der Welt ist also nicht Erkennen zum eigenen Heil, wie es durch das »glauben« V 21b jetzt zum Ausdruck kommt, sondern Einsicht in die eigene Verlorenheit. Dies paßt zum verkirchlichten Dualismus mit deterministischer Struktur, hingegen sind V 20f. weltoffener ausgerichtet, denn V 21 versteht die Sendung in die Welt (V 18) als Möglichkeit der Welt, zum Glauben zu kommen. Insofern hat der Zusatz V 20f. Nähe zu E und in demselben Maße Abstand von Joh 17 (KR).

Die letzte Entfaltung der Grundbitte (V 22–26) blickt auf die Endvollendung, wie sie als Heilsziel ewigen Lebens V 2 vorbereitet wurde. Das Stichwort »Herrlichkeit« ist wegen V 1b.4f. 10 und natürlich wegen V 24 sofort im Rechenschaftsbericht anwesend. Da Jesus seine Herrlichkeit als Wesensbestimmung erst im Himmel bekommt, kann er sie als Irdischer den Seinen nur als Wortoffenbarung gegeben haben. Dies bestätigt sich, stellt man V 6.14 als strukturell parallele Aussagen daneben: Die Offenbarung des Irdischen ist Wortoffenbarung. Die Gabe der Herrlichkeit ist irdisch die Anwesenheit des Wortes, das Wahrheit ist (V 17). Steht V 22a so im Einvernehmen mit der Gesamttheologie des Gebetes, so wird diese Basis noch erweitert, wenn abermals unermüdlich betont ist, daß die Adressaten der Sendung die Menschen sind, die Gott Jesus gegeben hat, so daß der Ansatz von V 2 voll durchgehalten wird. Herrlichkeit, als Gabe des Wortes gegeben, schafft Einheit, wie V 11c wiederholt wird. Dieser Einheitsgedanke wird dann V 23 durch die Reziprozitätsformel gleichsam definiert (vgl. zu 6,56f.; 10,14f.; 15,9f.; alle KR). Das Erfassen von kirchlicher Einheit als Reziprozitätsaussage hat nicht von ungefähr weder im AT, noch im Judentum, noch sonst im NT eine wirkliche Analogie und läßt sich auch nicht kraft konstruktiver Hypothetik aus der Einheitlichkeit der Sendung erschließen (gegen Bühner). Die nächsten Analogien bieten vielmehr die gnostischen Texte (Appold, Lattke). Sicherlich wird die Einheit nicht erreicht über Ekstase und Verschmelzung (hellenistische Mystik), nicht als Heilsdrama, durch das die Ewigkeitssubstanz im Menschen zum einen Urgrund zurückgekehrt, um darin aufzugehen (Gnosis); vielmehr realisiert sie sich letztlich im Schauen der Herrlichkeit Christi, die in das himmlische Wesen, als Ewigkeitsleben (V 2) verstanden, bei Wahrung der Personalität transformiert, und zwar nach dem Tod und noch nicht auf Erden. Auf Erden ist die Einheit nach Joh 17 kaum wie 6,56f. sakramental begründet, sondern eher wie 10,14f. im gegenseitigen Kennen kraft Besitzverhältnisses aufgrund göttlicher Determination zu sehen. Dieser Besitz ist aktualisiert durch das Wort, das der Gesandte als seinen Auftrag ausrichtet. Dieses öffnet auch die Perspektive für die erhoffte endgültige Einheit. In diesem Sinn erreicht die Reziprozitätsaussage durch Anbindung der Gemeinde an die himmlische Einheit von Vater und Sohn den schärfsten Ausdruck der Entweltlichung, so daß der Dualismus zwischen Welt und Kirche auf einen endgültigen Nenner gebracht ist.

Die Bitte V 24 macht deutlich, warum die Bitte um eigene Verherrlichung des Sohnes in V 5 nicht Selbstzweck war. Indem nämlich die von Gott Jesus gegebenen Menschen Jesu himmlische Herrlichkeit schauen, haben sie selbst ewiges Leben (V 2). Solches Schauen wird sicherlich nicht durch die Parusie ermöglicht (so zuletzt Barrett), denn der oben im Himmel verherrlichte Christus lebt seine Einheit mit dem Vater endgültig und unterbrochen dort »oben«, wohin er nun bei seinem Fortgang betend blickt (V1). Also werden die Jünger wie Jesus selbst durch je ihren individuellen Tod nach »oben« von der Welt entrückt werden, um so schauen zu können, was Inhalt ihrer Ewigkeit ist (vgl. Bultmann). Der Verfasser von

Joh 17 redet also einer Individualisierung der Hoffnung das Wort und hat insofern von E gelernt (vgl. 12,31 f.). Er kennt keine Parusie wie andere Stimmen der KR (vgl. z. B. 5,28 f.). Damit hebt er sich auch von 1Joh 3,2 ab, mit dessen Anschauung er allerdings die Vorstellung teilt, daß endzeitliches Schauen Transformation in das gleiche Wesen des Geschauten beinhaltet bei Erhaltung der Personalität. Man kann sagen: V 24 bewahrt den urchristlichen Gedanken, endgültiges Heil sei Gemeinschaft mit Christus (z. B. 1 Thess 4,17; Phil 1,23 usw.) unter anderen Bedingungen, die durch den Dualismus und die Gnosisnähe gegeben sind. Diese Nähe zur Gnosis zeigt sich gerade auch in der Anschauung individueller Auffahrt nach dem Tod des einzelnen als generelle Endheilverwirklichung für alle Jünger.

Wird V 24 endlich die Herrlichkeit des Sohnes vor der Sendung und die Verherrlichung nach der Sendung als sich mitteilende und schaffende Liebe des Vaters verstanden, der seine Herrlichkeit dem Objekt seiner Liebe gibt, so bereitet dies V 25 f. vor. Letztmals wird Gott angeredet, wobei zwischen «gerechter Vater» und «heiliger Vater» (V 11b) kaum ein sachlicher Unterschied besteht. Gott erweist sich als gerecht, indem er die Liebe, die in ihm ihren Ursprung hat, durch den Sohn an die Jünger weitergeben läßt. Davon ist die Welt ausgeschlossen, weil nur der Gesandte den Vater kennt und die, die ihm der Vater gegeben hat, über seinen Sendungsauftrag davon Kenntnis haben. Kenntnis geben und Erkennen erweist sich nochmals als der entscheidende Offenbarungsbegriff. Die unablässige Ermöglichung solcher Kenntnis bringt zu dem Gott, der mitteilende Liebe ist. Kenntnis dieser Liebe führt endlich zur Schau der Herrlichkeit des Erhöhten, die sich göttlicher Liebe verdankt. Obwohl Joh 17 Determination, Sendung und Offenbarung streng von Gott her gedacht sind, erfolgt am Schluß keine Gotteschau. Gott ist nur erkennbar als Liebe, wie sie sich im Sohn spiegelt. Endgültige Heilsverwirklichung ist auch himmlisch auf den Sohn angewiesen. Ist das Schauen Gottes »von Angesicht zu Angesicht« (1 Kor 13,12) darum nicht ausgesagt, weil die Differenz zwischen Gott und erlöstem Mensch betont werden soll? Dann wäre so Abstand zur Gnosis christologisch eingebracht.

B. Gefangennahme, Verhör und Tod Jesu 18,1–19,42

Zu Joh 18 f. gibt es sehr viel übergreifende Literatur, die den sachgemäßen Ansatz widerspiegelt, daß die einzelnen Szenen sich nur selten isoliert be-

handeln lassen. Darum soll zu Joh 18 f. die Literatur vorab geschlossen mitgeteilt werden.

Literaturauswahl zu Joh 18f.: Bailey, J. A.: Traditions. – *Bammel, E.: Philos tou kaisaros* (Joh 19,12), ThLZ 77 (1952) 205–210. – *Benoit, P.:* Exegese und Theologie, Düsseldorf 1965, 113–132; 133–148. – *Ders.:* Passion et résurrection du Seigneur, Paris 1966. – *Bertram, G.:* Die Leidensgeschichte und der Christuskult, FRLANT 32, 1922. – *Bickermann, E.:* Utilitas Crucis, RHR 112 (1935) 169–241. – *Blank, J.:* Die Verhandlung vor Pilatus Joh 18,28–19,16 im Lichte johanneischer Theologie, BZ 3 (1959) 60–81. – *Blinzler, J.:* Der Prozeß Jesu, Regensburg ⁴1969. – *Borgen, P.:* John and the Synoptics in the Passion Narrative, NTS 5 (1958/59) 246–259. – *Broer, I.:* Die Urgemeinde und das Grab Jesu, StANT 31, 1972, 201–249. – *Bultmann, R.:* Die Geschichte der synoptischen Tradition, FRLANT 12, ⁷1967. – *Buse, S. J.:* St. John and the Marcan Passion Narrative, NTS 4 (1957/58) 215–219. – *Ders.:* St. John and the Passion Narratives of St. Matthew and St. Luke, NTS 7 (1960/61) 65–76. – *Campenhausen, H. von:* Zum Verständnis von Joh 19,11, ThLZ 73 (1948) 387–392, = in: *Ders.:* Aus der Frühzeit des Christentums, Tübingen 1963, 125–134. – *Chavel, Ch. B.:* The Releasing of a Prisoner on the Eve of Passover in Ancient Jerusalem, JBL 60 (1941) 273–278. – *Chevallier, M. A.:* La comparution de Jésus devant Hanne et devant Caïphe (Jean 18,12–14 im 19–24), in: Neues Testament und Geschichte (FS O. Cullmann), Tübingen 1972, 179–185. – *Dauer, A.:* Die Passionsgeschichte im Johannesevangelium, StANT 30, 1972 (Lit.). – *Denker, J.:* Die theologiegeschichtliche Stellung des Petrusevangeliums, EH. T 36, 1975. – *Dibelius, M.:* Die Formgeschichte des Evangeliums, Tübingen ²1933, 178–218. – *Ders.:* Botschaft und Geschichte I, Tübingen 1953, 221–247.278–292. – *Donahue, J. R.:* From Passion Traditions to Passion Narrative, in: W. H. Kelber (Hrg.): The Passion in Mark, Philadelphia 1976, 1–20. – *Finegan, F.:* Die Überlieferung der Leidens- und Auferstehungsgeschichte Jesu, BZNW 15, 1934. – *Fortna, R. T.:* Gospel, 113–200. – *Ders.:* Jesus and Peter at the High Priest's House, NTS 24 (1977/78) 371–383. – *Gnilka, J.:* Das Evangelium nach Markus, EKK II/2, 1979, 216–350 (Lit.). – *Haenchen, E.:* Jesus vor Pilatus (Joh 18,28–19,25), in: *Ders.:* Gott, 144–156. – *Ders.:* Historie und Geschichte in den johanneischen Passionsberichten, in: *Ders.:* Die Bibel und wir, Tübingen 1968, 182–207. – *Hahn, F.:* Der Prozeß Jesu nach dem Johannesevangelium, EKK 2, 1970, 23–96. – *Harvey, A. E.:* Jesus on Trial. A Study in the Fourth Gospel, London 1978. – *Hengel, M.:* Mors turpissima crucis, in: Rechtfertigung (FS E. Käsemann), Tübingen 1976, 125–184. – *Janssens de Varebeke, A.:* La structure des scènes du récit de la passion en Joh 18–19, EThL 38 (1962) 504–522. – *Jeremias, J.:* Die Abendmahlsworte Jesu, Göttingen ³1960. – *Jüchen, A. von:* Jesus und Pilatus, TEH 76, 1941. – *Klein, G.:* Die Verleugnung des Petrus, ZThK 58 (1961) 285–328, = in: *Ders.:* Rekonstruktion und Interpretation, BEvTh 50 (1969) 11–48. – *Klein, H.:* Die lukanisch-johanneische Passionstradition, ZNW 67 (1976)

155–186; – *Krieger, N.:* Der Knecht des Hohenpriesters, NT 2(1957) 73 f. – *Kuhn, H.-W.:* Jesus als Gekreuzigter in der frühchristlichen Verkündigung bis zur Mitte des zweiten Jahrhunderts, ZThK 72 (1975) 1–46. – *Kurfess, A.:* Ekathisen epi bematos (Joh 19,13), Bibl. 34 (1953) 271. – *Leistner, R.:* Antijudaismus im Johannesevangelium? Bern – Frankfurt 1974, 80–150. – *Léon-Dufour, X.:* Art.: Passion DBS 6 (1960) 1419–1492. – *Lindars, B.:* The Passion in the Fourth Gospel, in: God's Christ and his People (FS N. A. Dahl), Oslo 1977, 71–86. – *Linnemann, E.:* Studien zur Passionsgeschichte, FRLANT 102, 1970. – *Lohse, E.:* Die Kompetenzen des Synedriums in Jerusalem, ThWNT VII (1963) 862–864. – *Ders.:* Die Geschichte des Leidens und Sterbens Jesu Christi, Gütersloh ²1967. – *Lorenzen, Th.:* Der Lieblingsjünger im Johannesevangelium, SBS 55, 1971. – *Lührmann, D.:* Der Staat und die Verkündigung, in: Theologia crucis – Signum crucis (FS E. Dinkler), Tübingen 1979, 359–375. – *Mahoney, A.:* A New Look at an Old Problem (John 18,12–14.19–24), CBQ 27 (1965) 137–144. – *Marin, L.:* Semiotik der Passionsgeschichte, BEvTh 70, 1976. – *Mollat, D.:* Jésus devant Pilate (Jean 18,28–38), BVC 39 (1961) 23–31. – *Neirynck, F.:* The ›Other Disciple‹ in John 18,15–16, EThL 51 (1975) 113–141. – *Pesch, R.:* Das Markusevangelium II, HThK II, 1977, 1–27 (Lit.). – *Potterie, J. de la:* Jésus roi et juge d'après Jn 19,13, Bib. 41 (1960) 217–247. – *Ders.:* Das Wort Jesu ›Siehe deine Mutter‹ und die Annahme der Mutter durch den Jünger (Joh 19,27b), in: Neues Testament und Kirche (FS R. Schnackenburg), Freiburg 1974, 191–219. – *Rehkopf, F.:* Die lukanische Sonderquelle, ihr Umfang und Sprachgebrauch, WUNT 5, 1959. – *Richter, G.:* Studien, 58–73.74–87.120–142. – *Ruppert, L.:* Jesus als der leidende Gerechte? SBS 59, 1972. – *Sabbe, M.:* The Arrest of Jesus in Jn 18,1–11 and its Relation to the Synoptic Gospels, in: M. de Jonge (Hrg.): L'Évangile, 203–234. – *Schelkle, K. H.:* Die Leidensgeschichte nach Johannes, in: *Ders.:* Wort und Schrift, Düsseldorf 1966, 76–80. – *Ders.:* Die Passion Jesu in der Verkündigung des Neuen Testaments, Heidelberg 1949. – *Schenk, W.:* Der Passionsbericht nach Markus, Gütersloh 1974. – *Schenke, L.:* Der gekreuzigte Christus, SBS 69, 1974. – *Schlier, H.:* Jesus und Pilatus. – Nach dem Johannesevangelium, in: *Ders.:* Die Zeit der Kirche, Freiburg 1956, 56–74. – *Schneider, G.:* Zur Komposition von Joh 18,12–27, ZNW 48 (1957) 111–119. – *Ders.:* Das Problem einer vorkanonischen Passionserzählung, BZ NF 16 (1972) 222–244. – *Ders.:* Die Passion Jesu nach den drei ältesten Evangelien, BiH 11, 1973. – *Ders.:* Das Evangelium nach Lukas, ÖTK 3/2 (GTB 501), 1977, 435–439 (Lit.). – *Schneider, J.:* Zur Komposition von Joh 18,12–27, ZNW 48 (1957) 111–119. – *Schniewind, J.:* Parallelperikopen 21–95. – *Schreiber, J.:* Die Markuspassion, Hamburg 1969. – *Schürmann, H.:* Jesu letzte Weisung Joh 19,26–27c, in: *Ders.:* Ursprung und Gestalt, Düsseldorf 1970, 13–29. – *Schwank, B.:* Petrus verleugnet Jesus (Joh 18,12–27), SuS 29 (1964) 51–65. – *Ders.:* Pilatus begegnet dem Christus (Joh 18,28–38a), SuS 29 (1964) 100–112. – *Taylor, V.:* The Passion Narrative of St. Luke, Cambridge 1972. – *Theißen, G.:* Ergänzungsheft zu R. Bultmann: Die Geschichte der synoptischen Tradition, ⁴1971, 94–102 (Lit.). – *Thompsen, J. M.:* An Experiment in Translation, Exp. 16 (1918) 117–125. – *Weber, H.-R.:* Kreuz, Th Th Ergänzungsband, 1975. – *Weise, M.:* Passionswoche und Epiphaniewoche im Johannes-Evangelium, KuD 12 (1966) 48–62. – *Wilckens, U.:* Auferstehung, Th Th 4, 1970, 18–30. – *Winter, P.:* On the Trial of Jesus, SJ 1, ²1974. – *Ders.:* Marginal Notes on the Trial of Jesus II, ZNW 50 (1959) 221–252. – *Wrege, H.-Th.:* Die Gestalt des Evangeliums, BET 11, 1978, 49–96.

Abgrenzung, Aufbau und Zuordnung zum vierten Evangelium machen bei Joh 18 f. keine Probleme: 13,1–14,31 ist als geschlossener Teil gestaltet, in dem Jesus von seinen Jüngern Abschied nimmt. Mit 14,30 f. ist dieser Teil zu einem Ende gekommen und zugleich vorbereitet, daß nun die letzten Ereignisse beginnen werden. So verlassen Joh 18 f. den intimen Bereich, in dem Jesus und seine Jünger gerade waren, um von der Gefangennahme bis zur Grablegung die Szenenfolge sich wieder in der Öffentlichkeit abspielen zu lassen. Erst die Osterereignisse in Joh 20 f. ziehen sich abermals naturgemäß aus solcher Öffentlichkeit zurück. Die durch die KR eingebrachten zusätzlichen Abschiedsreden in Joh 15 f. sowie das nachgetragene Gebet Joh 17 ändern an dieser Grobstruktur nichts.

Exkurs 13: Der joh Passionsbericht

Zur *Literatur* vgl. die Angaben oben zu Joh 18 f.

Joh 18 f. entstammt im Grundstock dem E vorgegebenen PB. Seit Joh 11,57 ff. über Joh 12 f. hatte E schon mehrfach Materialien des PB benutzt, so wie er in seiner Gemeinde im Gebrauch war. Er lag E als mündlicher Erzählzusammenhang mit relativ fester Struktur und Sprachgestalt vor. Seine Festigkeit in Form und Inhalt geben die Möglichkeit, in Analogie zu einem literarischen Zusammenhang, wie es z. B. die SQ ist, auch bei ihm von einer Quelle zu sprechen. Rückblickend ergibt sich bisher dabei für den PB folgender Bestand aus Joh 11–13:

Lfd. Nr.	Inhalt der Perikope	Joh (G)	Synoptiker	Abweichungen bei den Synoptikern
1	Todesbeschluß	11,47–57	Mk 14,1f. parr.	
2	Salbung in Bethanien	12,1–11	Mk 14,3–9 parr.	
3	Einzug in Jerusalem	12,12–19		Mk 11,1–11 parr.
4	Tempelreinigung	(?) 2,13–17		Mk 11,15–17 parr.
5	Vollmachtsfrage	(?) 2,18–22		Mk 11,27–33 parr.
6	Verrat des Judas	–	Mk 14,10f. parr.	
7	Zurüstung zum Mahl	–	Mk 14,12–16 parr.	
8	Letztes Mahl	13,1–20	Lk 22,15–20	Mk 14,(17.)22–25
9	Verratsansage	13,21–30	Lk 22,21–23	Mk 14,(17.)18–21
10	Ankündigung der Verleugnung des Petrus	13,36–38	Mk 14,26–31	

Unsicherheiten bei der Zuordnung zum joh PB bestanden bei Nr. 4 und 5. In bezug auf Nr. 2 und 3 hatte das Joh die ältere Abfolge bewahrt. Bei Nr. 4 und 5 (außerhalb oder innerhalb des PB) war die enge Zuordnung, die bei Mk aufgelockert ist, ebenfalls traditionsgeschichtlich älter als Mk. Nr. 6 und 7 kannte der joh PB gar nicht. Da beide Stücke bei den Synoptikern als junge Abschnitte gelten, ist wohl hier ebenfalls der joh PB archaischer. Auch in Nr. 8 wird der joh Befund älter sein, da er wohl eine Mahltradition, nicht aber schon die Herrenmahltradition als Bestandteil des PB kennt. Die Abfolge von Nr. 8 und 9 begegnet bei Mk in umgekehrter Reihenfolge, doch folgt Joh hier der lk Reihung. Daß diese Übereinstimmung in bezug auf Nr. 1–10 mit der Variabilität im einzelnen zwischen Joh und den Synoptikern nicht zufällig sein kann, wird keiner leugnen wollen und ist auch unbestritten. Dies gilt um so mehr, als in Joh 18f. eine analoge Übereinstimmung bei reichlicher Selbständigkeit des Joh weiterhin zu beobachten sein wird. Mit dem Grundstock aus Joh 18f. endete der E vorliegende PB noch nicht. Vielmehr ist damit zu rechnen, daß Joh 20, 1–23 (G) ihm zugehörten als Auferstehungszeugnis, das der Passion folgte. Damit hatte der PB unmittelbar vor E offenbar drei Teile:
A. Vom Todesbeschluß bis zum Abschied von den Seinen
B. Von der Gefangennahme bis zur Grablegung
C. Von der Entdeckung des leeren Grabes
   bis zur Erscheinung vor den Zwölfen.
Diese Grundstruktur des joh PB wird heute allgemein vorausgesetzt.
Wenn es allerdings gilt, den joh PB in eine Geschichte mit den synoptischen einzuordnen und bei der Darstellung auch noch die beiden außerkanoni-

schen PB des Petrusevangeliums und Nazoräerevangeliums zu berücksichtigen, dann divergieren die Meinungen ganz erheblich. Eine begründet vorgetragene Ansicht über diese Gesamtgeschichte müßte angesichts des derzeitigen Forschungsstandes methodisch und exegetisch sehr ausführlich werden. Hier können nur einige thesenartige Bemerkungen gemacht werden, die für das Verständnis des joh PB in der Gesamtgeschichte der Passionstradition wichtig sind und für die Exegese von Joh 18–20 Verstehenshilfen bieten (zur Forschungsgeschichte vgl.: Dauer; Gnilka; Pesch; Schneider, Problem; Theißen).

Ausgangspunkt für alle jetzt literarisch erhaltenen PB ist wohl ein erzählter Urbericht, der in jedem Fall vormk ist (gegen Schreiber und Linnemann, die Mk zum Schöpfer des PB machen). Seinen Umfang zu rekonstruieren, sind der Forschung erhebliche Grenzen gesetzt. Damit bleiben auch die Fragen nach der Entstehungszeit, dem Ursprungsort, der Gattung und Funktion sowie dem Umfang schwer zu beantworten. Praktisch konkurrenzlos ist die Vermutung, der vormk PB entstamme der frühen Jerusalemer Urgemeinde, weil hier die Passion Jesu stattfand und die geographische Kenntnis von Jerusalem und Umgebung im PB recht gut ist. Auch gibt es immer noch mit Recht einen hinreichenden Konsens, daß dieser Erzählzusammenhang Jesus als »leidenden Gerechten« (Ruppert, Pesch u. v. a.) darstellte, von dessen Erhöhung durch Gott (Auferstehung) man wußte. Dabei wird wohl auch von Anfang an der Schriftbezug (vgl. vor allem Ps. 22) zumindest implizit Bedeutung gehabt haben. Geht es in diesem Sinn um theologische Aufarbeitung der Geschichte dessen, der nun Heilsperson der Gemeinde war (also »mehr« war als nur ein Märtyrer unter anderen), dann sollte man weder einen nur geschichtlich orientierten Urbericht vermuten (so Bultmann) noch die berichteten Ereignisse weitgehend theologisch-funktional auflösen (Schreiber, Linnemann u. a.), sondern gerade von dem unauflösbaren Ineinander theologischer und geschichtlicher Motive ausgehen, ohne jedoch nun auch die geschichtliche Zuverlässigkeit zu übertreiben (Pesch). Unmittelbar kultisch-liturgische Funktion hat im jetzigen Mk-Zusammenhang nur die Überlieferung der Herrenmahlsworte (Mk 14,22–24), die allerdings kaum höchstes Alter im jetzigen Passionserzählzusammenhang haben werden (zuletzt richtig: Wrege 74–78, gegen Pesch u. a. Vgl. die Exegese zu 13,1–20). Darum wird man Gattung und Funktion des ältesten PB kaum direkt von da her oder in Analogie dazu bestimmen können. Weder wird es ratsam sein, verschiedene angebliche Traditionen auf verschiedene »Sitze im Leben« zu verteilen, noch überhaupt einen speziellen Funktionsort auszumachen. Wenn Jesu Ende als gedeutete Geschichte in erzählter Form dargeboten wurde, dann war damit theologisch der Ursprungsort und geltende Gesamthorizont der Gemeinde überhaupt präsent. Dementsprechend konnte der Erzählzusammenhang vielfältig benutzt werden, wie z. B. u. a. die apologetischen Motive zeigen, die wohl kaum zum ältesten Stadium gehören.

Dieser älteste PB hat schon vor Mk eine umfassende Verbreitungsgeschichte gehabt. Er wird tradiert als relativ feste Erzählgepflogenheit, aber auch als lebendiges Erzählgut, d. h. seine Rezeptionsgeschichte in den verschiedenen Gemeinden ist zugleich auch seine weitere Interpretationsgeschichte. Von dieser läßt sich – zunächst für die Zeit vor Mk – einiges ausmachen. In jedem Fall ist damit zu rechnen, daß der Erzählzusammenhang im einzelnen sprachlicher Veränderung unterlag. Also haben nicht erst die Evangelisten so verändert. Sie setzten diese Gepflogenheit nur fort. Ebenso sicher erscheint die Annahme, daß bei diesem Wachstumsprozeß in jedem Fall auch Einzeltraditionen in den PB eingebaut wurden. Der Schluß, der mk PB lasse sich (weitgehend) in Einzeltraditionen dekomponieren, darum habe Mk keinen Erzählzusammenhang vorgefunden, ist darum nicht zwingend. Vielmehr hat zu gelten: So wie Mk z. B. mit Hilfe von Einzeltraditionen auffüllte, so geschah es schon vor ihm beim Erzählen des PB. Endlich muß man damit rechnen, daß es unmittelbar vor Mk nicht nur den einen vormk PB gab, sondern mehrere sich nahestehende Varianten des einen Urberichts. Diese Annahme ergibt sich schon aus der Lebendigkeit der Erzähltradition von allein: Die Gemeinde X wird bei der eigenen Aneignung des PB nicht immer und sofort nach der Gemeinde Y geschaut haben. Teilweise kannte man sich gar nicht. In jedem Fall hielt man keine intergemeindlichen Konferenzen über die Standardisierung des PB (oder anderer Traditionen überhaupt) ab. Doch ist man auf diese allgemeine Bemerkung allein gar nicht angewiesen, denn die Differenzen vor allem zwischen Mk und Lk erklären sich bei der Textanalyse selbst im zwanglosesten zu einem Teil aufgrund unterschiedlicher Erzähltraditionen in den Gemeinden (s. u.).

Über diese allgemeinen Bemerkungen hinaus sind insbesondere zwei Probleme konkreter Art für den PB und seine Erzählformen kurz vor Mk von besonderem Interesse, der Umfang dieses Berichtes und die Frage, ob die mündliche Variabilität Ursache für lk Sondertradition sein kann.

Dabei gibt es zum Umfang die verschiedensten Vorschläge. In der Regel geht man dabei von Mk 14,1–16,8 aus, also von einem Zusammenhang, der vom Todesbeschluß bis zur Tradition vom leeren Grab reicht, und sieht in seinem Grundstock den Mk vorliegenden PB. Hier gilt es dann, Mk 11,1–33 (vgl. die Tabelle oben zu Nr. 3–5) mit zu berücksichtigen. Nun kann man allerdings sehen, daß bei Mk 14,32, also bei der Verhaftung Jesu, ein Einschnitt vorliegt. Vorher ist der Zusammenhang lockerer und die Nähe der vier Evangelien zueinander nicht so eng. Durchweg liegen redaktionell verbundene Einzelstücke vor, die auch noch durch unselbständiges Material (vgl. z. B. die Zurüstung zum Mahl Mk 14,12–16) ergänzt wurden. Außerdem ist hier Jesus vielfach noch die handelnde Hauptperson. Nachher ist die Kohärenz der Erzählung enger und ein Grundstock erkennbar, der wohl kaum je nur als Einzeltradition umlief. Dadurch wird die Nähe der vier Evangelien zueinander dichter. Außerdem wird Jesus nun zur leidenden Zentralgestalt. Wer diese verfeinerbaren und ergänzungsfähigen Beobachtungen akzeptiert (vgl. dazu Jeremias; Schneider, Probleme; Gnilka u. a.), steht vor der Frage, ob der unmittelbar vormk PB mit dem Todesbeschluß (Jeremias: Langbericht) oder erst mit der Gefangennahme (Jeremias: Kurzbericht) begann. Hat erst Mk den Kurzbericht eingangs vorverlegt, können zwar Mt und Lk unmittelbar aus Mk den Langbericht entnommen haben, kaum aber Joh. Denn Joh zeigt in Nr. 1–10 (vgl. die Tabelle oben) bei Nähe zu Mk und Lk archaisch-vormk Züge. Wer dieser Deutung des joh Befundes zustimmt, muß darum folgende These annehmen: Der Mk vorliegende PB ist schon vor Mk – also in der mündlichen Tradition – von der Kurzform auf die Langform erweitert worden. Liegt dann in der Kurzform die Urform des PB vor? Das ist denkbar, aber nicht ganz sicher. Es gibt Indizien (vgl. z. B. Schneider, Passion), die zumindest die Frage nahelegen, ob nicht ein Kreuzigungsbericht (Mk 15,20b ff.) Keimzelle der ganzen Entwicklung war. Aber wie dem auch sei, der joh Befund deutet darauf hin, daß der Mk vorliegende PB mit dem Todesbeschluß (Mk 14,1 f.) begann. Damit ist zugleich entschieden, daß eine Vorverlegung des Anfangs des vormk PB nach 8,27 ff. unter Einbeziehung verschiedener Materialien aus Mk 9–10 (so Pesch) nicht ratsam ist. Ist solche Annahme schon aus Mk schwerlich begründbar und das vorherrschende Globalurteil, Mk sei ein konservativer Redaktor, kritisch hinterfragbar, so ist vor allem auch Joh damit nicht im Einklang. Wenn Joh erst vom Todesbeschluß ab mit den Synoptikern parallel läuft, spricht das für die These, erst hier liege der Anfang des PB.

War dann auch Mk 16,1–8 der alte Abschluß dieses Erzählzusammenhanges? Dagegen spricht zunächst, daß die Legende vom leeren Grab eine Einzeltradition ist. So könnte erst Mk sie an die jetzige Stelle gerückt haben. Aber wenn E Joh 20,1 ff. nicht unmittelbar aus einem der Synoptiker literarisch entnommen hat, was schon angesichts des Gesamtbefundes in Joh 1–20 (vgl. die Einleitung 2 d) wie auch aufgrund der Analyse in Joh 20 die beste Annahme ist, muß er einen Grundstock aus Joh 20 in seinem PB vorgefunden haben. Dort konnte er als traditionsgeschichtliche Erweiterung stehen aufgrund vormk und nebenmk Tradition oder nachträglicher Beeinflussung der Synoptiker auf die mündliche Erzähltradition des joh PB. Für vormk Zugehörigkeit der Tradition vom leeren Grab zum erzählten PB spricht u. a. die alte Bekenntnisbildung, die durchweg auf Tod und Erhöhung bzw. Auferweckung Jesu abhob, wie auch die Vorstellung von der Passion des Gerechten, die jedenfalls sachlich und zumindest implizit seine Annahme durch Gott enthalten haben wird, so daß es nahe lag, sie – wenn nicht sofort, so doch sehr frühzeitig – explizit durch narrative Darstellung auszusprechen. Also deutet vieles darauf hin, den Grundstock aus Mk 11,1–33; 14,1–16,8 als unmittelbar vormk PB anzusehen.

Die andere Frage nach der mündlichen Variabilität des PB ist ebenfalls recht komplex. Dabei ist davon auszugehen, daß es vor und nach Mk Erzähltraditionen des PB gab, die in den Gemeinden variierten. Mk standardisiert durch Literarisierung und Redaktion den PB, wie ihn seine Gemeinde kannte. Andere Gemeinden nahmen dabei eine etwas andere Entwicklung. Diese ist weitgehend nicht mehr dem Dunkel der Geschichte zu entreißen. Nur Lk, Joh und wohl auch das Petrusevangelium (vgl. Denker) lassen sich als Indizien verstehen, daß solche Sonderentwicklungen in der mündlichen Erzähltradition des PB stattfanden. Das Medium der Erzählung war nicht nur vor Mk das Anfangsmedium des PB, sondern zunächst war Mk mit der Literarisierung die Ausnahme von der allgemeinen Regel. Eine breite mündliche Erzähltradition ging weiter. Darum ist eine nur literarisch erklärte Abhängigkeit der vier kanonischen PB untereinander sicherlich methodisch höchst fragwürdig (gegen Finegan u. a.).

Eine dieser Erzähltraditionen mit relativ festem Sprachgefüge und Darstellungskonzept kannte offenbar Lk aus seiner Gemeinde. Als er sein Evangelium schrieb, hatte er also in jedem Fall Mk literarisch vorliegen und eine zu Mk begrenzt divergierende Erzähltradition des PB. Lk wird kaum neben Mk eine weitere schriftliche Quelle verarbeitet haben (so Rehkopf), wohl aber den mk PB mit Hilfe der ihm bekannten Erzähltradition des PB aus seiner Gemeinde (und durch weitere Einzeltraditionen sowie eigene Redaktion) umgeschrieben haben. So jedenfalls scheinen sich die lk Besonderheiten (vgl. dazu die Übersicht bei Schneider, Lukas, Exkurs 20) am ehesten zu erklären. Wer annimmt, Lk habe nur Mk gekannt und dann z. B. durch Einzeltraditionen dessen literarischen PB aufgefüllt, geht von der stillschweigenden Annahme aus, die literarische Markuspassion sei damals schon das Übliche, also die Norm, gewesen, wo sie doch nur die literarische Ausnahme von der Regel des Mediums der Erzählung war. Sicherlich wird der Streit nie beendet werden, ob nun Lk selbst oder schon seine Erzähltradition des PB diese oder jene Besonderheit gegenüber dem Mk–PB zu verantworten hat. Aber im Unterschied zu Mt, der Mk erheblich näher steht als Lk dem Mk, wird der dritte Evangelist deutlicher Zeuge einer solchen besonderen Erzählform des PB sein.

Voll rekonstruierbar ist diese lk Sondertradition sicherlich nicht mehr. Denn es ist damit zu rechnen, daß sie – genau wie jetzt Lk – auch stoffliche und sprachliche Nähe zur mk Erzähltradition des PB besaß. Hat Lk also im Einzelfall aus Mk oder aus seiner Erzähltradition etwas entlehnt? Weiter: Mk und Lk haben Einzeltraditionen und überhaupt sprachliche Veränderungen bei ihren PB eingebracht. Dasselbe Recht wird man den mündlichen PB, wie sie Mk und Lk kannten, zugestehen müssen. Da weiter lk und mk Sprache und Redaktionsgepflogenheit nicht nur individuelle Eigenheit, sondern z. T. auch überindividuelle Gepflogenheit ihrer Gemeinden sein werden und sie beide außerdem redaktionelle und sprachliche Eigenheiten im Einzelfall ausgetauscht und nicht nur neu geschaffen haben können, bleibt hier sehr viel unsicher.

Diese Bemerkung zum lk Problem haben nun Folgen für den joh PB. Ausgangsbasis ist die Beobachtung, daß der joh PB bei durchgehender Nähe zum allen drei Synoptikern Gemeinsamen auffällige Beziehungen zum lk PB hat. Die Nähe zum Besonderen des Mt ist dabei viel weniger markant. Nun wird man die Vorstellung, E habe unter Bevorzugung von Lk aus allen drei Synoptikern literarisch abgeschrieben, schon an sich für eine unmögliche Vorstellung halten: auf dem joh Tisch lagen doch wohl kaum drei Evangelien, aus denen E z. T. bis in die Wortwahl abwechselnd abschrieb! So arbeitet kein Autor. Da außerhalb des PB keine literarische Benutzung auch nur einer der drei Synoptiker erkennbar ist (vgl. die Einleitung 2 d), wird E seinen PB auch nur traditionsgeschichtlicher Vermittlung verdanken. Diese Annahme unterstützt der Befund am PB auch selbst (Schniewind, Dauer u. v. a.). Doch wie ist dann die traditionsgeschichtliche Verwandtschaft

vorzustellen? Soll man die Entstehung konsequent nur der mündlichen Tra-
dition zuordnen (etwa: der mündliche vormk PB verändert sich zu einer
Erzähltradition, aus der die lk und joh Vorlage abzweigen, so H. Klein)?
Oder soll man annehmen, nach Mk habe die mündliche joh Tradition des
PB unter Einfluß der literarischen Werke des Mt und Lk gestanden, und ein
Ergebnis davon ist der joh PB unmittelbar vor E (so Dauer)? Die erste
Möglichkeit verkennt, daß redaktionelle Elemente (vornehmlich) aus Lk in
der joh Tradition des PB nachweisbar sind (so Dauer, selbst wenn er die
Beweisführung für lk-redaktionelle Elemente oft überschätzt). Die zweite
Annahme schränkt de facto die geschichtlich denkbare Vielfalt der Möglichkeiten ein, weil sie offenbar eine besondere lk Passionstradition als These vermeiden will. Vor allem muß für den joh PB das Medium mündlicher
Erzähltradition so in Ansatz gebracht werden, daß nach der mündlich tra-
dierten Schicht gefragt wird, aus der sich diese Erzähltradition des PB ent-
wickelt hat (soweit richtig: H. Klein). Hier wird man hinter die lk Redaktion zurückgehen müssen auf Zusammenhänge in der vorlk Erzähltradition
des PB. Dieses hat bisher die Exegese der Stücke des sog. Langberichtes als
Gesamtergebnis erbracht; und dieses wird sich an Joh 18–20 weiter erhär-
ten. Außerdem ist das bleibende Verdienst von Dauer in Rechnung zu stellen, nämlich daß die verschiedenen Erzähltraditionen des PB – hier überprüfbar am joh PB – auch unter Quereinfluß aus den indessen literarisch
festgelegten PB bei Mt, Mk und Lk stehen. Bestätigen kann diese Ansicht
ein Blick auf das Petrusevangelium und auf seinen PB: Er zeigt gewisse Nähe zum joh Erzähltyp, doch wird man Einfluß der schriftlichen Evangelien
auf diesen erzählten PB nicht ganz ausschließen dürfen. Wenig später dominieren dann so stark die schriftlich fixierten PB, daß die mündliche Tradition ohne Bedeutung wird.
Mit welchen Mitteln hat E seinen PB bearbeitet? Ein Blick auf das sonstige
Erzählgut im Joh, speziell der Umgang mit der SQ, zeigt, daß E Stücke
z. T. nahezu unverändert übernehmen kann. Andererseits kann man an den
Resten der Gezemanehtradition, wie sie 12,27f.; 14,30f.(?) schon begegne-
ten und nach Auskunft der synoptischen PB eingangs von Joh 18 stehen
müßten, ersehen, wie frei E gegebenenfalls mit Material umgeht. Er verändert sowohl den traditionellen Ort als auch das interne Sprachgefüge mit
großer Freiheit. Nur die Einzelanalyse, nicht aber ein allgemeines Urteil
kann also Klarheit schaffen. Dabei sind leider auch sprachliche Beobachtungen nur von begrenztem Wert. Sie helfen wohl, die Differenz zwischen
den synoptischen PB und Joh zu verifizieren, sind aber nur bedingt hilfreich, zwischen E und dem PB, wie E ihn vorliegen hatte, zu differenzieren. Denn der Stil von E ist weitgehend allgemein joh (vgl. Einleitung 2c),
so daß die sprachliche Gegenüberstellung von Joh und Synoptikern nicht
einfach auf E schließen läßt (gegen Dauer), zumal wenn man den joh Stil aus
Joh 1–21 erhebt, ohne zwischen Tradition, E und KR zu unterscheiden (so
Dauer). Schichtenspezifische Urteile über den traditionellen joh PB, E und
die KR müssen also vornehmlich so begründet werden, daß abgesehen von
den üblichen Beobachtungskriterien über Risse, Unterbrechungen, Verwer-
fungen, Dubletten usw. vor allem von der gesamten Geschichte der joh

Gemeinde sowie von der Theologie von E und der KR her argumentiert wird.

Will man die theologische Leitung von E am PB beurteilen, geht man am besten von der noch erkennbaren Konzeption des PB vor E aus. Es fällt vorab auf, daß er noch undualistisch ausgerichtet ist, den Stil und Gehalt der joh Offenbarungsreden nicht verwendet und keine eschatologischen Aussagen (das Kreuz als Endgericht der Welt) benutzt (vgl. ähnliche Beobachtungen zur SQ in Exkurs 1). Christologisch ist für die Passion das Königsmotiv und für den Auferstandenen die Bezeichnung als »Herr« *(Kyrios)* charakteristisch. Dabei ist das ursprüngliche Basiskonzept des PB als Passion und Auferstehung des leidenden Gerechten mit Ausbau des diesem Gedanken dienenden Schriftbeweises schon vor E ausgestaltet worden zur Persiflage einer Königsinthronisation (vgl. vor allem die Einzugsgeschichte und das Pilatusverhör). Eine zweite gewichtige theologische Aussage des PB ist mit 13,15 f. 20 und 20,21–23 gegeben: Die Einheit von Sendung, Geistbegabung und Vollmacht zur Sündenvergebung – von den Jüngern nach dem Vorbild des dienenden Christus durchgeführt – ist des Auferstandenen Bevollmächtigung, durch die er den Ertrag seines Leidens dauerhaft für die Gemeinde präsent hält. Sein Leiden ist nach seiner eigenen Auskunft dabei gottgewollt (18,11). Diese theologische Position wird nun so erzählerisch durchgeführt, daß wunderbare Vorgänge beim Weg des Irdischen ganz fehlen und die Auferstehungswirklichkeit ganz zurückhaltend zur Sprache kommt. Das ist auch ein deutliches Unterscheidungssignal zur SQ, deren Begriff des *Semeions* (vgl. Exkurs 1) auch nirgends benutzt wird. Zeichnet sich die Christologie von E und von der KR durch die Anschauung des vom Vater gesandten Sohnes aus, für den das Wegschema aus 16,28 konstitutiv ist, so findet sich auch davon im PB nichts. Viel angemessener ist es nach dem PB, den Weg strukturell analog zu Röm 1,3b–4 zu kennzeichnen, also als zweistufig: Der Niedrigkeit als von Gott bestimmten Leiden folgt die Auferstehung als Hoheit. Die Vater-Sohn-Terminologie fehlt im PB ganz.

Die grundlegendste Tat von E bestand nun zunächst darin, den selbständigen PB in sein Evangelium einzuordnen. So konnte er von Anfang an (vgl. 1,35; 2,18–22; 3,12–16 usw.) den PB als integralen Teil des Geschicks des Gesandten darstellen, der im Sinne von 1,18 Gott auslegt und im Sinne von 3,17 f.; 5,19–30 daran zugleich das Weltgericht vollzieht. So ist die Stunde Jesu als seine Todesstunde von Anfang an präsent (7,30; 8,20; 12,23.27; 13,1), die Kreuzigung ein konsequenter Schlußpunkt seiner Auseinandersetzung mit den Juden (5,17f.; 8,56–59; 10,33–39 usw.) und zugleich Gericht über den Unglauben wie Heil für den Glauben (3,12–16; 12,31 f.). Dabei hat E die Kreuzigung von vornherein als Erhöhung und Verherrlichung des Sohnes, d. h. als Rückkehr des Gesandten zum Vater ausgelegt, der so sein Werk zu Ende führt (vgl. Exkurs 8), und der die bleibende Bedeutung seines Fortgangs zum Vater in der Abschiedsrede 13,31–14,31 den Jüngern nahebringt.

Über diese grundsätzliche Position hinaus interessiert hier vor allem, wie E speziell am PB selbst gearbeitet hat. Als grobe Orientierung trifft das Urteil

zu, daß E vornehmlich dort betont theologisch gestaltet hat, wo Jesus redet
(vgl. 12,20–36; 13 f.; 18,4–8.19–23; 18,28–19,16.30). Dabei formt er insbesondere vier größere Stücke: Die Hellenenrede, die Abschiedsrede, den
Prozeß vor Pilatus und die Thomasperikope. Hingegen hat er den Schriftbeweis nicht wesentlich gefördert. Er ist an ihm nicht ganz uninteressiert,
läßt ihn auch wohl – soweit überprüfbar – unangetastet stehen, kann aber
z. B. in 12,20–36; 13,31–14,31 und 18,28–19,16 gut ohne ihn auskommen.
Sein theologisches Hauptinteresse gilt der christologischen Auslegung des
Todes Jesu: Jesu Tod ist seine Stunde der Erhöhung und Verherrlichung
(12,23–36; 13,31–33), ist freiwilliger Gehorsam des Gesandten gegenüber
dem Auftrag des Vaters (14,31). So repräsentiert sich der Gesandte in seiner
Passion als Zeuge der jenseitigen Wahrheit (18,36–38a), dessen Geschick
göttlichem Willen und göttlicher Planung entspricht (18,11.30; 19,11) und
der über sein eigenes Werk das hoheitsvolle: »Es ist vollbracht« (19,30)
sprechen kann. Konsequent werden darum traditionelle Züge der Schwach-
heit Jesu in Hoheitsaussagen umgeprägt (vgl. Gezemaneh: 12,27–32; Gefangennahme: 18,4–8; Tod: 19,28–30), ja der ganze Prozeß vor Pilatus zu
einer Souveränitätsdemonstration Jesu. Auch die Schwächen der Jünger
sind Teil seiner Planung (Judas: 13,22–30; Petrus: 13,36–38;
18,15–18.25–27). Der leidende und erniedrigte Jesus erhält nicht mehr erst
mit Ostern die Herrlichkeit, sondern, aus der göttlichen Lebenswelt stam-
mend, triumphiert er schon als das Leben (5,26; 11,25 f.; 14,6) mitten im
Tod, so wie es kraft seiner Tat alle Glaubenden können (11,25 f.). Denn mit
seinem Tod als Rückkehr zum Vater besiegt er Teufel, Tod und Finsternis
(12,31; 14,30) und schafft für die Gemeinde die dauerhafte Einheit von
Ostern, Pfingsten und Parusie (14,18–24), also den neuen Heilsstand der
Gemeinde (13,6–10). Umgekehrt wird der Unglaube durch die Juden und
Pilatus repräsentiert. Die Juden, die Jesu Tod wollen, weil sie für Volk, Religion und Gesetz eintreten (11,45–53.55; 18,28; 19,31), müssen sogar noch
ihrer Hoffnung gegenüber der verhaßten politischen Besatzung abschwören
(19,15). Während sie Passa feiern, stirbt das wahre Passalamm
(19,14.31–37), so daß das Urteil aus 8,44; 12,37 ff. endgültig ist. Pilatus darf
zwar dreimal Jesu Unschuld aussprechen (18,38; 19,4.6), aber die Botschaft
der Wahrheit bleibt ihm verschlossen (18,39a).

1. Die Verhaftung Jesu 18,1–11

1 Als er das gesagt hatte, ging Jesus mit seinen Jüngern hinaus zum jenseitigen Ufer des Baches Kidron; dort war ein
Garten, in den ging er mit seinen Jüngern hinein. 2 Doch
auch Judas, der ihn verriet, kannte den Ort, weil Jesus sich
dort oftmals mit seinen Jüngern versammelt hatte. 3 Judas
nahm nun die Kohorte und (dazu) Knechte von den Hohenpriestern und Pharisäern und kam dorthin mit Laternen, Fak-
keln und Waffen.

4 Da ging Jesus, der alles wußte, was über ihn kommen sollte, hinaus und sagt zu ihnen: »Wen sucht ihr?« 5 Sie antworteten ihm: »Jesus von Nazareth.« Er sagt zu ihnen: »Ich
bin (es).« Auch Judas, der ihn verriet, stand bei ihnen. 6 Als
er nun zu ihnen sagte: »Ich bin (es)«, wichen sie zurück und
stürzten zu Boden.
7 Da fragte er sie noch einmal: »Wen sucht ihr?« Sie antworteten: »Jesus von Nazareth.« 8 Jesus entgegnete: »Ich habe es euch gesagt, daß ich (es) bin. Wenn ihr mich nun sucht,
laßt diese fortgehen.« 9 So sollte sich das Wort erfüllen,
das er gesagt hatte: »Von denen, die du mir gegeben hast,
habe ich keinen verloren.«
10 Simon Petrus nun besaß ein Schwert, zog es und schlug
den Knecht des Hohenpriesters und hieb ihm das rechte Ohr
ab; der Name des Knechtes jedoch war Malchus. 11 Da
sagte Jesus zu Petrus: »Stecke das Schwert in die Scheide! .
Soll ich den Kelch nicht trinken, den mir der Vater gegeben
hat?«

Ein Blick auf die Synoptiker (Mk 14,43–52 parr) lehrt die großen
Besonderheiten bei Joh zu erkennen. Es gibt überhaupt nur synoptische Parallelen zu V 1–3.10f. Dabei sind bei Joh drei große Blök-
ke ausgefallen: der Gebetskampf Jesu in Gezemaneh (Mk 14,32–42
parr), der nach V 2 (weniger wahrscheinlich nach V 1) hätte folgen
müssen; die Kußszene (Mk 14,44–46 parr), die nach V 3 vermißt
wird; und der Vorwurf an die Häscher (Mk 14,48–50 parr), dem
nach V 11 hätte Platz eingeräumt werden sollen (Mk 14,51f. sind
Sondergut des Mk, darum hier zu vernachlässigen). Umgekehrt hat
Joh in V 4–9 eine Szene, die ohne synoptische Parallele ist.
Vergleicht man den gemeinsamen Text zwischen Joh und den Synoptikern, ergibt sich zu V 1–3 besondere Nähe zur lk Version:
Während Mk schon bei der vorangehenden Ankündigung der Verleugnung des Petrus das Motiv des »Hinausgehens« bringt (14,26;
ebenso Mt), beginnen Lk wie Joh so die Gezemanehperikope (Lk
22,39). Nur Lk und Joh nennen ausdrücklich die Jünger als Beglei-
ter (Lk 22,39 = Joh 18,1). Lk erwähnt im selben Zusammenhang,
Jesus ginge nach seiner Gewohnheit in den Garten; dieses Motiv
prägt auch 18,2. Nur bei Lk und Joh ist Judas (vgl. Lk 22,47; Joh
18,3) derjenige, der den Häschern auch den Weg weist. Endlich
fehlt bei beiden der Name des Gartens Gezemaneh. Zu V 10f. ist
das Bild differenzierter. Während nur Joh den Jünger und den
Knecht namentlich kennt, weiß Lk wie Joh, daß dem Knecht des

Hohenpriesters das »rechte Ohr« abgehauen wird (Lk 22,50). Das
Schwertwort hingegen hat in Mt 26,39.42.52a eine deutliche Ana-
logie. Alle Parallelitäten sind unliterarischer Art, weil die verbale
Distanz im einzelnen groß ist.

Beachtet man das Darstellungskonzept bei Joh, erkennt man strukturelle Differenzen zu den Synoptikern. Joh gibt dabei einen anderen durchgehenden Aussagewillen zu erkennen (vgl. Richter, Studien 75 f.): Jesus läßt sich nicht gefangennehmen als Objekt einer
jüdischen Aktivität, sondern er plant seine freiwillige, von ihm aktiv vorbereitete (13,27) Festnahme, indem er sich selbst ausliefert.
Kraft übernatürlicher Kenntnis geht er den Häschern entgegen.
Ähnliche Züge von Souveränität und Vorherwissen sind der SQ
vertraut (vgl. Exkurs 1) und werden von E auch sonst gebraucht.
Judas hat nur noch die Aufgabe, die Häscher zu Jesus zu führen,
sonst ist er zum Statisten degradiert. Jesus wird nicht von den Jüngern fluchtartig verlassen, er sorgt vielmehr dafür, daß die Jünger
unbehelligt bleiben und freien Abzug erhalten. Petri Gewaltstreich
ist nicht eine unpassende Handlung, die ins Lot gebracht werden
muß, sondern Anlaß, um Jesu Willen, den Auftrag des Vaters zu
vollenden, zu demonstrieren. Man kann zusammenfassen: Jesus
inszeniert selbst die Umstände und die Art der Selbstübergabe, erweist so seine Hoheit und erfüllt des Vaters Willen. Jesus übernimmt die Passion nicht als fremdes, wenn auch notwendiges Geschick, vielmehr gestaltet und plant er sie selbst. Seine Rückkehr
zum Vater ist sein eigenes Werk, zu dem er andere wie ausführende
Organe benutzt.

Der joh Text ist nicht aus einem Guß. In jedem Fall ist V 9 der KR
zuzuschreiben, da die ungenaue Zitation sich nur auf 6,39 oder
(eher auf) 10,28; 17,12 (alle KR) beziehen kann. So soll Jesu Handeln als das des guten Hirten, der für die Seinen sorgt (10,28), herausgestellt werden. Auffällig ist, daß Jesu Worte (vgl. noch 18,32)
schon wie das AT zitiert werden können. Schrift und Jesustradition
sind schon von gleicher Autorität (vgl. 2,22) – ein Zeichen allgemeiner theologischer Entwicklung der dritten Generation des Urchristentums. Weiter kann vorausgesetzt werden, daß 18,1–3.10f.
im wesentlichen dem E vorgegebenen PB entstammt (Dauer), so
daß nur die Frage noch offen ist, ob E V 4–8 ganz neu oder nur
verändernd gestaltet hat: Die Partizipialkonstruktion, die V 4 betont Jesu Wissen herausstellt, ist wohl mit 13,1a; 19,28 zusammenzusehen (beide E). Weist dies auf E, dann wohl auch die Handlung
Jesu, die daraus folgt. Doch die Antwort der Häscher, sie suchten
»Jesus den Nazoräer (= Jesus aus Nazareth)«, ist keine Redeweise

von E. E kann dies aber 19,19 (PB) entnommen haben. Kaum glatt steht jetzt V 5b im Kontext, doch diese Bemerkung über Judas könnte der von E gestaltete Rest der Tradition vom Judaskuß sein. Damit ergibt sich: Höchstwahrscheinlich ist der ganze Mittelteil (V 4–8) von E neu geschaffen (Dauer u. a.).

Von dieser Annahme her kann nun weiter gefolgert werden: E selbst hat bewußt Jesu Gebetskampf ausgelassen, den sein PB noch kannte, weil er die darin sich äußernde Schwäche Jesu christologisch nicht gebrauchen konnte. Jesu hoheitsvolle Selbstbestimmung seines Geschicks, wie sie V 4–8 zum Ausdruck kommt, ist nun dominanter Zug. Weil Jesus sich selbst den Häschern ausliefert, war auch der Judaskuß überflüssig. Diese Tradition gerinnt zu V 5b. Natürlich kann nun auch der Vorwurf an die Häscher entfallen: Jesus hat sich ihnen freiwillig ausgeliefert. Ihrer Statistenrolle ist mit V 4–6 (und V 12) genügend gedacht. Also hat E seinen PB, der wesentlich mehr den Synoptikern ähnliches Material enthielt, als jetzt erhalten ist, stark bearbeitet unter dem dominanten Gesichtspunkt, Jesus nicht Objekt der Festnahme, sondern freiheitliches Subjekt der eigenen Todesbereitschaft sein zu lassen bis hin zur Bestimmung der Umstände der Gefangennahme und der Sorge für die Jünger.

Diese grundlegende Redaktion von E führt zu folgendem Erzählduktus: a) Jesus wählt den Ort der Gefangennahme, geht dorthin mit seinen Jüngern (V 1). Judas reagiert darauf und führt die Schar der Häscher ebenfalls dorthin (V 2 f.). b) Jesus geht – stillschweigend wissend, daß Judas und seine Gruppe kommt – der nahenden Gruppe bis außerhalb des Gartens entgegen. Er fragt sie und gibt sich zu erkennen. Seine hoheitsvolle Selbstenthüllung zeigt ihre Schwäche und macht Judas fast überflüssig (V 4–6). c) Jesus insistiert auf einer Antwort, gibt sich selbst nochmals zu erkennen und sorgt für den freien Abzug der Jünger (V 7 f.). d) Simons Schwertstreich hat nun keine Eigenbedeutung mehr, sondern ist Mittel, Jesu bewußten Gang in den Tod abschließend festzuhalten (V 10 f.). Jede Szene spiegelt also Jesu Souveränität mit neuen Mitteln. Nun ist dies an sich kein ganz neues Gestaltungsprinzip innerhalb (vgl. Mk 11,2–7; 14,12–31) und außerhalb (vgl. die SQ) des PB. Aber es leidet keinen Zweifel, daß E in 18,1 ff. besonders ausgefeilt so verfuhr und konsequent bis ins letzte daraufhin die Gestaltung konstruierte.

Im einzelnen können nun die Details des Textes bedacht werden. V 1 verbindet eingangs mit 14,30 f. Die Wegbeschreibung bewahrt Ortskenntnis: Jesus geht über den Kidron, d. h. Winterbach (weil das Bachbett nur zur Regenzeit Wasser führt), an den unteren Hang des Ölberges in einen Garten, dessen Name bei den Synoptikern mit Gezemaneh angegeben wird. Daß Jesus sonst häufig dort mit seinen Jüngern weilte (V 2), entspricht zwar sachlich Lk 22,39, hat aber keinen Anhalt in Joh 1–14. Judas führt – im Unterschied zu den Synoptikern – zwei Trupps heran: eine Kohorte und Knechte der jüdischen Oberen (V 3), die wie 11,47 (PB) als »Hohepriester und Pharisäer« angegeben sind. Nach 18,12 hat die Kohorte einen Chiliarchen als Hauptmann und ist von den jüdischen Dienern unterschieden. Also sind mit ihr römische Soldaten gemeint. Auf der Burg Antonia, gegenüber dem Tempel, waren ca. 200 Mann als römische Besatzer stationiert. Im Blick auf die Historie wird man Römer bei der Verhaftung Jesu nicht beteiligt sein lassen (vgl. Blinzler); aber das berechtigt noch nicht, für den joh PB eine andere Deutung als die von E anzunehmen (gegen Blinzler, Dauer). Nichts an der noch erkennbaren Vorlage von E gibt dazu Anlaß (richtig: Dodd, Tradition 81). E wird die ihm geläufige Deutung vertreten. Historische Probleme hat weder er noch der PB dabei. Da Römer und Juden Jesus gefangennehmen, zeigt E, daß Jesus dem Kosmos konfrontiert ist (Schnackenburg).

Wie Jesus Judas auf den Weg zum Verrat schickte (13,27), so bestimmt er jetzt seine erneute Begegnung mit ihm (V 4). Die Wegbeschreibung für Jesus ist dabei bewußt gestaltet. Wie Jesus aus dem Saal des Abschiedsmahles (V 1a) in den Garten (V 1b) geht, so bewegt er sich jetzt aus dem Garten dem nahenden Judastrupp entgegen. Dabei überschaut er nicht nur die Episode der Gefangennahme, sondern »alles«, d. h. die gesamte Passion. Die Verbindung zu 19,28 ist gewollt. Der Initiative zur Begegnung korrespondiert die Initiative bei der Anrede. Die Antwort der Gefragten ist als Frage nach dem Jesus, der aus Nazareth stammt (Herkunftsbezeichnung), aufzufassen (vgl. 1,45). Jesu »Ich bin (es)« ist stilgerechte Antwort der Selbstidentifikation. Wenn aber V 6 die Feinde Ohnmacht zeigen, ist die hoheitsvolle Majestät Jesu seinen Gegnern gegenüber ausgesprochen (vgl. JA 4–6; auch Joh 7,30.46; 8,20). An das Furchtmotiv bei Epiphanien (Bultmann) ist ebensowenig zu denken, da es nicht um Verehrer, sondern Feinde geht, wie an die Gewalt des Messias nach Jes 11,4 (so Dauer), weil die Nähe zu diesem Text nicht erkennbar ist. Die Szene gestaltet die vordergründige Erwartung um: Der Gesuchte ist nicht der Schwache, sondern Souveräne. Die Häscher, ausgerüstet mit sichtbarer Macht (V 3: Waffen), sind dem Wort Jesu gegenüber inkarnierte Ohnmacht. Der zweite Gesprächsgang V 7 f. wiederholt absichtlich weitgehend

den ersten, um nur einen anderen Schluß zu bieten: Die Jünger
müssen nicht ungeordnet fliehen. Diese Peinlichkeit bleibt ihnen
erspart, weil Jesus für sie Sorge trägt: Er ordnet ihren unbehelligten
Abzug an. Die Häscher kommen gar nicht dazu, positiv oder negativ darauf zu reagieren. Daß die Jünger so davonkommen, versteht
sich nach Jesu Wort von allein. Die KR interpretiert mit V 9 die
Szene vornehmlich nach 10,28 (s. o.). Daß Petrus (V 10) zum
Schwert greift, steht in auffälligem Kontrast zu V 8. War der An-
griff bei Mk noch von einem der Herumstehenden ausgeführt, also
offenbar noch nicht von einem der Jünger, so hatten Mt und Lk
daraus schon einen Jünger gemacht, der joh PB weiß nun sogar seinen Namen. Ähnlicher sekundärer Konkretion verdankt sich der
Name Malchus. Daß es sein rechtes Ohr ist, das lädiert wird, weiß
schon Lk 22,50. Da man sich Petrus wohl kaum als Linkshänder
vorstellen soll, bedeutet diese Konkretion, daß der Schlag hinter-
rücks erfolgte. Da E wegen V 8.11 kein biographisches Interesse an
diesen Einzelheiten aus V 10 besaß, deuten diese traditionsgeschichtlich sekundären Konkretionen auf den joh PB vor E (vgl.
18,26). Der joh PB setzt also eine traditionsgeschichtliche Konkre-
tionstendenz fort, wie sie begrenzt schon die lk Sondertradition
(kaum erst Lk selbst) kannte. Die Tat des Petrus hat für E keinen
eigenen Sinn, sie ist nur Anlaß für Jesu Wort V 11, das am Anfang
Mt 26,52 folgt, aber dann Mk 14,36 parr, also ein Motiv der Gezemanehtradition, benutzt. Dieser Zusammenhang ist wohl nicht erst
von E geschaffen (wie Dauer sprachlich begründet), also kannte
auch der E vorgegebene PB nachweislich zumindest Elemente der
Gezemanehperikope. E war die Reaktion Jesu in V 11 nur recht,
weil so abschließend der, der von Anfang an alles inszenierte, auch
das letzte Wort behielt, das nochmals seine Grundhaltung klar formulierte.

2. Das Verhör durch Hannas und die Verleugnung durch Pe-
trus 18,12–27

12 Die Kohorte mit dem Hauptmann und die Knechte der Juden nahmen Jesus gefangen, fesselten ihn   13 und führten
ihn zuerst zu Hannas; er war nämlich der Schwiegervater des
Kaiphas, der in jenem Jahr Hoherpriester war. 14 Kaiphas
aber war es, der den Juden den Rat gegeben hatte, es sei
besser, einen Menschen statt des (ganzen) Volkes zu töten.
15 Simon Petrus aber und ein anderer Jünger folgten Jesus

nach. Dieser Jünger war mit dem Hohenpriester bekannt und ging mit Jesus in den Hof des Hohenpriesters hinein. 16 Petrus aber blieb draußen vor dem Tor stehen. Doch der andere Jünger, der Bekannte des Hohenpriesters, kam hinaus, sprach mit der Türhüterin und führte Petrus hinein. 17 Da spricht die Magd, die das Tor bewachte, zu Petrus: »Bist du nicht auch (einer) von den Jüngern dieses Menschen?« Jener sagt: »Ich bin (es) nicht.« 18 Die Knechte und Diener standen da, hatten sich ein Kohlenfeuer angezündet und wärmten sich, denn es war kalt. Auch Petrus stand bei ihnen und wärmte sich.

19 Der Hohepriester nun fragte Jesus nach seinen Jüngern und nach seiner Lehre. 20 Jesus antwortete ihm: »Ich habe öffentlich zur Welt gesprochen. Immer habe ich in (der) Synagoge und im Tempel gelehrt, wo alle Juden zusammenkommen, und im Verborgenen habe ich nicht gesprochen. 21 Warum fragst du mich? Frage doch jene, die gehört haben, was ich zu ihnen gesagt habe. Sieh, die wissen, was ich gesagt habe.« 22 Als er das sagte, gab einer der herumstehenden Diener Jesus einen Backenstreich und sagte: »Antwortet man so dem Hohenpriester?« 23 Jesus antwortete ihm: »Habe ich ungebührlich gesprochen, weise die Ungebührlichkeit nach! War es jedoch rechtens, warum schlägst du mich?« 24 Da ließ Hannas ihn gefesselt zu Kaiphas, dem Hohenpriester, führen.

25 Simon Petrus aber stand da und wärmte sich. Da sprachen sie zu ihm: »Bist nicht auch du einer von seinen Jüngern?« Jener leugnete und sagte: »Ich bin (es) nicht.« 26 Da sagt einer von den Knechten des Hohenpriesters, ein Verwandter dessen, dem Petrus das Ohr abschlug: »Habe ich dich nicht im Garten bei ihm gesehen?« 27 Da leugnete Petrus abermals; und alsbald krähte ein Hahn.

Der Textabschnitt hat nicht nur erhebliche Besonderheiten gegenüber den Synoptikern (Mk 14,53–72 parr), die die Analyse problemreich gestalten, sondern trägt auch in sich selbst drei gravierende Spannungen, die um des Textverständnisses willen dringend gelöst sein müssen: das Verhältnis der Hannas- und Kaiphasaussagen zueinander, die nach vorn gezogene erste Verleugnung des Petrus und die Gestalt des »anderen Jüngers« im Kontext.

Der »andere Jünger« in 18,15 f. hat nicht nur bei den Synoptikern keine Parallele, sondern ist auch nur mühsam in den Text eingefügt: Erstes Indiz ist in V 16 f. die doppelte Kennzeichnung der Petrus fragenden Frau: Sie ist zunächst Türhüterin, dann die Magd, die die Tür hütet. Dabei ist eine Frau als nächtliche Türhüterin schon an sich schwer vorstellbar. Da man Jesus nach 18,3.12 recht militärisch holt und bewacht, sollte man in diesem Fall speziell erwarten, daß der Hofeingang analog gesichert wird. Nun erkennt man an Mk 14,66 parr, daß die Synoptiker wohl eine Magd des Hohenpriesters kennen, aber keine solche, die als Türwache dasteht. Also: die traditionell der Magd zugesprochene Frage an Petrus und der Zwang, die Funktion des anderen Jüngers einzubringen, führten offenbar zu dem Kompromiß, aus der Magd eine Türhüterin zu machen (vgl. Spitta, Bultmann, Dauer). Zweites Indiz ist die Beobachtung, daß der »andere Jünger« außer in V 15 f. im Kontext nicht mehr genannt wird. Wer hat Interesse an einer anonymen Gestalt, die eine an den Synoptikern überprüfbare unnötige Funktion für einen Augenblick wahrnimmt, um dann ganz zu verschwinden? Die Gestalt hat Sinn, wenn sie mit 13,23–25; 19,26 f.34 f.; 20,2–10; 21,2–8.20–24 zusammengesehen werden kann, also zu den Lieblingsjüngertexten gezählt wird (Kragerud, Lorenzen, Neirynck). Dafür spricht 20,2, wo der »andere Jünger« ausdrücklich als der, »den Jesus liebhat«, gekennzeichnet wird. Darauf weist weiter hin, daß dieser Jünger auch hier Petrus zuvorkommt (vgl. Exkurs 9). Der Lieblingsjünger ist stummer, selbstverständlich anwesender Zeuge, so wie er auch später bei der Kreuzigung dabei ist. Drittes Indiz ist die sachliche Problematik des Textes: Der andere Jünger geht erst umständlich in den Hof, dann wieder hinaus, um bei der Magd zu intervenieren. Warum tut er das nicht gleich bei seinem Hineingehen? Obwohl er bekannt ist, bleibt er im Unterschied zu Petrus unbehelligt von Fragen. Aber obwohl Petrus durch den anderen Jünger eingeführt und akzeptiert ist, wird er kurz danach inquiriert. Weiß die Magd nicht längst durch den anderen Jünger, daß Petrus Jesusanhänger ist? Warum läßt sie ihn dann als akzeptabel ein, um ihn verspätet zu beargwöhnen? Ist eine solche Frage an Petrus nicht nur sinnvoll, wenn dieser sich unbemerkt in den Hof begab? Muß die Magd nicht überhaupt die Tür bewachen und kann gar nicht, nachdem Petrus sich schon im Hof aufhält (V 16c) ihn innerhalb des Geländes befragen? Alle diese Probleme lösen sich, nimmt man mit Blick auf Mk 14,54 folgenden Text für Joh an: »Simon Petrus aber ... folgte Jesus nach ... und ging mit Jesus in den Hof des Hohenpriesters hinein ... Da spricht eine Magd ... zu Petrus: ...« Dann bleibt nur noch zu klären, wer hier den anderen Jünger textlich einführte. Da es keine

sprachlichen Indizien für E gibt (vgl. dazu Dauer), kommt nur eine
Schichtung im PB oder eine Bearbeitung der KR in Frage. Die erste
Möglichkeit scheidet aus, weil kein Grund zur Einführung auf dieser Stufe vorliegt. Biographisches Interesse wäre nur anführbar,
wenn die Gestalt nicht so unbiographisch und anonym geschildert
wäre. Wer hingegen die Bearbeitung der KR zuweist, hat durch
den Zusammenhang mit den anderen Lieblingsjüngertexten klare
Motive (vgl. Exkurs 9). In V 15–17 hat also die KR gearbeitet.

Die Verleugnung des Petrus ist bei den Synoptikern immer geschlossen berichtet: bei Mk und Mt nach der nächtlichen Sitzung
des Synedriums und vor der Übergabe Jesu an Pilatus (Mk
14,66–72 par), bei Lk während der nächtlichen Aufbewahrung Jesu
im Hof des Hohenpriesters und vor der morgendlichen Sitzung des
Synedriums (Lk 22,54–62). Mk und Mt haben nur noch vor der
Synedriumssitzung eine kurze Notiz über Petri Eindringen in den
Hof (Mk 14,54 par). Zwar besteht auch bei den Synoptikern die
Tendenz, die petrinische Verleugnung mit dem Geschick Jesu zu
verzahnen (Mk 14,54; Lk 22,61), aber keiner der Synoptiker hat
die drei Verleugnungsakte getrennt um das Verhör herum gelagert
wie Joh. Nun zeigt aber auch Joh, daß die Verleugnungsgeschichte
erst nachträglich aufgespalten wurde. V 25a greift fast wörtlich V
18b auf. Diese Doppelung erklärt sich am besten redaktionell: Derjenige, der mit V 18 den Erzählzusammenhang der Verleugnung
verließ, mußte V 25 den Erzählfaden neu knüpfen. V 25 ist die
Gruppe, die Petrus anredet, anonym, ein Bezug zu V 24 sachlich
und grammatisch schwierig. V 18 stehen die passenden Personen,
nämlich die Knechte und Diener, am Feuer. V 24 setzt jetzt voraus,
Petri Verleugnung habe in V 15–18 bei Hannas und V 25–27 bei
Kaiphas stattgefunden oder V 25–27 ereignen sich bei Abwesenheit
Jesu. Nicht nur ist bei den Synoptikern die Einheit von Ort und
Handlung gewahrt und Jesus ganz selbstverständlich in der Nähe,
sondern auch bei Joh ergibt sich ganz dasselbe, liest man V 25–27
unmittelbar im Anschluß an V 15–18: Petrus, der bei Jesus sein
will, verleugnet ihn dreimal am selben Ort in Jesu Nähe. Die Un-
terbrechung durch V 19–24 ist also für die drei Verleugnungsakte
erzählerisch unnatürlich. Wer hat dann die Verleugnung Petri so
zerschnitten? Da die KR offenbar die Magd in V 17 an ihrem jetzigen Platz vorfand und darum die Türhüterin als Konstruktion einbringen konnte (V 16), kommt nur derjenige in Frage, der V 19–24
einschob.

Daß das nur E sein kann, wird offenkundig, wenn nun das Problem Hannas und Kaiphas erörtert wird. Hannas war von 6–15 n.

Chr. Hoherpriester und auch danach von großem Einfluß. Fünf
Söhne bekleideten noch nach ihm dasselbe Amt. Kaiphas wurde
nach 19jähriger Amtsführung 37 n. Chr. des Amtes entsetzt. Er
war zweifellos der z. Z. des Prozesses gegen Jesus amtierende Hohepriester (für 18,13c vgl. zu 11,49). Dies bezeugt so auch Mt (vgl.
Mt 26,57), während Mk und Lk nur von »dem Hohenpriester«
sprechen, also ohne Namensnennung. Alle drei Synoptiker sind
sich jedoch darin einig, daß beim Prozeß Jesu nicht ein Althoher-
priester die erste Rolle und der amtierende Hohepriester nur eine
Nebenrolle spielte, vielmehr reden alle drei von nur einem Hohenpriester. Nun ist zwar dagegen nichts einzuwenden, daß Hannas
und Kaiphas einfach »Hohepriester« genannt werden (vgl. den Plural 11,47; 18,3 als Gruppenbezeichnung), wohl aber, daß Kaiphas,
der noch 11,49 eine herausragende Stellung einnimmt, jetzt 18,24
(vgl. V 28) nur zur Randfigur degradiert ist, obwohl er auch nach
18,13 ausdrücklich als amtierender Hoherpriester beschrieben ist.
Kennt keiner der Synoptiker ein Verhör vor Hannas und überhaupt nur das vor dem einen amtierenden Hohenpriester, der stillschweigend oder direkt Kaiphas ist, so setzt dies offenbar auch insoweit 18,15–23.25f. voraus, als hier vor und nach der Notiz V 24
immer von »dem (einen) Hohenpriester« gesprochen ist (V
15(2×).16.19.22.26). Also: der joh Text und die Synoptiker erweisen, daß in 18,12–27 mit den beiden Hohenpriestern etwas nicht
stimmen kann.
Setzt man nun für das früheste Stadium des joh PB analog zu Mk
und Lk voraus, auch hier sei nur allgemein von »dem Hohenpriester« die Rede gewesen, dann dürfte die namentliche (und historisch falsche) Identifikation desselben mit Hannas die nächste Stufe
gewesen sein, d. h. V 13b.c.14.24 existierten noch nicht, ebensowenig in V 13a das »zuerst«. Die Fehldeutung auf Hannas muß
darum an den Anfang der weiteren Entwicklung gestellt werden,
weil kein Grund ersichtlich ist, warum Hannas später noch eingefügt sein sollte, zumal auch das Joh sonst an Hannas gar kein Interesse hat. Wer führte dann Kaiphas ein? Zwei Motive zur Einführung bieten sich an: der Ausgleich mit Mt 26,57 (so Dauer) und die
Harmonisierung mit Joh 11,49f. (so Bultmann). Die erste Möglichkeit ist solange die schlechtere, als innerjoh Ursachen vor einem
von außen kommenden Synoptikereinfluß den Vorrang verdienen.
Es geschieht de facto auch keine Angleichung an Mt, sondern
Rückbezug von V 13f. auf 11,49f. Wer ist für diesen verantwortlich? Derjenige, der zuerst 11,49f. mit 18,12ff. in Verbindung
brachte. Das ist nicht E (so Bultmann, Schnackenburg), vielmehr

eine Entwicklung innerhalb der Erzähltradition des PB (soweit
richtig: Dauer). Als der PB über die Gefangennahme hinaus nach
vorn bis zum Todesbeschluß erweitert wurde (vgl. Exkurs 13),
mußte zwischen der neu eingegliederten Überlieferung in 11,49f.
und 18,12ff. ein Ausgleich geschaffen werden. E findet also V
12–14 im wesentlichen schon vor.

Ist damit erklärt, wie 18,12–14 entstanden sind, so noch nicht die
schwierige Stellung von V 24 aufgehellt. An ihr nahmen schon alte
Hss Anstoß, und so gibt es drei Neuordnungsvarianten: a) V
12.13a.24.13b–23.25–27; b) V 12.13.24.14–27 (hier wird also V 24
zweimal geboten); c) V 12.13.24.15.19–23.16–18.25b–27 (hier wird
also V 24 vorgerückt und zugleich die Verleugnung des Petrus zu-
sammengestellt). Die Lösung a) kann nicht erklären, wie V 24 nach
V 23 zu stehen kam. Man kann nicht Anstößiges durch möglichst
einfache Mittel aus der Welt schaffen, ohne die Angemessenheit des
Mittels und die Entstehung des Anstößigen erklärt zu haben. Die
Lösung ist methodisch und sachlich also Willkür, getragen von der
frommen Absicht, so behutsam wie möglich mit dem Text umzugehen. Doch dann ist es noch behutsamer und weniger willkürlich,
den Text zu belassen, wie er ist. Die Lösung b) zeigt durch die Verdoppelung von V 24 die ganze Hilflosigkeit des Schreibers, sich
zwischen der Kritik am Text und dem Bewahren seines anstößigen
Textes hindurchzumogeln. Die Lösung c) ist am konsequentesten:
Einmal am Aufräumen, wird gleich mehreres erledigt. Allerdings
ist die Absicht erkennbar, nämlich die Angleichung an Mt. (vgl.
Mk). Hannas bleibt geduldete Zwischenstation für Jesus, weil man
notfalls annehmen konnte, die Synoptiker haben solche Neben-
sächlichkeit übergangen. Der Versuch von c) kann zudem nicht aus
der Welt schaffen, daß die Menge der Hss und die besten V 24 nach
V 23 bieten. Wie soll das erklärt werden, wenn V 24 zuerst nach V
13 stand? Die Probleme bei der Lösung a) tauchen also auch hier
auf. So haben denn auch solche Umstellungsversuche bei neueren
Auslegern mit Recht nur selten Anklang gefunden (Lagrange,
Schneider, Fortna). Andere belasten spätere Redaktoren mit V 24
(Wellhausen) oder mit allen Angaben zu Kaiphas (Hirsch). Man
kann dann zwar redaktionelle Synoptikerangleichung geltend machen, aber sie verfuhr wenig überzeugend: Warum ersetzte sie
nicht einfach Hannas durch Kaiphas? Und wer ist für die Zerspal-
tung der Verleugnung des Petrus verantwortlich, die doch offenbar
mit V 19–24 zusammenhängt? Darum hat eine andere Lösung viel
mehr für sich (vgl. die Lösungsstruktur bei Dauer, Hahn, Schnakkenburg): E unterdrückt das Verhör vor Kaiphas aus dem PB, wo

es nach V 15 (G) stand, läßt dabei eine ähnliche Bemerkung wie V 24 etwa nach V 13 aus und fährt unmittelbar mit der ersten Verleugnung, die dem Verhör vor Kaiphas folgte, fort (V 17 f.). Danach fügt er neu das Verhör durch Hannas ein (V 19–23; eventuell in V 19.22 f. mit Resten aus dem Kaiphasverhör), bringt dann eine kleine Restbemerkung zum Verhör bei Kaiphas (V 24), um den Lesern das traditionellerweise erwartete Verhör nicht ganz vorzuenthalten, und läßt abschließend die zwei restlichen Verleugnungen des Petrus folgen, eben weil die Petrusverleugnung traditionellerweise nach dem Kaiphasverhör stand. So schließt er einen Kompromiß mit der Erwartung der Leser, die den gemeindlichen PB kannten, und dem eigenen neuen theologischen Konzept. Es besteht vornehmlich darin: Nach 12,37 ff. soll Jesus zu den Juden nicht mehr reden, denn ihnen hatte Jesus in Joh 1–12 alles gesagt. Außerdem wollte E alles Gewicht auf den Prozeß vor Pilatus legen, darum mußte das in der Tradition christologisch stark befrachtete Verhör vor Kaiphas zurückgedrängt werden. Daß E in Verfolgung dieses Zieles mit den äußeren Umständen der Szenerie relativ sorglos umgeht, überrascht bei ihm nicht (vgl. Joh 3; 6; 7 usw.).

Dann ergibt sich rückblickend folgende Textentwicklung (ohne Benennung kleinerer Veränderungen):

a) Älteste Stufe des PB, beginnend mit der Gefangennahme: 18,12.13a (»und sie führten ihn zum Hohenpriester«). 15a.c (ohne den »anderen Jünger«). Verhör vor Kaiphas. V 17 f. 25–27.

b) Der Hohepriester in V 13 wird als Hannas identifiziert.

c) Als 11,47–57 (G) den neuen Anfang des PB bildete, wurde 18,12 ff. eingangs neu gestaltet. Das ergab V 12.13.24 (sinngemäß). 14 usw.

d) E gestaltet um, so daß der Text den Bestand erhält, wie er jetzt vorliegt, bis auf V 15b.16.

e) Die KR greift in V 15.16 ein.

Ist die Tiefenstruktur des Textes erkannt, sind dem Verstehen der Einzelaussagen die Wege geöffnet. Zunächst wird an die Gefangennahme angeknüpft (V 12): Die Kohorte (vgl. 18,3) mit ihrem Hauptmann und die Knechte »der Juden« (wohl E, präziser 18,3 PB) führen Jesus gefesselt zuerst zu Hannas (vgl. zu Hannas: Blinzler 129 f.). V 13 f. spannen dann den Bogen zu 11,49 f. Simon Petrus, der 18,10 f. gerade den Häschern recht unangenehm aufgefallen war und glimpflich davon kam, wagt es trotzdem, Jesus zu folgen. E berichtete offenbar gemäß dem traditionellen PB, daß Petrus unerkannt mit in den Hof hineinschlüpft. Hier wird er nach E alsbald von einer Magd angesprochen, die ihn als einen »der Jünger dieses Menschen« erkennt (V 17). Petrus streitet das ab mit Worten, die Lk 22,58 nahestehen. V 18 hat jetzt die Funktion, die allgemeine Situation nach dieser Frage zu schildern, ursprünglich war es die Einleitung zur zweiten Verleugnung. Sind die Knechte und Diener (vgl. V 25) die an zweiter Stelle Petrus fragenden Personen und folgt noch an dritter Stelle ein anderer Knecht, der mit Malchus (18,10) verwandt ist, dann hat diese Reihenfolge so unmittelbar keine Parallele bei den Synoptikern. Mk bietet: eine Magd, dieselbe Magd nochmals und Herumstehende. Mt verändert nur geringfügig: eine Magd, eine andere Magd und Herumstehende. Lk kennt die Magd, dann einen Knecht und noch einen weiteren Knecht. Alle vier Evangelien sind sich damit über die erste Stelle, also über die Magd, einig. Der joh PB scheint dann Knechte (vgl. 18,10) und Diener (vgl. 18,3) aus dem hohenpriesterlichen Hofstaat in Anlehnung an den Knecht bei Lk gewählt zu haben. Die »Herumstehenden« bei Mk kommen als Vorgabe wohl darum nicht in Frage, weil sie erst der dritten Verleugnung zugeordnet sind und der Ausdruck »Knechte« nicht direkt fällt. Auch der Knecht der dritten Verleugnung bei Joh läßt sich am besten aus Lk erklären: Wiederum wird die allgemeine Aussage des dritten Evangeliums aus Motiven des joh PB sekundär konkretisiert (vgl. 18,10). Ergibt sich damit, daß die lk Erzählform bei der petrinischen Antwort in V 17 und bei der Reihe der Fragenden als Hintergrund gelten kann, dann hat es auch Gewicht, daß nur Lk und Joh keine petrinische Selbstverwünschung kennen (vgl. Mk 14,71 par). Alle Synoptiker wissen im übrigen von dem Feuer im Hof, an dem man sich wärmt. Doch ist die lk Version (Lk 22,55) Joh etwas näher. Nur Joh weiß davon, daß man um das Feuer herum steht, alle anderen lassen die Personen sitzen.

Das Verhör vor Hannas (V 19–23) als Ersatz für das von E ausgelassene Verhör vor Kaiphas bringt zweifelsfrei die theologische Absicht von E innerhalb von V 12–27 am klarsten zum Ausdruck. Dabei hat E kein Interesse, dem Gerichtsprotokoll Gerechtigkeit widerfahren zu lassen. Er denkt überhaupt nicht an einen förmlichen Prozeß, sondern an eine Befragung zur Vorbereitung des Prozesses vor Pilatus. Darum werden keine Zeugen verhört, noch ein Urteil gefällt. Dies alles ist für E unwesentlich geworden, weil Jesus in seinem Sinne nur noch einmal sich in bestimmter Weise äußern soll. Daß Hannas auf Jesu selbstbewußte und mutige Antwort gar nicht reagiert und auch die Szene mit dem Backenstreich ohne seinen Kommentar stehenbleibt, zeigt, wie wenig Interesse E an Han-

nas als Person hat, nicht mehr als z. B. an Nikodemus in 3,1–21.
Entscheidend ist für E allein Jesu Rede V 20 f. Alles andere hat nur
untergeordnete und dienende Funktion. Daneben bestätigt Jesu
Wort V 23 Jesu Festigkeit aus V 20 f. Nicht unbeachtet sollte blei-
ben, daß sowohl in V 19–21 wie auch in V 22 f. nicht der Hoheprie-
ster das letzte Wort hat, sondern Jesus. Szenisch beherrscht er die
Situation unbedingt, obwohl er äußerlich der Gefesselte ist (V 12).
Hannas müßte eigentlich dominante Macht demonstrieren. Das
Hannasverhör ist in dieser Anlage ein deutlicher Vorgänger zum
Prozeß vor Pilatus.

Die Einsicht in diese theologisch bestimmte Anlage von V 19–23
macht es leicht, das Verhör weitestgehend E allein zuzuschreiben.
Es mag sein, daß E in V 19a in Anlehnung an das ausgefallene Kaiphasverhör formuliert, doch bleibt das unkontrollierbar. Bei V
22 f. kann man an Mk 14,65 und Lk 22,63–65 als Analogien denken. Doch sind die Differenzen recht beachtlich: Mk kennt die
Mißhandlung nach dem Urteil des Kaiphas, Lk während der nächtlichen Arretierung Jesu als Kontrast zur Verleugnung des Petrus.
Joh läßt Jesus wegen einer Antwort im Verhör spontan geschlagen
werden. Von nur einem Backenstreich nur eines Dieners, den Jesus
auch noch zurückweist, wissen weder Mk noch Lk. Besteht also
überhaupt ein traditionsgeschichtlicher Kontakt? Dieser bleibt zumindest denkbar, wenn man den joh PB als vermittelnde Instanz
annimmt, zumal das Motiv des Backenstreiches in Mk 14,65 und
Joh 18,22 (PB) aus Jes 50,6 stammen dürfte. Also können in V
19a.22 Aussagen des PB, wie ihn Joh vorfand, enthalten sein. Doch
hat E dann zumindest sonst V 19–23 sehr selbständig gestaltet.

Der indirekte Fragestil in V 19 steht betont im Kontrast zu Jesu
direkter Antwort. Die Nebenrolle des Hannas kommt so zur Geltung. Hannas fragt nach Jüngerschaft und Lehre Jesu, will sich also
allgemein informieren. Jesu Antwort verändert dies stillschweigend: Nicht von den Jüngern ist gesprochen, sondern von den Juden, die alle zuhören konnten, da Jesus immer öffentlich redete.
Die Jünger werden also wie 18,8 ganz herausgehalten; Petri Anwesenheit stillschweigend übergangen. Daß die Hannasfrage nach der
Jüngerschaft auf dem Hintergrund von 9,22.28 f.34 gesehen werden soll (so Hahn), ist nicht angedeutet. Es reicht zur Erklärung
der unmittelbare Kontext des PB, der deutlich macht, daß die Jünger gefährdet sind (18,8.10 f.17.25 f.). Aber nicht ihre mögliche Gefährdung wird thematisiert, sondern wie Jesus allein die Passion auf
sich nimmt und die Jünger schützt. Zum Stichwort der Lehre ist
die Nähe zu 7,16 f. auffälliger: Wie man einen Rabbi an seiner Leh-

re mißt, so auch Jesus. »Lehre« ist dabei jedoch für die joh Gemeinde längst dieses jüdischen Wurzelbodens enthoben und Inbegriff für Jesu Gesamtzeugnis geworden. Dies hat im Urchristentum eine Vorgeschichte, insofern z. B. Mk Jesu Verkündigung als Lehre zusammenfaßt (Mk 1,22.27; 4,2 usw., vgl. aber auch Mt 7,28; 22,33; Lk 4,32). Jesus greift in seiner Antwort dieses Stichwort verbal auf (vgl. 6,59; 7,14.28.35; 8,20; vgl. noch 4,26). Dieser Wechsel in der Wortart ist ebenfalls urchristlich vorgegeben (vgl. Mk 1,21 f.; 2,13; 4,1 usw.; Mt 4,23; 5,2; Lk 4,15.31 usw.; Apg 1,1). Ähnlich wie Hannas es tut, mag man auch später Christen bei den synagogalen Ausschlußverfahren befragt haben (vgl. zu 5,31 ff.).
Jesu Antwort stellt Mehrfaches fest: Er hat alles öffentlich geredet und nichts im Verborgenen (vgl. 7,4; 10,24 f.). Jedermann konnte also erfahren, welchen Offenbarungsanspruch er vertritt. Solche Öffentlichkeit ist dadurch konkret bestimmt, daß Jesus in den Synagogen und im Tempel, wo alle Juden zusammenkommen, gelehrt hat. Dies läßt sich am Szenarium des Joh überprüfen (Synagoge: 6,59; Tempel: 7,14.28; 8,20) und stimmt auch insoweit mit allen Synoptikern überein (vgl. nur für Mk 1,21; 6,2; 12,35 usw.). Aber an solcher Deckungsgleichheit zwischen Synoptikern und Joh oder auch zwischen Joh 18,20 und Joh 1–12 liegt E an sich nichts (vgl. nur den Parallelfall in 18,2). Die Feststellung ist vielmehr ähnlich grundsätzlich und global wie in Mk 14,49, wobei schon wegen des ganz anderen Kontextes traditionsgeschichtlicher Einfluß nicht in Frage kommt. Vielmehr: So formuliert man, wenn man Jesus sich abschließend und zusammenfassend rechtfertigen läßt. Es hat nicht am Ausrichten der Botschaft gefehlt: Jesus hat jedermann zugänglich alles gesagt. Insofern gibt es um seine Person und Lehre kein Geheimnis. Damit ist klar – was nicht ausdrücklich ausformuliert wird –, der Auftrag des Gesandten ist beendet und der jüdische Unglaube samt seiner Feindschaft selbstverschuldet. An dem abschließenden Urteil aus 12,37 ff. gibt es nichts mehr zu rütteln. Für die Juden ist es nun zu spät, denn Jesus hat ihnen nichts mehr zu sagen. Nun wird weiter dieses Auftreten Jesu in den kosmisch-dualistischen Zusammenhang gestellt: Jesu Lehren in Synagoge und Tempel war ein Reden »zur Welt«. Da dieser Horizont nur noch an der exponierten Stelle 19,36 f. (E) innerhalb des PB zur Geltung kommt, wird man beide Stellen zusammensehen müssen. Dazu gehört in 18,20 auch die Rede von »alle Juden«. Daß der Jude Jesus zu dem Juden Hannas in einer jüdischen Umgebung so redet, ist ganz ungewöhnlich. Er müßte von »den Israeliten« sprechen (oder von »unserem Volk« o. ä.). »Die Juden« sind hier Inbegriff des der

Offenbarung feindlichen Kosmos (vgl. 6,22 ff.; 8,30 ff.): Jesu Passion ist kosmisches Gericht. Der vom feindlichen Kosmos, repräsentiert durch die Juden, Gerichtete, ist das Gericht der Welt. Dieser Welt wird Jesus sich nicht mehr erklären, mag sie nur mit Hilfe ihrer Zeugen (V 21) die Anklage gegen Jesus vorbringen. Dabei kann indirekt mitschwingen, daß man mit den eigenen Zeugen nach dem traditionellen PB nicht zurecht kam (vgl. Mk 14,55–59 parr). Ähnliches kann E mit dem Auslassen des Kaiphasverhörs unterdrückt haben. Dann würde die selbstbewußte Eingangsfrage in V 21 noch durch die ironisch-aggressive Fortsetzung gesteigert. E kann aber auch ganz allgemein gemeint haben, daß Jesus es nunmehr den Juden überlassen wird, wie sie ihn anklagen. In keinem Fall wird man V 21 auch den zeitgeschichtlichen Gesichtspunkt finden dürfen, daß die joh Gemeinde für ein Zeugnis über Jesus bereitsteht (so Schnackenburg), denn die Jünger sind gerade ausgeblendet, und gesucht werden Jesus feindlich gesonnene Anklagepunkte.

Ein Diener, der Jesu reverentia und oboedientia erwartet, aber renitente Störrigkeit zu hören bekommt, züchtigt Jesus durch einen Backenstreich (V 22). Das war nicht ganz ungewöhnlich, wie Apg 23,1–5 lehrt. Auch angesichts solcher Erniedrigung bewahrt Jesus sein Herrentum. Das schweigende Erdulden bei den Synoptikern (Mk 14,65 parr) taucht ebensowenig am Horizont auf wie die Mahnung aus Mt 5,39 par. Jesu Antwort ist Stilmittel, um seine souveräne Hoheit zu zeichnen.

Sie steht nun im Kontrast zu Petri Verhalten, dessen zweite und dritte Verleugnung nach der Zwischenbemerkung V 24 folgt. Wo dabei Kaiphas wohnt und ob Petrus mitgeht, kurzum alle Fragen nach der Szenerie sollten an E – wie so oft – gar nicht erst gestellt werden. Mit V 25a knüpft E an V 18 (PB) an. Die petrinische Antwort bei der zweiten Verleugnung entspricht der ersten (V 17). Bei Joh braucht Petrus nicht unmittelbar Jesus zu verleugnen, sondern nur sich selbst. Es bleibt auch bei dieser einfachen Antwort, sie ist also nicht durch einen Schwur verstärkt (vgl. Mk 14,71). Auch den Verweis auf den galiläischen Dialekt des Petrus (vgl. Mk 14,70 parr) sucht man bei Joh vergeblich. Dafür ist bei der dritten Verleugnung neu der Frager bestimmt (s. o.). Die letzte Bemerkung über Petrus ist seine dritte Selbstverleugnung; von seiner Reue steht im Unterschied zu Mk 14,72 parr bei Joh nichts. Der Hinweis auf den krähenden Hahn erinnert den Leser an 13,38. Er weiß damit, Jesu Vorhersage ist eingetroffen. Es geschieht in der Passion nichts, was nicht durch Jesu Vorherwissen längst eingeplant ist.

Dieses christologische Interesse läßt einem biographischen Interesse an Petri Reaktion auf den Hahnenschrei keinen Raum.

3. Das Verhör vor Pilatus 18,28–19,16a

28 Sie führten nun Jesus von Kaiphas zum Prätorium. Es war früh am Morgen. Sie selbst aber gingen nicht in das Prätorium hinein, um nicht unrein zu werden, vielmehr das Passa essen zu können.   29 So kam Pilatus zu ihnen hinaus und sagte: »Welche Anklage erhebt ihr gegenüber diesen Menschen?« 30 Sie antworteten und sprachen zu ihm: »Hätte dieser nicht Übles getan, hätten wir ihn dir nicht übergeben.« 31 Da sagte Pilatus zu ihnen: »Nehmt ihr ihn (doch), und richtet ihn nach eurem Gesetz!« Die Juden sprachen zu ihm: »Wir haben kein Recht, jemanden zu töten.«   32 So sollte sich das Wort Jesu erfüllen, mit dem er angedeutet hatte, auf welche Weise er sterben würde.

33 Pilatus nun ging wieder in das Prätorium hinein und rief Jesus und sprach zu ihm: »Bist du der König der Juden?« 34 Jesus antwortete: »Sagst du das von dir aus, oder haben andere (es) dir über mich gesagt?«   35 Pilatus antwortete: »Bin ich denn ein Jude? Dein Volk und die Hohenpriester haben dich mir übergeben. Was hast du getan?« 36 Jesus antwortete: »Mein Königtum ist nicht von dieser Welt. Wäre mein Königtum von dieser Welt, hätten meine Diener gekämpft, damit ich den Juden nicht ausgeliefert würde. Nun jedoch ist mein Königtum nicht von hier.«   37 Da sagte Pilatus zu ihm: »Bist du also doch ein König?« Jesus antwortete: »Du sagst es. Ich bin ein König. Ich bin dazu geboren und dazu in die Welt gekommen, damit ich für die Wahrheit Zeugnis ablege. Jeder, der aus der Wahrheit ist, hört meine Stimme.«   38 Sagt Pilatus zu ihm: »Was ist Wahrheit?«

Und nach diesen Worten ging er wieder zu den Juden hinaus und sagt zu ihnen: »Ich finde keine Schuld an ihm.   39 Es ist aber eine Gewohnheit für euch, daß ich euch einen (Gefangenen) am Passa freigebe. Wollt ihr nun, daß ich euch den König der Juden freigebe?«   40 Da schrien sie nun wieder und sagten: »Nicht diesen, sondern Barrabas!« Barrabas aber war ein Räuber.

19,1 Da nahm nun Pilatus Jesus und ließ ihn geißeln.

2 Und die Soldaten flochten einen Kranz aus Dornen und setzten ihn auf seinen Kopf; auch ein purpurnes Gewand zogen sie ihm an, 3 traten zu ihm und sagten: »Heil dir, König der Juden!« Und sie gaben ihm Backenstreiche.
4 Und wiederum ging Pilatus zu ihnen hinaus und sagte zu ihnen: »Seht, ich bringe ihn zu euch heraus, damit ihr erkennt, daß ich keine Schuld an ihm finde.« 5 Da kam Jesus heraus, trug den Dornenkranz und das purpurne Gewand. Und er (Pilatus) spricht zu ihnen: »Seht, (das ist) der Mensch!«
6 Als ihn nun die Hohenpriester und die Diener sahen, schrien sie und sprachen: »Kreuzige (ihn), kreuzige (ihn)!« Spricht Pilatus zu ihnen: »Nehmt ihr ihn und kreuzigt ihn! Denn ich finde keine Schuld an ihm.« 7 Die Juden antworteten ihm: »Wir haben ein Gesetz, und nach dem Gesetz muß er sterben. Denn er hat sich zum Sohn Gottes gemacht.«
8 Als nun Pilatus dieses Wort hörte, fürchtete er sich noch mehr; 9 und er ging wieder hinein in das Prätorium und spricht zu Jesus: »Woher bist du?« Jesus jedoch gab ihm keine Antwort. 10 Spricht nun Pilatus zu ihm: »Du sprichst nicht mit mir? Weißt du nicht, daß ich Macht habe, dich freizulassen, und Macht habe, dich zu kreuzigen?« 11 Jesus antwortete: »Du hättest keine Macht über mich, wenn sie dir nicht von oben gegeben wäre. Darum hat der, der mich dir ausgeliefert hat, größere Sünde.« 12 Daraufhin versuchte Pilatus, ihn freizulassen. Aber die Juden schrien und sprachen: »Wenn du diesen freiläßt, bist du nicht (mehr) ein Freund des Kaisers! Jeder, der sich zum König macht, steht im Widerspruch zum Kaiser.«
13 Als Pilatus nun diese Worte hörte, führte er Jesus hinaus und setzte sich auf den Richterstuhl an einem Platz, der Lithostrotos genannt wird, auf Hebräisch Gabbatha. 14 Es war aber der Rüsttag des Passa; die sechste Stunde war es. Und er sagte zu den Juden: »Seht, (das ist) euer König!« 15 Da schrien jene: »Fort, (nur) fort (mit ihm)! Kreuzige ihn!« Spricht Pilatus zu ihnen: »Euren König soll ich kreuzigen?« Die Hohenpriester antworteten: »Wir haben keinen König außer dem Kaiser.« 16 Da übergab er ihn an sie, damit er gekreuzigt werde.

Alle neueren Kommentatoren sind sich aus sprachlichen, aufbautechnischen und theologischen Gründen darin einig, daß E den Pilatusprozeß seines PB ganz erheblich umgestaltet hat. Eine hinrei-

chend sichere Rekonstruktion seiner Quelle ist darum nicht mehr
mit der nötigen Präzision möglich, die man sich eigentlich wünschen würde. Ein vergleichender Blick vor allem auf Mk und Lk
kann jedoch noch aufweisen, welche strukturelle Anlage der PB
besaß, den E dann einer einschneidenden Redaktion unterwarf
(vgl. Dauer, Hahn). E hat den Pilatusprozeß in sieben Szenen gegliedert (so wohl als erster Thompson, außerdem: Janssens de Varebeke, Hahn, Dauer, Schnackenburg u. v. a.; anders z. B. Wellhausen, Bultmann):

Lfd. Nr.	Ort der Handlung	Stichworte zum Inhalt	Stichworte zur Interaktion	Joh
1	vor dem Prätorium	Übergabe Jesu an Pilatus Anklage auf Todesstrafe	Dialog: Pilatus – Juden; Jesus stummes Objekt	18,28–32
2	im Prätorium	Erstes Verhör: Jesu wahres Königtum	Dialog: Pilatus – Jesus; Juden warten stumm draußen	18,33–38a
3	vor dem Prätorium	Unschuldserklärung Barrabas	Dialog: Pilatus – Juden; Jesus wartet stumm drinnen	18,38b–40
4	im Prätorium	Folterung Jesu und Verspottung	Pilatus läßt Jesu geißeln; Juden warten stumm draußen	19,1–3
5	vor dem Prätorium	Unschuldserklärung ecce homo Kreuzige! Unschuldserklärung erneute Anklage	Dialog: Pilatus – Juden; Jesus stummes Objekt und draußen	19,4–7
6	im Prätorium	Zweites Verhör: Schweigen Jesu die Macht des Pilatus der Freund des Kaisers	Dialog: Pilatus – Jesus; Juden inter-venieren durch Schreien	19,8–12
7	vor dem Prätorium	Pilatusurteil	Dialog: Pilatus – Juden; Jesus stummes Objekt und draußen	19,13–16

Diese Szenenfolge ist wohldurchdacht und bis ins einzelne geplant, dabei haben die Ankläger nicht nur örtliche Beharrlichkeit, sondern setzen sich auch sachlich durch: Um Jesus zu töten, kommen sie zu Pilatus; sie erreichen am Ende die Kreuzigung Jesu. Allerdings verlieren sie in der Zwischenzeit viel: Sie müssen sich zu Untertanen des römischen Cäsaren degradieren und ihre messianische Hoffnung verbal aufgeben. Die Würde des römischen Präfekten kommt darin zum Ausdruck, daß er immer die Dialoge eröffnet, als oberster Gerichtsherr fungiert und dann auch äußerlich-demonstrativ vom Richterstuhl her das Urteil fällt. Aber von Szene zu Szene muß er zwischen den Juden draußen und Jesus drinnen hin- und herlaufen. Ein demonstratives Stück Lächerlichkeit! Mit den Juden kommt er nicht klar; von der Unschuld Jesu überzeugt (was er dreimal ausdrücklich erklärt), muß er den Juden doch nachgeben und läßt Jesus kreuzigen. Unter dem Druck der Juden spricht er ein Urteil wider besseres Wissen und ist damit an einem Justizmord schuldig geworden. Obwohl er die einzige Person ist, mit der Jesus noch spricht und der er seine wahre Sendung offenbart, versteht er davon nichts oder besser nur soviel, daß er Jesus im Sinne der Anklage für unschuldig hält. Jesus würdigt die Juden keines Wortes mehr (vgl. 18,20 f.), was nach 12,37 ff. nur konsequent ist. Pilatus offenbart und verweigert er sich, wie er will. Äußerlich der Angeklagte, Todbedrohte, Verspottete, kurz der Schwache und zu Bemitleidende, ist er dennoch der Souveräne, der weiß, was er will – die Rückkehr zum Vater. Sie betreibt er mit einer Selbstverständlichkeit, die keine Todesfurcht kennt. So macht er alle zu dienstbaren Geistern seiner von ihm geplanten Erhöhung und Verherrlichung.

Diese Einheit von äußerer Anlage und innerer Aussageabsicht zu einer gelungenen integrativen Darstellung kann nur E selbst zugeschrieben werden. Durch dieses Darstellungskonzept gestaltet er das Pilatusverhör zu dem Zentrum des gesamten PB. Dabei gerät es ihm so lang, wie Abschnitte innerhalb der Evangelien nur noch bei ihm begegnen (vgl. Joh 4; 6; 11; 13 f.). Weiter ist davon auszugehen, daß er bis in die sprachlichen Einzelheiten in den ihm vorgegebenen PB eingriff. So bleibt die Suche nach seiner Vorlage fast nur beschränkt auf die Struktur und Thematik, also auf grobe Umrisse. Diese zu Gesicht zu bekommen, soll zuerst ein Blick auf Mk helfen.

Mk 15,1–20a hat folgenden Aufriß:

I. Übergabe, Anklage und Verhör 15,1–5

1a) *Am Morgen* Synedriumssitzung	15,1a	Vgl. Joh 18,28	
b) Der gefesselte Jesus wird *Pilatus übergeben*	15,1b		18,28a; (18,12.24)
c) *Pilatus fragt Jesus;* »*König der Juden*«	15,2a		18,33 vgl. V 37 a
d) *Jesus antwortet:* »*Du sagt es.*«	15,2b		18,36.37b
2a) Die *Hohenpriester* erheben *Anklage*	15,3		18,30; 19,6.15
b) Jesus *schweigt*	15,4 f.		1(19,9b.10a)

II. Die Wahl zwischen Jesus und Barrabas
und das Urteil über Jesus 15,6–15

1a) Passa*amnestie*	15,6	18,39a
b) *Barrabas*	15,7	18,40b
c) Das Volk weist auf Amnestiegewohnheit	15,8	–
d) Pilatus will *Jesus* amnestieren	15,9	18,39b
e) Pilatus Urteil über *Schuldlosigkeit Jesu*	15,10	18,38c; (19,4b.6c)
f) Die Hohenpriester lassen *das Volk Barrabas* wählen	15,11	18,40a
2a) Pilatus fragt Volk nach Jesu Verbleib	15,12	–
b) *Erster* Volksschrei: *Kreuzige!*	15,13	19,6a
c) Pilatus Frage nach Jesu Schuld	15,14a	–
d) *Zweiter* Volksschrei: *Kreuzige!*	15,14b	19,15
e) Pilatus läßt Barrabas frei	15,15a	–
f) *Verurteilung* Jesu	15,15b	19,16a
3a) Die Soldaten übernehmen Jesus	15,16	–
b) *Verspottung* Jesu I	15,17 f.	(19,2 f.)
Verspottung Jesu II	15,19.20a	–

Der Aufriß zeigt: Mk strukturiert ganz anders als Joh. Die joh Parallelen beschränken sich auf Motive und einzelne Stichworte. Die Reihenfolge der Motive ist nur partiell gleich. Daß Joh den mk PB unmittelbar benutzt hat, ist ausgeschlossen. Auffällig sind nun weiter einige Beziehungen zu Lk. Der dritte Evangelist hat nämlich einen deutlich unterschiedenen Ablauf der Pilatusverhandlung, teils durch eingesprengtes Sondergut, teils durch Neubearbeitung von Mk:

1a) Man bringt Jesus zu Pilatus	23,1	Vgl. Joh 18,28
b) Anklage der Juden, politische Begründung und Königsmotiv	23,2	–
c) Pilatus befragt Jesus; »König der Juden«	23,3a	18,33.37a
d) Jesus antwortet: »Du sagst es.«	23,3b	18,36.37b
e) Erste Unschuldserklärung für Jesus	23,4	18,38b
2) Jesus vor Herodes (Sondergut des Lk)	23,6–15	–
Dabei am Schluß: Zweite Unschuldserklärung	23,13–15	(19,4)
3a) Erstes Amnestieangebot für Jesus	23,16	18,39
b) Volk wählt Barrabas	23,18	18,40a
c) Kennzeichnung des Barrabas	23,19	18,40b
d) Nochmaliges Amnestieangebot für Jesus	23,20	–
e) Erster Volksschrei: »Kreuzige!«	23,21	19,6a
f) Dritter Amnestieversuch; dritte Unschuldserklärung	23,22	19,6b
g) Zweiter Volksschrei, zu kreuzigen	23,23	19,15
h) Freilassung des Barrabas	23,24.25a	–
i) Verurteilung Jesu	23,25b	19,16a

Die Aufstellung verdeutlicht: In 1a stimmen Lk und Joh überein, indem sie Jesu Fesselung nicht ausdrücklich berichten und dasselbe Verb verwenden. Lk und Joh berichten von drei Unschuldserklärungen des Pilatus, das bedeutet zumindest dieselbe Tendenz in dieser Sache. Die erste Unschuldserklärung hat sprachliche Nähe zwischen Lk und Joh. Bei 3a (vgl. 3f) fällt auf, daß bei Lk und Joh Jesus nach einer Züchtigung freigegeben werden soll. In 3b lassen Mk und Mt die Hohenpriester das Volk aufwiegeln, Joh und Lk wissen davon nichts. Diese erste Wahl des Volkes zugunsten von Barrabas zeigt bei Lk und Joh eine gleiche antithetische Formulierung. Zu 3c ist auffällig, daß nur Lk und Joh die Beschreibung des Barrabas der Volkswahl nachordnen. Lk benutzt die mk Verspottungsszene nach dem Urteil nicht. Auch Joh hat sie nicht an dieser Stelle. Die Angaben machen deutlich, daß Joh zu einem Teil der Sonderform des lk PB folgt. Doch erlauben die erheblichen Differenzen zwischen beiden keine Annahme unmittelbarer Abhängigkeit.

Fragt man unter Berücksichtigung des Vergleichs zwischen Joh
und Mk/Lk, welches Sondergut aus Joh noch E vorgegeben sein
kann, wird man vermuten dürfen, daß insbesondere die Sonderform der Urteilssprechung in 19,13b–14a dafür in Frage kommt,
außerdem vielleicht Elemente aus 18,29–31; 19,1 (Hahn). Dies sind
weitere Indizien, daß der joh PB aufgrund eigener Gestaltung sich
von den anderen PB unterschied. Da aber unklar ist, was E gegebenenfalls auch aus ihm unterdrückt hat, ist er insgesamt beim
Pilatusprozeß nur noch sehr schemenhaft erkennbar. Für E gilt insbesondere, daß er das Arrangement für den hin- und hereilenden
Pilatus schuf und an der Ausgestaltung der Dialoge maßgeblichen
Anteil hat. Dies stimmt formal mit den Beobachtungen zu
18,19–23 überein.

Die *erste Szene (18,28–32)* beginnt mit der Überführung zu Pilatus.
Schon bei Lk 23,2 war dabei die Angabe, wer das Subjekt der
Überführung ist, recht allgemein (»die Menge«). Durch Rückschluß auf Lk 22,66 war erkennbar, daß das Synedrium insgesamt
gemeint war. Bei Joh wird es schwieriger, hierfür präzise Auskunft
zu erhalten, denn auch 18,25 bleibt das Subjekt ganz unbestimmt,
so daß man schon zu 18,12 zurückgehen müßte. Aber die Kohorte
und die Diener der Hohenpriester werden kaum die Anklage vorgebracht haben. Später, und zwar erst 18,31b, sind »die Juden«
(vgl. 18,38; 19,7.12.14) genannt. Sinngemäß wird der in solchen
Angaben sorglose E wohl auch 18,28 an sie denken. 18,35 steht es
präziser: das Volk und die Hohenpriester haben Jesus angeklagt,
19,6 sind die Hohenpriester und Diener die Wortführer und in
19,15 die Hohenpriester allein. So wird man anzunehmen haben,
für E differenzieren sich die Juden de facto im Prozeß vor Pilatus,
ohne daß er spezielles Interesse an solcher Differenzierung hat, in
den Priesteradel und das Volk. Auffällig ist dabei, daß der E vorgegebene PB wohl noch nicht so allgemein von »den Juden« sprach,
und nach 11,47.57; 18,3 Hohepriester und Pharisäer gemeinsame
Sache machen. Da die Pharisäer, die 18,3 im Joh überhaupt zuletzt
genannt werden, sonst auch für E erklärte Gegner Jesu sind (vgl.
7,31–36.45–52; 9,13–17; 12,19), fällt ihr Fehlen in Joh 18f. (Ausnahme: 18,3) auf. E wird sich dabei aber kaum zum Anwalt besse-
rer historischer Kenntnis gemacht, sondern seinen PB abgeändert
haben zugunsten der typischen Rede von »den Juden«.

Daß man von Kaiphas kommt, verbindet mit 18,24 und entspricht
der Erwähnung des Synedriums bei den Synpotikern. Das Prätorium, das im mk PB nur in 15,16 genannt ist, ist die Residenz des
römischen Präfekten. Sie lag wohl im alten Herodespalast (Blinzler

256–259) und nicht – wie grundsätzlich möglich – auf der Burg Antonia. Daß man gegen 6 Uhr mit dem beginnenden Tag zu Pilatus
geht, entspricht dem üblichen Beginn amtlicher Geschäfte. Da
nach 19,14 Pilatus gegen 12 Uhr mittags das Urteil fällt, dauert der
Prozeß rund 6 Stunden. Der Prozeß selbst unterliegt auf seiten der
Juden den Bedingungen des nahen Passafestes. Um rituell kultfähig
zu bleiben, kommen sie nicht in das Haus des heidnischen Römers.
Wahrscheinlich weiß E nur sehr allgemein von dieser jüdischen Sitte. Sie wird im Judentum sachlich so begründet, daß heidnische
Häuser generell als hochgradig unrein gelten, weil in ihnen schon
einmal eine Früh- oder Fehlgeburt vergraben worden sein könnte
(Billerbeck II 838 f.). Solche Totenunreinheit kann nicht durch ein
Tauchbad sofort behoben werden, sondern macht mit ihrer Pene-
tranz eine Woche unrein. Wollen die Ankläger am Passa teilnehmen, müssen sie das Haus des Pilatus also meiden. E genügt es, daß
die Juden so verfahren, denn so ergibt sich: Den Juden liegt alles an
der Teilhabe am Passa, doch Jesus als wahres Passalamm (19,31–37)
verstoßen sie. Sie halten sich an einen Kult, der längst überholt ist
(vgl. zu 4,23 f.), doch den, der allein zur wahren Gottesanbetung
führen kann, bringen sie um, indem sie ihn zum gemeinen Verbrecher (Barrabaswahl!) abstempeln.

Pilatus der *praefectus Judaeae* (der Titel *procurator Augusti* begegnet erst vom Kaiser Claudius ab, also rund 10 Jahre nach Jesu Tod
und nach des Pilatus Absetzung 36 n. Chr.), kommt zu den Juden
heraus und eröffnet den Prozeß mit der Frage nach der Anklage (V
30). Doch dann läuft alles Weitere sicher nicht protokollarisch ab,
denn die gravierende politische Anklage als »König der Juden« (V
33) kennt Pilatus später, sie wird ihm aber V 30–32 nicht genannt.
Ist vorausgesetzt, Pilatus wisse schon vor Prozeßbeginn Bescheid?
Das bleibt denkbar, weil man eine römische Kohorte nicht grundlos für eine Gefangennahme erhält (18,3.12). Dann wäre V 30 so zu
verstehen, daß Pilatus sich nicht lange bei Präliminarien aufhalten
solle, sondern zügig zur Sache, dem Todesurteil, kommen möge.
Daß Jesus als Messiasprätendent gilt, weiß er ja von der Verhandlung um die Beteiligung der römischen Soldaten an der Gefangennahme Jesu. Noch einmal in 19,6 werden die Juden mit Pilatus
ähnlich umzuspringen versuchen. Man kann dann weiter konstruieren: Die Juden haben es des Festes wegen so eilig. Ein Prozeß
über sechs Stunden ist des Pilatus Rache, aber nicht ihr Wille. Aber
man kann dagegen halten: Der Anklagepunkt »König der Juden«
ist Teil des traditionellen PB. V 28b–31 ist das Werk von E, der
sich um die innere Logik nicht besonders kümmert, weil er mit V

30 die Arroganz der Juden kennzeichnen will. Wie die Juden zur Beteiligung der Kohorte kommen, interessiert ihn nicht. Im übrigen hat nur Lk in 23,2 eine (gegenüber Mk sekundäre) präzise Anklage. Bei Mk beginnt der Prozeß mit der Frage des Pilatus an Jesus, ob er der Juden König sei, ohne daß die Juden diese Anklage vorher direkt erhoben (Mk 15,2). Dies kann auch im joh PB so gewesen sein. Also dann verstehen die Juden in 18,29 f. die Frage des Pilatus als eine Herausforderung: Wie kann Pilatus so fragen, wo doch klar ist: Sie hätten Jesus nicht vor Pilatus gebracht, wäre er nicht ein Übeltäter! Die Kennzeichnung als Übeltäter ist juristisch unpräzise, ja unbrauchbar. Sie ist nicht im Blick auf den Prozeß gewählt, sondern um die Einstellung der Juden gegenüber Jesus zu verdeutlichen: Der königliche Gesandte des Vaters (V 36 f.) ist in ihren Augen ein Übeltäter, geeignet für die Todesstrafe, also Kapitalverbrecher.

Pilatus bewahrt Haltung (V 31). Das fällt ihm insofern leicht, als er weiß, die Juden täten nichts lieber, als selbst in diesem Fall (und auch sonst) zu Gericht zu sitzen, doch sind ihnen bei Urteilen mit Todesfolge, also in Sachen der Halsgerichtsbarkeit (*ius gladii*), die Hände gebunden. Wird etwas vor ihn gebracht, kann es nur um Todesurteile gehen. Das aber sprechen die Juden nicht direkt aus. So kann er sie – als kleine Rache für ihre forsche Antwort – zwingen, selbst zu formulieren, worin ihre politische Entrechtung besteht, an der sie schwer tragen. Zugleich müssen die Juden damit erstmals öffentlich formulieren, was sie hinter verschlossenen Türen (11,53.57) beschlossen haben (so richtig: Schnackenburg): Sie dürfen keine Todesurteile fällen und vollstrecken, darum müssen sie mit der verhaßten heidnischen Besatzungsmacht kooperieren. Die Juden betreiben also den Prozeß, Pilatus ist ihnen nur aus allgemeinen politischen Gründen notwendige Hilfe. Die Juden sind die eigentlich Schuldigen am Tod Jesu, Pilatus nur das zufällige – wenn auch dabei mitschuldige – Vollzugsorgan (19,11). Dies jedenfalls ist das theologische Urteil von E.

Historische Probleme macht bis heute dabei die Frage nach der *jüdischen Kompetenz in Kapitalverbrechen*. Nach 16,2 sind offenbar Tötungen von Juden an Christen vorgekommen. Aber das betrifft in jedem Fall die Zeit nach 70 n. Chr. Es geschah sicher nicht in Jerusalem vor römischen Augen. Es können auch Fälle außerhalb der politischen Legalität gewesen sein. Außerdem haben die Juden mit beginnendem Aufstand natürlich die Halsgerichtsbarkeit ausgeübt, wie oft und wie lange, kann offenbleiben. Vor dem Aufstand sind wenig Fälle bekannt, die zur Klärung hilfreich sind: Bei Stephanus gab es keinen Prozeß, sondern Lynchjustiz (Apg 7,54–60). Auch bei Jakobus (Apg 12,2) bleiben die juristischen Gegebenheiten ungeklärt. Die Vollstreckung geschah auch während einer kurzen Zeit politischer Freiheit. Der Talmud läßt 40 Jahre vor der Tempelzerstörung den Juden die Todesstrafe genommen sein (Billerbeck I 1027). Die Zahl ist rund und wenig exakt. Besser ist die Annahme, 6 n. Chr., als Judäa römische Provinz wurde, sei dem Synedrium dieses Recht genommen worden. Allerdings gibt es eine Ausnahme: Wenn ein Heide in den heiligen Tempelbezirk eindrang, durfte er von Juden getötet werden. Daraus ist aber nicht das allgemeine Recht, Todesurteile vollstrecken zu dürfen, abzuleiten, weil hier ein vitales Kultinteresse Israels geschützt wurde. In der Regel überließen die Römer den Kult den lokalen Behörden. Ebenso gilt allgemein die Regel, daß sie sich Todesurteile in den Provinzen vorbehielten (vgl. zum ganzen Problem: Blinzler 228–244; Lohse). Sowohl der synoptische wie joh PB werden schlüssiger, wenn man voraussetzt, die synedriale Kompetenz habe sich z. Z. Jesu nicht auf das ius gladii bezogen: Denn Jesu Kreuzigung ist sicheres historisches Faktum. Sie ist in Palästina z. Z. der Römerherrschaft nur römische Todesstrafe in besonderen Fällen (Einzelheiten bei Hengel 176 f.). Also hat ein römischer Prozeß stattgefunden. Alle Evangelien (vgl. auch die alte Tradition 1 Thess 2,15) sind sich einig, daß Juden (sicherlich nicht »die Juden«, sondern Vertreter der Priesterschaft und wohl auch der Pharisäer) die Ankläger vor Pilatus waren. Sie wären sicher nicht vor Pilatus gegangen, wenn sie dazu nicht politisch gezwungen wären. Im übrigen ist es eines, die historischen Begebenheiten so vorurteilsfrei wie möglich zu erörtern, jedoch ein anderes, ob solches Ergebnis Rechtfertigungspotential sein darf für den mißratenen Teil der Geschichte zwischen Christen und Juden. Ausnahmslos sollte für beide Seiten jede Form von Sippenhaftung und Kollektivschuld (also z. B. auch Formulierungen wie 1 Thess 2,15 und die joh Rede von »den Juden«) kein möglicher Weg mehr sein, miteinander umzugehen.

Mit 18,32 könnte E an 12,33 erinnern wollen, also an seine Deutung des Todes Jesu, nach der die Kreuzigung die Erhöhung Jesu ist (vgl. 3,14f.). Aber E hat im ganzen Prozeß sonst keine vergleichbare Bemerkung im Sinne eines Verweises auf die Schrift oder ein Jesuswort eingebracht. Außerdem wird im Joh überhaupt sonst nur noch 18,9 (KR) ein Jesuswort wie ein Schriftwort eingeführt. So wird man auch hier die KR am Werk sehen (so Bultmann, Schnackenburg), die als kenntnisreicher Leser des Joh anderen Benutzern den Bezug zu 12,33 verdeutlichen wollte: Kann nur Pilatus das Urteil sprechen, ist die Kreuzigung als Ergebnis zu erwarten. So können Kreuzigung und Erhöhung zusammenfallen, wie Jesus selbst 12,33 vorher ankündigte.

Die *zweite Szene* (18,33–38a) enthält, nach der Anklage sachgerecht, das erste Verhör Jesu. Im Unterschied zum jüdischen Prozeßrecht, das durch die zentrale Stellung der Zeugenvernehmung

bestimmt ist, ist das hellenistische und römische durch das Verhör
und die Verteidigungsmöglichkeit des Angeklagten geprägt (vgl. zu
5,31 ff.). Insofern folgt die Darstellung historischer Wirklichkeit.
Aber das Verhör gehört, selbst bei Schnellverfahren oder bei möglichen Freiheiten der Gouverneure in den Provinzen, vor die Öffentlichkeit; die Anwesenheit der Ankläger ist zumindest selbstverständlich. E kümmert sich darum aus theologischen Gründen
nicht, weil Jesus nicht mehr zu den Juden reden (vgl. 12,37 ff. und
zu 18,19–23), wohl aber Pilatus eine Gesamtdeutung seiner Person
und seines Auftrages geben soll. So sind Pilatus und Jesus im Prätorium offenbar allein: Er ruft Jesus aus der Bewachung der Soldaten
zu sich und befragt ihn dann.
Die Pilatusfrage nach Jesü Königtum steht schon bei Mk 15,2 recht
unvermittelt. Sie ist zu verstehen als Frage nach den politisch-mes-
sianischen Ansprüchen Jesu. Die Formulierung ist römisch, nicht
jüdisch. Mk unterscheidet noch genau: Spricht im PB ein Heide,
wird die Formulierung »König der Juden« verwendet (Mk
15,2.9.12.18.26); reden Juden, heißt es: »König Israels« (15,32).
Mit anderen Worten: »Juden« ist Fremdbezeichnung, »Israel«
Selbstbezeichnung. Bei Mk kommt der Titel überhaupt nur im PB,
also dort vor, wo Jesus mit der römischen Besatzung zusammen-
stößt. Dabei verwendet der mk PB das Stichwort »König der Juden« zum Leitmotiv für das Pilatusverhör und die Kreuzigung. Es
hat also christlich-theologisches Gewicht erhalten. Aber dies war
offenbar nicht sein ursprünglicher Verwendungsbereich: Warum
steht er bei Mk nur im PB? Warum ist er unjüdisch formuliert? Die
Annahme liegt nahe, er habe im Prozeß Jesu auch wirklich eine
Rolle gespielt. Denn ist Jesus gekreuzigt worden, setzt diese römische Todesart einen römischen Prozeß voraus, in dem eine politische Anklage verhandelt wurde. Einerlei, ob solche Anklage auf Jesus zutraf (sie tat es nicht), er starb als politischer Rebell. Nun
kennt man aus dem weiten Zusammenhang der antirömischen Frei-
heitsbewegung genügend Messiasprätendenten. Das macht verständlich, daß offenbar Jesus als politischer Aufrührer unter dem
römisch formulierten Stichwort »König der Juden« hingerichtet
wurde. Gern sähe man in diesem Zusammenhang den Titulus am
Kreuz mit seiner Aufschrift: »Der König der Juden« (Mk 15,26)
historisch gesichert. Aber es will nicht gelingen, den Brauch einer
Kreuzesinschrift für die damalige Zeit historisch zu verifizieren.
Daß bei anderen Todesstrafen eine Tafel mit Schuldhinweis auf
dem Weg zur Richtstätte vorangetragen wird, ist allerdings bezeugt
(H.-W. Kuhn). Nun kann man jedoch argumentieren: Wenn in der

vormk Erzähltradition des PB der Titel »König der Juden« und die
Kreuzesinschrift schon enthalten waren, dann setzt der Erzähler
den allgemeinen Brauch einer Kreuzesinschrift doch wohl voraus.
Er kann also trotz fehlender unmittelbarer Belege aus der Umwelt
kaum für Mk 15 einfach erfunden sein. In jedem Fall: Ist in dem
Titel »König der Juden« jesuanische Prozeßwirklichkeit aufbe-
wahrt, dann ist es um so wichtiger, daß alle PB bezeugen, Pilatus
habe Jesu Unschuld festgestellt. Für Lk (vgl. Lk 13,2 mit
23,4.14.22) und Joh gilt in je anderer Weise: Explizit wird ausgeführt, inwiefern Jesu Auftrag nicht in die politische Dimension gehört, und die Anklage eigentlich Jesu Wirken mißversteht. Dies
wird vom Repräsentanten der römischen Macht ausdrücklich bestätigt. So sicher in Lk 23 und Joh 18 f. Christen reden, und also die
Möglichkeit diskutiert werden muß, ob Christen Pilatus Jesus frei-
sprechen lassen, in der Absicht, als Bürger im römischen Staat
Loyalität bescheinigt zu bekommen und gleichzeitig aus antijüdi-
scher Tendenz umgekehrt die Juden zu belasten, so sicher zeigt
doch auch die älteste Jesustradition, daß Jesus in der Tat kein poli-
tisch-antirömischer Rebell war. Die Anklage auf der politischen
Ebene war gerade auch historisch eine zurechtgelegte und vorge-
schobene.
Dies arbeitet auf seine Weise E auf: Er läßt nicht nur später die Juden die Anklage verändern (19,7), sondern vor allem Jesus ausführlich darlegen, inwiefern er dennoch ein König ist (18,33–38 a). Dabei erhält Pilatus vorab eine ähnlich selbstbewußte Antwort (V
34 a) wie von den Juden V 30, nur daß für den Angeklagten mehr
Mut dazugehört, so frei zu reden. Der Unterschied zu den Synoptikern ist deutlich: Dort folgt sofort das vergleichsweise zurückhal-
tendere, wenn auch bestimmte »Du sagst es« (Mk 15,2 parr.), das E
erst V 37 verarbeitet. E gibt so Pilatus Gelegenheit, sich in Distanz
zur Anklage zu bringen. Er ist hier nur gezwungenermaßen Richter, Ankläger sind allein die Juden. Sein politisches Amt nötigt ihn,
zu Gericht zu sitzen, doch eigentlich liegt eine jüdische Angelegen-
heit vor. Pilatus äußert also auch gegenüber Jesus denselben Standpunkt wie gegenüber den Juden in V 31: Ihm wäre es nur recht,
wäre er die Sache los. An der Reaktion des Pilatus in V 35 fällt noch
auf, daß das Volk und die Hohenpriester als Ankläger gelten. Doch
taucht das Volk im PB nur ganz am Rande auf (19,20). Das stimmt
mit Lk überein (anders Mt 27,24 f.).
Jesu Antwort ist zunächst V 36 negativ-abgrenzend, sodann V 37
positiv. Auf dieser zweiten Antwort liegt der Ton. Daß Jesus von
seinem Königtum spricht, ist im Joh auffällig. Abgesehen von 3,3.5

(vorgegebene Tradition; Gottes Reich, nicht Jesu Herrschaft) ist überhaupt keine entfernte Analogie zu finden. E steht unter dem Zwang des Stichwortes »König der Juden«, sonst würde er so nicht schreiben. Diese römische Formulierung wird nun verchristlicht, wobei die urchristliche Traditionsbildung von der Herrschaft Christi (vgl. 1 Kor 15,24–28) eingewirkt haben mag. Jedenfalls zeigen Stellen wie Kol 1,13; 1 Thess 2,12; 2 Tim 4,18; 2 Petr 1,11, daß im Zusammenhang der Herrschaftsaussage die himmlisch-ewige Herrschaft Christi im Gegensatz zur irdischen Wirklichkeit betont sein konnte. Dies konnte im joh dualistischen Weltbild (vgl. Exkurs 3) leicht zu einer Aussage wie V 36 führen: Jesu Herrschaft ist nicht »von dieser Welt«. Da im joh Bereich Ursprungsaussagen zugleich Wesensaussagen sind, impliziert dies die Aussage, daß Jesu Herrschaft wesenhaft die des himmlischen Gesandten und nicht die irgendeiner irdischen Instanz ist. Pilatus hat also recht, wenn er hier indirekt (V 31.35) seine Inkompetenz zum Urteil zugibt, denn was die Juden zum Prozeß treibt, ist ihr ungläubiges Ärgernis an Jesus als göttlichem Gesandten, nicht ein politisches Verbrechen Jesu. Sie wollen Jesus los sein und können es nur mit Pilatus als Mittel zum Zweck (V 31b). Pilatus muß aber zugleich sehen, daß er keine neutrale Stellung in diesem Dualismus von Welt und Christi Herrschaft einnimmt: Er gehört zur Welt, falls er nicht die Wahrheit annimmt. Er gehört nicht zur Welt als Repräsentant des Staates, so als würden von E Wesensaussagen über den Staat gemacht. Jeder Versuch, von Röm 13,1–7 her die Stelle zu verstehen, muß zwangsläufig unjoh werden (zu Bultmanns Deutung vgl. jetzt Lührmann). Pilatus gehört zur Welt als einzelner Ungläubiger; denn daran sollte kein Zweifel aufkommen, daß der joh Christus immer den einzelnen, welche Funktion er sonst auch haben mag, vor die Glaubensfrage stellt (vgl. nur Joh 3,1–19). Joh 18,33 ff. findet also kein Gespräch über das Verhältnis von Staat und Kirche in joh Sicht statt, sondern der Gesandte tut dasselbe, was er sonst immer wieder gegenüber den Juden getan hat: Er stellt alle vor die Entscheidung, zu glauben oder im Tode zu bleiben. Welches Amt der einzelne dabei bekleidet, ist irrelevant. Die Juden haben bereits ihre Entscheidung gefällt. Jesus demonstriert gerade, daß er nur noch Pilatus Möglichkeit zum Glauben eröffnet, nicht mehr den Juden. Aber auch Pilatus wird sich dem Glauben verweigern, ja sogar am Ende der Kreuzigung zustimmen.

E begründet die negative Abgrenzung der Herrschaft Christi gegenüber der Welt insgesamt durch ein Verhalten Jesu, das er bei der Gefangennahme zeigte: Er ließ keinen Kampf zu (18,11!), im

Gegenteil: Er stellte sich freiwillig durch Selbstidentifikation
(18,4–8). Seine Macht bestand also allein in seinem Wort – so wie
jetzt im Prozeß. So ging es auch vor Hannas um seine Lehre und
die Jüngerschaft aufgrund derselben (18,19f.). Worthaftigkeit war
überhaupt das Wesen der Offenbarung des joh Christus in Joh
1–12. Speziell setzt dieser Hinweis Jesu wohl doch voraus, Pilatus
kenne die Umstände der Gefangennahme (Schnackenburg): Deutet
das auf die römische Kohorte, die Pilatus Rapport gab? Jedenfalls:
Politisch-messianisches Rebellentum (V 33) kann man Jesus nicht
unterstellen, dagegen spricht sein Verhalten. Das sollte auch Pilatus
längst wissen. Schon seine Kohorte war unter falschen Voraussetzungen am Werk.
Der Präfekt tut das, was auch sonst ungläubige Gesprächspartner
Jesu im Joh tun: Er fragt erstaunt nach, ohne begriffen zu haben (V
37 a). Seine Frage ist also kein interessiertes Eingehen auf Jesu Thematik, von der er mehr hören will. Sie ist szenisches Mittel, um Jesus weiter – nun positiv – antworten zu lassen (V 37). Jesu Antwort
ist – abermals typisch joh – der Aufweis seiner Kompetenz als göttlicher Gesandter, indem er sich selbst zum Inhalt der Offenbarung
macht. In diesem Sinn spricht er vom finalen Sinn seiner irdischen
Existenz. Mit dem Auftrag und seiner Durchführung steht und fällt
er als Gesandter. Fehlt auch die unmittelbare Beauftragung durch
Gott, so ist doch klar, daß er Repräsentant der himmlischen Welt
ist. Schon sein Einstieg in die Welt verläuft anders als bei Menschen. Diese werden nur geboren. Dies wird Jesus auch. Doch solche natürliche Geburt ist für ihn zugleich der Einstieg aus der göttlichen Welt in die irdische. E drückt also die Koinzidenz von z. B.
6,42 und 8,58 aus. Ebenso fallen nun bald der irdische Tod Jesu
und seine Rückkehr zum Vater zusammen (3,14f.; 12,31f.;
13,31f.). Daß dabei E die spezielle Inkarnationsaussage von 1,14
aufgreift (so Hahn; Schnackenburg), ist von Sprache und Kontext
her unwahrscheinlich, zumal er 1,14 sonst nicht direkt verwendet
(vgl. die Diskussion zu 1,14). So in die Welt gesandt, ist er Zeuge
der Wahrheit als der außerweltlichen Lebenswirklichkeit des außerhalb seiner Offenbarung unbekannten Gottes (vgl. zu 1,18). Er
bezeugt diese der Welt fremde Offenbarung im Sinne von 5,31ff.
(vgl. die dortige Auslegung), damit Glaubensermöglichung geschieht. Aber, wie sich an den Juden schon gezeigt hat, Unglaube
und Haß sind die Folge. Darum steht Jesus nun vor Pilatus, der
auch das ungläubige und teuflische Geschäft des Tötens mitvoll-
bringen wird (vgl. 8,44 und Exkurs 4). So ist an Pilatus abschließend der Satz gerichtet, daß nur der, der aus der Wahrheit ist, Jesu

Stimme hören wird. Als E den PB in sein Joh aufnahm, stand längst allgemein fest, daß Pilatus das Urteil über Jesus gesprochen hatte. Darum ist für 18,37 klar, Pilatus ist nicht »aus der Wahrheit«. Die deterministische Formulierung (vgl. zu diesem Problem Exkurs 3) ist also in bezug auf Pilatus ein Urteil aufgrund seiner bekannten Tat. Daraus ergibt sich endlich, daß die abschließende Pilatusfrage nicht die Frage eines Realpolitikers ist, der seine Skepsis der Religion gegenüber äußert, oder der sich nur pragmatisch statt wahrheitsbezogen verhält, oder der gar die strikte Neutralität des Staates gegenüber der Religion betonen will, sondern Ausdruck seines Unglaubens. Er äußert sein Nichtverstehen der Selbstoffenbarung Jesu (wie z. B. Nikodemus durch 3,4.9). Er erweist sich als nicht »aus der Wahrheit« und steht damit für E dort, wo die Juden z. B. in Joh 8,30–59 stehen. Auch Pilatus bekommt wie die Juden nach 12,37ff. keine Chance mehr, Jesu Offenbarung als Glaubensermöglichung zu hören, denn 19,8–12 schweigt Jesus ihn an, bzw. gibt ihm nur noch Bescheid, wie Jesus seine Funktion im Prozeß sieht.

Doch hat der Dialog in 18,33–37a nicht nur diese Seite. Durch seine Selbstoffenbarung, die auf Unglauben stößt, dirigiert Jesus selbst den Prozeß zu dem Ende, wie er es haben will. So wie er Judas zum Verrat (13,27) aufforderte, so wie er seine Gefangennahme zur Selbstauslieferung umgestaltete (vgl. zu 18,1–11), so schafft seine Selbstoffenbarung hier als Folge die Kreuzigung, die er als Rückkehr zum Vater will und selbst plant (vgl. 12,31f.; 13,31f.; 14,27–31; 18,1f.). In diesem Sinne ist das: »Es ist vollbracht« (19,30) der abschließende Ausdruck für das Gelingen dieses Planes. Darum ist auch für E dieser Dialog im Prozeßgeschehen Höhe- und Wendepunkt.

Nun hat man darüber hinaus vorgeschlagen (Blank, Hahn, Dauer), den Pilatusprozeß im Sinne von E als Persiflage einer Inthronisation nach den Grundelementen eines allgemein orientalischen Einsetzungsrituals des Königs in sein Amt zu verstehen. Dann wäre V 33–38a die Königsproklamation, die Verspottungsszene in 19,1–3 müßte als Inthronisation gelten, die Vorführung vor den Juden wäre Jesu Präsentation (19,4–7) und der dabei ertönende Kreuzigungsruf die Akklamation. Allerdings hat diese Deutung Schwierigkeiten: Sie erfaßt nicht alle Szenen des Pilatusprozesses. Sie verkennt, daß das Königsmotiv von E in 18,33–38a mit anderem Interesse verarbeitet wird. Sie gerät in Spannung zu den expliziten Aussagen von E, wonach die Kreuzigung Jesu seine Erhöhung (Inthronisation) ist, nicht aber die Verspottungsszene (so richtig

Schnackenburg). Dennoch ist der Vorschlag damit nicht wertlos.
Es fällt auf, daß er durchweg sich auf Szenen beruft, die im Grundstock traditionell sind. Wenn also E für solche Deutung nicht verantwortlich sein kann, dann immer noch sein ihm vorgegebener
PB. In der Tat hat es Sinn, für ihn anzunehmen, er habe bei der
Darstellung Elemente des Inthronisationsrituals verwendet. Zunächst zeigte schon der Grundstock der Einzugsgeschichte
(12,12 ff.) den Advent eines Königs, seine feierliche Einholung und
messianische Akklamation. Stellt man 2,13 ff. in diesen Zusammenhang, wäre zusätzlich der Zusammenhang von königlichem Amts-
antritt und Kultrestauration gegeben. Dann könnte das ausgefallene Kaiphasverhör vielleicht Jesu eigene Proklamation als König
enthalten haben. Obwohl die Juden diesen König nicht wollen,
bleibt er selbst vor Pilatus bei dieser Proklamation (18,33.37 a). So
gerät 19,1–3(G) zu seiner Inthronisation und Investitur als Persiflage und der Kreuzigungsruf (19,6.14 f.) zur pervertierten und 12,13
zurücknehmenden Akklamation, der die Kreuzigung mit dem Titulus dann entspricht (19,17–19). Ob die Salbung in Bethanien das
königliche Begräbnis andeuten soll (12,1 ff.), ist weniger wahrscheinlich. Freilich ist diese Gesamtthese hypothetisch. Sie hat
aber neben vielen Einzelbeobachtungen auf ihrer Seite zu ver-
buchen, daß offenbar der Titel »König der Juden« in
18,33(37 a).39;19,3.15.19 dem E vorgegebenen PB entstammt, und
die Szenen jeweils auf ihn hin gestaltet waren. Die These deutet außerdem nicht nur den Pilatusprozeß aus, sondern macht ein Gesamtkonzept sichtbar, das vom Einzug bis zur Kreuzigung die Passionsereignisse einbezieht. Sie hilft ferner zu erklären, wie die Kö-
nigsmotive im PB angesichts ihrer Spannung zu E und seinem Konzept entstanden sein können.

Die *dritte Szene (18,38b–40)* verwendet das Amnestiethema, wie es
auch die Synoptiker kennen (Mk 15,6–14 parr.). Die joh Szene ist
dabei die knappste von allen Parallelgestaltungen. Es ist nicht auszuschließen, daß E seinen PB gekürzt hat. Jetzt stehen 18,38b Lk
23,4 sowie 18,39b Mk 15,9b und 18,40 Lk 23,18 f. nahe. Pilatus
geht wieder zu den Juden hinaus, die beim Verhör nicht zugegen
waren. Er gibt ihnen aufgrund des Verhörs sein Urteil zur Anklage
aus der ersten Szene (V 29–31): Jesus ist unschuldig. So sicher Pilatus den Offenbarungsanspruch Jesu aus dem Verhör abgelehnt hat,
so sicher hat dieser mit einer Anklage im Sinne der Juden nichts zu
tun. E unterstellt nun Pilatus offenbar die Absicht, eine elegante
Lösung, die alle befriedigt, gesucht zu haben: Er will kein Todesurteil fällen; den Juden wird es schwerfallen, als Ankläger zu unter-

liegen. Also tut er so, als ob Jesus zu Recht gefangen ist, und will ihn in der Form des Passa-Gnadenaktes freigeben. Dann muß er nicht gegen seine Überzeugung Jesus hinrichten lassen, die Juden können ihr Gesicht bewahren, und schließlich ist auch Jesus gedient. So kommt es, daß nur bei Joh Pilatus selbst auf die Amnestiegewohnheit eingeht. Diese ist im übrigen historisch auch unabhängig vom PB bezeugt. Dabei mußte die Amnestie an dem Tag erfolgen, wenn abends die Passalämmer geschlachtet wurden, damit der Freigelassene am Passamahl teilnehmen konnte (Chavel; Blinzler 317–320).

Pilatus hat aber bei diesem Versuch kein Glück. Man fordert die Freilassung von Barrabas. Barrabas war ein wohl stadtbekannter Räuber, d. h. ein politischer Freischärler, der durch Straßenraub aufgefallen war (vielleicht ist Lk 10,30 eine anschauliche Sachparallele). Nach Mk 15,7 wurde er mit Genossen ergriffen, die sich als Mitgekreuzigte Jesu Mk 15,27 wiederfinden können. Im Joh fehlt dieser Zusammenhang, 19,18 gibt keine näheren Angaben zu den anderen Gekreuzigten.

Mit der Wahl der Juden und der Kurzangabe zu Barrabas schließt die Szene. Sie ist insofern offen, als die Freigabe durch Pilatus (vgl. Mk 15,11–15) nicht berichtet wird, aber vorausgesetzt ist. Die Deutung der Szene bleibt dem Leser ganz überlassen. Intendiert ist dabei wohl folgendes: Pilatus hat verloren, die Juden haben gewonnen, der stille Jesus kommt seinem Ziel eine Etappe näher. Die Juden haben um den Preis gewonnen, daß sie dem angeblichen Messiasprätendenten einen wirklichen Verbrecher vorgezogen haben. So tief ist ihr Haß gegen Jesus! Pilatus ist nicht nur über seine elegante Erledigung der Jesussache gestolpert, sondern hat durch seine Initiative noch Anlaß gegeben, den, den er sicher gern hängen wollte, freigeben zu müssen. Außerdem ist er einen Meilenschritt auf dem Weg zum Justizverbrechen nähergekommen. Pilatus hat sich selbst lächerlich gemacht, bevor er Jesus der Verspottung übergibt.

Die *vierte Szene (19,1–3)* bringt zunächst Jesu Geißelung. Sie erfolgt in Mk 15,16–20a nach dem Todesurteil als erster Teil der Exekution. Sie ist aber auch als selbständige Strafe bekannt. So ist sie wohl bei Joh gemeint. In analoger Nähe zu Lk 23,16 will Pilatus, nachdem der Versuch mit der Passaamnestie scheiterte, offenbar eine relativ geringe Bestrafung Jesu vornehmen lassen, um ihn dann freizulassen. Wiederum wäre die Anklage der Juden nicht glatt abgewiesen, und Pilatus brauchte auch nicht für die Juden seine Überzeugung von der Unschuld Jesu zu opfern. Eine Geißelung ist zwar eine schmerzhafte Strafe, doch durchaus auch bei Unschuld des Delinquenten zur allgemeinen Festigung römischer Autorität ein probates Mittel. Da es sich danach immer noch gut weiterleben läßt, braucht Pilatus sich darüber im Falle Jesu kein Gewissen zu machen.

Die römischen Soldaten treiben dann noch ihren Spott mit Jesus, indem sie die Anklage und Jesu Bekenntnis zum Königtum zu einer Persiflage der Inthronisation ausnutzen. Gegenüber Mk fehlt das Rohr als Szepter, mit dem Jesus auf den Kopf geschlagen wird, das Spucken ins Gesicht und der Kniefall (Mk 15,17–20). Da jedenfalls Szepter und Kniefall zur Persiflage gut gepaßt hätten, auch kein Grund ersichtlich ist, warum E gestrichen haben sollte, wird wohl der joh PB diese Motive nicht gekannt haben. Auch der entehrende Backenstreich ist Sonderüberlieferung des joh PB. Jesu königlicher Anspruch im Sinne von 18,34–37 erscheint der Welt als Möglichkeit zum Spott.

Im Unterschied zu Mk, wo die Szene unmittelbar vor dem Gang zur Kreuzigung steht, hat sie bei Joh eine ganz andere Funktion: Sie schafft die Voraussetzung, daß Pilatus diesen der Lächerlichkeit preisgegebenen König dem Volk vorstellen kann, um so eine Situation für Jesu Freilassung zu schaffen. Da auch der zweite Versuch einer Freilassung dann kläglich scheitert, steht bei seinem Todesurteil Jesus bereits als Spottkönig da. So ist in der Pervertie der Verspottung sein königlicher Anspruch aus V 34 ff. sichtbar und damit das Urteil über ihn eine endgültige Absage an seinen Offenbarungsanspruch. Hängen jedoch in dieser Form die Stellung von 19,1–3 und das motivisch verarbeitete Inthronisationsritual zusammen, dann wird schon der joh PB und nicht erst E für die gegenüber Mk ungewöhnliche Stellung der Verspottungsszene verantwortlich zeichnen (vgl. dazu die Ausführungen zur zweiten Szene).

Der Eingang der *fünften Szene (19,4–7)* macht sofort deutlich, daß Pilatus zur Zeit der Geißelung wieder im Prätorium weilte und auch Jesus den Blicken der Juden entzogen war. Pilatus stellt den Anklägern den Spottkönig vor und formuliert ein zweites Mal – genau wie beim ersten Versuch der Freilassung in V 38 b – sein Urteil über Jesus. Dies dokumentiert unübersehbar, wie Pilatus sich anschickt, ein zweites Mal Jesus ohne Todesurteil loszuwerden. Gegenüber dem ersten Versuch hat er nur das Mittel ausgetauscht. Nicht der allgemeine, objektive Brauch der Amnestie, sondern die persönliche, subjektive Lächerlichkeit Jesu soll nun helfen. Das »Seht, (das ist) der Mensch!«, das als *ecce homo* in der Passionsauslegung der Kirche eine respektable Wirkungsgeschichte aufweisen kann, hat verächtlichen Klang. Es soll den Juden die Harmlosigkeit und Lächerlichkeit Jesu suggerieren, damit sie ihr Interesse an der Verurteilung verlieren. Es lohnt sich nicht, um dieser Gestalt willen weiter zu prozessieren! Daß dabei die Inkarnationsaussage aus 1,14 in ihrer extremsten Konsequenz zur Geltung gebracht wird (so Bultmann, Hahn), ist eine Eintragung von Paulus her (vgl. z. B. seine Betonung des Kreuzes in Phil 2,8) in Joh. Für E ist das Kreuz nicht Tiefpunkt in der Konsequenz der Inkarnation, vielmehr Rückkehr des Gesandten zum Vater, nicht paradoxe Einheit von Niedrigkeit und Verherrlichung, sondern nach der Sendung in die Welt der notwendige komplementäre Teil dazu, nämlich Jesu Erhöhung als Rückkehr zum Vater. Näher als ein im übrigen gar nicht angedeuteter Bezug zu 1,14 liegt eine Beziehung von 19,5 zu 18,29: Pilatus, mit (relativer) Unkenntnis über Jesus, die sich 18,29 eher neutral und distanziert äußert, hat nun nach Kenntnisnahme sich selbst ein Urteil gebildet. Wovon Pilatus die Juden überzeugen will, davon ist er selbst überzeugt. Außerdem will beachtet sein: Hatte Pilatus beim ersten Versuch, Jesus freizulassen, das Königsmotiv eingeblendet – gleichsam als Zitat aus jüdischer Anklage –, so macht er nun den Juden Jesus in V 4f. sichtbar als lächerlichen König unter falscher Anklage. Haben die Juden keinen anderen König vorzuzeigen als diesen, dann sollen sie doch nach Hause gehen! Hatten die Juden es Pilatus mit Barrabas heimgezahlt, so bleibt er ihnen nichts schuldig. Er gibt ihnen zu verstehen, wenn sie sich auf diesen lächerlichen König so eingeschworen haben, dann werden am Ende sie selbst lächerlich.

Daraufhin lassen die Hohenpriester und ihr Anhang nicht mehr mit sich reden. Sie präsentieren nun nicht mehr die Anklage, sondern skandieren erstmals offen: »Kreuzige, kreuzige!« (V 6). Ihnen ist gleich, wofür und über welches Verfahren Jesus getötet wird, sie legen Pilatus in aller Öffentlichkeit auf den Tisch, was nur heimlich bisher ihr Beschluß war (vgl. 11,47–50). Sie haben also einfach eine Forderung. Pilatus soll ausführendes Organ ihres längst gefaßten Beschlusses sein. Er soll die Kreuzigung anordnen und Prozeß und Freilassungsversuche gefälligst nun beendet sein lassen. Dazu aber ist sich Pilatus zu schade: Den Pilatus übergebenen Jesus (18,30) sollen sie nun wieder nehmen und selbst kreuzigen. Das bekräftigt er mit einer dritten Unschuldserklärung (V 6b). Zwei Spitzen sind gegen die Juden in dieser Reaktion enthalten. Natürlich weiß Pilatus, daß sie gar nicht töten dürfen (18,31). Also führt er sie vor ihre politische Ohnmacht. Sie brauchen ihn, dann muß er aber auch entscheiden dürfen. Außerdem bleibt es dabei, ihr Kreuzigungs-

vorhaben, von wem immer und wie immer durchgeführt, bleibt
unabänderlich die Tötung eines Unschuldigen.
Die Juden merken, daß sie so nicht weiterkommen (V 7). Mit der
auf der politischen Ebene vorgetragenen, fingierten Anklage
(18,30.33) hat es nur zur Konfrontation mit Pilatus gereicht. Pilatus hat Jesus durchschaut (19,4 f.) und damit sie. Wer dreimal als
Ergebnis der Gerichtsverhandlung beharrlich sein Urteil »unschuldig« abgibt, wird es beim vierten Mal nicht ändern. Wer zweimal
den Versuch macht, Jesus loszuwerden (18,38 b–40 und 19,4 f.),
wird beim dritten Mal einfach ohne Rücksicht auf die Juden handeln. Soweit darf es nicht kommen! So sind die Juden gezwungen,
die Karten auf den Tisch zu legen. Auch für sie ist Jesus kein mes-
sianischer Rebell und politisch gefährlich. Nein, sie haben ein Gesetz und danach muß er sterben. Pilatus soll wissen, in der Tat geht
es um eine jüdisch-religiöse Frage, für die er eigentlich gar nicht
zuständig ist, aber doch helfen soll. Hatten die Juden sonst ihre religiöse Selbständigkeit peinlich gewahrt, nun wollen sie sie für diesen einen Zweck gern (ausnahmsweise) opfern. Inhaltlich kann
kaum ein Zweifel aufkommen, daß E bei der Gesetzeskollision,
nach der Jesus sich zum »Sohn Gottes« macht, an Stellen wie 5,18;
8,58; 10,33 denkt. Der Gesetzesbezug für dieses Delikt ist 3 Mos
24,16. Diese Stellen des Dauerkonflikts zwischen Jesus und den Juden machen klar: Der Unglaube an Jesu Selbstoffenbarung treibt
die Juden, ihn zu töten. Dieser Konflikt ist insbesondere 5,31 ff.
und 8,30 ff. längst durchfochten und zu einem nicht mehr verän-
derbaren Ergebnis gekommen. Zugleich bestätigen die Juden mit V
7, – ohne daß sie das erahnen können, weil sie beim Verhör in
18,33 ff. nicht zugegen waren – Jesu eigene Interpretation seines
Königtums als einer ganz anderen Dimension zugehörig als der politischen.
Diese Auslegung der ganzen fünften Szene macht deutlich, wie
konzentriert E sie in seine gesamte Prozeßdeutung einbezogen hat.
Dennoch ist sie nicht gänzlich sein Werk. Hatte der joh PB schon
19,1–3 an der jetzigen Stelle, muß wohl auch das Pilatuswort (V4)
und Jesu Präsentation (V 5) sachlich in ihm verarbeitet gewesen
sein. Kreuzigungsruf und letztes Pilatusurteil (V 6) haben so deutliche Parallelen bei den Synoptikern (vgl. die Tabellen oben), daß
hier in jedem Fall Motive des joh PB vorliegen werden. Erwägenswert ist auch die Annahme, die Benennung der Hohenpriester und
Diener als Rufer des Kreuzigungsbegehrens habe so im E vorgegebenen PB gestanden, denn E typisiert und generalisiert allzu häufig
tendenziell auf »die Juden« hin (vgl. zu 18,28). Das würde aller-

dings ein sehr altes Stadium des PB voraussetzen, denn wenn unmittelbar vor E schon 11,47–53.57 (G) zu ihm gehört hat, fällt auf,
daß die Pharisäer nicht genannt sind. Darf man dann aus den Sub-
jektangaben in V 6a schließen, diese eventuell älteste Stufe des PB
gäbe historische Realität gut wieder? Hier ist Vorsicht geboten.
Zwar sind auch Mk 15,10f. die Hohenpriester die Wortführer,
aber nicht isoliert, sondern als Sprecher des Synedriums (Mk 15,1).
Mit dem Synedrium sind aber auch die häufigsten Gegner Jesu nach
der gesamten synoptischen Tradition mitgenannt, also die Pharisäer. Jesu Streit um das Gesetz und seine Konflikte mit dem Gesetz
machen es historisch nicht wahrscheinlich, die Pharisäerschaft aus
der Feindschaft Jesu herauszunehmen.

Haben die Juden mit V 7 eine neue Anklage vorgebracht, unterliegt
Pilatus dem Zwang, Jesus erneut zu verhören. Das geschieht in der
sechsten Szene (19,8–12). Sie wird mit einer Charakteristik des Pilatus eröffnet, die schwer zu deuten ist. Wovor fürchtet sich Pilatus
noch mehr? Bisher hat er überhaupt keine Furcht gezeigt, weder
vor den Juden noch vor Jesus. Nur soviel ist klar, die Furcht muß
mit der Anklage V 7 Beziehung haben. Geht es hier um Jesu Offenbarungsanspruch, so könnte in Analogie zu 18,6 Pilatus demgegenüber Wirkung zeigen. Darf man daran erinnern, daß Mt 27,19 mit
ganz anderen Mitteln dasselbe Furchtmotiv verarbeitet? Aber sollte
man nicht erwarten, daß E solche Furcht nur aufgrund der Selbstoffenbarung Jesu aufkommen läßt? Hatte Pilatus sie nicht 18,33–38a
vernommen, ohne solche Reaktion? So bleibt die Deutung unsicher. Sieht man V 8 als Brücke zwischen V 7 und 12, ist noch eine
andere Auslegung möglich: Pilatus fürchtet, aufgrund der neuen
Anklage nun gegenüber den Juden endgültig nachgeben zu müssen.
Er sieht, seine Trümpfe sind verbraucht, die der Juden noch nicht.
Diese Deutung würde die prompte Reaktion des Pilatus in V 13
aufgrund von V 12b sehr gut vorbereiten. Sie stößt sich auch nicht
mit V 12a. Dort soll gerade gezeigt werden: Mit den Juden konfrontiert, weiß Pilatus seine Sache verloren; mit Jesus allein zusammen, hofft er, seine Freilassungsabsicht noch immer zu verwirklichen.

Wie also auch immer, Pilatus unterzieht Jesus einem erneuten Verhör. Die Frage: Woher bist du? greift die Herkunftsaussagen Jesu
aus dem ersten Verhör (V 36f.) auf. Sie besagt äußerlich, Jesus soll
seine prozeßrelevante Identität weiter entschlüsseln. Aber diese
vordergründige Meinung hat einen hintergründigen theologischen
Horizont. Insofern der Menschen und ebenso Jesu Wesen nach dem
Joh durch das Woher und Wohin bestimmt sind, ist die christo-

logische Frage angeschnitten. Es ist die vierte Frage des Pilatus an
Jesus (vgl. 18,33.37.38 a), und wie jedes Mal, so auch hier, demas-
kiert er sich als Ungläubiger. Antwort ist ihm ja schon zuteil geworden (V 37)! So fragt er als Ungläubiger, sich selbst wiederholend wie z. B. Nikodemus (3,4.9). Weil er zeigt, daß er also nicht
»aus der Wahrheit« ist (18,37), wird ihm keine weitere Auskunft
mehr zuteil. Das Schweigemotiv der Synoptiker (Mk 15,5 parr.; Lk
23,9) wird also in einen neuen joh Horizont gestellt: Wie dem ungläubigen Juden (18,20 f.), so wird nun auch dem ungläubigen Pilatus die Offenbarung vorenthalten.

Nun kehrt Pilatus seine Macht heraus. Ist er dabei, den unbeque-
men Delinquenten zu seinem eigenen und Jesu Vorteil freizulassen,
so kann dieser ihm gefälligst dabei helfen, zumindest nicht störrig
werden (V 10). Aber so, als habe Jesus diese Reaktion des Pilatus
geradezu erwartet, äußert er sich nun doch noch einmal, freilich
nicht zu seiner Person, wohl aber zur Macht des Pilatus: Bevor Pilatus das Urteil über Jesus fällen wird, fällt Jesus damit sein Urteil
über Pilatus und die Juden (V 11). Indem er die agierenden Personen im Prozeß beurteilt, macht er zugleich deutlich: Es ist Zeit für
das Urteil. Pilatus wird um es nicht herumkommen. Diese spezielle
Funktion von V 11 gilt es zu beachten, wenn der Inhalt bedacht
wird. Wie bei 18,33–38 a, so hat man auch V 11 im Zusammenhang
mit dieser Stelle zu einem Grundsatzurteil über staatliche Macht
überhaupt gemacht (Bultmann, Schlier, dagegen seit von Campenhausen viele, u. a. Bultmann im Ergänzungsheft zum Kom.). Aber
das geht auch hier nicht an. Weit entfernt, die Macht des Pilatus
insgesamt beurteilen zu wollen, will V 11 nur christologisch für das
anliegende Gerichtsverfahren festhalten, daß Pilatus gegenüber Jesus keine Macht hätte. Oder besser: Pilatus hat diese Macht, die er
dem störrischen Jesus mit beleidigtem Unterton vorhält, nur unter
einer Bedingung. Darum soll er sie jetzt nicht gegen Jesus wie in V
10 ausspielen. Seine Macht über Jesus ist ihm nämlich von oben, d.
h. von Jesu Vater, gegeben worden. Also nicht über das Amt des
Pilatus und damit über alle staatliche Gewalt wird gesprochen, sondern über den Prozeß Jesu. Jesu Sendungsauftrag erfordert seine
Rückkehr zum Vater. Diese ist längst eingeplant. Pilatus ist dabei
ausersehen, dies auf der politischen Ebene aufgrund seines Todes-
urteils zu realisieren. Statt sich seiner Macht zu brüsten, soll er ein-
sehen, daß er nur Schachfigur in einem göttlichen Plan ist. So besteht seine Macht nur darin, zu tun, was er soll. Hatte Pilatus sich
bisher schon wenig glücklich gegenüber den Juden verhalten und
eine Niederlage nach der anderen einstecken müssen, so wird ihm

nun auch noch die Illusion genommen, wenigstens dem Angeklagten gegenüber seine Macht herauskehren zu können. Dem Leser wird darüber hinaus klar: Ankläger und Richter richten sich nun mit Jesu Tötung selbst, während sie ihren Unheilsstatus in den Augen Jesu durch ihr Tun nur festigen, ist doch ihre Sünde Folge ihres Unglaubens, bewirken sie durch das Unheil über Jesus der Gläubigen Heil.

Doch auch diese spezielle Macht des Pilatus unterliegt dem Urteil von gut und böse. Was Pilatus als Werkzeug des göttlichen Planes tut, macht ihn schuldig. Daß die Möglichkeit der Schuldanrechnung an die personelle Autonomie gebunden sei, ist ein neuzeitlicher Gedanke. Er darf hier nicht eingetragen werden. Pilatus ist nur Werkzeug, aber seine Tat ist nicht rechtens. So wird er schuldig. Immerhin: sein Schuldmaß ist geringer als das des Anklägers. Pilatus wird zum Urteil gezwungen, der Ankläger betreibt beharrlich und aktiv Jesu Tötung. Dabei kann der Ankläger als der, der Jesus an Pilatus übergab, kein anderer sein, als die 18,31.35 genannten Juden (vgl. auch 11,47ff. (G)). Pilatus fühlt sich getroffen (V 12a). Er weiß – dreimal hat er es ausgesprochen – um Jesu Unschuld. Er will die ihm auf den Kopf zugesagte Schuld nicht auf sich nehmen. Er will Jesus freigeben. Doch auch dieser dritte Versuch wird von den Juden sofort abgeblockt. Sie springen gleichsam dramatisch in die Szene im Inneren des Hauses hinein. Man darf auch nicht fragen, wie sie, draußen stehend, um den Ablauf in V 8–12a wissen, ja wie sie den Willen des Pilatus zur Freilassung erahnen können. Von der sachlichen Anlage des ganzen Prozesses her müssen sie jetzt ein letztes Mal reagieren.

Daß die Juden gar keinen ordentlichen Prozeß wollten, sondern ihrerseits nur Pilatus als Erfüllungsgehilfen ihres alten Synedriumsbeschlusses (11,47ff.), stand spätestens 19,6 fest. Daß ihre Anklage aus 18,30.33 nur Vorwand war, hatten sie 19,7 offenbart. Aber immer hatten sie bisher nur auf Jesus gesehen und die Person des Pilatus geschont. Wohl hatten sie ihre eigene Würde geopfert, aber die Person des Präfekten noch nicht. Nun aber greifen sie zu diesem äußersten Mittel. Willfährt Pilatus nicht, steht er selbst als »Freund des Kaisers« in Rom auf dem Spiel. Dabei soll es wohl kaum nur um das allgemeine Wohlwollen des Cäsaren gegenüber einem seiner Präfekten gehen, sondern um einen politischen Titel des *amicus Caesaris* (Bammel). Dieser offenbar u. a. auch Pilatus verliehene Titel soll ihm dann auf Betreiben der Juden in Rom aberkannt werden. Damit steht aber wohl die politische Zukunft des Pilatus überhaupt zur Disposition. Nun geht es um sein oder Jesu Überleben.

Solche Wahl ist für ihn aber keine echte Wahl. Nun weiß er, was er
zu tun hat. Die Unschuld Jesu mit dem inneren Zwang zu seiner
Freilassung ist nun kein Thema mehr. Lieber ein Justizmord als ein
Selbstopfer.

Die *siebente Szene (19,13–16a)* bringt den Abschluß. Zwar wird
Pilatus bei den Juden noch ein letztes Mal zustechen (V 14f.), aber
sein Weg zum offiziellen Richterstuhl, der prompt nach V 12 erfolgt, macht den Juden visuell klar, Pilatus hat verstanden und sie
bekommen ihren Willen. Die Szene nimmt kompositionstechnisch
19,4–7 auf und hat ihre entfernte traditionsgeschichtliche Entsprechung in Mk 15,12.15 parr., also nimmt nur Motive auf, die bei Mk
in der Barrabasszene enthalten sind und teilweise auch Joh 18,38b
–19,7 schon an ihrem ursprünglicheren Ort auftreten.

Pilatus führt Jesus hinaus – im Unterschied zu 19,5, wo eine solche
Aktivität des Pilatus nicht erwähnt wird. Dann setzt er sich auf den
Richterstuhl, Jesus ist an seiner Seite stehend zu denken. Dazu gibt
es vom Motiv her analoge Aussagen im Petrusevangelium (3,7) und
bei Justin (Apol I 35,6), die allerdings den Sinn bei Joh nicht letztlich sichern können. Dieser jedoch ist umstritten. Man kann nämlich so übersetzen, daß Pilatus sich oder Jesus auf den Richterstuhl
setzt. Für die zweite Lösung tritt man ein, um die Persiflage des
Königtums noch weitergehen zu lassen: Jesus wird als königlicher
Richter verspottet (so de la Potterie, Haenchen u. a.). Die erste Lösung (vgl. Hahn, Schnackenburg) ist die übliche. Sie hat für sich
den normalen Ablauf, also das übliche Formular einer Gerichtsverhandlung, bei der der Präfekt (oder eine andere Amtsperson), auf
dem Richtstuhl sitzend, Recht spricht, nicht aber – wie hier im Falle des Pilatus – zunächst zwischen innen und außen hin- und her-
läuft. Sie hat aber weiter für sich, daß nach der unverhüllten Dro-
hung V 12 Pilatus zur Sache kommen muß. Auch die protokolla-
risch-exakten Angaben in V 13c. 14 sprechen dafür, daß nun die
ordentliche Szene der Gerichtsverhandlung abläuft. Die Königspersiflage hat auch nie mit den Amtssymbolen des Pilatus gespielt.
Daß dies nun am Schluß noch geschieht, ist ganz neu und auch darum unwahrscheinlich, weil der gerade in Frage gestellte Pilatus so
indirekt sein Amt in Frage stellen würde. Also wird man V 13 so
deuten, daß Pilatus sich zum letzten Akt der Gerichtsverhandlung
nunmehr protokollarisch korrekt auf den Richterstuhl setzt (vgl.
die Funktion des Richterstuhls in Mt 27,19; Apg 18,12–17; 25,6).
Dieser steht auf einem Platz vor dem Prätorium, der einen besonderen Namen hat. *Lithostrotos* heißt soviel wie (mit) Marmorplat-
ten belegt(er Platz) oder Mosaik(platz). Neben dem griechischen

Namen hat er auch einen aramäischen, der sich mit dem Sinn des
griechischen nicht deckt, vielmehr – je nach philologischer Ableitung – zwei Bedeutungen tragen kann: kahler Vorderkopf oder
Anhöhe (erhöhter Platz). E übernimmt diese Angaben wohl unkommentiert aus seinem PB, da er dasselbe Interesse mit ihm teilt:
protokollarische Exaktheit zu zeigen, als dem entscheidenden Augenblick angemessen.

Ebenso wurde (schon im PB) protokollgerecht der Zeitpunkt des
Urteils festgehalten (V 14a). Der Rüsttag des Passa(-festes) ist – da
ein Tag immer mit der beginnenden Nacht einsetzt – der Tag vor
dem Passaabend, an dem die Passalämmer geschlachtet und dann
das Passamahl gegessen wurde. Diese Angabe deckt sich mit dem
Brauch der Passaamnestie (18,39). Dies bedeutet nach dem jüdischen Kalender, daß Jesu Prozeß vor Pilatus am Freitag, den 14.
Nisan, stattfand. Dies widerspricht der synoptischen Tradition, die
Jesus zwar auch an einem Freitag, aber am 15. Nisan, sterben läßt
(Mk 14,12ff.). Beide Traditionen sind unvereinbar, da die Annahme, man habe nach zwei verschiedenen Kalendern die Angaben gemacht, mehr als unwahrscheinlich ist. Nun ist bei den Synoptikern
die Chronologie von erheblicher theologischer Bedeutung: Jesus
muß am ersten Passafeiertag sterben, damit er am Abend davor
noch mit den Jüngern das letzte Mahl als Passamahl feiern kann.
Aber auch die joh Chronologie hat theologische Relevanz: Jetzt
stirbt Jesus nach einem vormittäglichen Prozeß am Nachmittag
desselben Tages, an dem die Passalämmer im Tempel für das
abendliche Passamahl geschlachtet werden. Er ist das wahre Passalamm (19,31). Dementsprechend gibt es bei Joh kein Abschiedsmahl als Passamahl (vgl. Joh 13). Sind beide Termine also als theologisch befrachtet erkannt, ist zu fragen, ob das theologische Interesse den Termin konstruierte oder sich nur an ihn anhängte. Nun
zeigt die synoptische Herrenmahltradition, daß nur der Rahmen
vom Passa redet, der Kern der Tradition jedoch passaunabhängig
ist. Außerdem scheint Mk 14f. eine Chronologie durchzuschim-
mern, die mit der joh stimmig ist. Der mk Termin scheint also
theologisch konstruiert zu sein. Für den joh spricht, daß es in jedem Fall einfacher ist, wenn Jesus vor dem Passa hingerichtet wurde, als am ersten Festtag. Auch die Passaamnestie macht den Termin historisch wahrscheinlicher. Da weiter alle Evangelien sich einig sind, Jesus starb im Zusammenhang mit einem Passafest, ist es
am einfachsten, die joh Chronologie für historisch zu halten, die
im Verlauf der Traditionsgeschichte des mk PB dann um einen Tag
verändert wurde.

Der Tagesangabe folgt in 19,14 die Stundenangabe. Die sechste
Stunde bedeutet Mittag. Zu dieser Zeit hängt Jesus nach Mk 15,33
parr. schon am Kreuz. Wiederum sind beide Zeitpunkte unvereinbar und theologisch bestimmt: der mk PB hat ein festes Stundenschema; bei Joh wird so Jesu Tod als Passalamm ermöglicht. Ab
mittags begann man im Tempel die Schlachtung der Passalämmer
vorzubereiten. So bereitet nun zur selben Zeit Pilatus Jesu Tod vor.
Beide Stundenangaben scheinen konstruiert und sind in jedem Fall
historisch nicht mehr verifizierbar.

Entstammen die protokollarischen Angaben dem E vorgegebenen
PB, so wird nun ab V 14 b E stark eingegriffen haben. Der lächerliche König (19,5) wird nochmals als König den Juden vorgestellt:
Seht, nur zu einem solchen König könnt ihr es bringen! Das soll die
Juden verletzen. Hatten sie gerade diese politisch-messianische Anklage fallengelassen (V 7), so läßt sich Pilatus von der fingierten
und demaskierten Anklage nicht abbringen. Als römischer Präfekt
mit richterlicher Vollmacht darf er nur nach dem Gesetz ein politisches Delikt verurteilen. Die neue Anklage aus V 7 ist für ihn nicht
verhandlungsfähig. So bleibt er aus taktischen Gründen und, um
die Juden nochmals zu reizen, bei der ersten offiziellen Anklage.
Doch steht nicht nur diese Vorstellung Jesu parallel zu V 5, sondern auch der gesamte Aufbau des nun folgenden Dialogs (Schnakkenburg): V 15 a entspricht V 6, V 15 b wiederum V 6 b, und V 15 c
hat in V 7 seine Analogie. Die Juden wiederholen wenig verändert,
doch wohl verstärkt, den Kreuzigungsruf. Die Rufenden sind hier
die Juden, daran sieht man, daß jedenfalls E den spezielleren Angaben in V 6 wenig Beachtung schenkt. Ihr Geschrei gleicht Lk 23,18.
Pilatus läßt die Juden noch etwas zappeln: »Euren König soll ich
kreuzigen?« Als wenn er nicht längst wüßte, was sie wollen! Aber
ist der jüdische König lange genug als lächerlicher König den Juden
vor Augen gestellt, ist ihr Judentum mitbetroffen. Außerdem ringt
er den Juden eine Loyalitätsaussage gegenüber der römischen
Fremdherrschaft und seine Absage an antirömische Messiaserwartungen ab. Hatten sie nicht durch das Votum für Barrabas für den
antirömischen Freiheitskampf einen Mann zurückgewonnen?
Kann man ihre Haltung in 18,40 nicht antirömisch auslegen und in
19,7 als nur auf ihr Gesetz bedacht? Paßt nicht beides als alte jüdische Renitenz gut zusammen? So zwingt sie Pilatus nochmals in die
Knie mit einem Treuebekenntnis gegenüber der römischen Macht.
Nun, da sie sich in ihr Vasallentum geschickt haben, will auch er
ihnen ihren Wunsch erfüllen. So haben beide Parteien in diesem
Prozeß, also die Juden und Pilatus, viel Würde und Glanz verlo-

ren, aber am Schluß ist der Römer wieder ganz römisch und die
Juden setzen ihren Willen durch. Beide haben partiell manches verloren, aber im Grundsatz blieben sie stark.

Und Jesus? Über ihn redet nochmals knapp und kurz V 16a. Wie
die Juden Jesus dem Pilatus eingangs übergaben (18,30), so übergibt ihnen Pilatus nun Jesus. Das soll nicht heißen, daß die Juden Jesus kreuzigen dürfen. Das tut die römische Kohorte
(19,23.24c.32.34). Auch bleibt Pilatus die oberste Befehlsstelle, die
die Juden zur Intervention weiter aufsuchen müssen (19,19–22.31).
Es soll vielmehr heißen, daß er den Juden willfahren will, sie sollen
ihren gekreuzigten Judenkönig haben. So ist Jesus der einzige, der
ohne Würdeverlust sein Ziel erreicht hat. Er kann nun zum Vater
heimkehren.

4. Die Kreuzigung und Grablegung Jesu 19,16b–42

a) Kreuzigung und Tod Jesu 19,16b–30

16b Sie übernahmen nun Jesus.   17 Und das Kreuz trug er
für sich selbst (und) kam hinaus zu der sogenannten Schä-
delstätte, die auf hebräisch Golgotha heißt.   18 Dort kreu-
zigten sie ihn und mit ihm zwei andere auf der einen und anderen Seite, Jesus jedoch in der Mitte.
19 Pilatus aber hatte eine Aufschrift schreiben und an das
Kreuz anbringen lassen, (auf ihr) war geschrieben: »Jesus,
der Nazoräer, der König der Juden.«   20 Diese Aufschrift lasen viele Juden, denn der Platz, an dem Jesus gekreuzigt
wurde, war nahe der Stadt. Und sie war hebräisch, römisch
(und) griechisch geschrieben.   21 Die Hohenpriester der
Juden sagten nun zu Pilatus: »Schreibe nicht: ›Der König der
Juden‹, sondern jener hat gesagt: ›Ich bin der König der Juden‹.«   22 Pilatus antwortete: »Was ich geschrieben habe,
habe ich geschrieben.«
23 Nachdem die Soldaten nun Jesus gekreuzigt hatten, nahmen sie seine Kleider und machten vier Teile, für jeden Soldaten ein Teil und den Leibrock (gesondert). Der Leibrock
war allerdings ohne Naht, von oben an ganz durchgewebt.
24 Da sagten sie nun zueinander: »Laßt uns ihn nicht zer-
schneiden, vielmehr um ihn losen, wem er gehören soll!« So
sollte die Schrift erfüllt werden: »Sie haben meine Kleider
unter sich geteilt, und um mein Gewand warfen sie ein Los.«

Die Soldaten nun taten das (so). 25 Es standen jedoch beim Kreuz Jesu seine Mutter und die Schwester seiner Mutter, Maria, die (Frau) des Klopas und Maria Magdalena. 26 Als Jesus nun die Mutter sah und den Jünger dabeistehen, den er liebte, sagt er zur Mutter: »Frau, sieh (das ist nun) dein Sohn!« 27 Dann sagt er zu dem Jünger: »Sieh, (das ist nun) deine Mutter!« Und von jener Stunde an nahm sie der Jünger zu sich.
28 Danach, weil Jesus wußte, daß schon alles vollbracht war, sagt er, damit die Schrift erfüllt werde: »Mich dürstet.« 29 Da stand ein Gefäß, mit Essig gefüllt; sie steckten nun einen Schwamm, mit Essig gefüllt, auf einen Ysop(stock) und hielten ihn an den Mund. 30 Als nun Jesus den Essig genommen hatte, sagte er: »Es ist vollbracht«, und neigte das Haupt und übergab den Geist.

Die Ereignisse nach der Verurteilung durch Pilatus bis zur Grablegung stehen unter der erzählerischen Perspektive, wie Jesus stirbt (19,16b–30) und wie danach mit seinem Leichnam verfahren wird (19,31–42). Diese typisch joh Zentrierung auf Jesu Geschick spricht für die vorgeschlagene Zweiteilung im Makrobereich, obwohl sonst gern in 19,16b–37 und 19,38–42 gegliedert wird. Doch dadurch verliert V 30 – ein Vers, der für E zweifelsfrei hochbedeutsam ist – an Gewicht. Nun jedoch steht er als Abschluß und Höhepunkt in 19,16b–30. Dabei sind 19,16b–30 jetzt in fünf kleine Szenen eingeteilt, die durch die agierenden Personen jeweils voneinander abgehoben sind. Als erstes geht es um Jesu Abführung durch die römischen Soldaten, die Kreuzigung durch sie und um die Mitgekreuzigten (V 16b–18). Danach wird von der Pilatusaufschrift und der Juden Intervention gesprochen (V 19–22). Sodann verteilen die Soldaten Jesu Kleidung (V 23–24b). Weiter werden die näheren Angehörigen Jesu erwähnt, die zugegen sind (V 24c–27). Abschließend wird vom Essigtrank, Jesu letzten Worten und seinem Tod erzählt (V 28–30). Gut erkennbar, rahmen die erste und letzte Szene den gesamten Erzählzusammenhang: Es geht unmittelbar um Jesu Tötung durch Kreuzigung. An den Szenen zwischen Pilatus und den Juden und der Kleiderverteilung unter den Soldaten ist Jesus nur mittelbar beteiligt: Andere haben Folgeprobleme mit Jesu Kreuzigung. Die Szene mit den Frauen wurde, wie noch zu zeigen ist, in bezug auf V 26f. erst von der KR geschaffen; V 25 wird älter sein, aber wohl seine Stellung hinter V 30 gehabt haben als abschließende Benennung der Zeugen des Todes Jesu. So hatte

für E der Abschnitt offenbar nur vier Szenen: Als Eingang und Abschluß V 16b–18 und V 28–30.25 und in der Mitte zwei Szenen, die
mittelbar mit der Kreuzigung zu tun haben.

Wie bei PB überhaupt, so hilft auch hier ein Blick auf die Synoptiker, erste Einsichten in die überlieferungsgeschichtlichen Verhältnisse zu erhalten. Die großen Orientierungsmarken erkennt man
an folgender Übersicht (s. S. 584).

Der erste Eindruck zeigt, daß Joh den kürzesten Text aller vier
Evangelien hat. Dies wird daran schon kenntlich, daß Joh zu Nr. 2,
17, 19, 20, 21, 22, 26 nichts Vergleichbares bietet. Im Gegensatz
zum Pilatusprozeß hat Joh auch wenig Sondergut (vgl. Nr. 3, 12,
15). Es gehört zudem verschiedenen Ebenen der Überlieferung an
(s. u.): Nr. 15 ist erst nach E von der KR eingefügt, die dann wohl
auch für die Umstellung von Nr. 27 nach Nr. 14 verantwortlich
zeichnet. Im übrigen ist der gemeinsame Stoff zwischen Joh und
allen Synoptikern groß (Nr. 1, 5, 7, 8, 9, 11, 14, 18, 24), so daß
auch hier die gleiche Erzähltradition evident ist. Doch ist diese Gemeinsamkeit auf Stoffe, Motive und z. T. Abfolge beschränkt mit
reichlicher Variabilität im einzelnen. Eine literarische Abhängigkeit
ist darum ausgeschlossen. Das Gemeinsame im Rahmen der Variabilität erklärt sich ungezwungen traditionsgeschichtlich. Wichtig
ist weiter die Einsicht, daß Joh in der Abfolge in Nr. 1, 5, 7, 11, 24
(wohl zur Zeit von E auch noch bei Nr. 14) Mk folgt, bei Nr. 6, 8,
18 jedoch Lk. Der Einfluß lk Sondertradition wird wieder wie bisher im ganzen PB partiell sichtbar. Bei den Stücken, die das Joh
ausläßt, läßt sich noch differenzieren: Nr. 2 ist im strengen Sinn
nicht ausgelassen, steht doch Nr. 3 als konkurrierende Sonderaus-
sage an derselben Stelle. Nr. 17, 19 gehören sachlich zusammen:
Joh hat nach dem Pilatusprozeß überhaupt keine Verspottung Jesu
mehr. Ebenso zeigen Nr. 20, 21 Gemeinsames. Wiederum kennt
Joh keine übernatürlichen Begleitumstände bei Jesu Passion. Abgesehen von Jesu Vorherwissen und von dem dadurch bedingten
Lenken Jesu in bezug auf die Ereignisse, geht es von 11,47 bis 19,42
ganz irdisch und »natürlich« zu. Wie Jesu Geburt im Unterschied
zu Mt 1 f.; Lk 1 f. keine wunderbaren Besonderheiten um sich hat
(vgl. Joh 6,42), so ist auch sein Fortgang aus der Welt ohne auffällige, wunderhafte Begleitumstände. Nr. 22 fehlt auch schon bei Lk.
Joh kann hier lk Einfluß unterliegen. Im übrigen würde zu Joh
19,30 diese dem widersprechende Auslegung der letzten Lebensäußerung Jesu auch theologisch nicht passen. Das Fehlen von Nr. 26
ist auffällig. Sollte E hier bewußt gekürzt haben, um die Jünger zu
den primär Glaubenden (Joh 20) zu machen? Fehlt eine solche Be-

Lfd. Nr.	Inhalt	Joh	Synoptiker	Bemerkungen
1	Abführung Jesu	19,16b	Mk 15,20b parr.	–
2	Simon v. Kyrene	–	Mk 15,21 parr.	–
3	Jesus trägt sein Kreuz	19,17a	–	–
4	Nachfolgende Frauen	–	–	nur Lk 23,27–32
5	Ankunft auf Golgotha	19,17b	Mk 15,22 parr.	–
6	Essigwein	–	Mk 15,23	Lk: –
7	Kreuzigung Jesu	19,18a	Mk 15,24a parr.	Lk 23,33a
8	Kreuzigung zweier Männer	19,18b	Lk 23,33b	vgl. Nr. 16
9	Verlosung der Kleider	–	Mk 15,24b parr.	vgl. Nr. 13
10	Zeitangabe	–	–	nur: Mk 15,25
11	Titulus	19,19	Mk 15,26	Lk 23,38
12	Intervention der Juden	19,20–22	–	–
13	Verlosung der Kleider	19,23 f.	–	vgl. Nr. 9
14	Frauen unterm Kreuz	19,25	–	vgl. Nr. 27
15	Mutter Jesu – Lieblingsjünger	19,26 f.	–	–
16	Kreuzigung zweier Männer	–	Mk 15,27	vgl. Nr. 8
17	Spott der Menge	–	Mk 15,29–32a parr.	–
18	Essigtrank	19,28–30a	Lk 23,36 f.	vgl. Nr. 23
19	Spott der Mitgekreuzigten	–	Mk 15,32b	Lk 23,39–43
20	Finsternis	–	Mk 15,33 parr.	–
21	Tempelvorhang	–	Lk 23,45	vgl. Nr. 25
22	Jesu Ruf nach Gott	–	Mk 15,34 f.	Lk: –
23	Essigtrank	–	Mk 15,36	vgl. Nr. 18
24	Tod Jesu	19,30b	Mk 15,37 parr.	–
25	Tempelvorhang	–	Mk 15,38	vgl. Nr. 21
26	Zenturio	–	Mk 15,39 parr.	–
27	Frauen unterm Kreuz	–	Mk 15,40 f.	vgl. Nr. 14; Lk 24,10

merkung, weil das Joh von der Erhöhung her und nicht vom Kreuz
her Christologie betreibt? Oder kannte schon die älteste Stufe des
joh PB solche Aussage nicht?
Die erste kleine Szene (V 16b–18) setzt mit dem Weg nach Golgotha ein. Nach dem Pilatusurteil sind nun die römischen Soldaten
am Werk als verlängerter Arm der Macht des Pilatus. Sie übernehmen Jesus und zwingen ihn, sein Kreuz selbst zu tragen. Da alle
Synoptiker hier Simon von Kyrene als Kreuzträger einbringen, ist
die Frage, ob E hier bewußt abgeändert hat, um die aktive Übernahme des Todes durch Jesus zu kennzeichnen (Bauer, Dauer,
Schnackenburg). Aber es gibt auch gegenläufige Beobachtungen:
Es war allgemein üblich, daß der Delinquent den Kreuzbalken
selbst trug. Ein Hinweis auf Jesu bewußte Aktivität war so also gar
nicht in dem Sätzchen zu erkennen (Bultmann). Die Aussage ist
auch eher eine chronistisch konstatierende Angabe, die ohne besonderes Gewicht, nichts Auffälliges besprechend, dasteht.
Sprachlich ist sie zudem kaum von E, da die sprachlich einzige Parallele in Lk 14,27 liegt, ohne daß dabei der Nachfolgespruch sachlich Bedeutung gewinnt. Man wird also damit rechnen müssen, daß
der E vorgegebene PB hier eine Sondertradition hatte, die E nur
übernahm (Bultmann, Haenchen).
Der Weg führt den Trupp aus der Stadt hinaus. Die Angaben sind
dabei mehr als spärlich. Die Augen des Erzählers ruhen selektie-
rend auf Jesus. Dabei muß man sich stillschweigend denken, daß
die beiden anderen Todgeweihten mitziehen und auch ihr Kreuz
tragen. Erst später erfährt man auch, daß es vier Soldaten waren (V
23). Ein Zenturio (Mk 15,39 parr.) wird nicht gesondert erwähnt.
Ebenso klar ist, daß Pilatus in seiner Residenz bleibt (vgl. V 16a).
Umgekehrt verfolgen die Hohenpriester (V 21) die Kreuzigung.
Ihr Interesse an Jesu Tod steht seit 11,47ff. fest und hatte gerade
den Pilatusprozeß bestimmt. Ob die Frauen schon dabei waren
(19,25), darf man nicht fragen, ebensowenig, wo sie seit dem Beginn des PB (11,47ff.) gewesen sind. So kommt man unweit der
Stadt zum Hügel Golgotha, dessen Bodenformation an einen Schädel denken ließ, so daß man ihn »Schädel« nannte. Daß der hebräische Name nachgestellt eingeführt wird, spricht für Tradition; E
erklärt umgekehrt hebräische Namen sonst so mit griechischen
Übersetzungen (z. B. 1,38.42; 4,25). Jesus wird sodann gekreuzigt,
ohne daß diese qualvolle Prozedur näher geschildert wird. Nach
20,27 wurde Jesus angenagelt. Sonst ist auch ein Festbinden bezeugt. Die Art der Kreuzigung ist dabei recht variabel (Einzelnes
bei Hengel). Für die Evangelien dürfte feststehen, daß Jesus bzw.

Simon den Querbalken trug, der dann an dem fest eingegrabenen
Galgen befestigt wurde. Die Evangelien teilen die allgemeine antike
Ansicht, daß man die grausame Strafe nur sparsam beschreibt. Sie
enthalten sich allerdings auch jedes Wertens der qualvollen Todesart. Selbst wo in der Antike die Abschaffung von Folter und Todesstrafe noch nicht im Bewußtsein der Zeit Platz griff, galt die
Kreuzigung als auffällig grausame und barbarische Todesart. An einem römischen Bürger durfte sie im römischen Reich nicht voll-
streckt werden. Gibt es auch reichliche wertende Zeugnisse der
Antike über solche abscheuliche Barbarei (vgl. die Belege bei Hengel), so fehlen sie im NT. Nicht die Qualen Jesu, noch das Urteil
über solche Todesart bestimmen die Evangelien, sondern sie fragen, inwiefern Jesu Tod Heilstod ist, also bleibende Bedeutung für
die Gemeinde hat.
Im Unterschied zu Mk 15,27 bringt Joh mit Lk 23,33 zusammen
die Kreuzigung der zwei anderen Personen schon hier. Außerdem
nennt er sie ganz neutral. Mk (»Räuber«) denkt wohl an zelotische
Aufständische, Lk spricht schon allgemeiner von Übeltätern. Hat
E abgeändert, um zu vermeiden, daß Jesus nun doch als Aufrührer
mitgekreuzigt wird (Dauer)? Abgesehen davon, daß dies auch
schon für den PB gelten kann, überzeugt es nach der eindeutigen
Aussage im Pilatusprozeß nicht: Pilatus hält Jesus dreimal für unschuldig und Jesus erklärt, seine Herrschaft sei nicht von dieser
Welt. Wer sollte da in einer so kleinen Notiz wie V 18 doch etwas
anderes angedeutet finden? Man wird vielmehr die Konzentration
der Erzählstruktur auf Jesus für solches Abblassen der Kennzeichnung der Übeltäter verantwortlich machen. Diese waltet schon im
PB. E hat offenbar auch in der Kreuzigungsszene vornehmlich dort
eingegriffen, wo jetzt Gespräche oder Worte Jesu stehen. Wenn es
weiter stimmt, daß schon der lk PB an dem Zelotismusmotiv kein
Interesse mehr hatte, dann setzt der joh PB dieses Desinteresse nur
fort: Nicht wer mitgekreuzigt wird, interessiert, sondern nur, daß
Jesus nicht allein diesen Tod erleidet. Gegenüber den Synoptikern
präzisiert Joh nur: Die beiden Delinquenten werden rechts und
links von Jesus aufgehängt (so alle Evangelien), Jesus also in der
Mitte (so nur Joh). Dies ist eine zusätzliche Verdeutlichung im
sprachlichen Bereich, bringt aber sachlich nichts Neues. Es ist darum zunächst fraglich, ob man darin theologisch ausgesagt sehen
soll, daß Jesus den königlichen Ehrenplatz einnimmt (Dauer).
Doch legt sich diese Deutung nahe, weil sofort anschließend vom
Titulus gesprochen wird.
Im Unterschied zu Mk 15,23 hat der joh PB nämlich nicht nur mit

Lk den Essigtrank bei der Annagelung ans Kreuz nicht ausgeführt, sondern auch den Titulus unmittelbar bei der Kreuzigungshandlung erwähnt. Alle Synoptiker sprechen von ihm erst nach der Verlosung der Kleider. Dabei ist der joh Ort recht sinnvoll, um vom Titulus zu erzählen, muß der doch bei der Annagelung der Personen mitbefestigt werden. Die Kleiderverlosung findet wohl durchweg nach getaner Arbeit statt. Es ist also durchaus denkbar, daß der joh PB hier schon aus sachlichen Erwägungen eigene Wege ging. Außerdem aber begegnet mit dem Titulus letztmalig das Königmotiv, wie es schon für den joh PB kennzeichnend war (vgl. zu 18,33–38 a): Die Römer kreuzigen Jesus so, daß er als König der Juden gilt und so den Ehrenplatz in der Dreiergruppe hat (vgl. Mk 10,37). Die pervertierte Akklamation aus 19,6.14 f. ist Wirklichkeit geworden. Der ehrenvollen königlichen Einholung in die Stadt (12,12 ff. PB) entspricht nun die schmachvolle Kreuzigung vor der Stadt als abgelehnter König. Israel hat sich so sehr schnell seines Königs entledigt. Daran erinnert Pilatus mit seinem Titulus. Die Worte der Inschrift sind bei allen Evangelien etwas variabel. Offenbar bestand allgemein die Tendenz, die Kurzform des Mk (15,26: »der König der Juden«) weiter auszubauen. So bekam sie mehr Gewicht. Joh hat die längste Inschrift. Sie kennt mit Mt 27,37 (doch unabhängig von ihm, da: »dieser ist …« fehlt) den Namen Jesus, hat aber zu ihm noch die Kennzeichnung »der Nazoräer«. Diese jesuanische Herkunftsbezeichnung benutzt das gesamte Joh mit einer Ausnahme nicht mehr. Diese, nämlich 18,5.7, ist Formulierung von E wohl unter Einfluß von 19,19. D. h. V 19 gehört zum joh PB, wie ihn E übernimmt. Im übrigen ist die joh Formulierung »Jesus, der Nazoräer« wohl allgemein urchristlich, vgl. Mt 2,23; 26,71; Lk 18,37; Apg 2,22; 3,6; 4, 10 usw., dabei speziell in lk Doppelwerk beliebt. Über die historische Wahrscheinlichkeit der Kreuzesinschrift ist zu 18,33 gehandelt.

In V 20–22 kommt dann E, der bisher im wesentlichen Tradent war, erstmals selbst zu Wort. Er ist schon daran erkennbar, daß er die Einheit des Ortes aufhebt, ohne den notwendigen Ortswechsel anzugeben. Er spricht von »den Juden« wie 18,12.14.20.31.36.38; 19,7.12.14 und bildet auch die singuläre Form »die Hohenpriester der Juden« (vgl. formal ähnliche Bildungen in 3,1;18,12). Er läßt nach den Pilatus-Dialogen nun nochmals Pilatus und Juden aneinandergeraten. Die Inschrift verrät nämlich den Preis, den die Juden für Jesu Kreuzigung zahlen mußten (Bultmann): Das Judentum wird getroffen, wenn ihr Messiasprätendent ein solches Ende nimmt. Dies um so mehr, als die Aufschrift, als Warnung und de-

monstrative Abschreckung für alle Juden gedacht, die politisch gegen Rom agieren wollen, »viele Juden« lasen, da zum Passafest sehr
viel Volk in Jerusalem weilte und die Hinrichtungsstätte nahe bei
der Stadt lag. Ja, die Inschrift war sogar in der Landessprache Hebräisch (es ist wohl das Aramäische gemeint), der Verwaltungs-
sprache der Besatzung (römisch) und der Handelssprache (griechisch) aufgezeichnet. So sicher die Synoptiker davon nichts wissen
und Pilatus einem so kleinen Fall wie Jesus kaum soviel Publizität
zugedacht haben wird, so deutlich hat E an dieser Aussage theologisches Interesse: Dieser Judenkönig geht die ganze Welt an. Pilatus wird ohne Absicht zum wahren Ausleger des Kreuzesgesche-
hens: Hier ist alleiniges Heil für die gesamte Welt. Soll so der Leser
V 21 c verstehen, so stören sich die Juden zunächst an ihrer politischen Demütigung. Nicht objektives Gerichtsurteil soll die Inschrift bieten, sondern nur subjektiven Anspruch Jesu, ohne daß
die Frage nach der Rechtmäßigkeit des Anspruchs tangiert wird.
Als hätten die Juden den Prozeß nicht selbst angestrengt unter der
Anklage, Jesus sei der Judenkönig (18,33)! Als hätte Pilatus nicht
das zur Todesursache erhoben im aktiven Einvernehmen mit den
Juden (19,15)! Aber Pilatus bleibt bei seiner Inschrift: Die Juden
sollen wissen, daß er sie bei ihrer Kaisertreue aus V 15 ab sofort
unerbittlich behaften wird. Dieser Titulus ist die grundsätzliche
Erinnerung daran, daß politische Auflehnung gegen Rom für Juden
prompt entsprechende Folgen hat. Die ganze Szene steht im übri-
gen im Widerspruch zu Mk 15,32 parr., wo Juden Jesus mit dem
Titulus verspotten. Nach dem Petrusevangelium 4,11 lassen sogar
die Juden selbst die Inschrift anbringen; eine Verschärfung des Motivs der jüdischen Verspottung!
Die Szene von der Verteilung der Kleider (19,23–24b) knüpft nach
Ort und Handlung unmittelbar an V 17–19 an. Sie ist durch das
Schriftzitat und seine Einflußnahme auf die Darstellung gegenüber
Mk 15,24 parr. traditionsgeschichtlich erweitert und insofern ein
Spätprodukt. Mk und seine Seitenreferenten erzählen nur knapp,
daß Jesu Kleider durch Los verteilt wurden. Solche Art des Beute-
machens gehörte damals zum Soldatenhandwerk. Dies erinnerte
offenbar einen Erzähler im mündlichen Traditionsprozeß des joh
PB an Ps 22,19 also an eine Einzelheit des Psalms, der von Anfang
an auf den ältesten PB Einfluß nahm (vgl. Exkurs 14). Dessen synonymen Parallelismus in V 19 verstand dieser (oder ein anderer)
Erzähler gegen die Intention des Psalms wörtlich als zwei verschiedene Akte, so daß Kleiderverteilung und Los um das Gewand zwei
Vorgänge wurden (vgl. formale Analogie in Mt 21,2–7). Dement-

sprechend gestaltete er (oder ein anderer) dann die ganze Szene um. Da für E ein vergleichbares Gestalten nicht bekannt, auch sprachlich im Text seine Feder nicht erkennbar ist, wird E hier nur seinen PB wiedergeben (Dauer u. a.). Dieser berichtete also zunächst von vier Soldaten. Diese Zahlenangabe kennen die Synoptiker noch nicht. Sie ist typisch und als Mannschaftsgröße wohl auch in solchen Fällen üblich. So hilft allgemeiner Usus zur Konkretion. Allerdings darf man nun nicht fragen, wieviel Kleidungsstücke Jesus trug. Wichtig ist nur, daß das Untergewand ungenäht ist und nicht geteilt werden soll. In einem Stück gewebte Kleidungsstücke sind nichts allzu Besonderes. Der Erzähler berichtet relativ Übliches, um die Sonderbehandlung des Unterkleides zu begründen. Vielen Auslegern ist die Gestaltung nach Ps 22 mit dem tieferen Sinn, die Kreuzigung verlaufe nach göttlichem Plan und dabei sei Christi Leiden das Leiden des Gerechten, zu wenig. Sie wollen speziell den ungenähten Rock symbolisch ausdeuten: Er deute auf Jesus als wahren Hohenpriester und darüber hinaus auf die Einheit der Kirche. Doch abgesehen davon, daß der Text solche Symbolik gar nicht andeutet, beweist er darin Resistenz gegen solches Verständnis, daß der Rock Jesus nicht erhalten bleibt, sondern verlost wird (Dauer, Schnackenburg). Nicht dieses Einzelmotiv des ungenähten Rockes Christi gilt es also zu deuten, sondern die gesamte Szene als Ausdruck eines christologischen Gesamtkonzepts zu verstehen, von dem zu 19,28 f. mehr zu sagen sein wird.

Der Szene mit den vier Soldaten folgt nun die Szene mit den vier Frauen (19,24 c–27). Schon ihr Anschluß V 24 c ist recht ungeschickt. Auch kennen die Synoptiker wohl die Frauen als Zeugen der Kreuzigung, berichten von ihnen jedoch erst nach Jesu Tod. Die Frauennamen sind nur insofern deckungsgleich, als Mk auch namentlich von Frauen berichtet (doch nur von drei) und unter ihnen Maria Magdalena ist. Im Joh sind die Frauen offenbar paarweise geordnet: Eingangs stehen die Verwandten ohne Namensangabe, dann zwei Frauen aus Jesu näherer Umgebung mit Namensnennung (Schnackenburg). Bekannt sind davon nur zwei: Jesu Mutter aus 2,1–12 (auch hier ohne Namensbezeichnung) und Maria Magdalena (d. h. aus dem Ort Magdala), die 20,1.14–18 wieder auftritt. Hat 19,25 also traditionsgeschichtlichen Rückhalt im synoptischen PB, so sind V 26 f. Sondergut des Joh. An beiden Versen fällt dabei auf, daß nun nur noch Jesu Mutter und – unvermittelt genannt – der Lieblingsjünger Bedeutung haben. Wieder erscheint er so abrupt und gegen die Tradition (vgl. die mk Jüngerflucht, nur wenige Frauen sind Zeugen der Kreuzigung Jesu) wie in 13,23; 18,15. Nun machen die Spannung zwischen V 25 und V 26 f. (vier Frauen sind genannt, nachher nur Maria und ganz neu der Lieblingsjünger wichtig) und die traditionsgeschichtlichen Verhältnisse (V 25 ist gegenüber V 26 f. eine selbständige Tradition) klar: V 25 wurde nachträglich benutzt, um V 26 f. einzubringen. Darum wurde auch V 25 geändert: Da Jesus schlecht nach seinem Tod reden konnte, mußte V 25 wegen V 26 f. von seinem traditionellen Ort (vgl. Mk) nach vorn gerückt werden. So erhielt der Text den jetzigen Platz in 19,25 ff. unmittelbar nach der Kleiderverteilung. Standen bei Mk die Frauen nur von fern, weil die Soldaten wohl auch üblicherweise die Angehörigen nicht direkt an die Delinquenten heranließen, so muß sich nun um V 26 f. willen die gesamte Szene unmittelbar unter dem Kreuz abspielen. Vielleicht erklärt sich so auch die Einfügung der Mutter Jesu in die Namensliste an erster Stelle. Nach den Synoptikern erscheint Jesu Mutter weder am Kreuz noch unter den Anhängern Jesu (Mk 3,31–35 parr.). Auch die SQ beschreibt in 2,1–12; 7,1 ff. (G) nicht gerade ein besonders gutes Verhältnis zwischen Jesus und seiner Familie. Eine gewisse Distanz ist unverkennbar. E übernimmt diese Tradition, ohne die Gestalt der Mutter Jesu weiter auszubilden. Wo er selbst darstellt, kann er ohne besonderes Interesse für Maria Jesu Eltern erwähnen (6,42), aber positive Kontakte zwischen ihm und ihr kennt er gar nicht. Die Mutter Jesu scheint also erst mit dem Lieblingsjünger in den Text hineingekommen zu sein. War dabei vielleicht auch noch intendiert, daß vier Soldaten und vier Frauen nun sich gegenüberstanden?

Dieser Befund führt zu folgender These: Im joh PB stand die Notiz über die Frauen an der traditionellen mk Stelle. Sie sollte wie bei Mk die Brücke von der Kreuzigung und Grablegung hin zur leeren Grabestradition bilden. Die KR hat erst nach E dies umgestaltet. 19,25 wird nun allgemeine Szene für V 26 f. Auf die KR deutet u. a. die ungeschickte Einleitung und das abrupte Auftreten des Lieblingsjüngers. Sie lehnt sich gern an vorgegebenes Material an (V 25). Sie gestaltet nach vorgegebenen Mustern, darum wird Jesu Mutter auch wie in 2,1 ff. nicht namentlich genannt; darum wird sie wie in 2,1 ff. nur mit »Frau« angeredet. Endlich muß der Lieblingsjünger wie in 13,23 ff.; 18,15 f. und später z. B. in 19,35 f.; 20,3 ff. Zeuge an einem wichtigen Markstein jesuanischer Passionsgeschichte sein. Also ist 19,26 f. kein mariologischer Text, sondern dient zur Entfaltung der Person des Lieblingsjüngers. Die Mutter Jesu ist nur gutes Mittel, um mit ihr zu zeigen, wie Jesus als Sterbender sein testamentarisches Vermächtnis ausspricht (vgl. zur Te-

stamentssituation Exkurs 10). An solcher Testamentssituation lag
der KR schon vorher sehr viel, hat sie doch in Joh 13 und vor allem
15–17 stark eingegriffen. Endlich wird von dem Lieblingsjünger so
gesprochen, daß seine Aufgabe, Maria zu sich zu nehmen, auf die
Zeit der späteren Gemeinde weist. Diese Öffnung zur Geschichte
der Kirche ist wiederum typisch für die Deutung des Lieblingsjüngers (vgl. dazu und überhaupt Exkurs 9).

Die Szene unter dem Kreuz hat in der Auslegungsgeschichte sehr verschiedene Deutungen erhalten. Vor allem haben katholische Exegeten Anlaß gesehen, Gesichtspunkte, die im mariologischen Dogma begegnen, im Text
angelegt zu finden. Dabei geht es im Prinzip darum, in Maria die Repräsen-
tantin der das Heil Suchenden und Empfangenden zu sehen. Dies läßt sich
dann bis dahin ausgestalten, daß Maria hier die Kirche symbolisiert. Ausle-
gungsgeschichtlich fällt dabei auf, daß Ansätze solcher Deutung bei den
Kirchenvätern erst dann beginnen, als die Entfaltung der Mariologie einsetzte. Doch der mariologische Repräsentanzgedanke oder ein Symbolgehalt müßte noch erst exegetisch am Text erwiesen werden. Der Text ist zudem gar nicht wegen Maria geschrieben, sondern um des Lieblingsjüngers
willen. Maria – als eine der vier Frauen! – hat nur die Funktion, die Bedeutung dieses Jüngers zu bestimmen. Statt eines mariologischen Verständnisses müßte man darum viel eher eine Dogmatisierung des Lieblingsjüngers
als Nachgeschichte des Textes fordern, was natürlich keiner im Ernst will.
Im übrigen wird von Maria nichts Näheres berichtet, weder ihre Heilssu-
che, noch ihr stiller Glaube, noch ein besonderes Verhältnis zu Jesus außer
ihrer natürlichen Verwandtschaft. Sie ist nur Objekt jesuanischer letzter
Verfügung, weil sie seine Mutter ist. Endlich wird berichtet, daß der Jünger
– er ist also im Blick – sie zu sich nimmt; so ist Maria abermals nur Objekt
ohne jede weitere Charakteristik.
Auch die protestantische Auslegung hat die Szene teilweise symbolisch zu
deuten versucht. Dabei leitete sie nicht mariologisches Interesse, sondern
die Deutung des Lieblingsjüngers als symbolischer Gestalt des vierten
Evangeliums. Hat er symbolische Valenz, mußte Marias Deutung ähnliche
Konsequenzen zeitigen. Doch auch hier gilt: Der Text selbst verhält sich
gegenüber solcher Auslegung spröde. Die verschiedenen symbolischen
Deutungen von 19,26f. relativieren sich gegenseitig und bestätigen, wie
karg der Text für solche Unternehmung ist. Der Lieblingsjünger ist überhaupt nur zu deuten, wenn man alle Texte zusammen sieht (vgl. Exkurs 9).
Wer beide genannten Auslegungstraditionen ablehnt, kann noch historisierend interpretieren: Die Szene habe sich so abgespielt, und in ihr ging es um
die Versorgung der Mutter Jesu durch den Lieblingsjünger, der dann der
Zebedäussohn Johannes sein muß. Doch hat dieser Ausweg ganz erhebliche
Probleme: Der Zebedäussohn scheidet aus vielen Gründen als Lieblingsjünger aus (Einleitung 3 c). Die gesamte Szene V 26f. ist traditionsgeschichtlich
ein Spätprodukt, wie wohl auch die Mutter Jesu in V 25. Die der Urgemeinde unbequeme Tradition der Jüngerflucht und die Abwesenheit der Jünger

bei der Kreuzigung, wie sie die Synoptiker erzählen, steht dazu quer. Gerade auch die ursprüngliche Funktion von V 25 (G) = Mk 15,40 f. bezeugt, wie nur wenige Frauen von fern zuschauten. Auch die Annahme, Maria habe unter dem Kreuz gestanden, hat – wie oben gezeigt – sonstige joh und die synoptische Tradition gegen sich. Wenn Maria nach Apg 1,14 zur frühen Gemeinde gehört, so steht diese Aussage recht isoliert da und ist eine ähnlich späte Bemerkung wie Joh 19,25. Im übrigen ist der Rückschluß von der nachösterlichen Gemeinde auf die Situation unter dem Kreuz alles andere als zwingend.

So bleibt als letzter Weg, die Lieblingsjüngergestalt aus der joh Gemeindegeschichte her zu deuten (vgl. Exkurs 9). Hier in 19,26 f. wird sie eingebracht unter dem äußeren Szenarium letzter Willenskundgabe Jesu zur Versorgung seiner Mutter. Solche äußerliche Situation liegt in analoger Weise auch 13,23 ff.; 18,15 ff. vor. So wird unauffällig und wie selbstverständlich der Lieblingsjünger als Jesu Geschick begleitender Zeuge dargestellt. Dadurch erhält seine Person Valenz als Spiegelbild seiner besonderen Bedeutung in der Geschichte der joh Gemeinden. Literarisch bereitet so die KR 21,24 vor.

Mit der letzten Szene 19,28–30 kommen wieder E und der PB zu Wort. Vergleicht man den mk Aufriß, fehlt bei Joh Mk 15,27–32, die mehrteilige Verspottungsszene. Dabei kennt das Joh Mk 15,29 b als Einzelwort in ganz anderem Zusammenhang (2,19 f.). Da ein Grund nicht recht ersichtlich ist, warum E die Szene auslassen mußte oder nicht umgestalten wollte, wird man wohl schon für den joh PB Sondertradition annehmen müssen. Er ist auch für den Essigtrank (Mk 15,36 und Lk 23,36 f.) kaum unmittelbar von den Synoptikern abhängig, steht jedoch in der jetzigen Form Lk nahe. Nun mag es sein, daß Lk den Ruf der Verlassenheit Jesu aus Mk 15,34 f. darum fortließ, weil er schildern wollte, wie Jesus sich sterbend dem Vater anvertraute (Lk 23,46). Doch weder von Mk noch Lk finden sich für diesen Punkt Spuren bei Joh. Im Joh ist vielmehr der Essigtrank, der bei Mk mit dem Ruf der Verlassenheit verbunden ist und bei Lk schon bei der Verspottung in Lk 23,36 auftauchte, konstitutiv als Sondertradition mit dem Schriftbeweis gekoppelt. Handelt es sich also um drei verschiedene Formen, wie unabhängig voneinander Mk, der lk und der joh PB das Motiv gestalteten? Für solche Selbständigkeit des joh PB spricht auch, daß nicht die geringsten Spuren von Sonnenfinsternis (Mk 15,33 parr.) und Zerreißen des Tempelvorhangs (Mk 15,38 parr.) bei Joh zu finden sind. Für die Tilgung durch E gibt es schlechterdings kein wirklich überzeugendes Motiv. Also hat der joh PB davon wohl nichts gekannt. Sieht man einmal von der diffizilen, allgemeinen Frage ab, was E ausgelassen haben könnte, kommt man durch gezielte Analyse von V 28–30 zu dem Ergebnis, daß E in V 28 a und V 30 a eingegriffen hat, und – was ebenso bedeutsam ist – daß der verbleibende Rest eine sinnvolle Darstellung des Todes Jesu ist. Es hat also Sinn, auch unter diesem Aspekt anzunehmen, E habe nicht gekürzt, wohl aber seinen PB geringfügig erweitert.

Die Bearbeitung von E ist mit großer Sicherheit zu bestimmen. In V 28 stehen jetzt zwei auch syntaktisch ungeschickt verbundene Begründungen, warum Jesus nach dem Essig ruft, nämlich das Wissen, alles ist vollbracht, und die Schrifterfüllung. Nun kann man das erste Motiv nur mit dem letzten Ruf Jesu in V 30 a zusammen sehen. Das Motiv der Schrifterfüllung hat E im PB eigentlich nicht zielstrebig ausgebaut; wie in 19,23 f. ist es Tradition. Dabei ist an Ps 69,22 (LXX) gedacht (doch vgl. auch sachlich Ps 22,16). Umgekehrt ist Jesu letztes Wort zu eindeutig Repräsentant der Christologie von E, als daß ein Zweifel aufkommen könnte, wer hier redet. Dann lautete die Vorlage in V 28: »Danach sagte Jesus, damit ...« Es folgte V 28 b.29. Sodann begann V 30: »Als Jesus den Essig genommen hatte, neigte er das Haupt und übergab den Geist.«

Aufgrund dieser Analyse sagt der joh PB zu V 28 f.: Jesus hat nicht eigentlich um einen Trank gebeten, weil er Durst hatte, sondern damit seine Passion für den gläubigen Betrachter einer Deutung zugeführt werden könne, die es erlaubt, darin göttliches Planen am Werk zu sehen. Die Psalmen des leidenden Gerechten sind christologisches Lesebuch, die zu der Erkenntnis führen, in Christus sind sie erfüllt: Der Gekreuzigte ist dieser leidende Gerechte. Blickt man auf den Pilatusprozeß, kann man noch präziser formulieren: Der wahre König der Juden, den die Juden ablehnen und der darum sterben muß, gilt als der leidende Gerechte. Dabei ist auffällig, daß nach der Königspersiflage des Pilatusprozesses die Kreuzigungsszene dieses Motiv des Königs der Juden einmal aufnimmt (19,19), um dann zweimal kurz hintereinander (19,24.28) diesen König als leidenden Gerechten zu deuten. Wenn im Alten Orient der König Sachwalter und Repräsentant der Gerechtigkeit ist, dann ist diese Grundkonzeption hier zur christologischen Deutekategorie geworden, nur freilich in einem unerwarteten Sinn. Nun ist der exemplarisch Leidende der Repräsentant königlicher Gerechtigkeit; solche Heilsverwirklichung entspricht göttlichem Plan.

Zum Vorgang selbst ist anzumerken, daß der Essig ein saurer Wein ist, fast immer mit Wasser aufgefüllt wird und als Volksgetränk galt. Der Trank ist bei Lk 23,36 Teil der Verspottung, ursprünglich aber wohl barmherzige Hilfe zur Linderung der Qual. Wer als Gefolterter unter der Tageshitze am Kreuz langsam qualvoll ersticken muß, ist für solchen Trank sicher dankbar. Das Essigwasser wird Jesus nach den Synoptikern auf einem Rohr gereicht, bei Joh auf einem Ysop, den man gern als Wedel, kaum aber als Stab benutzte, weil er schwach und flexibel war. Doch gab es offenbar verholzte Ysopstengel, die wohl als verlängerter Arm verwendet werden konnten (Billerbeck). Jedenfalls ist der Hinweis auf 2 Mos 12,7 im Text nicht angedeutet. Nach dieser Stelle soll mit einem Ysop das Blut der Passalämmer an die Türpfosten gestrichen werden. Aber was hat das mit der Tränkung Jesu zu tun? Nach dem PB hat Jesus nach dem Trank sein Haupt geneigt, wobei zu diesem Einzelzug eine synoptische Parallele fehlt, und seinen Geist übergeben, was wiederum eine ungewöhnliche Formulierung ist (vgl. 4 Makk 12,20; Jes 53,12; Apg 15,26). Beides will dazu dienen, daß der Leser den Eindruck gewinnt: Jesus stirbt in Frieden.

E hat diese Verse, wie gezeigt, zweifach kommentiert. Wie auch sonst, weiß Jesus, was geschehen wird (19,28a). Speziell die Verbindung zu 13,1; 18,4 soll dem Leser dabei auffallen. Der Auftrag des Gesandten und seine geplante Rückkehr zum Vater sind bis zu dem allerletzten Punkt von Jesus durchgeführt, daß er nun diese Welt durch das Nadelöhr des Todes verlassen kann. Sein Tod ist nicht nur friedvoll, sondern er kann dem nun überschaubaren ausgeführten Sendungsauftrag des Vaters das Urteil geben: Es ist vollbracht. Dies ist ein hoheitsvolles letztes Wort. Es will den Glaubenden den christologischen Grund des Heils sichern, dürfen sie doch nun davon ausgehen, daß vom Gesandten her alles Heilsnotwendige geschehen ist. Es ist ein Wort, das ebenso für das Verhalten von Vater und Sohn Bedeutung hat: Die Aussage, wie der Vater dem Sohn zu tun befohlen hat, so vollbringt Jesus das Werk (14,31), wird mit diesem (im Griechischen) einen Wort aufgenommen: Jesus weiß, er kann vor seinen Vater treten und den Auftrag als erfüllt zurückgeben. Mag er in den Augen der Welt, also des Unglaubens, gescheitert sein, und mögen die Juden nun triumphieren, ihren Plan (11,47ff.) mit Erfolg gekrönt zu haben, sie waren alle nur gegen ihren Willen Erfüllungsgehilfen seiner Sendung.

Diese Einordnung in die Sendungschristologie des vierten Evangeliums macht es unnötig und überflüssig, weitere religionsgeschichtliche Horizonte für Jesu letztes Wort zur Deutung heranzuziehen. Diese sind auch bei näherem Hinsehen so vage, daß sie keine Beachtung verdienen. Dazu zählt der Verweis auf Jes 55,11 (Dauer), wie auf die Hermetica (Dodd) oder auf den gnostischen Sprachgebrauch (Bultmann). Denn weder ist die Beziehung zu einem biblischen Text angedeutet, noch ist die Verwurzelung in einer (liturgischen) Schlußformel eines Mysteriums aus den Hermetica oder aus gnostischer Literatur erkennbar. Das letzte Wort Jesu eröffnet nicht biblische Horizonte, noch stellt es Jesu Tod in Mysterienzusammenhänge, sondern hat seinen Bedeutungsradius in der Gesandtenchristologie von E.

Darin liegt auch der Unterschied zur Darstellung der Synoptiker: Der Schrei der Verlassenheit (Mk 15,34 = Mt 27,46) müßte geradezu als Infragestellung der für E konstitutiven Einheit von Vater und Sohn speziell auch in der Passion verstanden werden (vgl. 13,31 f.; 14,30 f.), stünde er im Joh. Schon eher paßte Lk 23,46 zum Joh. Aber dieses Wort gehört in den gesamten martyriologischen Deutezusammenhang bei Lk, der wiederum bei Joh keinen Rückhalt hat. Weil die jeweils letzten Worte Jesu Ausdruck je einer eigenen christologischen Konzeption sind, lassen sie sich auch nicht so harmonisieren, als habe Jesus sie historisch nacheinander gesprochen, und die Evangelisten hätten dann selektiert. Vielmehr nutzen alle Evangelien den Umstand, daß insbesondere letzte Worte Sterbender hohe Dignität besitzen, um an diesem typischen gewichtigen Ort ihr Jesusbild nochmals auf einen kurzen Nenner zu bringen. Sie sind Ausdruck christologischer Besinnung, nicht aber historische Berichterstattung.

b) Die Feststellung von Jesu Tod und seine Grablegung 19,31–42

31 Weil es Rüsttag war, baten nun die Juden Pilatus, damit die Leiber nicht während des Sabbats am Kreuz blieben – denn ein hoher (Tag) war der Tag jenes Sabbats –, daß ihnen die Beine gebrochen und sie (dann) abgenommen werden. 32 Die Soldaten kamen nun, brachen dem ersten und dem anderen mit ihm Gekreuzigten die Beine. 33 Als sie aber zu Jesus kamen, (und) wie sie sahen, daß er schon gestorben war, zerbrachen sie ihm die Beine nicht, 34 sondern einer der Soldaten stach mit einer Lanze in seine Seite, und sofort kam Blut und Wasser heraus. 35 Und der es gesehen hat, der hat es bezeugt, und sein Zeugnis ist zuverlässig, und jener weiß, daß er Wahres sagt, damit auch ihr glaubt. 36 Denn das ist geschehen, damit die Schrift erfüllt wird: »Keines seiner Knochen soll zerbrochen werden«. 37 Und wiederum sagt eine andere Schriftstelle: »Sie werden hinsehen auf den, den sie durchbohrt haben.«

38 Danach jedoch bat Joseph von Arimathäa, der ein Jünger
Jesu war, jedoch ein heimlicher aus Furcht vor den Juden,
Pilatus, daß er den Leichnam Jesu abnehmen (dürfe). Und Pilatus gestattete es. (So) kam er nun und nahm seinen Leichnam ab. 39 Doch auch Nikodemus kam, der ihn das erste
Mal bei Nacht aufgesucht hatte, und brachte eine Mischung
aus Myrrhe und Aloe, ungefähr einhundert Pfund. 40 Sie
nahmen den Leichnam Jesu und umwickelten ihn mit Leinentüchern zusammen mit den Gewürzen (ganz) entsprechend, (wie) es bei den Juden Sitte ist zu bestatten. 41 Es
war aber bei dem Ort, an dem man ihn gekreuzigt hatte, ein
Garten und in dem Garten ein neues Grab, in das noch nie
jemand gelegt worden war. 42 Dort bestatteten sie Jesus
wegen des Rüsttages der Juden, denn das Grab war in der
Nähe.

Der Abschnitt befaßt sich mit der Frage: Was geschah mit Jesu
Leichnam? Eine erste Szene handelt von der Unversehrtheit desselben, eine weitere von Kreuzabnahme, Einbalsamierung und Grablegung. In beiden Szenen sind die handelnden Personen andere:
Einmal treten die Juden, Pilatus und die Soldaten auf, das andere
Mal Joseph und Nikodemus. Einmal betreiben also die Feinde Jesu
ihr Werk, das andere Mal Freunde – allerdings nicht die Jünger.
Ein erster Blick auf die Synoptiker belehrt, daß 19,31–37 Sondergut des Joh ist, V 38 in kürzerer Form Mk 15,42–45 parr. entspricht, V 39 nur bei Joh begegnet und V 40–42 stofflich Mk 15,46
parr., nahesteht. Zu Mk 15,47 parr. hat Joh keine Entsprechung.
Die erste Szene V 31–37 entstammt dem joh PB. Die Darstellung
der Szene ist wie 19,23 f. schriftorientiert. Doch wie 19,23 f. ein
junges Stadium im joh PB repräsentiert, so auch 19,31 ff. Das bezeugen nicht nur die Synoptiker, die einen ähnlichen Vorgang nicht
kennen, sondern zeigt auch die Spannung mit V 38 ff.: Daß zunächst die Juden wegen des Festes Pilatus um die Beschleunigung
des Sterbeprozesses mit anschließender Abnahme vom Kreuz bitten, dann unabhängig davon Joseph von Arimathäa Pilatus nochmals um Abnahme vom Kreuz nachsucht und eine Bestattung unter dem Aspekt des nahen Festes (V 42) vornimmt, ist auffällig. Josephs Gang zu Pilatus wird dabei so geschildert, als wäre er der einzige, der unmittelbar nach Jesu Tod V 30 erfolgte. So ergibt sich als
These: V 31 ff. entstanden nachträglich in Kenntnis von V 38 ff. innerhalb der Traditionsgeschichte des joh PB.
Geht auch der Grundstock von V 31 ff. auf den PB zurück, so ist

der jetzige Textbestand allerdings nicht einheitlich. Den Anstoß
zur Analyse gibt vor allem V 35. Er unterbricht die enge Beziehung
zwischen dem Handeln der Soldaten und dem Schrifthinweis (formale Analogie: 19,23 f.), springt aus der Szene durch die direkte
Anrede an die Leser heraus und kann nur aufgrund sprachlicher
und sachlicher Nähe zu 21,24 als redaktionelle Eintragung des
Lieblingsjüngers zum Zeugen des Todes Jesu verstanden werden.
Abermals hat also die KR sich Gehör verschafft, so daß nur die
Frage sein kann, ob ihr noch mehr zuzuweisen ist. Dies läßt sich
nur bei der Einzelexegese klären.

Die Satzkonstruktion von V 31 erinnert an 19,23 mit der Ausnahme, daß die parenthetische präzisierende Begründung, »denn ein
hoher (Tag) war der Tag jenes Sabbats«, die Satzperiode überlädt.
Die sprachlich unübliche Kennzeichnung des Tages erinnert an
7,37, weist also auf E. Der PB erzählte also: Die Juden (vielleicht
von E in Ersatz für die Hohenpriester?) haben einen Grund, die
Kreuzigung abzuschließen, die nahe Festlichkeit. Allerdings sind
die Angaben dazu schwer verständlich. Die ältere Schicht des PB
(18,28; 19,14) redete klarer, doch will wohl 19,31 ganz analog gedeutet sein: Der Freitag der Kreuzigung ist nicht nur der Tag, an
dem die Passalämmer nachmittags geschlachtet und abends mit
dem beginnenden neuen Tag gegessen wurden, sondern zugleich
beginnt abends der Sabbat der Passawoche; so fallen Rüsttag des
Passa und Rüsttag des Sabbats zusammen. Eigentlich ist es nach 5
Mos 21,22 f. überhaupt Gesetz, daß Gepfählte am Abend, welcher
Tag es auch immer sei, abgenommen werden müssen. Es bedurfte
demnach gar nicht des speziellen Verweises auf den Festtag. Doch
soll der Hinweis wohl die Dringlichkeit steigern: Erst recht wegen
des Festtages soll die Abnahme erfolgen, sonst würden die Leichen
womöglich noch über den Sabbat hinaus am Kreuz hängen. E verstärkt diese Dringlichkeit. Der Sabbat der Passawoche war immer
ein besonderer Sabbat, weil an ihm die Omergabe nach 3 Mos
23,11 dargebracht wurde.

Anders als V 38 c wird des Pilatus Reaktion vorausgesetzt. Das
Handeln der Soldaten (V 32 f.), orientiert an Befehlen, zeigt, daß
Pilatus der Bitte entsprach. Die Römer haben sonst die Delinquenten gern tagelang hängen lassen als Raub der Vögel, zur Abschrek-
kung der Bevölkerung und zur Entehrung des Gekreuzigten. Das
Zerschmettern der unteren Gliedmaßen mit Keulen, als *crucifra-
gium* bekannt, war zwar eine besonders qualvolle Tortur, führte allerdings zum schnellen Tod, den sich mancher Gekreuzigte sicher
ersehnt haben wird. Denn das langsame Zugrundegehen am Erstik-

kungstod ist sicher so unerträglich, daß vorzeitige Todesmarter das
kleinere Übel war. Daß die Soldaten bei den beiden außen stehenden Kreuzen beginnen (vgl. 19,18), ist erzählerisch notwendig, damit man zuletzt bei der Hauptperson ankommt. Sie findet man
schon tot. Also deutet der Erzähler an, daß er 19,30 als unbemerk-
ten, stillen Tod Jesu verstand (entgegen Mk 15,37).

Da visuelle Beobachtung nicht gründlich genug ist, sticht ein Soldat
Jesus in die Herzgegend (V 34). So erhält er, falls noch nicht ganz
tot, den Todesstoß. Solches Vorgehen ist auch sonst belegt (Bauer).
Umstritten ist allerdings die berichtete Folge des Lanzenstichs, daß
also Blut und Wasser ausfloß. Ist diese Angabe ein Wunder (Loisy,
Bauer), das zudem symbolische Bedeutung hat, nämlich die beiden
Sakramente, Taufe und Herrenmahl, als Folge des Todes Jesu darstellen soll (Bultmann u. a.)? Ist der Satz als antidoketische Polemik aufzufassen (Richter)? Oder hat er einen ganz natürlichen
(vormedizinischen) Sinn, nämlich die Folge des Lanzenstichs zu erzählen (Schnackenburg)? Nur im letzteren Fall wird man die Worte
dem PB zuerkennen. In den beiden ersten Fällen ist es wohl unumgänglich, V 34c zu V 35 als Nachtrag der KR zu stellen. Nun würde V 34c allerdings gut den Anlaß abgeben, warum die KR V 35
anfügte. Dann müßte man zunächst V 34c mit V 33f. zusammen
ohne V 35 auslegen. Aber will V 35 nur auf V 34c abheben oder
nicht auf V 33f. insgesamt? Kann nicht eventuell sogar V 34c gegen
einen ursprünglichen Sinn nachträglich umgedeutet worden sein?
Man sieht, der Text ist besonders schwer zu verstehen.

Nimmt man V 34c.35 als Wunder und Hinweis auf die Sakramente, ergeben sich folgende Konsequenzen: Der Zeuge aus V 35 ist
Autorität, die die sakramentale Gemeindeströmung begründen soll
(vgl. Exkurs 6). Die theologische Verankerung der Sakramente ge-
schieht im Kreuzesgeschehen. Wie 3,3.5 Repräsentant kirchlicher
Tauftradition ist und 6,51c–58 das Herrenmahl nachgetragen wur-
de, so nimmt die KR hier nochmals die Gelegenheit wahr, beide
Sakramente zur Geltung zu bringen. Doch hat diese verbreitete
Auslegung Probleme: In V 34c wäre gegen die allgemeine Regel das
Herrenmahl vor der Taufe genannt. Nach 6,51c–58 sind »Fleisch«
und »Blut« sakramentale Speise, nicht nur das Blut. Taufe und
Herrenmahl sind sonst im Joh nie mit der Passion Jesu verbunden.
Der Lieblingsjünger ist sonst im Passionsgeschehen bei ganz »normalen« Begebenheiten anwesend (13,23–25; 18,15f.; 19,26f.). Er
ist stiller und selbstverständlicher Zeuge des gesamten Geschehens,
nicht spezielle Autorität einer bestimmten Theologie. Man wird einer sakramentalen Deutung also nicht folgen dürfen.

Hilft dann die antidoketische Auslegung weiter? Sie nimmt an, 1 Joh 5,6 gäbe den Schlüssel für Joh 19,34c ab, und die Spitze der Auslegung besage: Jesus ist wirklich als Mensch gestorben, wie er wahrer Mensch durch Geburt ist. Dieses betonte Insistieren auf Jesu wahrer Leiblichkeit richte sich gegen die Annahme, Jesus habe als Gottessohn nur einen Scheinleib besessen (vgl. die Diskussion zu 1,14). Doch auch diese Deutung ist schwerlich im Recht. In 1 Joh 5,6 ist die Aufzählung umgekehrt (»Wasser und Blut«). Vor allem wird Jesu Kommen durch, bzw. im Wasser und Blut beschrieben, also Sendungschristologie betrieben, die auf Jesu Taufe und Tod abhebt. Eine solche Deutung ist aber Joh 19,34c nicht angelegt, weil Blut und Wasser sich beide auf Jesu Tod beziehen. Außerdem ist recht zweifelhaft, ob 1 Joh überhaupt antidoketisch ausgerichtet ist (vgl. zu 1,14). Joh 19,34c–35 allein kann aber eine antidoketische Auslegung keineswegs tragen.

Nun gibt es vergleichbare Texte, die z. B. bei Folterungen von Blut und (farblosem) Blutwasser sprechen (z. B. 4 Makk 9,20), wie überhaupt die jüdische Anschauung belegt ist, der Mensch bestehe aus Wasser und Blut (Billerbeck II 582f.). Einerlei, wie dies neuzeitliche Medizin verstehen mag, Bedeutung hat für die Exegese von 19,34c allein die Tatsache, daß solche Aussagen damals getan wurden. Dann ist 19,34c als Folge des Lanzenstichs zu deuten. Weil Blut und Wasser heraustraten, war Jesus tot. So kann man 19,34c als natürlichen Vorgang verstehen, der nichts Wunderbares enthält, noch an sich symbolische Bedeutung erzwingt, vielmehr bestätigt, was der Soldat durch den Lanzenstich erfahren wollte, daß Jesus wirklich schon tot war, so daß das Beinbrechen sich erübrigte. In diesem Fall paßt V 34c ausgezeichnet zum E vorgegebenen PB, der auch sonst keine wunderbaren Vorgänge bei der Passion Jesu kennt (Schnackenburg).

Dann ist immer noch nicht geklärt, wie die KR V 34c verstand. Wenn nämlich durchweg angenommen wird, sie hatte sich speziell auf V 34c bezogen, und bezeuge für diesen kleinen Satz einen besonderen Sinn, dann ist dies durchaus fraglich. Gewicht hat solche Annahme nur, wenn das Sätzchen wunderhaft, antidoketisch oder sakramental verstanden werden muß. Entfallen diese Thesen, liegt die Deutung viel näher, V 35 beziehe sich auf V 32–34 insgesamt. Dies stützt auch der Text selbst, der kein besonderes Objekt des Sehens, Bezeugens und Glaubens benennt, sondern personengebunden den Bezeugenden charakterisiert. Stellt man V 35 in die Reihe der Texte zum Lieblingsjünger, dann sollte man ihre Anlage und Aussageabsicht auch hier nicht vergessen. Das bedeutet: Wie sonst im Passionsgeschehen ist der Lieblingsjünger bei einem normalen Vorgang anwesend. Hier bezeugt er speziell den Tod Jesu, so wie er sich nach V 32–34 zutrug. Er ist also der letzte und einzige Zeuge, der von den Jüngern bis zum bitteren Ende Jesu ausharrte. So geht es nicht darum, eine auffällige Einzelheit bei Jesu Tod mit tiefer theologischer Bedeutung zu bewahrheiten, sondern die Autorität des Lieblingsjüngers zu stärken: Er ist der letzte, der bei Jesu Sterben Zeuge war, und er ist der erste, der dann an den Auferstandenen glauben wird (20,8). Er ist der kontinuierliche Zeuge für Jesu Geschick bei der Kreuzigung und Auferstehung. So erübrigt sich auch die These, die KR von V 35 habe V 34c anders verstanden als der PB.

V 35 kann als Text der KR nur im Zusammenhang mit 21,24 gedeutet werden. Diese sprachliche und sachliche Parallele macht es evident, daß in V 35 der Lieblingsjünger gemeint ist. Recht umständlich wird seine Zeugenschaft als verläßliche Autorität beschrieben: Einmal attestiert der Schreiber ihm die Zuverlässigkeit, zum anderen weiß jener, d. h. der Lieblingsjünger, auch selbst um seine Wahrhaftigkeit, so ergeben sich zwei Zeugen, die dasselbe bezeugen (vgl. 8,17). Intention dieser doppelt bezeugten Wahrhaftigkeit des Lieblingsjüngers ist die Stärkung des Glaubens der Gemeinde, der stilwidrig unmittelbar so angeredet ist, als befände man sich der Gattung nach in einer Ausführung wie dem 1 Joh. Daß Lieblingsjüngertexte auch sonst die gegenwärtige Gemeinde im Blick haben, ist bekannt (vgl. Exkurs 9).

Doch unterbricht jetzt V 35 einen alten Zusammenhang: »Denn das ist geschehen« (V 36a) will unmittelbar auf V 32 ff. bezogen werden. Dabei bringen V 36 f. zwei atl Zitate, was formal innerhalb des PB an 12,13–15 erinnert. Beide Zitate gehören sachlich zusammen, bezieht sich doch das erste auf die nicht vollzogene Fraktur der Beine Jesu und das zweite auf den Lanzenstich. Wie in 19,23 f. werden zwei Akte als schriftgemäß erwiesen. Die Reihenfolge der Akte und der Zitate ist kongruent. Es besteht also begründeter Anlaß, V 36 f. dem PB ganz zuzuweisen. Während nun das zweite Zitat Sach 12,10 entstammt, ist die Herkunft des ersten umstritten. Das zweite Zitat ist in seinem Kontext die Klage über einen ungenannten Durchbohrten, den man wie das einzige Kind beweint. Doch zitiert der PB nur das direkt christologisch Bedeutsame; die Klage bleibt ungenannt. So wird es wie V 23 f. um den Nachweis gehen, wie die Einzelheiten des Jesusgeschicks göttlichem Ratschluß entstammen. Dies hilft nun auch, das erste Zitat zu verstehen. Zwar erlaubt die ungenaue Zitation, entweder Ps 34,21 oder 2 Mos 12,10

(LXX).46; 4 Mos 9,12 benutzt zu sehen, aber die zweite Zitatgruppe würde den Bezug zum Passalamm hervorrufen, was nicht recht zum Zitat in V 37 passen würde: Weder wird das Passalamm durchbohrt, noch hat das Zitat V 37 einen anderen Sinn, als unmittelbares Geschehen als vorhergeplant auszuweisen. Nimmt man jedoch für V 36 ein Zitat aus Ps 34,21 an, dann ist derselbe Zusammenhang gegeben. Dort ist vom Gerechten gesprochen, der viel leiden muß; doch trägt der Herr Sorge, daß seine Gebeine nicht zerbrochen werden. Dieses Motiv des leidenden Gerechten paßt nicht nur kontextbezogen zum Darstellungsziel, wie Jesu Geschick göttlicher Vorherbestimmung entspricht, sondern reiht sich auch an die Zitate in 19,24.28 gut an.

Allerdings muß davon ausgegangen werden, daß E jedenfalls das erste Zitat anders verstand (so auch Bultmann, Schnackenburg). Kaum übersehbar, bilden für ihn 1,35f. und 19,36 eine Klammer. Stirbt Jesus auf Golgotha, als die Passalämmer im Tempel geschlachtet wurden (19,14.31), dann wird E, der 1,35f. gestaltete, 19,36 an das Passalamm, dem keine Knochen gebrochen werden sollten, erinnern. Waren die Juden gerade bedacht, die Gesetze ihres Kultes streng einzuhalten (18,28; 19,31), um durch die Passafeier Heilszuwendung Gottes erfahren zu können, so ist diese ganze Kultpraxis überholt (4,22–26) angesichts des wahren Passalammes Jesus, der allein Gottesoffenbarung bringt (1,18; 5,37f.). Ob E auch V 37 neu deutete, muß offen bleiben. Einen direkten Wink wie zu 19,36 hat er dafür nicht gegeben.

Wie bei den Synoptikern wird nun Jesu Bestattung geschildert, die wohl schon im ältesten PB mit dem Namen Josephs von Arimathäa verbunden war. Joseph gilt stillschweigend als Bewohner Jerusalems, darum kann er anwesend sein und kennt ein Grab für Jesus. Doch kommt die Familie aus einem heute nicht mehr sicher lokalisierbaren Ort Judäas (vgl. *Ramatijim* in 1 Sam 1,1 LXX; 1 Makk 11,34?). Joseph muß zu den Angesehenen gehört haben, sonst hätte er weder bei Pilatus Zutritt erhalten noch ein so stattliches Begräbnis arrangieren können. Jedes der Evangelien kennzeichnet ihn etwas anders. In Joh 19 wird E aus sprachlichen Gründen verantwortlich zeichnen für den Satz: »der ein Jünger Jesu war, jedoch ein heimlicher aus Furcht vor den Juden«. Das Furchtmotiv ist typisch für E: 7,13; 9,22; 20,19. E kennt auch einen größeren Jüngerkreis (6,60.66; 7,3). Mit diesem Satz begründet E, warum Joseph für Jesus etwas tun will und kann. Die Jünger kommen nicht in Frage, weil Petrus auffiel (18,10 v.15–18,25–27), sie nur durch Jesu Intervention vor der Verhaftung verschont wurden (18,8f.) und

sich aus Furcht vor den Juden verbergen müssen (20,19). Die Frau-
en sind entgegen Mk 15,47 noch nicht einmal Zeugen der Bestattung. Schwer zu entscheiden ist, ob der PB, zieht man E ab, vollständig vorliegt. Es wäre jedenfalls dann der kürzeste Text zu Joseph. Auch fällt auf, daß Mt von Joseph als einem Jünger spricht,
allerdings verbal (Mt 27,57). Das kann auch Zufall sein. Mk schildert Joseph als angesehenen Ratsherrn (was sachlich auch der Text
des Joh voraussetzt) und frommen Juden (Mk 15,43). Lk baut den
mk Ansatz noch weiter aus (Lk 23,50 f.).

Da Hingerichtete von den Römern sehr oft gar nicht bestattet wurden und meistens nur Angehörige Ausnahmen erbitten konnten, ist
das Eintreten für Jesu Bestattung vor Pilatus für Joseph ein Wagnis,
was Mk auch ausdrücklich vermerkt (Mk 15,43). Joh 19 kümmert
sich darum nicht, weil alles Interesse darauf gerichtet ist, wie Jesus
selbst bestattet wird. Pilatus gibt die Leiche frei. Was mit den Mitgekreuzigten geschieht, interessiert den Erzähler nicht. Während
Joseph den Leichnam abnimmt, kommt auch Nikodemus. Die
Erinnerung an 3,2 macht durchsichtig, daß E hier redet. Sprachlich
gestaltet er sein Kommen wie das von Joseph. Die Synoptiker wissen von ihm nichts. Auch bleibt auffällig, daß Joseph Mittel für die
Beerdigung, obwohl er Jesu Beerdigung plant, nicht mitbringt.
Dies tut nun Nikodemus, der wie zufällig herbeikommt. Also wird
V 39 a Zusatz von E sein. Dabei bleibt Nikodemus Jude, im Unterschied zu Joseph, der heimlicher Jesusanhänger ist. Was für Mk Joseph war, ist für E nun Nikodemus. E gewinnt so einen Christen
und Juden als Erfüller der Pietätspflicht. Die Bezeugung der Grabstätte durch zwei Männer (8,17) scheint dabei keine Rolle gespielt
zu haben; der Übergang von Joh 19 zu Joh 20 ist ohne jede Bemerkung in dieser Richtung, auch Mk 15,47 als Brücke zu Mk 16,1
fehlt.

Nikodemus – im PB Joseph – bringt ca. 100 Pfund (d. h. ca. 33
Kilogramm!) einer Mischung aus kleingestampfter Myrrhe (ein
Naturharz) und Aloe (eine wohlriechende Holzart) mit. Das soll
zwischen die Leinentücher gestreut werden. Die große Menge erinnert an 12,3 und drückt die Verehrung aus. Ein Bezug zum Königsmotiv, das den PB so oft begleitet, ist nicht erkennbar; doch
bleibt es denkbar, daß das fürstliche Begräbnis diese Assoziation
wachrufen soll (Billerbeck II 584). Der Leichnam wird dann von
Joseph und Nikodemus – im PB wohl wie bei den Synoptikern von
Joseph allein – für die Grablegung zubereitet. Allerdings wird die
Leiche nicht gewaschen, vielmehr sofort in Leinentücher (der Ausdruck begegnet im NT nur Joh 19,40; 20,2.6.7) fest gewickelt (vgl.

11,44). Das Schweißtuch aus 20,6 wird nicht genannt. Mk 15,46
parr. spricht nur von einem Tuch. Beide Bestattungsmöglichkeiten
sind auch sonst bezeugt. Die Mehrzahl bei Joh wird traditionsge-
schichtliches Wachstum verraten, weil offenbar nur so die große
Menge der wohlriechenden Substanzen eingewickelt werden konnte. Der Verweis in V 40 b auf die jüdische Sitte stammt von E (vgl.
analoge Bemerkungen in 2,6;4,9), der so etwas ungeschickt das reiche Begräbnis zu einem normalen macht. Doch will er wohl nur
andeuten, daß Jesus nach jüdischer Sitte ein vollständiges und eh-
renvolles Begräbnis erhielt, was angesichts des in Kürze (V 42) beginnenden Feiertages nicht selbstverständlich war.
Nach V 41 lag ein neues (vgl. Mt 27,60), bisher noch nicht benutz-
tes (so auch Lk 23,53) Grab unweit des Hügels Golgotha. Dort
hinein legten sie Jesus. Daß es ein in Felsen gehauenes Grab war,
weiß Mk 15,46 parr. Der Stein, den Joh 20,1 erwähnt, deutet an,
daß auch der joh PB sich das so vorstellte (vgl. 11,38). Wie Joseph
auf dieses Grab kommt und es einfach benutzen darf, interessiert
den Erzähler nicht, wohl aber, warum man dieses nahe Grab auf-
sucht: Der Rüsttag ist bald zu Ende, am Abend beginnt das Passafest. Das weiß man aber auch schon von 19,31, und die Nähe des
Grabes war schon V 41 a erwähnt. Diese Redundanz spricht für
Redaktion von E, der im übrigen auch gern Feste als Feste »der Juden« kennzeichnet (vgl. 2,13; 5,1; 7,2; 11,55). Aber E kann schon
einen Hinweis auf den Rüsttag vorgefunden haben, wie Lk 23,54
andeutet. Die Juden, die gerade um des Rüsttages willen zur Eile
antrieben (19,31 ff.), sorgen – ohne daß sie dies bezweckten – so
indirekt dafür, daß Jesus ein so würdiges Begräbnis erhält. Die
Schließung des Grabes gilt als selbstverständlich (vgl. 20,1) und
wird darum im Unterschied zu Mk 15,46 b parr. nicht ausdrücklich
erwähnt. Die Bestattung ist insgesamt eine nicht provisorische. Ein
Hinweis auf 20,1 ff. fehlt absichtlich. So wird das unerhört Neue
für den PB erzählerisch festgehalten.

C. Der gekreuzigte Jesus als auferstandener Herr
20,1–29

Nach der Grablegung in 19,38 ff. setzt mit Joh 20,1 ff. das Osterzeugnis ein.
Zwanglos und unproblematisch ergeben sich 1. die zweigeteilte Erzählung
um das leere Grab 20,1–18; 2. die Erscheinung vor den Jüngern und 3. die
Erscheinung vor Thomas. Typisch ist die Abfolge, zuerst die Entdeckung
des leeren Grabes und danach die Erscheinungen zu berichten.

1. Das leere Grab und die Erscheinung vor Maria Magdalena 20,1–18

1 Am ersten Tag der Woche kommt Maria von Magdala früh, als es noch dunkel war, zum Grab und sieht, daß der Stein vom Grab weggenommen ist. 2 Da läuft sie und kommt zu Simon Petrus und zu dem anderen Jünger, den Jesus liebte; und sie sagt zu ihnen: »Sie haben den Herrn aus dem Grab weggenommen, und wir wissen nicht, wo sie ihn hingelegt haben.« 3 Da ging Petrus und der andere Jünger hinaus und sie kamen zum Grabe. 4 Die beiden liefen zusammen. Doch der andere Jünger lief schneller als Petrus (und darum) voraus. Und er kam als erster zum Grabe. 5 Er beugte sich vor und sieht die Leinentücher (dort) liegen, ging aber nicht hinein. 6 Da kam nun auch Simon Petrus, der ihm gefolgt war, an; und er ging in das Grab hinein. Und er sieht die Leinentücher dort liegen 7 und das Schweißtuch, mit dem das Haupt Jesu bedeckt gewesen war; es lag nicht bei den Leinentüchern, vielmehr für sich, zusammengewickelt an einem (gesonderten) Platz. 8 Da ging nun auch der andere Jünger hinein, der als erster zum Grab gekommen war; und er sah und glaubte. 9 Sie verstanden nämlich die Schrift noch nicht, daß er von den Toten auferstehen muß.10 Die Jünger kehrten nun wieder nach Hause zurück.

11 Maria aber stand draußen beim Grabe und weinte. Als sie nun (so) weinte, beugte sie sich in das Grab vor. 12 Da sah sie zwei Engel in weißen Gewändern sitzen, einen am Kopf, den anderen zu den Füßen (des Platzes), wo der Leichnam Jesu gelegen hatte. 13 Und jene sprechen zu ihr: »Frau, warum weinst du?« Sie spricht zu ihnen: »Weil sie meinen Herrn weggenommen haben und ich nicht weiß, wohin sie ihn gelegt haben.« 14 Als sie dieses sprach, wandte sie sich um und sieht Jesus dastehen, wußte aber nicht, daß es Jesus ist. 15 Spricht Jesus zu ihr: »Frau, warum weinst du? Wen suchst du?« Sie meinte, es sei der Gärtner, (und) sagt zu ihm: »Herr, wenn du ihn weggetragen hast, sag mir, wohin du ihn gelegt hast, und ich will ihn holen.« 16 Sagt Jesus zu ihr: »Maria.« Sie wendet sich um und spricht zu ihm Hebräisch: »Rabbuni!« Das heißt: »Meister.« 17 Sagt Jesus zu ihr: »Rühre mich nicht an, denn ich bin noch nicht zum Vater aufgestiegen! Gehe jedoch zu meinen Brüdern und sage ihnen: Ich steige auf zu meinem Vater und zu eurem Vater,

zu meinem Gott und zu eurem Gott.« 18 (Da) geht Maria
von Magdala und verkündigte den Jüngern: »Ich habe den
Herrn gesehen«, und er habe ihr dies gesagt.

Literaturauswahl: Alsup, J.: The Post-Resurrection Appearance Stories of
the Gospel-Tradition, CThM A 5, 1975 (Lit.). – *Benoit, P.:* Marie-Madelei-
ne et les Disciples au Tombeau selon Joh 20,1–18, in: Judentum – Urchristentum – Kirche (FS J. Jeremias), BZNW 26, ²1964, 141–152. – *Bode, E.
L.:* The First Easter Morning, AnBib 45, Rom 1970. – *Curtis, K. P. G.:*
Luke 24,12 and John 20,3–10, JThS 22 (1971) 512–515. – *Dodd, C. H.:* The
Appearance of the risen Christ, in: Studies in the Gospels (FS R. H. Light-
foot), Oxford 1957,9–35. – *Dupont, L. – Lash, C. – Levesque, G.:* Recher-
che sur la structure de Jean 20, Bib 54 (1973) 482–498. – *Finegan, J.:* Die
Überlieferung der Leidens- und Auferstehungsgeschichte Jesu, BZNW 15,
1934, 93–97.– *Fortna, R. T.:* Gospel, 134–144. – *Fuller, R. H.:* The Forma-
tion of the Resurrection Narratives, London 1972. – *Graß, G.:* Ostergeschehen und Osterberichte, Göttingen ⁴1970, 51–73. – *Grundmann, W.:*
Zur Rede Jesu vom Vater im Johannes-Evangelium, ZNW 52 (1961)
213–230. – *Hartmann, G.:* Die Osterberichte in Joh 20 im Zusammenhang
der Theologie des Johannes-Evangeliums, Diss. theol. Kiel 1963. – *Ders.:*
Die Vorlage der Osterberichte in Joh 20, ZNW 55 (1964) 197–220. –
Hirsch, E.: Die Auferstehungsgeschichten und der christliche Glaube, Tübingen 1940. – *Hoffmann, P.:* Art.: Auferstehung I/3–II/1, TRE 4 (1979)
450–513 (Lit.). – *Kremer, J.:* Die Osterbotschaft der vier Evangelien, Stuttgart 1968. – *Langbrandtner, W.:* Gott, 30–38. – *Leaney, A. R. C.:* The Resurrection Narratives in Luke (24,12–53), NTS 2 (1955/56) 110–114. – *Lindars, B.:* The Composition of John 20, NTS 7 (1960/61) 142–147. – *Mahoney, R.:* Two Disciples at the Tomb. The Background and Message of John
20,1–10, TW (Lit.). – *Michel, O.:* Ein johanneischer Osterbericht, in: Studien zum Neuen Testament und zur Patristik (FS E. Klostermann), TU 77,
1961, 35–42. – *Mußner, F.:* Die Auferstehung Jesu, München 1969. – *Neirynck, F.:* Les femmes au tombeau, NTS 15 (1968/69) 168–190. – *Richter,
G.:* Studien, 266–280. – *Schenke, L.:* Auferstehungsverkündigung und lee-
res Grab, SBS 33, ²1969. – *Schnider, F. – Stenger, W.:* Die Ostergeschichten
der Evangelien, München 1970. – *Seidensticker, Ph.:* Die Auferstehung Jesu
in der Botschaft der Evangelisten, SBS 26, 1967. – *Spicq, C.:* »Noli me tan-
gere« (Jean 20,17), RSPhTh 32 (1948) 266 f. – *Thyen, H.:* Literatur, ThR
39,289–330 (Lit.). – *Violet, B.:* Ein Versuch zu Joh 20,17, ZNW 24 (1925)
78–80. – *Wenz, H.:* Sehen und Glauben bei Johannes, ThZ 17 (1961) 17–25.
– *Wilckens, U.:* Auferstehung, ThTh 4, 1970. – *Ders.:* Die Perikope vom
leeren Grab Jesu in der nachmarkinischen Traditionsgeschichte, in: Fest-
schrift für Friedrich Smend, Berlin 1963, 30–41.

Die Analyse des Abschnitts wird allgemein als besonders schwierig
empfunden (vgl. ähnliche komplizierte Stücke wie 1,19–34;

11,1–54; 13,1–30). In der Tat muß der Abschnitt eine recht komplizierte Geschichte hinter sich haben. Dabei sind drei Grundmo-
delle (mit Variationen im einzelnen) zu erkennen, die in der Forschung benutzt werden, um sich ein Bild von der Tiefenschichtung
des Textes zu machen: Einmal sieht man in 20,2–10 den spätesten
blockartig eingefügten Teil und versucht, den Rest im Grundstock
als joh Sondertradition zu bestimmen, in der von Anfang an nur
Maria aus Magdala eine Rolle spielte (Wellhausen, Bultmann).
Zum anderen erkennt man in V 2–10 eine ältere Stufe, die vom petrinischen Besuch beim leeren Grab erzählte. Eine gesonderte Tradition bildet der Grundstock der Erscheinung vor Maria. Beide
sind schon frühzeitig so verbunden gewesen, daß Petrus und Maria
zum leeren Grab gingen. 20,11b–14a sind dann eventuell das jüngste Stadium (Hartmann, Fortna, Schnackenburg). Ein drittes Modell läßt die Ebene von E und dessen Vorlage auf einen Rest aus Joh
20 zusammenschrumpfen und sieht vor allem in 20,2–10.19–31 eine
in der Tendenz einheitliche KR, die sich durch eine antidoketische
Frontstellung auszeichnet (Richter, Thyen, Langbrandtner, Hoffmann). Alle drei Modelle haben strukturelle und bei den einzelnen
Autoren individuelle Probleme, die es nicht ohne weiteres erlauben, eines der Modelle einfach zu übernehmen, so sicher sich zeigen wird, daß das zweite Modell Vorteile bietet. Das erste Modell
löst sich wohl doch zu weit vom synoptischen Befund und kann in
bezug auf die globale Herausnahme von 20,2–10 nicht überzeugen.
Das zweite Modell wird der differenzierten Geschichte wohl am
gerechtesten, hat aber z. B. bei 20,11b–14a eine Schwachstelle (vgl.
z. B. Schnackenburg). Auch die Kontamination der Petrus- und
Mariatradition ist nicht ganz glücklich. Das dritte Modell wird den
nicht überzeugen können, der die antidoketische Ausrichtung des
Textes nicht sieht. Daß im übrigen die Tradition vom leeren Grab
nur kurzfristig als einziges Osterzeugnis befriedigte, sieht man an
der Entwicklung von Mk zu Mt und Lk (und am sekundären Mar-
kusschluß). Daß man z. Z. der Entstehung des Joh mit einem
Grundstock aus 20,1.11–18 (also ohne Erscheinung vor den Jüngern) zufrieden war, erscheint als ganz unwahrscheinlich.
Alle Modelle leben nicht nur von Beobachtungen an 20,1 ff. selbst,
sondern mit Recht zugleich von notwendigen Vergleichen zu den
Synoptikern. Denn daran kann kein Zweifel bestehen: Verschiedene Elemente aus 20,1 ff. haben traditionsgeschichtliche Beziehungen zu den Synoptikern. Nur wer zugleich auch sie beachtet, wenn
er 20,1 ff. analysiert, kann hoffen, der Geschichte des Textes gerecht zu werden. Eine weitere wesentliche Determinante bei der

Auslegung von 20,1 ff. ist durch die Einsicht vorgegeben, daß E seit 11,47 ff. (G) einen PB verarbeitet, der sicher nicht mit der Grablegung endete, sondern Teile aus Joh 20 enthielt (vgl. Exkurs 14 und die Analyse von 11,47–13,30; 18 f.). Denn wie immer der Urbericht aller PB der vier Evangelien ausgesehen haben mag, soviel darf wohl als sicher gelten: Als E den joh PB verarbeitete, gab es keinen PB ohne Tradition vom leeren Grab und (vom literarisch fixierten Mk-Bericht abgesehen) auch nicht ohne Erscheinungslegenden. Unter diesem Gesichtspunkt liegt es nahe, die Substanz von 20,1 ff. dem PB vor E zuzuweisen. Noch eine weitere Beobachtung ist für die Analyse wesentlich: Bisher hatte es sich bewährt, alle Lieblingsjüngerstellen der KR zuzuweisen und vor allem alle Stellen gemeinsam zu deuten (vgl. Exkurs 9). Dieser Grundsatz muß sich ebenfalls an 20,2–10 bewähren.

Es hat Vorteile, sich eingangs der eigenen traditionsgeschichtlichen Theoriebildung und der Exegese mit den Verhältnissen zu den Synoptikern vertraut zu machen, um eine Bestandsaufnahme zu erreichen, wo stoffliche Nähe und mögliche traditionsgeschichtliche Verwandtschaft gesucht werden kann. Eine Übersicht ergibt folgende Parallelitäten:

Joh	Synoptiker
20,1 a	Mk 16,1 f. parr.
20,1 b	Lk 24,2 (par. Mk)
20,2	Lk 24,22 f.
20,3–10	Lk 24.24 (Lk 24,12?)
20,11	– (Mt 28,9)
20,12 f.	Lk 24,4–8 (vgl. Mk; Mt)
20,14–17	Mt 28,9 f.
20,18	Lk 24,9 (par. Mt 28,8)

Diese Tabelle legt es nahe, wie im übrigen PB auf eine besondere Nähe zu Lk zu achten. Sie vorausgesetzt, ergibt sich ein wichtiges Argument der Zugehörigkeit von 20,1 ff. (G) zum joh PB. Die Übersicht zeigt weiter, daß – grob gesprochen – Joh 20,1 ff. einen Kompromiß aus Lk und Mt darstellt, der in jedem Fall traditionsgeschichtlich zustande kam. Unmittelbar literarische Nähe ist nicht sichtbar.

Unabhängig von diesem Blick auf die Synoptiker, müssen die inneren Probleme des joh Textes selbst beachtet werden: a) Die Einzelnennung von Maria aus Magdala ist auffällig. Sie liegt nicht nur in Spannung zu allen anderen Ostertraditionen der Evangelien, nach denen sonst zumindest zwei Zeugen genannt sind (vgl. Mt 28,1; Lk 24,13; die besondere Ausnahme des Petrus in Lk 24,34; 1 Kor 15,5 steht auf einem anderen Blatt), sondern reibt sich auch mit 20,2, wo eine Mehrzahl auftritt. b) Maria verläßt nach V 2 das Grab, um den Jüngern die Nachricht zu bringen, das Grab sei leer, aber in V 11 steht sie, ohne daß ihre Rückkehr genannt wäre, wieder beim Grab. Ja, V 11 setzt eigentlich voraus, sie habe den Ort des Grabes gar nicht verlassen. c) Nach V 3 scheinen Petrus und der Lieblings- jünger nebeneinander zum Grab zu gehen, mit V 4 stehen sie aber in Konkurrenz in der Form eines Wettlaufes. d) Die Jünger sehen in V 5–7 einige wohlgeordnete Sachgegenstände, aber keine Engel. Maria hingegen beobachtet V 12 nur zwei Engel. Sind hier nicht zwei traditionsgeschichtlich verschiedene Beschreibungen der nachösterlichen Grabkammer erkennbar? e) Die Glaubenserkennt- nis des Lieblingsjüngers in V 8 hat nicht nur gar nichts mit dem weiteren Gang der Handlung zu tun, vielmehr widerspricht sie auch frontal V 9, wonach Petrus und dem Lieblingsjünger die Ostererkenntnis noch nicht aufgegangen ist. f) Die Engel in V 12f. erkundigen sich zwar artig nach dem Grund, warum Maria weint, aber dann sind sie ohne jede Bedeutung – im Unterschied zu Mk 16,6f. parr. Ein die Situation lösendes Wort spricht nun Jesus V 17; dieses Wort ist im Engelmund allerdings so nicht vorstellbar. Of- fenbar sind die Engel auf ein Schattendasein eingeschrumpft, weil Jesus auftreten soll. f) Jetzt wendet sich Maria zweimal um und zweimal wird sie auf ihr Weinen angesprochen, d. h. V 11b–13a stehen zu V 14b–15a parallel, aber doch wohl auch V 13b und V 15. Sieht man also von V 16f. ab, sind beide Szenen überhaupt par- allel. g) Das Berührungsverbot Jesu in V 17 ist unvorbereitet. h) In V 17 fehlt die notwendige Ankündigung von Erscheinungen vor den Jüngern: Soll Maria die einzige Osterzeugin sein und bleiben? i) V 17 redet so, als habe nicht zumindest schon ein Jünger (V 8) längst den Osterglauben gefunden. k) Der Übergang von einer di- rekten Rede zu einer indirekten (V 18) ist zumindest für das Joh ungewöhnlich. l) Die doppelte Rückkehr der Maria in V 2 und 18 ist sachlich schwierig und traditionsgeschichtlich eine Dublette.

Ausgehend von diesen inneren Problemen des Textes und zugleich auf die synoptische Situation achtend, wird folgender Entwick- lungsgang des Textes vorgeschlagen:

1. Der Ausgang der Entwicklung ist eine Tradition vom leeren Grab, wie sie aus Mk 16,1–8 parr. bekannt ist. Sie enthielt 20,1 mit der Nennung mehrerer Frauen und hat Restbestände an V 11f. ab- gegeben. Jetzt ist dieses älteste Stadium nur noch verstümmelt er-

halten. Für die Annahme solchen Ausgangspunktes sprechen die
Verhältnisse bei den Synoptikern (vor allem bei Mk). Eine von Anfang an spezifische Sondertradition für Joh anzunehmen, ist demgegenüber die schwierigere und hypothetischere Annahme. Auf
diese Weise erklärt sich auch am besten der Plural in 20,2 (vgl. oben
Beobachtung a).

2. Ein nächster Bearbeitungsgang bringt dann wohl folgende Veränderung: An die Erzählung vom leeren Grab in der eben skizzier-
ten Gestalt wird der Grundstock von V 2–10 angefügt. Das Aussageziel dieser Anfügung ist V 9 f., also ist danach das leere Grab
nicht der Anfang des Osterglaubens. Seine Relevanz für den Glauben an den Auferstandenen wird geradezu zurückgedrängt. Dann
kann aber die Tradition vom leeren Grab und die Erweiterung mit
Hilfe von V 2–10 (G) nicht der Abschluß der Osteraussagen gewesen sein, wie das bei Mk 16,1–8 und der entsprechenden Variante in
Joh 20,1.11 f. ... noch denkbar war. Also wurde zugleich Joh
20,19–23 (G) angefügt. In der Tat bereitet 20,10 genau 20,19 vor.
Das Entdecken des leeren Grabes durch die Frauen und der
Grundstock aus V 2–20 spielen dabei am frühen Morgen (20,1),
hingegen V 19 ff. am Abend desselben Tages. Vielleicht bildete die
Tradition vom leeren Grab dabei schon allein einmal den Abschluß
des PB. Dies ist aber nicht mehr sicher überprüfbar. In jedem Fall
ist dieses zweite Stadium der Entwicklung als Geschichte des PB zu
verstehen, der dann in V 19 ff. (G) einmal sein Aussageziel und seinen Abschluß hatte. Welche Indizien sprechen nun für eine solche
alte Abfolge: Das leere Grab wird durch Frauen aufgefunden; Petrus (und einige Jünger) bestätigen diese Beobachtung; der Herr erscheint den Jüngern am selben Abend? Zunächst die Differenzen
zwischen V 3 und 4 (vgl. oben Beobachtung c) und zwischen V 8
und 9 (vgl. oben Beobachtung e), außerdem der Zusammenhang
von V 10 zu V 19. Sodann zeigt Lk 24,22–24 (und 24,12), daß es
einmal solche Abfolge gegeben haben wird. So sicher Lk 24,22–24
jetzt kompositorisch vom dritten Evangelisten stammt, setzen die
Verse doch sachlich solche Abfolge voraus. Leider ist Lk 24,12
textkritisch sehr umstritten. Wer den Vers für textkritisch unan-
fechtbar hält, findet eine weitere Stütze für die vorgetragene These
zu Joh 20. Wäre Lk 24,12 zum alten Bestand des Lk zu rechnen,
ließe sich auch entscheiden, daß Joh 20,2–10 (G) ehedem nur von
Petrus sprach. Jetzt legt Lk 24,22–24 es auf den ersten Blick näher,
für Joh anzunehmen, ursprünglich habe es hier gelautet: Petrus
und andere Jünger. Aber solche Vermutung von Lk her ist nicht
allein zwingend. Sicher ist nur, daß der Lieblingsjünger im joh Text

nachgetragen sein muß (vgl. oben Beobachtung c und e). Ebenso deutlich setzen jetzt V 2.3.9.10 mehrere Jünger voraus. Die Einfügung des Lieblingsjüngers war aber dann weniger gravierend, wenn schon Petrus und andere Jünger genannt waren. Die lk Parallele in 24,22–24 und der joh Text scheinen also zusammen für solche Lösung zu plädieren. Oder spricht die Abfolge: erst Petrus, dann alle Jünger aus 1 Kor 15,5 für den petrinischen Alleingang zum Grab? Dann hätte jedenfalls die Einfügung des Lieblingsjüngers den Textbestand erheblich verändert. Doch 1 Kor 15,5 redet von einer Erscheinung vor Petrus (vgl. Lk 24,34), nicht von einem Grabesbesuch des Apostels ohne Glaubensfolge. Darum ist die Analogie zu 1 Kor 15,5 kaum benutzbar.

3. Innerhalb der Traditionsgeschichte des PB ist dann nochmals Joh 20 bearbeitet worden, nämlich unter dem Gesichtspunkt der Anfügung von der Begegnung Maria Magdalenas mit dem Auferstandenen. Diese ehemalige Einzelerzählung aus der joh Gemeindetradition mit dem Bestand aus V 11a.14b–17 (G) sorgte dafür, daß der vorhandene Text daraufhin gestaltet wurde. Dabei wurde nicht nur der Zusammenhang von V 10.19 zerstört, sondern wurden auch in V 1f. die anderen Frauen getilgt, der Frauen Grabbesichtigung (also die ursprüngliche Fortsetzung von 20,1) ausgelassen und ein Teil davon in V 11b–13a eingearbeitet. So wird Maria Magdalena zur ersten Osterzeugin, und der Auferstandene zeigt sich schon am Morgen früh (anders V 19). Das leere Grab wird nun seiner überlieferungsgeschichtlichen und sachlichen Eigenständigkeit beraubt. Es wird einleitendes Szenarium, das Petrus und andere Jünger bestätigen, dessen aporetische Situation (V 9!) aber alsbald durch den Herrn selbst gelöst wird. Die Leere-Grabes-Tradition ist nicht mehr ausreichendes Medium der gesamten Osterbotschaft (Mk 15,6–8), sie ist nicht erster wesentlicher Hinweis für das Neue (Mt; Lk), sie ist vielmehr nur noch szenischer Ort für die erste Jesuserscheinung. Die Frauen sind nun nicht mehr Zeugen des leeren Grabes und die Jünger Zeugen der ersten Erscheinung des Herrn, sondern eine Frau und einige Jünger kennen aus eigener Anschauung das leere Grab, aber eine Frau sieht den Herrn zuerst. Welche Indizien deuten auf diese letzte Bearbeitung innerhalb des joh PB? Für eine traditionsgeschichtlich selbständige Erscheinungsgeschichte vor Maria innerhalb der joh Gemeindetradition spricht Mt 28,9f. Daß sie nach V 2ff. (G) eingebaut wurde, ergibt sich aus der Zerstörung des Konnexes von V 10 zu V 19. Ihre Einfügung bringt weiter die Schwierigkeiten mit sich, die oben als Beobachtungen b, d, f – l beschrieben wurden. Anmerkungsweise sei

noch erwähnt, daß nun im joh PB eine Frau eine zentrale Eingangsstelle besitzt (12,1 ff.) und erste Osterzeugin gegen Ende des PB ist. Wäre in 12,1 ff. der Name Maria für den PB sicher bezeugt, könnte man sogar Personalidentität beider Frauen bedenken. Aber das erscheint jetzt als viel zu hypothetisch.

4. Hatte der joh PB mit Stufe 3 den Umfang erreicht, der E vorlag, dann hat jedenfalls E in keinem Fall so gravierend eingegriffen wie die Bearbeiter auf Stufe 2 und 3. E hatte wohl überhaupt – ähnlich wie bei den meisten Wundergeschichten aus der SQ – kein Interesse, erhebliche Veränderungen einzubringen. Sein Hauptwerk besteht in der Anfügung von 20,24 ff. Von kleineren Zusätzen abgesehen, muß diskutiert werden, ob und inwiefern er die Jesusworte in V 17 und V 21–23 veränderte. Hier ist jedenfalls am ehesten zu erwarten, daß er Orte für die Einbringung seiner Theologie fand, die sich ja gerade als Selbstoffenbarung des Sohnes artikulierte.

5. Nach E hat dann die KR die Gestalt des Lieblingsjüngers in V 2–10 eingebracht. So entstehen die Schwierigkeiten, die oben als Beobachtungen c und e mitgeteilt wurden. Für diese Annahme sprechen weiter die sonstigen Erwägungen zu den Lieblingsjüngerstellen (vgl. Exkurs 9). Der Lieblingsjünger bringt jetzt den Osterglauben aufgrund des leeren Grabes wieder zur Geltung. Für die traditionellen Osterereignisse bleibt sein Glaube bedeutungslos. Er erhält erst seinen Sinn im Zusammenhang mit dem Gesamtkonzept der Gestalt des Lieblingsjüngers. Er ist letzter Zeuge und Jünger am Kreuz und beim leeren Grab, also durchgängiger Zeuge des ganzen Geschicks Jesu. Er überläßt Petrus als Urapostel den Vorrang beim Gang in das Grab, aber im Unterschied zu Petrus glaubt er schon aufgrund des leeren Grabes. Nunmehr ist, durch V 2–10 in der Jetztgestalt abgeschlossen, das Fundament gelegt, daß 21,24 Geltung haben kann. Die Lieblingsjüngertexte in Joh 21 ergänzen das Bild. Die Arbeit der KR erweist sich wieder als typisch: Vorhandenes Material wird überarbeitet und ergänzt. Wie in 18,15 f. hat die KR dabei Petrus schon vorgefunden. Theoretisch könnte man annehmen, erst die KR habe die Tradition vom leeren Grab auf V 1 einschrumpfen lassen und gleichzeitig in 20,11 b–13 a eine Ergänzung vorgenommen. Ein Grund dafür ließe sich finden: Um die Ostererfahrung des Lieblingsjüngers als erstem Glaubenden nicht zu entwerten, durften Maria oder überhaupt die Frauen nicht vor ihm aus Engelmund die Osterbotschaft hören. Aber gegen solche Annahme spricht ein Blick auf die sonstige Arbeit der KR: Sie ergänzt, fügt an, d. h. sie wirkt durchweg traditionsvermehrend. Daß sie die Erzählung vom leeren Grab nahezu ganz getilgt haben

sollte, widerspricht ihrer sonstigen Arbeitsweise. Zudem erklärt sich umgekehrt der Textbestand auf Stufe 3 auch besser.

Nach diesem schwierigen Gang durch die Traditionsgeschichte des Textes sollen seine Einzelheiten Beachtung erhalten. V 1 wurde als Anfang und Rest der ehemals vollständigen Tradition vom leeren Grab erkannt. Den ersten Tag der Woche, also den Sonntag nach dem Karfreitag, als Datum der Ereignisse geben alle Evangelien an, doch steht 20,1a syntaktisch Lk 24,1 nahe, nämlich eingangs der Satzperiode. Mk Einfluß verrät die Nennung der Maria (vgl. Joh 19,25) – bei Mk sind es jedoch drei Frauen, wie wohl auch ehedem bei Joh –, ebenso die Zeitangabe »früh« und das Verb. Im Unterschied zu Mk, der die Morgenfrühe mit dem Sonnenaufgang präzisiert (Mk 16,2), läßt Joh Maria noch bei Dunkelheit aufbrechen. Daß es erst mit Jesu Erscheinen hell wird, ist jedoch nicht gesagt, wie überhaupt ein symbolischer Sinn nicht angezeigt ist. Gesagt ist wohl nur: Maria geht ungewöhnlich früh zum Grab. Das Wort für »Dunkelheit« ist zwar joh Stileigentümlichkeit, aber eine des joh Kreises, nicht nur eine für E speziell. Darum kann die Angabe nicht einfach nur E zugeschrieben werden. Mk hatte den Gang der Frauen zum Grab mit der Salbungsabsicht begründet (Mk 16,1b). Lk übernimmt das verkürzt. Mt macht daraus nur noch einen Trauerbesuch am Grab (Mt 28,1c). Bei Joh gibt es gar keine Motivationsangabe mehr. Da nach Joh 19,38–42 Jesus auch ein vollständiges Begräbnis bekommen hat, konnte jedenfalls die mk Absicht nicht mehr angeführt werden. Daß dann der Stein, der ehedem vor den Eingang gerollt war, nicht mehr an seinem Platz lag, vielmehr den Grabeingang freigab, berichten alle Evangelien. Joh formuliert dabei mit Nähe zu Lk 24,2. Da übliche Vorgänge, wie das Verschließen eines Grabes, aus Gründen der Selbstverständlichkeit nicht eigens berichtet werden müssen, entsteht keine Spannung zu 19,41, wo der Stein nicht erwähnt ist. Im übrigen ist der ursprüngliche Fortgang von 20,1 nun weggebrochen.

Maria sieht gegen alle Tradition nicht ins Grab (V 2), das geschieht erst verspätet V 11b. Sie eilt sofort zu Petrus und den Jüngern, bzw. nach der KR zu Petrus und dem Lieblingsjünger. Daß ausgerechnet diese beiden Jünger, getrennt von den anderen, zusammen sind, widerspricht 20,19.24, wo das typische Zusammensein des Jüngerkreises als Regelfall vorausgesetzt ist. Also muß der Lieblingsjünger einer anderen Schicht als V 19ff.24ff. angehören. Erstmals taucht mit V 2 die christologische Herrenbezeichnung (*Kyrios*) im ursprünglichen Evangelium auf (vgl. zu 13,13f.). Sie kommt auf E durch den PB, dem in jedem Fall 20,2.18.20 zuzuschreiben sind. Sie gehört zur sprachlichen Typik bei der joh Formulierung der Ostererfahrung (20,18.20.25: jeweils Verb des Sehens mit *Kyrios* als Objekt; vgl. auch 1 Kor 9,1) und zeigt in 20,28 ihren alten akklamatorischen Haftpunkt (vgl. Phil 2,11). Man darf annehmen, daß die Auslegung der Ostererfahrung als Inthronisation die Benutzung des Titels im PB bedingte: Jesus ist Herr, insofern er der österlich inthronisierte Herrscher ist. Eine strukturelle Nähe zum alten Hymnus in Phil 2,6–11 ist nicht zu verkennen, wie dieses neue Anklingen der Inthronisation zweifelsfrei das Thema des persiflierten Königs als leidenden Gerechten und darum nun von Gott Erhöhten fortsetzt (vgl. zu Joh 18 f. und Exkurs 14).

Die Interpretation des leeren Grabes als Verlegung des Leichnams Jesu (V 2,13–15) haftete der ehemals selbständigen Legende von dem unerkannten, dann aber sich zu erkennen gebenden Jesus (20,11 a.14 b–17) an, ist doch die Pointe der Erzählstruktur diese, daß fehlender Osterglaube – demonstriert an der Deutung des leeren Grabes – vom nicht erkannten Jesus erst überwunden werden muß (vgl. gattungsgeschichtlich Lk 24,15 f.30 f.; der dritte Evangelist hat dann die Unwissenheit durch die Aporie des leeren Grabes noch gesteigert: Lk 24,22–24). Das Motiv des Leichenraubes mag auch apologetischen Interessen nutzbar gemacht worden sein, wie Mt 28,12–15 sicher bezeugt, aber ob das in der joh Traditionsgeschichte eine Rolle spielte (so zuletzt Schnackenburg), ist ungewiß. Man hat das Motiv auch auf antidoketischen Kampf gedeutet (Richter, Thyen), so als habe dadurch die leibliche Auferstehung gesichert werden sollen gegenüber einer Anschauung, es ginge nur um eine geistliche Auferstehung, da Christus gar nicht als wahrer Mensch gestorben sei. Aber das ist in den Text eingetragen. War das Motiv in der traditionellen Erzählung über Marias Begegnung mit dem Herrn ursprünglich, dann mußte es von Anfang an auch durchgehalten werden. So entstand in V 2 und 14 die mehrfache Erwähnung.

Ursprünglich gingen dann Petrus und einige Jünger (vgl. Lk 24,22–24) zur Inspektion des Grabes. Dabei hatte die Erzählung ein einsichtiges Wegschema: Man geht hinaus (aus Jerusalem, vgl. 19,17.41), kommt zum Grab beim Hügel Golgotha, geht in das Grab und kehrt zurück (V. 3.6 b.10). Das Motiv des Wettlaufs (V 4–6 a) ist erst durch den Lieblingsjünger eingebracht worden. V 9 ist dann die Pointe der ursprünglichen Fassung. Die Formulierung: »muß ... auferstehen« erinnert an Mk 8,31; 9,31; 10,34 parr.; Lk 24,7.46. Sie ist unjoh. Daß die Einsicht in das Ostergeschehen über die Schrift erfolgt, sagt schon 1 Kor 15,4 mit allgemeinem Verweis auf die Schrift. Auch die Nähe zu Lk 24,25–28 ist beachtenswert. Hatte der PB beim Leiden Christi die Schriftgemäßheit durch Schriftzitate herausgearbeitet, so setzt er diese Aussageabsicht jetzt fort, freilich ohne nun eine bestimmte Stelle zu nennen. Ging es in der Passion um den leidenden Gerechten, so kann man erwägen, ob der PB an solche Stellen dachte, die dessen Annahme durch Gott aussagten (vgl. sachlich z. B. die Wende in Ps 22,23 ff.). Doch bleibt zu betonen: Dem Erzähler geht es darum, daß die Jünger aufgrund der Inspektion des leeren Grabes die Schrift noch nicht als Schlüssel der Deutung verstanden. Das Osterverständnis bringt erst die Erscheinung des Herrn selbst (sei es in der Fortsetzung 20,19 ff. oder später als 20,11 ff.). Schriftverständnis stellt sich erst danach ein. Ostern ist nicht Schriftpostulat, sondern neue Erfahrung, von der her die Schrift ebenfalls neu verstanden wird. Gerade die unerwartete Neuheit der Erfahrung will 20,1–10 einfangen. Neben diesen theologischen Beziehungen zum PB bleibt noch zu beachten, daß die Leinentücher (V 6 f.) auf 19,40 Bezug nehmen. Zwar ist das Schweißtuch bei der Grablegung nicht erwähnt, wohl aber dort überflüssig, hier jedoch besonderes Motiv, um zu erklären, daß bei so geordneten Verhältnissen im Grab ein eiliges Verlegen der Leiche ausgeschlossen ist. So darf Marias Vermutung aus V 2 widerlegt gelten. Dennoch kommen die Jünger nicht auf das österliche Verstehen!

Die KR, die den Lieblingsjünger einbrachte und zugleich damit V 4–6 a.8, offenbart ihr eigentliches Anliegen durch V 8, den man schon wegen der Zugehörigkeit zu einer anderen Schicht nicht als Kontrast zu 20,29 verstehen sollte. Der Lieblingsjünger ist der erste am Grab und vor allem der erste an die Auferstehung Jesu Glaubende (s. o., vgl. 21,7). Zugleich bringt der Wettlauf die bedingte Rivalität zu Petrus zur Geltung: Petrus bleibt der Vortritt bei der Grabbesichtigung, aber beim Gang zum Grab ist ihm der Lieblingsjünger voraus. Während Petrus trotz Grabbesichtigung auf dem Erkenntnisstand von V 9 bleibt, ist ihm auch hierbei der Lieblingsjünger überlegen (V 8). Natürlich ist auch Petrus wahrer Osterzeuge (20,19 ff.), aber die joh Gemeinde weiß, daß sie im Lieblingsjünger – unbeschadet aller petrinischen Autorität – eine eigene Gewährsperson hat, die die engsten Beziehungen zu Jesus hatte. Der Redaktion liegt auch nichts an einem Tadel an Petrus, er wird ja sogar mit dem Ehrenvortritt V 5 f. bedacht, wohl aber soll der Lieblingsjünger herausgestellt werden. Das geht aber nach Lage der traditionellen, uneingeschränkten Vorrangstellung des Petrus

nur so, daß zwangsläufig für die joh Gemeinde Petrus ein Stück zugunsten des Lieblingsjüngers indirekt abgewertet wird. Gerade
weil V 8 für die erzählten Osterereignisse ohne jede Folge ist, wird
einsichtig, wie der Lieblingsjünger als besonderer, kirchengeschichtlich begründeter Garant des joh Christentums gilt und als
solcher hier literarisch aufgebaut wird.

V 11–18 stellt eine Osterlegende nach dem Typ einer Wiedererken-
nungserzählung (Rekognitionslegende) dar (vgl. Lk 24,13–35; Joh
21). Die Paralleltradition bei Mt 28,9 f. ist der Gattung nach jedoch
eine Erscheinungslegende. Wahrscheinlich ist erst innerhalb der
joh Traditionsgeschichte aus einer hinter Mt 28,9 f. stehenden Tradition eine Wiedererkennungsszene geworden. Für sie ist konstitutiv, daß Jesus zunächst unter alltäglichen Bedingungen, und darum
unerkannt, auftritt und sich erst auf dem Höhepunkt der Darstellung durch einen ihm individuell eigenen Gestus (Lk 24,31 f.) oder
eine unverwechselbare Art der Anrede zu erkennen gibt. Ist der
Blick für seine Identität (im Sinne: der gestorbene Jesus ist nun der
auferstandene Jesus) geweckt, entzieht er sich wunderbar (Lk
24,31 b). Daraufhin berichten die Osterzeugen den anderen ihr Er-
lebnis (Lk 24,33.35; Joh 20,18). Im Unterschied dazu ist bei der
Erscheinungslegende (z. B. Joh 20,19 ff.24 ff.) Jesus sofort als Auferstandener unmißverständlich kenntlich (so auch Mt 28,9 vorausgesetzt). Dabei bedient sich der Erscheinende gern eines Eintritts-
wunders (Joh 20,19.26: Das Kommen durch verschlossene Türen).
Seine Identität wird über den Aufweis der Kreuzigungsmale abge-
sichert (20,20.27). Solche Christophanie ist nicht Selbstzweck,
sondern auf Bevollmächtigung oder Sendung gefluchtet. Wegen
der Vorherrschaft dieses auditiven Elements kann der Fortgang Jesu erzählerisch entfallen, so daß sein Wort den gewichtigen Abschluß bildet. Die Typik solchen Abschlusses begegnet auch Joh
20,17 – ein Zeichen dafür, daß die Typik der Erscheinungslegende
noch durchschimmert.

In V 11 ist die Szene am Grab nur flüchtig angedeutet. Was allerdings für den Fortgang wichtig ist, wird benannt: Maria, ihr Stehen
beim Grab und ihr Weinen. Daß sie nach V 2 erst wieder zum Grab
kommen müßte, ist sachlich richtig, aber für den Erzähler Nebensache. In Mt 28,8 f. gehen die Frauen vom Grab weg, als Jesus ihnen erscheint. Mißlich ist auch, daß erst jetzt die weinende Maria
ins Grab schaut. In V 2 reagierte sie weder mit Weinen noch sah sie
ins Grab hinein. Das hat zur Vermutung Anlaß gegeben, V 11 habe
einmal an V 1 direkt angeschlossen (seit Wellhausen viele). Aber
diese Kombination ist dem verwehrt, der in V 1 den Rest aus Mk

16,1–8 parr. erkennt und in 20,11–18 eine joh Traditionsform von
Mt 28,9 f. sieht.

V 11 b–14 a bieten dann zunächst einen sachlichen Umweg, der den
erwarteten Fortgang von V 11 a zu V 14 b aufsprengt. Dabei muß
der Einschub ohne Ausgang eine abgebrochene Episode sein, weil
V 14 b ff. nichts weggenommen werden kann. V 11 b–14 a sind also
eine Einfügung – und zwar aus der Tradition vom leeren Grab (vgl.
Mk 16,5–7 parr.), getrimmt auf die Erzählstruktur von V 11 f. (G).
Daß Maria zwei Engel sieht, erinnert an Lk 24,4. Diese Doppel-
lung gegenüber Mk 16,5 ist traditionsgeschichtlich sekundär. Die
Typik, daß himmlische Wesen in weißen Gewändern erscheinen,
benutzt auch Mk 16,5 (vgl. sonst: Mk 9,3 parr.; Apg 1,10; Offb
3,4 f.; 7,9.13; außerdem etwa: Dan 7,9; äth Hen 14,20; 2 Makk
11,8 usw.). Die Engel sitzen, wo Jesu Haupt und Füße einmal lagen (Mk 16,5: auf der rechten Seite). Im Grabe hat alles seine Ordnung. Doch sollte Maria das Ungewöhnliche der Engelerscheinung
aufgehen. Sie mußte sich fürchten und von den himmlischen Boten
belehren lassen (vgl. Mk 16,6 f. parr.). Statt dessen ist der Ge-
sprächseinstieg Jesu aus V 15 verdoppelt. So gibt Maria nun schon
den Engeln den Grund ihres Weinens an. Er ist nicht in der lauten
Klage um einen Toten zu suchen (11,31.33), sondern in der Ratlosigkeit gegenüber dem leeren Grab: Wo ist Jesu Leichnam hinge-
kommen?

Da die Engel wegen V 14 b ff. nicht mehr sagen dürfen, wendet sich
der Erzähler abrupt und endgültig von ihnen ab, indem er Maria
sich umdrehen läßt. Statt ins Grab schaut sie nun in den Garten
(vgl. 19,41) und sieht eine Gestalt, die sie als Gärtner (des Gartens)
deutet (V 14, vgl. 21,4). In Lk 24,16 ist das Nicht-Erkennen des
Wanderers ein Gotteswunder. Im Joh ist es die Fehldeutung
menschlichen Unvermögens, weil Glaube und Erkennen allein Gabe des Herrn sein sollen. Die Doppelfrage nach dem Grund des
Weinens und Suchens ist beabsichtigt: Beides hat dieselbe Ursache,
den verschwundenen Leichnam Jesu. Zugleich strukturiert die
Doppelfrage den Fortgang auf Jesu Person. Maria nimmt im Unterschied zu Mt 28,13 keinen Leichenraub an, sondern nur eine mit
Grund und guter Absicht erfolgte Umbettung Jesu. Das Grab war
ja auch nach 19,41 f. nicht Jesu eigenes Grab. Weil Maria gutes Verhalten unterstellt, ist das Motiv der verschwundenen Leiche wohl
auch kaum apologetisch zu deuten, als solle gesagt werden: Wer
gegen die Christen behauptet, die Auferstehungsbotschaft gründe
auf einem Leichenraub, kann eines besseren belehrt werden. Vielmehr ist die Aporie der Maria samt ihrer Vermutung Stilmittel, um

ihre Unkenntnis über Jesu wahre Identität darzustellen unter der Bedingung, die durch die Auffindung des leeren Grabes gegeben ist. Dabei sind Fragen, warum Maria die Gestalt gerade auf den Gärtner deutet, nicht zu stellen. Der Gärtner ist wegen seiner Kompetenz für die Frage V 15 b gewählt.

Jesu Antwort V 16 ist vordergründig keine Antwort auf Marias Frage. Aber insofern die einfache Anrede mit dem Namen der Maria ihr vorenthielt, wer der vermeintliche Gärtner ist, ist auch ihre Doppelfrage beantwortet, wenn auch für sie neu und unerwartet. Die namentliche Anrede hat Signalwirkung und besagt: Ich kenne dich, warum erkennst du mich nicht? Dazu muß man wohl voraussetzen, daß Sprache und Tonfall als für Jesu Person typisch erkannt werden. Ein Bezug zu 10,3 ist nicht indiziert. Das Motiv steht vielmehr formgeschichtlich parallel zu Lk 24,30 f.35 und entbehrt im Unterschied zu Joh 10,3 des deterministischen Akzents sowie der ekklesiologischen Ausrichtung. Maria erhält nicht die Vergewisserung, sie gehöre zu Jesu Schafen, sondern Gewißheit, daß vor ihr Jesus als Auferstandener steht. Nicht Marias Heilsstand, sondern Jesu Identität ist also Thema. Abwegig ist auch die Vermutung, Maria erkenne den irdischen Jesus und müsse erst mit V 17 auf Jesu neuen nachösterlichen Status aufmerksam gemacht werden. Vielmehr ist V 16 b durchaus Marias Reaktion auf ihre österliche Erfahrung. Die Anrede: »*Rabbuni!*« (vgl. Mk 10,51) ist Nebenform zu: »*Rabbi!*« (vgl. Joh 1,38.49; 3,2.26; 4,31; 6,25; 9,2; 11,8) und bedeutet wörtlich: »mein Meister«, wird aber sachlich mit Recht von E ergänzend übersetzt als: »Meister!« (vgl. ähnliche Erklärungen von E in 1,38.41 f.; 4,25 usw.). Mit dieser Anrede gibt Maria zu verstehen, sie habe die Identität der als Gärtner angesehenen Person nun erkannt: Wie Jesus Maria wie früher anredet, so nun auch Maria den Auferstandenen. Wie in Lk 24,30 f.35 geht es also um die Einsicht, Jesus ist auferstanden (vgl. Joh 20,18; Mt 28,9).

Ohne einen Blick auf Mt 28,9 wird nun das Folgende (V 17) kaum verständlich. Dort reagiert Maria so, daß sie Jesu Füße umfaßt und vor ihm niederkniet. Eine solche Handlung macht jedenfalls den Eingang von Jesu Rede: »Rühre mich nicht an!« allein verständlich. Allerdings fällt auf, daß sonst ein Berührungsverbot des Auferstandenen überhaupt unbekannt ist (20,25.27!) und ein Berühren gerade auch Mt 28,9 f. nicht verwehrt wird. Darum kann E, der V 17 überarbeitete, eine Bemerkung, wie die eben von Mt herangezogene, unterdrückt haben, um dem Berührungsverbot alsbald dann auch einen anderen Sinn zu geben (s. u.). Da solche Umdeutung nur indirekt erschließbar ist und das Verbot auch speziell zu den

Ausführungen, die nachfolgen, wenig passen will, wenn man es wörtlich nimmt, hat man schon frühzeitig am Text repariert. Einige Hss stellen – sachlich verständlich – vor V 17 eine Aussage über Marias Berühren. Neuere Exegeten nehmen z. T. Textverderbnis beim Verbot selbst an und schlagen Konjekturen vor, die aber zu arbiträr bleiben (vgl. Bultmanns Referat z. St.). Die meisten versuchen, mit breitgestreuter Auslegungsvariation den Text zu erklären, wie er jetzt dasteht, und gestehen dabei seine Schwierigkeiten zu. Geht man nun von Mt 28,10 aus, so steht dort nach dem typischen einleitenden Aufruf zur Furchtlosigkeit der Auftrag, zu gehen und den Brüdern zu verkündigen, sie sollen nach Galiläa ziehen und werden ihn dort sehen. Ein Teil der Motive begegnet auch Joh 20,17, nämlich, der Auftrag, zu den Brüdern zu gehen und sie zu unterrichten. Da das ursprüngliche Joh keine Erscheinungen Jesu in Galiläa kennt (so erst Joh 21), vielmehr wie Lk nur Jerusalemer Osterereignisse, wird vom Zug nach Galiläa, der bei Mt nur aus Mt 28,7 = Mk 16,7 wiederholt ist, auch in der alten Tradition von Joh 20,11–18 nicht die Rede gewesen sein. So fällt also vornehmlich auf, daß V 17 keine Ankündigung von Erscheinungen vor den Jüngern enthält. Da diese eigentlich sachlich gefordert ist, wird man annehmen müssen, sie sei zugunsten der Aussage über Jesu Aufstieg unterdrückt. Dann ergibt sich als Grundbestand: »Rühre mich nicht an, denn …, gehe jedoch zu meinen Brüdern und sage ihnen: ›(Sie werden mich sehen)‹!« Dies bereitete im joh PB 20,19ff. vor.

Da weitere Rekonstruktionsmaßnahmen zu hypothetisch würden, muß nun der Jetztbestand von V 17 auf diesem Hintergrund betrachtet werden. Dabei fällt auf, daß sowohl nach dem Berührungsverbot wie nach dem Auftrag zur Mitteilung an die Jünger vom Aufstieg zum Vater die Rede ist. Beides ist so aufeinander bezogen, daß dieselbe Hand am Werk gewesen sein muß. Obwohl der Text sprachlich auffällig ist – wem immer er auch zugewiesen würde –, wird nur E als sein Autor in Frage kommen. Sicherlich, E spricht sonst vom Aufstieg des Menschensohnes (3,13; 6,62); die Vaterschaft Gottes ist sonst allein Jesus vorbehalten; nie redet er von »meinem« Gott; und nach ihm sind die Jünger nicht Jesu Brüder. Aber die »Brüder« sind dem PB entnommen, und eine Formulierung mit »aufsteigen« ohne Menschensohntitel sollte man E (angesichts von nur zwei Stellen ohne Titel) nicht verwehren. Endlich kann V 17c die Vater- und Gottesaussage proklamatorische Feierlichkeit darstellen sollen (es ist das erste grundlegende Wort des Auferstandenen). Sachlich gibt sie wieder, was 14,18–24 als Dauerertrag für alle Glaubenden ausformuliert wurde. Dann kann der Sinn von V 17 so paraphrasiert werden: Halte dich jetzt nicht bei mir auf, sondern gehe zu den Jüngern als meinen Brüdern (vgl. noch Hebr 2,11–18). Verweilst du bei mir, behinderst du den Fortgang meines Aufstiegs zum Vater, der mit der Kreuzigung begann und zu dessen Begleitumständen noch zu tätigende Erscheinungen gehören. Gehe zu den Brüdern, damit sie erfahren, daß die Kreuzigung Anfang meines Aufstiegs ist und damit ihr Heil. Stillschweigend ist dabei mitzuhören: Die Jünger sollen wissen, daß Jesus als Aufsteigender ihnen erscheinen will. Dies ist ein einmaliger Aspekt des Aufstieges. Wäre es anders, hätte E zumindest 20,19–29 fortfallen lassen müssen, bzw. sogar der Engel nach 20,14a sinngemäß Jesu Aufstieg ankündigen müssen. Nach dem Aufstieg wird er nur noch im Sinne von 12,31f.; 14,18–23 tätig sein. E, dessen Theologie bei den zuletzt genannten Stellen am besten zur Geltung kommt, kann also, um die Tradition der Ostererzählungen nicht einfach zu übergehen, sie einbringen, indem er die Erhöhung durch zeitliche Erstreckung dehnt.

V 18 läßt sich Maria ihres Auftrags entledigen. Der Text vor E lautete in der Rede der Maria wohl: »Ich habe den Herrn gesehen.« Der angeschlossene Satz als indirekte Rede wird das Werk von E sein, der so seine Auslegung in V 17 als Jüngerinformation nochmals knapp einbrachte.

2. Die Erscheinung des Auferstandenen vor seinen Jüngern 20,19–23

19 Als es nun an jenem Tag Abend war, dem ersten (Tag) der Woche, und als die Türen verschlossen waren, wo die Jünger waren, aus Furcht vor den Juden, kam Jesus und trat in die Mitte und spricht zu ihnen: »Friede (sei) mit euch!« 20 Und als er das gesagt hatte, zeigte er ihnen auch die Hände und die Seite. Die Jünger freuten sich nun, als sie den Herrn sahen. 21 Jesus sagte nun nochmals zu ihnen: »Friede (sei) mit euch! Wie mich der Vater gesandt hat, so sende ich auch euch.« 22 Und nachdem er das gesagt hatte, blies er (sie an) und spricht zu ihnen: »Nehmt (den) heiligen Geist! 23 Denen ihr die Sünden erlaßt, denen sind sie erlassen; denen ihr sie festhaltet, (denen) sind sie festgehalten.«

Literaturauswahl: Vgl zu III C 1. *Beare, F. W.:* The Risen Lord bestows the
Spirit (John 20,19–23), CJT 4 (1958) 95–100. – *Burchard, Chr.:* Der drei-
zehnte Zeuge, FRLANT 103, 1970, 130f. – *Cadbury, H. J.:* The Meaning
of John 20,23, Matthew 16,10 and Matthew 18,18, JBL 58 (1939) 251–254.
– *Dodd, C. H.:* Some Johannine »Herrnworte« with Parallels in the Synoptic Gospels. NTS 2 (1955/56) 75–86. – *Kasting, H.:* Die Anfänge der urchristlichen Mission, BEvTh 55, 1969, 33–52. – *Thyen, H.:* Studien zur
Sündenvergebung, FRLANT 96, 1970, 243–251.

Daß die Erscheinungslegende (zu ihrer Typik vgl. zu 20,11 ff.) ursprünglich in der mündlichen Tradition gesondert umlief, wird mit
Recht allgemein angenommen, denn sie weiß weder etwas vom leeren Grab (20,1 ff.), noch von der Erscheinung vor Maria (20,11 ff.),
noch bereitet sie die Sondertradition über Thomas (20,24 ff.) vor.
Sie erzählt vielmehr mit dem Anspruch einer unvorbereiteten und
ersten Erscheinung Jesu vor allen Jüngern (natürlich außer Judas
Iskariot). Sie ist in sich gerundet und hat in den Worten Jesu ein
klares Aussageziel. Um der Akzentuierung dieser Worte willen ist
sie hinten szenisch offen gelassen, so daß man nicht fragen darf:
Wann und wie geht Jesus fort? Wie reagieren die Jünger? Dieser
Eindruck selbständiger Erzähltradition wird bestätigt, wenn man
die Parallele in Lk 24,36–49 heranzieht.: Der joh und lk Text enthalten ein erzählerisches Grundgerüst, das jeweils variantenreich
ausgestaltet wurde. Dies gilt unbeschadet der textkritisch schwierigen Partien bei Lk (vgl. Lk 24,36 b.40). Wer diese mit guten Gründen für ursprünglich hält, gewinnt nur noch mehr Textübereins-
timmung zwischen Lk und Joh (vgl. Lk 24,36 b mit Joh 20,19 c
und Lk 24,40 mit Joh 20,20), als auch so bestehen.
Eindeutig ist ebenso noch, daß 20,19 ff. aus einem auch sonst bekannten Prinzip an 20,1–18 angeschlossen wurde, nämlich einer
Erscheinung vor einzelnen eine solche vor den Jüngern folgen zu
lassen (ältester Beleg: 1 Kor 15,5.7; vgl. sonst Mt 28,9f. +
28,16–20; Lk 24,13 ff. + 24,36 ff.). Unsicherheit besteht dann allerdings über die Frage, wann die Erzählung angefügt wurde, zur Zeit
des PB, von E oder von der KR. Da in der Regel zugestanden wird,
daß auf E sehr wenig weist, kommen im Ernst nur der PB oder die
KR in Frage. Die KR wird dort gewählt, wo man, von ihrer antidoketischen Tendenz ausgehend, in V 20 solche Ausrichtung am
Werk sieht (Richter; Thyen, ThR; Langbrandtner; Hoffmann), d.
h. V 20 als Ausdruck dafür versteht, es solle bestätigt werden, auf
den real-leiblichen Tod Jesu folge seine Auferstehung in derselben
Leiblichkeit; diese ist kein Schein und Trug (vgl. auch die Erörterung zu 20,1–18). Aber solche polemische Diskussionslage ist dem

Text gänzlich fremd. Gerade die Ausgestaltung bei Lk zeigt (vgl. 24,37.39 b.41 b–43, jeweils ohne Parallele bei Joh), wie desinteressiert Joh 20,19 ff. am Problem der Auferstehungsleiblichkeit ist. V 20 dient auch gar nicht zur Sicherung von Jesu Leiblichkeit, sondern will seine Identität mit dem Gekreuzigten begründen. Der gekreuzigte Jesus ist auferstanden, – kein anderer erscheint, so will der Text festhalten. Auch diese Aussage ist nicht der eigentliche Zweck, sondern erzählerisch eingebracht, damit für Jesu nachfolgende Worte als Schwerpunkt der Erzählung klargestellt ist: Der Gekreuzigte und nun Auferstandene bevollmächtigt die Jünger, den Ertrag seines Kreuzestodes weiterzugeben.

Beachtet man also die erzählerische Funktion von V 20, ist einer Zuordnung der Erzählung an eine KR der Boden entzogen. So bleibt als These: Sie gehört in die Zeit vor E zum PB. Dafür spricht die Analyse von 20,1–18 und speziell der Umstand, daß V 10 als Vorbereitung für V 19 dient. Auch die Zeitangabe V 19 a bezieht sich auf 20,1 (PB). Daß das Zeigen der Hände und Füße (so Lk 24,39 a.40) verändert wurde zum Aufweis der Hände und Seite, ist Einfluß von 19,34 (PB). Die Einzelexegese wird bestätigen: Die ursprünglich selbständige Einzeltradition stellt einen hervorragenden Abschluß des PB dar.

Der PB will durch die Zeitangabe V 19 a sagen: Auferstehungsereignis und Auferstehungserfahrung fallen zeitlich auf einen Tag zusammen. Auch in Lk 24 (vgl. V 1.13.18.33.36) ist dieselbe Zeiteinheit der Darstellung zugrunde gelegt. Mt (vgl. 28,16), E (Joh 20,26) und die KR (21,1) dehnen diese Zeit auf verschiedene Weise. Nimmt man hinzu, daß für den PB Ostererfahrung und Geistbegabung zusammenfallen (20,22!), dann differiert davon auch Lk, der für die Ereignisse von Lk 24 bis Apg 2 den weitesten Zeitraum überhaupt ansetzt. Daß die österlichen Erscheinungen nach 1 Kor 15,5–7 (wie immer die traditionsgeschichtlichen Verhältnisse der Auflistung sein mögen) selbst nur im Falle der drei ersten Ereignisse in 15,5 f. auf einen Tag fallen, wird keiner behaupten wollen. Paulus rechnet nach 1 Kor 15,8 mit einer abgeschlossenen Periode von Erscheinungen, ohne eine Zeitangabe zu geben.

Über die Zeitangabe der Redaktion des PB (V 19 a) ist zugleich indirekt der Ort der Handlung festgelegt: Wegen 19,41; 20,1 kann nur Jerusalem und seine engere Umgebung in Frage kommen. Auch dies stimmt mit Lk 24 überein. Mk 16,7; Mt 28,16 ist (auch) Galiläa genannt. Nimmt man die »500 Brüder« aus 1 Kor 15,6 als ungefähre Zahlenangabe, so wird man sich eine so große Zahl wohl am ehesten in Galiläa unter freiem Himmel denken. Es fällt auf, daß Joh 20,19–23 (G) von Haus aus ortslos tradiert ist; Joh 21,1 spricht dann von Galiläa. Das Prinzip der Einheit von Zeit und Ort in V 19a ist also literarisches Gestaltungsmittel, nicht aber unmittelbar historisch auszumünzen.

Nach der Zeitangabe, deren vorangestelltes Partizip im Joh bis auf 6,22 (KR) ohne Analogie ist, folgt ein zweiter Genitivus absolutus (solche Doppelung begegnet nur noch 13,2 auch durch Redaktion), mit dem die ehedem selbständige Erzählung früher begann. Mit sparsamsten Strichen zeichnet sie die Szene: Dem Hauptsatz, in dem stilgemäß Jesus Subjekt ist, werden zwei verzahnte Angaben in knapper Form vorgeordnet: die verschlossenen Türen, hinter ihnen die Jünger. Die Verriegelung weist auf das Eintrittswunder des kommenden Auferstandenen hin. Die Jünger sind konstitutiv als Zeugen und Adressaten der Ereignisse. Von der Furcht vor den Juden spricht erst E (7,13; 19,38; vgl. 9,22; 12,42), der die Verschließung des Raumes sekundär begründet. Jesus kommt und steht in ihrer Mitte, damit ist schon der ganze wunderbare Vorgang geschildert. Zurückhaltender geht es kaum. Jesus entbietet den Friedensgruß. Er ist alltägliche Begrüßungsformel (vgl. Lk 10,5; 24,36; Joh 20,21.26; der Friedenswunsch ist auch gern Abschiedsgruß: Lk 7,50; 8,48; Apg 15,33), hat aber zweifelsfrei hier betonten, tieferen Sinn. Er ist kaum Erkennungszeichen, daß es Jesus ist, weil im Unterschied zu 20,14–16 der Auferstandene von Anfang an als Jesus gilt. Vielmehr Jesus entbietet den Frieden, der V 22f. dann genauer bestimmt wird und der Folge von Kreuz und Auferstehung ist. Im Unterschied zu der (traditionsgeschichtlich wohl sekundären) Fehlinterpretation der Jünger in Lk 24,37 kommen die Jünger überhaupt erst mit ihrer Wiedererkennensfreude V 20b ins Spiel. Jesus zeigt nach dem Friedensgruß unmittelbar Hände und Seite (V 20a; im mündlichen Traditionsbereich vor dem PB: Hände und Füße, s. o.). Damit ist seine Identität ausgewiesen, bevor die Jünger überhaupt Zweifel äußern können, zugleich ist der Grund des Friedens sinnenfällig zum Ausdruck gebracht. Der Gekreuzigte und nun Auferstandene ist der Urheber und Garant des Friedens (vgl. Eph 2,14–17; Kol 3,15; 2 Thess 3,16; Hebr 7,2; Offb 1,4). E kann daran gedacht haben, daß der Friedenszuspruch der Abschiedssituation 14,27 nun durch den Auferstandenen aufgegriffen wird. Der zurückhaltenden Schilderung in V 19b entspricht die ähnlich karge Schilderung der freudigen Reaktion der Jünger (V 20b). Die Herrenbezeichnung Jesu ist typisch (vgl. zu 20,2). Für E wandelt sich die Furcht aus V 19 nun in Freude (vgl. auch 16,20 KR). Für den PB ist die Freude allein Reaktion auf V 19b.20a, d. h. nicht nur Wie-

dersehensfreude, sondern auch Freude als Folge des den Jüngern
zugedachten Heilsertrages aus Jesu Geschick (vgl. Röm 14,17;
15,13).
Mit V 21 wird nun die Analyse schwierig: Der Friedensgruß, der
am Anfang von Jesu Auftritt sachlich ganz korrekt steht, wird wiederholt. Das erweckt den Eindruck einer störenden Dublette. Diese Vermutung erhält eine Stütze durch die Beobachtung, daß Jesus
dreimal zu reden ansetzt (V 19c.21.22b): Ist das nicht angesichts
der zielgerichteten knappen Erzählstruktur in V 19f. überladen?
Weiter: V 21 wird in keiner Weise mit V 22f. vermittelt. Beide
Worte Jesu stehen in gegenseitiger Isolation. Nun könnte man (mit
Fortna) erwägen, ob nicht mit V 20 ein Abschluß gegeben ist, so
daß V 21–23 Stufen eines Wachstumsprozesses sind. Aber das wäre
innerhalb der Osterlegenden analogielos. Für sie ist gerade typisch,
daß sie auf Beauftragung, Sendung und Jüngervollmacht hin zugeschnitten sind (Kasting, Wilckens u. a.). Also geht es darum, ob V
21 oder V 22f. den alten Abschluß bilden und wer dann Bearbei-
tungen vornahm. Für V 21 ist nun längst gesehen (Bultmann,
Schnackenburg), daß Joh 17,18 eine enge Parallele bietet. Das bedeutet aufgrund der Ergebnisse zu Joh 17: Die KR kann V 21 gebildet haben. Aber dieser Schluß ist voreilig, denn der für Joh 17 konstitutive verkirchlichte Dualismus, 17,18 vertreten durch den Kos-
mosbegriff, fehlt V 21. Auch ist 17,18 innerhalb von Joh 17 gar
nicht so zentral, daß gerade dieser Sendungsgedanke nochmals in
20,21 die Repräsentanz von Joh 17 darstellen sollte. Außerdem ist
der Sendungsgedanke überhaupt joh Allgemeingut. Allerdings ist
zu beachten, daß E den Sendungsgedanken exklusiv christologisch
verwendet, sieht man von der schwierigen Stelle 4,34.38 ab, die jedoch keineswegs programmatisch, sondern mehr nebenbei redet,
ganz im Unterschied zu 20,21. Doch gibt es noch einen anderen
Zusammenhang, der Beachtung verdient: 13,15f.20. Gehörten diese Verse ursprünglich einmal zum PB, dann ergeben sich deutliche
Zusammenhänge. Eingangs der Passion stellt Jesus programmatisch dar, wie das Gesandteninstitut der Jünger von seinem Vorbild
lebt. Nun sendet der Auferstandene die Jünger in diesen Dienst in
analoger grundsätzlicher Form. Also: an das Vorbild des Irdischen
gebunden, sind die Jünger Gesandte des Auferstandenen. Dies alles
ist im Rahmen des PB im Unterschied zu Joh 17 undualistisch konzipiert. Also soll als These gelten: Die ehemalige Einzelerzählung
von der Erscheinung Jesu vor den Elfen ist durch 20,21 theologisch
bewußt dem PB eingefügt worden. Dabei wählte der Redaktor des
PB einen typischen Ort, denn auch Mt 28,19f.; Mk 16,15; Lk

24,47 sind den Erscheinungsberichten redaktionell Sendungsaussa-
gen zugeordnet. Vergleicht man sie mit 20,21, so fällt auf, daß in
20,21 eine Objektsbenennung für den Sendungsauftrag überhaupt
fehlt (sonst immer: die Welt). Das kann kaum Zufall sein. 20,21
sind also nicht weltweit missionarisch ausgerichtet, vielmehr wird
die Vollmachtsübertragung als solche in den Vordergrund gerückt
und in Verbindung mit 13,15 f. 20 stillschweigend gemeindebezo-
gen gesprochen.
Dann dürften V 22 f. der vor dem PB liegenden Erzählung zuzuordnen sein. Für diese Zuordnung spricht vieles: Die archaische
Art der Geistübermittlung (vgl. 1 Mos 2,7; 1 Kön 17,21 f.; Ez 37,9
und in JA 19,10 f. die Übermittlung durch Küsse), die im ganzen
Joh singulär ist, und die auch darin zu E kontrastiert, als weder ein
Bezug zum Parakleten hergestellt ist, noch mit der Aussage, daß
der Vater den Geist sendet (14,16.26), eine Vermittlung versucht
ist, noch überhaupt sonst im Joh Geist und Sündenvergebung so
verbunden sind. Singulär ist das artikellose Reden vom heiligen
Geist wie der Begriff für »anblasen«. Auch das Paar »erlassen« und
»festhalten« ist ganz ungewohnt, endlich ist der Plural »die Sünden« im Joh nur noch 8,24; 9,34 benutzt, hingegen oft in der Gemeindesprache des 1 Joh (1,9; 2,2; 3,5 usw.). V 22 f. dürften also
der alte Abschluß der Erscheinungslegende gewesen sein (so auch
Schnackenburg). Also ist sein Sinn zunächst aus den Sätzen selbst
zu erheben.
Zwischen Geistübertragung und Sündenvergebung gibt es einen
traditionellen Zusammenhang (vgl. Ez 36,25–27; 1 QS 3,7 f.;
4,20 f.). In der frühen Kirche waren Geist und Sündenvergebung in
der Taufe engstens aufeinander bezogen (Apg 2,38; 1 Kor 6,11; Tit
3,4–7). Die Vollmacht der Gemeinde zur Sündenvergebung grün-
dete dabei in Jesu Tod und Auferstehung (vgl. 1 Kor 15,3–5; Mk
10,45; 14,24; Röm 3,24–26; 6). Auch die joh Gemeindetradition
enthält die Aussage, daß nämlich Jesu Tod Sündenvergebung
bringt (1 Joh 1,7; 3,5; 4,10.14). Weiter wird man die Vollmacht zur
Sündenvergebung in V 23 nicht ohne Mt 16,19; 18,18 betrachten
dürfen. Auf diesem Hintergrund besagt 20,19–23 (G) als Einzeltradition (wegen V 20) dasselbe wie als Abschluß des joh PB: Der
Auferstandene teilt den Ertrag seines Todes vollmächtig den Jüngern aus. Die Einsicht in diesen Zusammenhang von Sündenvergebung kraft des Geschicks Jesu ist die wahre und entscheidende Einsicht in Jesu Passion. Die alte Bekenntnistradition 1 Kor 15,3–5
bietet nicht nur einen strukturverwandten Ablauf der Ereignisse,
sondern auch eine analoge Auslegung des Todes Jesu. Der joh PB

steht also dieser Theologie nahe. Dies ist in der Tat ein anderes
Verständnis des Kreuzes, als es E in 13,31f. formuliert. Es macht
zugleich einsichtig, daß V 22f. nicht ein spezielles Sakrament eingesetzt sehen will, sondern überhaupt das neue Leben des Christen
als Folge der Frucht von Jesu Tod darstellen will. Darin ist der joh
PB viel mehr dem allgemeinen Urchristentum verbunden als E. Allerdings ist aufgrund der Achse 13,15f.20 und 20,21 zu erwägen,
ob die erteilte Vollmacht nicht an die Institution der Wanderprediger gebunden wird. Dies legt sich von 13,15f.20 her nahe, ist aber
20,21 nicht direkt ausgesprochen. E hat offenbar dieses Ende des
PB einfach unkommentiert stehen lassen. Er hatte ja in Joh 13f.
sein Verständnis vorweg genannt und hat nun offenbar nur noch
die Absicht, durch V 24ff. seinen Abschluß des Joh anzufügen.

3. Die Erscheinung des Auferstandenen vor Thomas
20,24–29

24 Thomas jedoch, einer von den Zwölf, genannt Zwilling,
war nicht bei ihnen, als Jesus kam.   25 Die anderen Jünger
sagten nun zu ihm: »Wir haben den Herrn gesehen.« Er jedoch sprach zu ihnen: »Wenn ich nicht an seinen Händen
das Mal der Nägel sehe, und wenn ich meinen Finger nicht in
das Mal der Nägel und meine Hand nicht in seine Seite lege,
glaube ich nicht.«
26 Und acht Tage danach waren seine Jünger wieder drinnen, auch Thomas war bei ihnen. (Da) kommt Jesus bei verschlossenen Türen, trat in die Mitte und sprach: »Friede (sei)
mit euch.«   27 Danach sagt er zu Thomas: »Lege deinen
Finger hierher und betrachte meine Hände; und nimm deine
Hand und lege sie in meine Seite; und sei nicht ungläubig,
sondern gläubig!«   28 Thomas antwortete und sprach zu
ihm: »Mein Herr und mein Gott!«   29 Spricht Jesus zu ihm:
»Weil du mich gesehen hast, bist du zum Glauben gekommen. Selig (sind), die nicht sehen und (doch) glauben.«

Literaturauswahl: Vgl. zu III C 1. Außerdem: *Boismard, M.-É.:* Saint Luc
et la rédaction du quatrième évangile (Jn 4,46–54) RB 69 (1962), speziell:
200–203. – *Dauer, A.:* Zur Herkunft der Thomas-Perikope Joh 20,24–29,
in: Biblische Randbemerkungen (Schüler-FS R. Schnackenburg), Würzburg ²1974, 56–76 (Lit.). – *Käsemann, E.:* Wille, 51–54.89f. – *Pflugh, V.:*
Die Geschichte vom ungläubigen Thomas Joh 20, 24–29 in der Auslegung

der Kirche von den Anfängen bis zur Mitte des sechzehnten Jahrhunderts,
Diss. theol. Hamburg 1966. – *Richter, G.:* Untersuchungen, 180–182.

Die Thomasperikope ist in mancher Hinsicht in der gesamten
Osterüberlieferung auffällig: Sie ist Sondergut innerhalb des gesamten Überlieferungsbereiches. Thomas als spezieller Osterzeuge
ist nirgends mehr genannt. Daß nach dem Erscheinen Jesu vor den
Jüngern noch ein einzelner Jünger solcher österlichen Sondererfah-
rung gewürdigt wird, steht im Gegensatz zu Mt und Lk, aber auch
zu der Auflistung in 1 Kor 15,5–7. Die Bedingung, unter der Thomas allein glauben will (20,25), ist als solche wie ihrem Inhalt nach
ohne Parallele. Nur das Motiv des Zweifels hat motivische Analogien: Vgl. Mt 28,17; Lk 24,11.21 ff.37 f.41, und Lk 24,39–43 wird
die Demonstration der Leiblichkeit auch recht massiv dargestellt.
Dasselbe gilt von dem Umstand, daß Jesus bereitwillig auf das Betasten der Wunden eingeht (20,27). Die Gottesprädikation Jesu
(20,28) fehlt sonst in der Ostertradition und auch das Schlußwort V
29 hat thematisch keine Analogie in den österlichen Erscheinungslegenden.
Auch die Zuordnung der Perikope zu 20,1–23 hat Schwierigkeiten: Wenn V 24 nachträglich Thomas die Erscheinung von
20,19–23 vorenthalten wird, damit V 26–29 sich ereignen kann,
so widerspricht das dem Gesamtsinn von 20,19 ff. Hier ist vorausgesetzt: Alle Jünger (bis auf Judas) erhalten die Vollmacht
nach V 21–23. Eigentlich müßte Thomas diese in V 26 ff. nachträglich bekommen. Daß das nicht geschieht, zeigt, wie die Thomasperikope ganz andere Absichten verfolgt als die Erscheinung
vor den Elfen. Funktional sind V 22 f. und V 29 Dubletten, die
beide abschließend und gewichtig reden wollen. Beide Stellen tun
es jedoch unter ganz verschiedenen Interessen und mit ganz anderen Inhalten. Dies erkennt man auch daran, daß die Jünger V
25 das Sehen des Herrn erwähnen, aber nichts von V 21–23.
Sendung und Vollmacht sind also bedeutungslos, daß sie den
Herrn sehen, ist allein wichtig.
War 20,19–23 (G) der Abschluß der Ostererzählungen im PB, so
ist V 24 ff. eine mit anderer Zielsetzung konstruierte Erweiterung
mit Hilfe von Aussagen aus V 19–23: V 24 b schildert Jesu Kommen mit denselben Worten wie V 19 b. So formuliert V 25 a das
Osterzeugnis der Jünger gemäß 20,18 unter sachlichem Rückgriff
auf V 20 b situationsgerecht um; und die Jünger als Osterzeugen
entsprechen V 19 f. Die Bedingung des Thomas und Jesu Eingehen
auf sie (V 25 b.27) sind aufgrund von V 20 a entstanden. In V 26

entspricht die Reihenfolge der Motive und ihr Inhalt mit einer kleinen Variante genau V 19, denn es folgen aufeinander: die Zeitangabe, das Beisammensein der Jünger, Jesu Kommen, die verschlossenen Türen, Jesu Stehen in der Mitte, der Friedensgruß. Nur die Erwähnung der verschlossenen Türen erfolgt in V 19 vor Jesu Kommen, was zweifelsfrei besser ist, weil so das Eintrittswunder sach-
gemäß vorbereitet und nicht erzählerisch nachgeliefert wird. Das
Grundgerüst aus V 24 ff. ist also V 19 f. (V 21–23 werden unbenutzt
liegen gelassen) entnommen. V 24 ff. hat also nie unabhängig von V
19–23 existiert.

Wem ist dann die sekundäre, ad hoc gebildete Erweiterung in V
24 ff. zuzutrauen? Die Forschung benennt den PB (Bultmann,
Graß, Wilckens), E (so die meisten, u. a. Hirsch, Finegan, Fortna,
Schnackenburg usw.) und die KR (so Richter, Thyen, Langbrandtner, Hoffmann, die alle auch 20,19 ff. der KR zuweisen). Eine Variante ist dabei noch die These, E habe V 24 ff. gestaltet, aber dabei
Teile aus V 19 ff. (PB) dort unterdrückt, um sie hier zu benutzen
(Hartmann, ähnlich Dauer). Für die Zuweisung an den PB wird
nur ein wirklicher Grund namhaft gemacht: Thomas wird als »einer von den Zwölf« eingeführt, obwohl er für E durch 11,16; 14,5
bereits bekannt ist. Ist dies schon allein ein dürftiges Argument, so
erklärt sich der Bezug auf die Zwölf auch anders: Der Autor von V
24 liest wie jedermann die Erwähnung der Jünger in V 19.20 sachlich als die Zwölf (abzüglich Judas) und muß nun die Ausnahme
des Thomas V 24 einführen. Außerdem wird theologisch wichtig
sein: Thomas als Mitglied des Zwölferkreises bekommt seine Glaubensbedingung erfüllt, alle anderen sind auf Glauben ohne Sehen
angewiesen (V 29). Durch V 24 a wird also begründet, warum Thomas Ausnahme von der allgemeinen Regel ist. Damit gibt es keinen
Grund für eine Zuweisung an den PB. Auch die KR scheidet aus.
Die Zuweisung an sie kann überhaupt nur mit einer antidoketischen Ausrichtung (vgl. zu 20,19–23 und 1,14–18) konstruiert werden. Solche Frontstellung hat sich bisher nirgends im Joh gezeigt.
Auch für 20,24 ff. gilt: Nicht Polemik gegen die These, Jesus habe
nur einen Scheinleib gehabt, bestimmt die Darstellung, sondern das
Motiv der Identifikation ist extrem ausgenutzt (Wilckens), um die
Problematik von V 29 zu erörtern: Die Regel ist, man muß glauben, ohne zu sehen. Doch gilt ebenso: Die Ostererfahrung durch
Sehen ist durch die unmittelbaren Jünger Jesu bis hin zu der besonderen Situation des Thomas gut bezeugt. Im übrigen folgt auf die
Aufforderung Jesu V 27 keine Schilderung des Demonstrationsbe-
weises (anders Lk 24,42–43), was sich wohl kaum ein antidoketi-

scher Polemiker hätte entgehen lassen (Schnackenburg). Also ist
auch die KR für V 24 ff. nicht verantwortlich zu machen.

So bleibt E nach, und in der Tat spricht für E sehr viel: E gestaltet
Szenen frei und konkret mit namentlich genannten Personen (vgl.
3,1 ff.; die Dialoge in Joh 11; 14); er führt schon 11,16; 14,5 Thomas als literarisch sekundäre Konkretisierung ein. Daß E mit V 28
den Bogen zu 1,1.18 spannt (s. u.), wird überall gesehen. Zu E passen die Sorglosigkeiten in der Szene und Sache, wie sie durch Anfügung von V 24 ff. an V 19 ff. offen zutage liegen (s. o.), ebenso die
in V 24 ff. selbst. Denn daß nun die Jünger gerade noch gegrüßt
werden, sonst aber absolut keine Beachtung erhalten, vielmehr alles auf Thomas und Jesus zugespitzt wird, ist schon merkwürdig.
Die Thomasperikope ist also eine auf V 28 f. hin konstruierte, idea-
le Szene, die dabei Motive aus V 19 f. bewußt aufgreift. Anstatt V
19–23 als Abschluß der Osterereignisse einfach stehenzulassen oder
umzuprägen, hat E durch V 24 ff. seinen Schluß neu hinzugefügt.
Diese Annahme bedarf auch keiner Ergänzung durch die viel zu
komplizierte und hypothetische Vermutung, E habe Teilstücke aus
V 19–23 dort ausgelassen, um sie hier zu verarbeiten (gegen Hartmann). Weder zwingt zu V 19 ff. eine Beobachtung, solche Auslas-
sungen zu vermuten, noch bedarf es solcher Überlegungen bei der
Auslegung von V 24 ff.

Mit V 24 stellt E, überraschend für den Leser, heraus, daß Thomas
bei der letzten Erscheinung gefehlt hat. Dabei soll der Leser in bezug auf die Person des Thomas nicht mit Hilfe von 11,16; 14,5
(beide E) ein Charakterbild des Jüngers entwerfen (das gelingt auch
bei Nikodemus in 3,1 ff.; 7,50; 19,39 nicht). Welcher Jünger zur
Konkretion gewählt wird, ist relativ beliebig (doch vgl. noch zu
11,16). Auch in 6,8; 13,23 werden übrigens Jünger, zum engsten
Kreis um Jesus gehörig, eingeführt. Mehrfach begegnet bei Judas
eine zu 20,24 verwandte Kennzeichnung (6,71; 12,4). Daß Thomas
Zwillingskind ist, wird schon 11,16 (E) mit erwähnt. Warum Thomas nicht bei der Erscheinung am Abend des Ostersonntags dabei
war, wo er war und was er trieb, darf nicht gefragt werden. Nur
daß er fehlte, hat Bedeutung. Auch zum Kurzbericht der Jünger in
V 25 a sind analoge Hintergrundfragen falsch gestellt. Thomas soll
so – mit typischer Formulierung (vgl. zu V 18) – nur erfahren, daß
Jesus auferstanden ist, so daß er wie alle Christen vor die im Wort
weitergegebene Auferstehungsbotschaft gestellt ist. Darum sind die
Aussagen aus V 21–23 ganz unwichtig. Denn nicht die Vollmacht
der Jünger wird problematisiert, sondern die Situation aller Hörer
des Evangeliums von der Auferstehung aufgearbeitet. Diese Situa-

tion besteht darin, daß für alle – abgesehen von den Jüngern selbst – Ostern nur im Zeugnis der Jünger zugängig ist. Diese Funktion und Wirklichkeit des Wortes samt der konstitutiv dazugehörigen Aussagen über den Glauben hatte E schon u. a. 11,25f.; 12,31f.; 14,1–26 so beschrieben, daß die Relation Wort – Glaube jeder speziellen, einmaligen Ostererfahrung – auch bei den Jüngern – sachlich-theologisch vorgeordnet wurde. Der Osterglaube hängt nicht an ein paar Erscheinungen (die es für E gibt und die für ihn gut bezeugt sind), sondern an der im Wort präsenten Selbstoffenbarung des Herrn, die immer wieder Glauben schafft. Mag es wunderbare Erscheinungen des Auferstandenen geben, so wie des Irdischen Wirken nicht ohne Wunderglanz ist (vgl. die Aufnahme der SQ durch E, vgl. dazu Exkurs 1), theologisch ist dafür gesorgt, daß auf der Basis von Wort und Glaube jeder zum Heil kommen kann – gerade auch ohne Erscheinungen. Die Thomasperikope ist ein Plädoyer für solchen Glauben unter dem Wort; der Glaubensbedingungen außerhalb des Wortes stellende Thomas ausnahmsweise Kontrastfigur für diese Position.

Die Glaubensbedingung des Thomas ist V 25b im Anschluß an V 20 formuliert: Thomas reicht nicht allein das freiwillige Vorzeigen der Wunden Jesu. Er übersteigert solchen Beweis, nicht nur sehen, nein, betasten will er sie! Solche innerhalb der Osterüberlieferung einmalige Zuspitzung als Glaubensvoraussetzung ist bewußt intendiert. Lk 24,39 ist das Betasten freiwillig gewährt (zum Verb vgl. noch 1 Joh 1,1). 4,48 hatte E aufgrund einer ähnlichen Bedingung schon Wundersucht in die Schranken gewiesen, ohne daß er Jesus das Wunder versagen ließ. Nun wird er ähnlich verfahren.

Mit V 24f. ist der erste Teil der Erzählung an sein Ziel gekommen. Nun folgt die Begegnung mit dem Herrn, um derentwillen der Einleitungsteil überhaupt nur konzipiert wurde. Mit geringer Veränderung gegenüber V 19 (s. o.) und unter ausdrücklicher Nennung des Thomas wird nun Jesu Kommen geschildert. Das Ereignis findet eine Woche später statt. Der Sonntag ist schon Herrentag als Tag der Auferstehung (Offb 1,10; Ign Magn 9,1; Barn 15,9), darum erhält Thomas sein Ostern genau acht Tage nach der Ersterscheinung vor den Jüngern in V 19ff. Die Zahl acht ergibt sich, weil nach damaliger Gepflogenheit der erste Tag – also der Sonntag aus V 19 – voll mitgezählt wird. Nach dem Friedensgruß (vgl. zu V 19) spricht Jesus sofort Thomas an (V 27). Wenn schon der Irdische übernatürliches Wissen besaß, wie die SQ (vgl. Exkurs 1) und E festhalten (vgl. z. B. 2,24f.; 11,1–16), so erst recht der Auferstandene: Ihm muß nicht erst Rapport gegeben werden, er kann sofort

zur Sache kommen. Dabei bietet Jesus dem Thomas genau die Bedingung für den Glauben an, die dieser aufgestellt hatte, vervollständigt durch die abschließende Glaubensforderung. Diese ist
zwar sprachlich für das gesamte Joh untypisch formuliert, aber
theologisch das Grundanliegen aller von E konzipierten Reden Jesu. Eben darum geht es für Thomas und alle Menschen (V 29!): um
den Glauben.

Thomas nimmt den angebotenen Beweis nicht an. Eines Betastens
bedarf es nicht mehr. Das Wort Jesu schafft bei ihm Glauben – wie
bei allen Menschen (vgl. 6,35 ff.). Wie Petrus aufgrund der Worte
des Lebens glaubt und erkennt, daß Jesus der Heilige Gottes ist
(6,68 f.), so formuliert nun auch Thomas aufgrund von Jesu Rede
seinen Glauben. An der Bezeugung des Auferstandenen ist also in
der Tat kein Mangel, nicht nur, weil er die Wunden zum Betasten
freigibt, sondern weil er durch sein Wort Glauben schafft und so
Betasten überflüssig macht. Glauben schaffen und so ins Leben rufen, das ist göttliches Herrenrecht allein (vgl. 5,19–30), dement-
sprechen prädiziert Thomas seinen Jesus: »Mein Herr und mein
Gott« (V 28). Das Possessivpronomen steht sachlich für eine Formulierung wie z. B. in 11,27: »Ja Herr, ich bin zu dem Glauben
gekommen, du bist der Christus, der Sohn Gottes ...«. Glaube ist
für E der individuelle Glaube des einzelnen. Bei der Verbindung
von »Herr« und »Gott« mag liturgische Tradition Einfluß genommen haben. Sicher ist das nicht, weil klare Parallelen fehlen. Auch
die Gottesprädikation in der LXX (Ps 34,23; 85,15; 87,2 usw.) ist
nur formal vergleichbar. Dies gilt auch für die politische Anrede,
die Domitian für sich forderte (»*Dominus et Deus noster*«, Sueton,
Domitian 13), denn eine Abgrenzung von einem politischen Heils-
anspruch ist bei E nicht erkennbar. Wahrscheinlich hat E auf die
Herrenbezeichnung des Auferstandenen im PB zurückgegriffen
(vgl. zu 20,2) und die Gottesprädikation absichtlich hinzugesetzt,
wird doch so der Kreis zu 1,1.18 geschlossen und gerade die Gott-
gleichheit, an der die Juden mit der Konsequenz der Tötung Jesu
Anstoß nehmen (vgl. 5,18; 8,58 f.; 10,30 f. usw.) nun abschließend
dem Auferstandenen zugesprochen.

V 28 wäre durchaus ein sinnvoller Abschluß der Erzählung, aber
für E hat Jesus das letzte Wort im Joh, ein Wort, das auf die Leser
des Joh abzielt. Thomas kam zum Glauben, weil er den im Wort
sich an ihn wendenden Herrn auch sah. Also als einem der Zwölf
wurde ihm auch eine Erscheinung zuteil. Davon wird nichts weggenommen. Nur die besondere zum Wort zusätzliche Weise, aufgrund deren Thomas zum Glauben und Bekennen kam, bleibt auf

die Jünger begrenzt. Alle anderen müssen und können ohne Sehen allein aufgrund des Wortes glauben. Diese anderen, die den Normalfall repräsentieren, werden selig gepriesen. So läßt E Jesu Selbstoffenbarung mit dem einzigen Makarismus in seinem Evangelium enden (15,17 stammt von der KR). Wie Thomas auf das Betasten verzichten konnte, so alle Christen auch auf das Sehen, weil sie den vollen Heilsstand im Glauben aufgrund des Wortes haben (vgl. 14,1–24). So läßt E seinen Christus nicht letztmals in einer Abschiedsszene auftreten – sie hat ihren Platz vorösterlich in Joh 13 f. –, sondern mit einem Wort, das alle Zukunft an die Glauben schaffende Gegenwart des Herrn bindet.

IV. Der Epilog 20,30–31

30 Noch viele andere Zeichen hat Jesus vor seinen Jüngern getan, die in diesem Buch nicht aufgezeichnet sind. 31 Diese jedoch sind aufgeschrieben, damit ihr glaubt, daß Jesus der Christus ist, der Sohn Gottes, und damit ihr als Glaubende Leben habt in seinem Namen.

Literaturauswahl: Vgl. Exkurs 1. – *Bauer, W.:* Das Leben Jesu im Zeitalter der neutestamentlichen Apokryphen, Tübingen 1909, 364 f. – *Dibelius, M.:* Formgeschichte des Evangeliums, Tübingen ⁶1971, 37. – *Riesenfeld, H.:* Zu den johanneischen *ina*-Sätzen, StTh 19 (1965) 213–220. – *Thraede, K.:* Untersuchungen zum Ursprung und zur Geschichte der christlichen Poesie I, JAC 4 (1961) 108–127, hier: 117.120–127.

Ihrem Charakter nach sind diese Sätze Abschlußsätze eines literarischen Werkes. Ein formal ähnlicher Abschlußsatz begegnet nochmals 21,25. Bemerkungen, daß man noch vieles schreiben könnte, sind im Altertum als Schlußbemerkungen reichlich bekannt (vgl. Dibelius, Bultmann, Thraede). Im joh Traditionsbereich gibt es im Briefstil eine verwandte Bemerkung (vgl. 2 Joh 12; 3 Joh 13). So ergibt sich: 20,30 f. sind der eigentliche Abschluß des Joh; Joh 21 hingegen ein Nachtrag. Wie E erstmals innerhalb der Evangelientradition den Eingang des Evangeliums durch einen Hymnus gestaltete, so verwendet er auch am Schluß erstmals, formgeschichtlich gesehen, in einem Evangelium solchen sonst typischen Schluß. Dabei hat der Verweis auf die vielen Wunder später – unabhängig vom Joh – als Schlußnotiz weiter Verwendung gefunden (Bauer, Leben).
Ist 20,30 f. Epilog des Joh, so ist er es doch nicht in der Weise, daß er einfach von E neu gebildet wurde, vielmehr hat E für den Abschluß seines Evangeliums den ehemaligen Schluß der SQ (vgl. Exkurs 1) verwendet. Darauf weist das Stichwort »Zeichen«, ist es doch schlechterdings unerklärlich, wieso E sein Evangelium so zusammenfassen kann. Zeichen sind im Joh immer konkret Wundertaten des Irdischen. Weder werden mit diesem Leitbegriff die tonangebenden Reden von E erfaßt, noch begegnet der Begriff in Joh 13–20 auch nur einmal. Umgekehrt eignet sich solche Bemerkung ausgezeichnet als Abschluß der SQ, zumal die theologische Aussage in V 30 f. bis auf den abschließenden Satz eine gute Zusammenfassung des Anliegens der SQ ist (vgl. dazu Exkurs 1).

E kommt es bei der Übernahme aus der SQ nicht darauf an, ob sich sein Evangelium unter dem Begriff des Zeichens erfassen läßt. Letztmals zeigt er in solchen Äußerlichkeiten eine gewisse Gleichgültigkeit. Darum ist es fehl am Platz, von 20,30 her nachträglich zu fragen, ob die Kreuzigung oder die österlichen Erscheinungen oder gar die Reden für E auch Zeichen sein sollen. E hat bei den Reden, innerhalb der Passion und in 20,1–29 so sein Anliegen klargemacht, daß er ohne diesen Begriff auskam. Wenn er nun einmal unter dem Druck der SQ mit dem Begriff zusammenfassend arbeitet, sollte man nicht spitzfindig von 20,30 her nochmals die Theologie von E neu aufrollen. E hat an dieser Schlußbemerkung offenbar geschätzt, daß so ein literarischer Abschluß markiert wird, theologisch die Christologie in den Vordergrund gerückt und die Glaubensforderung an die Gemeinde betont wird. Denn auch daran sollte kein Zweifel aufkommen, daß die textkritische Variation in V 31 beim Verb »glauben« (einmal wird das Präsens, ein anderes Mal der Aorist geboten) nicht geeignet ist, über die Deutung des Aorists als einem ingressiven dem Joh missionarische Absicht zu unterstellen. Einmal ist diese textgeschichtliche Zwiespältigkeit im Joh keineswegs auf diese Stelle beschränkt, noch bietet sich z. B. bei 11,15; 14,29 solche Deutung an (vgl. Schnackenburg). Vor allem aber widerspricht dem der Gesamtcharakter des Joh (vgl. Einleitung 3). Auch allgemeine Beobachtungen zu verwandten Sätzen sind solcher Annahme zumindest ungünstig (vgl. Riesenfeld). Wer dann noch weitergehen will, um aus den verwendeten Hoheitstiteln auf bestimmte Gruppen zu schließen, die E missioniert wissen will, gerät vollends ins allzu Hypothetische, da diese Titel nur im Zusammenhang der gesamten SQ bestimmt werden können (vgl. Exkurs 1).

Mit der einfachen Übernahme des Abschlusses der SQ hat sich E aber noch nicht zufriedengegeben. Am Schluß hat er durch eine zweite Zweckbestimmung (»und damit«) nochmals selbst das Wort ergriffen. Hatte die SQ die Zweckbestimmung im ersten Damit-Satz durch die Hoheitstitel hinreichend zur Geltung gebracht, so hebt nun E das entscheidende Heilsziel nochmals hervor (vgl. Exkurs 4) und stellt noch einmal fest, daß dieses Heilsziel nur erreichbar ist durch den Glauben an die Selbstoffenbarung des Sohnes. Diese Aussage steht wohl mit Absicht als Ergänzung zum letzten Wort Jesu in V 29.

V. Der Nachtrag der KR 21, 1–25

Zwar ist nach Ausweis der handschriftlichen Überlieferung das Joh nie ohne Joh 21 benutzt worden, aber es leidet keinen Zweifel, daß – wie nahezu
durchweg auch zugestanden wird – Joh 21 ein Nachtrag ist. Zusätzlich zu
den folgenden Argumenten wird die Einzelanalyse begründen: Es ist die
KR, die auch sonst im Joh redigierte, die mit Joh 21 – speziell mit V 24 f. –
dem vierten Evangelium Autorität und Anerkennung verschaffte (vgl. die
Einleitung 2 c). Der Nachtragscharakter liegt offen zutage: 20,28 f. und
20,30 f. sind Abschluß eines literarischen Werkes. Weiteres erwartet der Leser nicht und kann von der Sache her auch nicht folgen. – Die durch 21,24 f.
gelöste Autorfrage setzt den Tod des Autors bereits voraus, besagt also
selbst: Joh 21 ist Nachtrag, wenn anders ein bereits gestorbener Autor Joh
1–20 kaum noch schreiben kann. Nun hat man versucht, nur in 21,24 f. einen Nachtrag zu sehen und diesem Redaktor zuzutrauen, er habe 20,30 f.
bei dieser Ergänzung erst an seinen jetzigen Platz (von der ursprünglichen
Stellung nach 21,23) gestellt (Lagrange). Doch nicht nur solche angenommene Umstellung ist ganz unbegründet, sondern 21,1–24 ist auch zweifelsfrei eine kompositorische Einheit (vgl. die Argumentation bei Kümmel,
Einleitung 173 f.). – 21,1–14 gehört innerhalb der Ostererzählungen zu dem
Typ der Wiedererkennungslegenden (vgl. dazu 20,11–18). Dieser Erzähltyp setzt voraus, Jesus gibt sich nach Karfreitag erstmals zu erkennen. So
verhält es sich auch Lk 24,13 ff.; Joh 20,11 ff. Nur Joh 21 ereignet sich,
nachdem alle Jünger (Joh 20,19–29) längst den Auferstandenen gesehen und
identifiziert haben. Doch blickt man nur auf 21,1–14, so zeigt V 3 die Unkenntnis von 20,21–23 und setzt stilgemäß voraus, daß die Osterbotschaft
noch unbekannt ist. Also: 21,1 ff. müßte vor 20,19 stehen. – Noch unter
einem anderen Aspekt steht Joh 21 verspätet: Nachdem Jesus mit allen Jüngern 20,19–29 gesprochen, sie alle beauftragt hat und also auch die Gemeinschaft mit Petrus trotz dessen Verleugnen in 18,15–18.25–27 wieder aufnahm, folgt nun erst, reichlich verspätet, in 21,7.15–19 die petrinische Reue
und Jesu neuer Anfang mit Petrus. – Weiter ist das Petrus übertragene Hirtenamt (21,15–19) sachlich nicht spannungsfrei zu der allen Jüngern in gleicher Weise übertragenen Vollmacht in 20,21–23. – Auch die traditionelle
realistische Zukunftserwartung, die sogar noch das Element der Naherwartung verarbeitet (21,22 f.), paßt zu solchen Stücken, die im Joh durch die
KR nachgetragen wurden (vgl. z. B. 5,28 f. und den Exkurs 7). – Joh 21
ereignet sich in Galiläa. Joh 20 setzt hingegen ausschließlich Jerusalem als
Erscheinungsort voraus. Wie und warum die Jünger den Ortswechsel vollziehen, bleibt ungeklärt. – Von Joh 20 zu Joh 21 verschieben sich auch die
theologischen Akzente: Das durchgängige Interesse an Petrus und dem
Lieblingsjünger ist jedem bei Joh 21 sofort erkennbar. Der ganze Text erhält eine auffällig kirchlich und kirchengeschichtlich orientierte Ausrichtung. Die bisherige Analyse des Joh hat ergeben, daß gerade solche kirch-

lich orientierten Stücke und speziell die Lieblingsjüngertexte Nachtrag der
KR waren. – Endlich sind auch sprachliche Besonderheiten in Joh 21 zumindest ein Achtungszeichen (vgl. Boismard, Bultmann, Kümmel, Schnakkenburg; gegen Ruckstuhl). – Weitere Beobachtungen wird die Auslegung
sammeln.

Joh 21 ist eine kompositorische Einheit und im Makrobereich dreigeteilt,
nämlich in 21,1–14; 21,15–23 und in den Abschluß 21,24 f. Diese Einteilung
ergibt sich zwanglos und ist Allgemeingut der Forschung. Da die Literatur
meistens das ganze Kapitel im Blick hat, sei sie für alle drei Teile vorwegge-
stellt.

Literaturauswahl: Vgl. die Literatur zu III C 1, zum Lieblingsjünger Exkurs 9; außerdem: *Ackroyd, P. R.:* The 153 Fishes in John 21,11, JThS 10
(1959) 94. – *Agourides, S.:* The Purpose of John 21, in: Studies in the History and Text of the New Testament (FS K. W. Clark), Salt Lake City 1967,
127–132. – *Bacon, B. W.:* The Motivation of John 21,15–25, JBL 50 (1931)
71–80. – *Boismard, M.-É.:* Le chapître 21 de Saint Jean, RB 54 (1947)
473–501. – *Braun, F.-M.:* Quatre »signes« johanniques de l'unité chrétienne, NTS 9 (1962/63) 147–155, speziell 153–155. – *Conzelmann, H.:* Geschichte des Urchristentums, NTD Ergänzungsreihe 5, ²1971, 130–135. –
Cullmann, O.: Petrus. Jünger – Apostel – Märtyrer, Zürich–Stuttgart ²1960
(vgl. Register S. 275). – *Dinkler, E.:* Art: Petrus RGG³ V, 1961, 247–249
(Lit.). – *Emerton, J. A.:* The Hundred and Fifty-Three Fishes in John
21,11, JThS 9 (1958) 86–89. – *Fortna, R. T.:* Gospel, 87–98.– *Glombitza,
O.:* Petrus – der Freund Jesu, NT 6 (1963) 277–285. – *Gräßer, E.:* Neutestamentliche Grundlagen des Papsttums?, in: Arbeitsgemeinschaft ökumenischer Universitätsinstitute (Hrg): Papsttum als ökumenische Frage, München–Mainz 1979, 33–58 (Lit.). – *Kasting, H.:* Die Anfänge der urchristlichen Mission , BevTh 55, 1969, 46–52. – *Klein, G.:* Die Berufung des Petrus, ZNW 58 (1967) 1–44 = *Ders.:* Rekonstruktion und Interpretation,
BEvTh 50, 1969, 11–48, speziell 36–43. – *Kruse, H.:* Magni pisces centum
quinquaginta tres (Joh 21,11), VD 38 (1960) 129–148. – *McElleney, N. J.:*
153 Great Fishes (Joh 21,11), Bib 58 (1977) 411–417. – *Pesch, R.:* Der reiche
Fischfang: Lk 5,1–11 / Joh 21,1–14, Düsseldorf 1969. – *Reim, G.:* Johannes
21 – ein Anhang? in: Studies in New Testament Language and Text (FS J.
K. Elliott), NT. S 44, 1976, 330–337. – *Roloff, J.:* Das Kerygma und der
irdische Jesus, Göttingen ²1973, 258–260. – *Ruckstuhl, E.:* Zur Aussage und
Botschaft von Johannes 21, in: Die Kirche des Anfangs (FS H. Schürmann),
Leipzig 1978, 339–362. – *Schwank, B.:* Der geheimnisvolle Fischfang: Joh
21,1–14; SuS 29 (1964) 484–498. – *Shaw, A.:* The Breakfast by the Shore
and the Mary Magdalene Encounter as Eucharistic Narratives. JThS 25
(1974) 12–26. – *Smalley, S. S.:* The Sign in John 21, NTS 20 (1973/74)
275–288. – *Solages, Mgr. de:* Jean et les Synoptiques, Leiden 1976, 189–236.
– *Thyen, H.:* Entwicklungen innerhalb der johanneischen Theologie und
Kirche im Spiegel von Joh 21 und der Lieblingsjüngertexte des Evangeliums, in: M. de Jonge (Hg.): L'Évangile, 259–299.

A. Jesu Erscheinung am See Tiberias 21,1–14

1 Danach offenbarte sich Jesus den Jüngern nochmals am See Tiberias. Er offenbarte (sich) aber so: 2 Simon Petrus und Thomas, genannt Zwilling, und Nathanael von Kana in Galiläa sowie die (Söhne) des Zebedäus und zwei andere von seinen Jüngern waren zusammen. 3 Simon Petrus sagt zu ihnen: »Ich gehe fischen.« Sie sagen zu ihm: »Auch wir kommen mit dir.« Sie gingen hinaus und bestiegen das Boot. Aber in jener Nacht fingen sie nichts.
4 Als es jedoch schon Morgen wurde, trat Jesus an das Ufer. Die Jünger jedoch wußten nicht, daß es Jesus war. 5 Da sagt Jesus zu ihnen: »Kinder, habt ihr keine(n Fisch als) Zukost?« Sie antworteten ihm: »Nein.« 6 Er jedoch sagte zu ihnen: »Werft auf der rechten Seite des Bootes das Netz aus, so werdet ihr (etwas) finden.« Sie warfen (das Netz) aus und konnten es nicht mehr ziehen wegen der Menge der Fische. 7 Da sagt jener Jünger, den Jesus liebte, zu Petrus: »Es ist der Herr.« Als Simon Petrus hörte, daß es der Herr sei, gürtete er sich das Obergewand um, denn er war nackt, und warf sich in den See.
8 Die anderen Jünger aber kamen mit dem Boot (nach), denn sie waren nicht weit vom Land entfernt, sondern (nur) etwa 200 Ellen, und sie schleppten das Fischnetz.
9 Als sie an Land gingen, sahen sie ein Kohlenfeuer am Boden und Fisch darauf und Brot. 10 Sagt zu ihnen Jesus: »Bringt von den Fischen, die ihr gerade gefangen habt!« 11 Simon Petrus stieg hinauf und zog das Netz an Land, gefüllt mit 153 großen Fischen. Und obgleich es so viele waren, zerriß das Netz nicht. 12 Sagt Jesus zu ihnen: »Kommt, nehmt die Mahlzeit ein.« Keiner von den Jüngern wagte ihn zu fragen: »Wer bist du?« Denn sie wußten, daß es der Herr ist. 13 Jesus kommt und nimmt das Brot und gibt es ihnen, desgleichen den Fisch.
14 Das ist nun das dritte Mal, daß Jesus sich den Jüngern offenbarte, nachdem er von den Toten auferstanden war.

Daß 21,1–14 mehrschichtig sind, wird heute angesichts des spannungsreichen Textes nicht ernsthaft in Frage gestellt. Zwei Ansätze sind dabei variiert worden: Nach der einen Meinung wurde ein Grundbericht redigiert, so daß sich die Schwierigkeiten dieser Bearbeitung zuschreiben lassen (Wellhausen, Bultmann, Klein usw.).

Nach der anderen Anschauung sind redaktionell zwei verschiedene Erzähltraditionen, eine vom wunderbaren Fischfang mit der traditionsgeschichtlichen Variante in Lk 5,1–11 und eine von einer wunderbaren Speisung, jetzt ineinander verzahnt (Brun, Boismard, Pesch, Schnackenburg usw.). Die Hauptprobleme, die zu einer kritischen Analyse des Textes notwendig führen, sind dabei folgende: a) die Jüngerliste in V 2 nennt ausgerechnet den Jünger nicht, der als Lieblingsjünger in V 7 der erste ist, der den Herrn erkennt. b) die Spannung zwischen V 5 f. und V 9 ist besonders hart: Jesus läßt die Jünger, die nichts zu essen haben, fischen, damit man essen kann, hat dann aber schon wunderbarerweise längst ein Mahl bereitet. V 10 will beides nur notdürftig ausgleichen. c) Nach V 12 wissen alle Jünger, daß der Herr anwesend ist, wagen ihn aber nicht zu befragen. In V 7 hingegen erkennt nur der Lieblingsjünger den Herrn, sagt es Petrus, der prompt recht aktiv reagiert. Von den anderen Jüngern wird nicht gesprochen. c) V 11 wirkt erzählerisch verspätet. Wieso kann Petrus das Netz allein ziehen, was nach V 8 alle Jünger vorher mühsam tun? Sieht man von kleineren Unausgeglichenheiten ab, so hat jede Analyse diese Textprobleme zu erklären.

Von der Anlage des ganzen Kapitels ergibt sich vorab: Die KR will sich mit V 1–14 eine Szene für V 15 ff. (vgl. V 15 a) schaffen. Darin folgt sie formal einer literarischen Gepflogenheit von E, der gern ein Wunder als Szene für Reden (und Gespräche) benutzt (vgl. z. B. Joh 5; 6). Dabei ist typisch, daß auch die KR die Szene im Verlauf der Dialoge verläßt (so schon E etwa Joh 5; 6): So haben die Jünger aus V 2 ab V 15 keine Funktion mehr. Der Lieblingsjünger wird mit Verweis auf 12,33, nicht aber mit Hilfe von 21,7, in 21,20 eingeführt. See und Mahl aus V 1 ff. sind bis auf die kleine Überleitung V 15 a ebenfalls vergessen. Weiter hat die KR offenbar – ohne am Text von E etwas wegzunehmen (z. B. 20,30 f.) – mit 21,1 und 21,14 die Tradition in 21,1 ff. literarisch an das Joh angefügt. Formal entspricht das wiederum dem Werk von E, wenn dieser z. B. mit dem PB ganz analog verfuhr, indem er dessem Ende (20,19–23) eine weitere Erscheinungsgeschichte (20,24 ff.) anfügte. Wenn die KR dabei die österlichen Erscheinungen zählte, so gab es auch dafür insofern ein joh Vorbild, als die SQ (und, sie aufgreifend, auch E) jedenfalls die ersten Wunder nummerierte (2,11; 4,54). Noch zwei andere Brücken hat die KR zum Werk von E geschaffen: Der See Tiberias wird 6,1.23 nachgetragen, um zu zeigen: Der nachösterliche Herr setzt in derselben Gegend sein wunderbares Handeln fort (zur weiteren Diskussion s. u.). Weiter werden in

jedem Fall Thomas in V 2 aufgrund von 20,24 ff. eingebracht und
Nathanael (V 2) wegen 1,45 ff. eingetragen. Im ersten Fall liegt der
Grund auf der Hand, nämlich die unmittelbare Nähe. Im zweiten
Fall ist ein Grund nicht ohne weiteres ersichtlich. Ob die KR die
Verheißung aus 1, 50 in 21,1 ff. in Erfüllung gehen sah?

Dieser erste Einblick in das Werk der KR erlaubt nun eine weitere
Feststellung: Wenn der KR so viel an der Thematik des Lieblingsjüngers und dabei auch speziell des Verhältnisses von Petrus und Lieblingsjünger lag, daß sie die Gestalt des Lieblingsjüngers überhaupt
erst in das Joh einbrachte (vgl. Exkurs 9), und wenn vor allem im
unmittelbaren Kontext die Anlage von Joh 21 auf die beiden Gestalten, Petrus und Lieblingsjünger, zugeschnitten ist, wie V 15 ff. demonstriert, dann wird die KR auch V 7 eingefügt haben (gegen Pesch,
mit Roloff, Schnackenburg). So erklärt sich, warum der Lieblingsjünger in V 2 nicht genannt ist. Die KR wird ihn, falls gefragt, wohl bei
den zwei namenlosen Jüngern verborgen sehen wollen. Ebenfalls
wird so die Spannung zwischen V 7 und V 12 verständlich.

Blickt man nun auf den vorläufigen Restbestand, so kann man grob
sagen: Die erste Hälfte enthält im wesentlichen das Thema des
wunderbaren Fischfangs, die zweite Hälfte hat das wunderbare
Mahl zum Inhalt. Da beide Themen wegen der Spannung von V 5 f.
und V 9 mit dem wenig glücklichen Ausgleich durch V 10 nicht ursprünglich zusammengehören können, wird V 10 von der KR
stammen, die u. a. durch diesen Vers zwei unabhängige Traditionen verband. Also wird man im wesentlichen in V 2–6.11 (G) das
Fischfangwunder, in V 8 f. 12 f. (G) das Mahlwunder wiedererken-
nen. Die weitere Analyse wird also davon ausgehen, daß zwei
Wundertraditionen sekundär verknüpft wurden. D. h. im Blick auf
die KR: Die erwünschte Mahlszene (V 15 a) wird durch ein Speisungswunder erreicht, das durch einen wunderbaren Fischzug mit
weiterem Wunderglanz versehen wird. Blickt man auf den Grundbestand beider Traditionen, so gehört der wunderbare Fischfang zu
den Geschenkwundern (vgl. dazu 2,1–11; 6,1–14) genau wie seine
traditionsgeschichtliche Variante in Lk 5,1–11. Es ist von Haus aus
keine österliche Erscheinungslegende (so richtig Pesch). Die alte
These, Lk 5,1–11 sei eine ins Leben des Irdischen zurückprojezier-
te Osterlegende, die immer mit Joh 21 begründet wurde, hat also in
Joh 21 nur vordergründig einen Anhalt. Bei näherem Zusehen zeigt
21,1 ff. etwas anderes: Die Fischfangtradition wurde sekundär einer Osterlegende einverleibt. Denn daran kann kein Zweifel aufkommen: Die wunderbare Mahltradition gehört zu den Wiedererkennungslegenden (s. o.), wie ihr Kern in 21,12 f. unmißverständ-

lich kundtut. Dieser Osterlegende wurde dann bei Dominanz dieses österlichen Charakters zusätzlich die Fischfangtradition als weiterer wunderbarer Vorgang eingegliedert. Für die Auslegung ist weiter die Beobachtung wichtig, daß zur Fischfangtradition wie in Lk 5,1–11 die erzählerische Vorrangstellung des Petrus gehört, hingegen redet der erkennbare Restbestand des Mahlwunders allgemein von den Jüngern als einer Einheit (wie 20,19ff.). Mit Hilfe dieser Orientierung kann nun die Einzelanalyse angegangen werden.

V 1 kennt eingangs zwei einfache redaktionelle Verknüpfungsmittel (danach, nochmals) und dann den Begriff des Offenbarens, wie er zweimal in V 1 und einmal V 14 benutzt wird, hingegen als Verbalisierung österlicher Erscheinung E fremd ist (vgl. Mk 16,12.14). Der Vers bildet mit V 14 den redaktionellen Einband, durch den V 2–13 zusammengebunden wurden. Die Ortsangabe (See Tiberias) wird aus der Fischfangtradition kommen (vgl. Lk 5,1). Da die KR sonst in Joh 21 kein theologisches Interesse an Galiläa als Offenbarungsort hat, kann nämlich diese Annahme erklären, warum die KR mit V 1 übergangslos von Jerusalem nach Galiläa springt. Da die KR die Ortsangabe in den eigenen Rahmen aufgenommen hat, bleibt die Beobachtung unberührt, daß sie in 6,1.23 durch diese Angabe eine Verbindung herstellte. Wenn die KR dabei in Joh 6 die sakramentale Deutung auf das Herrenmahl einbringt, so soll offenbar der Leser wissen: Mit 21,1ff. nimmt der Auferstandene diese Mahlgemeinschaft wieder auf. Damit ist das Fundament für die joh Kirche im Sinne der KR grundgelegt.

Mit V 2 setzt dann die Fischfangtradition ein. Da Lk 5,10 nur Petrus und die beiden Zebedäiden (die im Joh sonst nicht mehr begegnen) nennt, zudem Thomas und Nathanael schon von der KR als nachgetragen erkannt wurden, bleibt denkbar, daß die zwei namenlosen Jünger auch von der KR herkommen. Der Rückbezug in »von seinen Jüngern« auf V 1 könnte die Annahme stützen. Sicherlich ist auch die Gesamtzahl sieben beabsichtigt (vgl. formal z. B. Apg 6,3; Offb 2f.). Übrigens kennt Joh 1,45ff. nicht den Herkunftsort des Nathanael; er dürfte von der KR wohl aus 1,43; 2,1 erschlossen sein. V 3 ist eine Variante zu Lk 5,5. Die Mangelsituation für das Geschenkwunder wird stilgerecht vorbereitet (vgl. das gleiche Motiv in sachlich anderer Form in 2,3a; Mk 6,35f.; 8,2f.). Dies ist der Moment, zu dem der Wundertäter auftreten muß (V 4a = Vorlage): Als die Jünger vom erfolglosen nächtlichen Fang zurückkommen, steht Jesus am Ufer (vgl. zu dem Motiv Lk 5,1b). Daß die Jünger Jesus nicht erkannten (V 4b), paßt freilich nicht

zum ursprünglichen Geschenkwunder, sondern ist konstitutives
Motiv im ersten Teil einer österlichen Wiedererkennungslegende
(vgl. 20,14b; Lk 24,15f.), genauer steht es immer als Nachsatz
beim ersten Auftreten Jesu. So wird man annehmen: V 4b ist der
Rest der Einleitung der Ostererzählung, deren Anfang im übrigen
durch die Fischfangerzählung verdrängt wurde. Durch V 1 und
diese Verzahnung liest man nun auch V 2–4a so, als würden die
Jünger nach Ostern ihrem Fischergewerbe wieder nachgehen, als
wäre 20,21–23 gar nicht geschehen. Im übrigen weiß sonst das Joh
nichts von dem Fischereiberuf des Petrus und anderer Jünger. Diese Notiz kommt erst durch die Fischfangtradition ins Joh. Sie ist
dann aber auch beim Speisungswunder V 8f. vorausgesetzt.
Stilgemäß wendet sich mit V 5 Jesus nun an die Jünger. Die Anrede
ist aus dem 1 Joh als typisch bekannt (1 Joh 2,14. 18 usw.). Da sie
sonst im Joh fehlt, deutet das auf die Hand der KR. Sie wird auch
für den im ganzen NT singulären Begriff *prosphagion* (Zukost zum
Brot) verantwortlich sein; wodurch es ihr gelingt, zwischen der
Mahlszene und dem Fischfang eine Brücke zu bauen. Dennoch ist
es nicht ratsam, ihr V 5 überhaupt zuzuweisen (gegen Pesch): V 6
schließt nur mühsam an V 4a an. Der Befehl, die Netze auszuwer-
fen, wäre viel besser motiviert, stünde in V 5 etwa: »Da sagt Jesus
zu ihnen: ›Habt ihr nichts gefangen?‹ Sie antworteten ihm: ›Nein‹«
(vgl. Lk 5,5). Die KR wird also nur entsprechend abgeändert haben. Dieses einleitende Gespräch wird V 6 fortgesetzt, mit der
Aufforderung, auf der rechten Seite, der Glücksseite, das Netz aus-
zuwerfen. Dem Imperativ folgt die Verheißung: Dort werden die
Jünger Fisch fangen. Unmittelbar und knapp folgt sofort das Tun
der Jünger und das Konstatieren des Wunders: Das Schleppnetz,
das man dicht am Ufer auswarf, konnte wegen der Fülle nicht ins
Boot hochgezogen werden. Der wunderbare Vorgang liegt wohl
darin, daß Jesus mächtig ist, einen kapitalen Fischschwarm aus der
Tiefe des Sees unmittelbar in das Netz am Uferrand zu lenken (vgl.
seine Macht über die Natur in Mk 4,39–41 parr.). Daß V 6 eine
eigenständige Variante zu Lk 5,4–8 darstellt, sollte unbestritten
sein. Allerdings gehen hier beide Erzählungen weit auseinander:
Nach Lk fischt man mit mehreren Netzen in der Seemitte und birgt
den Fang in mehreren Booten.
Nach dem Wunder hält die KR zunächst ein, um für V 15–23 Vor-
bereitungen zu treffen (V 7). Unvermittelt wie die selbstverständ-
lichste Sache von der Welt tritt, wie so oft (vgl. 13,23; 18,15;
19,26), der Lieblingsjünger auf. 20,8 analog, ist er mit der Deutung
des Ereignisses wiederum Petrus voraus. War dies 20,8 recht sinn-

voll erzählerisch eingeplant, so sollte man annehmen, daß eigentlich nach den Erfahrungen V 6 b im Sinne der KR jeder der Anwe-
senden Jesus als unbekannten Wundertäter identifizieren würde.
Dies läßt sich daran kontrollieren, daß in der ursprünglichen Fischfangtradition nur noch die endgültige Bergung der Fische (V 11) erfolgte, und dann jeder für sich etwa einen Schluß wie Lk 5,8 f.; Mk
4,41 nachvollziehen sollte. Also: ein so demonstratives Naturwunder kann doch nicht nur bei einem Jünger solche Konsequenz haben. Aber wegen der gesamten Konzeption der Gestalt des Lieblingsjüngers muß dies so sein: Er muß vor Petrus reagieren und an
entscheidender Stelle den Herrn allein sofort richtig erkennen (vgl.
Exkurs 9). So werden V 20–23 vorbereitet. Dasselbe gilt für die Reaktion des Petrus: Statt sich um die Fische zu kümmern, ist ihm
sein Verleugnen aus 18,15–18.25–27 gegenwärtig. Fehlte dort im
Unterschied zur Darstellung des Mk (vgl. Mk 14,72 b) die unmittelbare Reue des Petrus, so wird dasselbe Motiv nun – szenisch verspätet – eingearbeitet: Wie Adam und Eva nach dem Sündenfall ihrer Nacktheit gewahr werden und sich bekleiden (1 Mos 3,7.10 f.;
vgl. Offb 3,18), so läßt die Scham vor seiner Tat Petrus analog reagieren (Thyen): Er bekleidet sich spontan. Wenn er sich außerdem
ins Meer wirft, so doch wohl darum, weil er als erster beim Herrn
sein will. So werden V 15 ff. eingeführt.

V 8–10 enthält im Kern das erste größere Stück des Speisungswun-
ders. Am Ende soll V 10 dafür sorgen, daß vom wunderbaren
Fischfang auch bei der längst schon zubereiteten Mahlzeit (V 9)
einige Fische Verwendung finden. Man erkennt darin die KR wie
auch teilweise in V 8, da hier der Übergang von V 7 her neu zu
schaffen war. Zweifelsfrei ist V 8 aber erst von diesem Redaktor
stilistisch verdorben worden. Man setzt am besten unter Berücksichtigung von V 4 b etwa folgende Schilderung voraus: Jesus steht
am Ufer. Er winkt den fischenden Jüngern. Sie erkennen ihn nicht.
Doch (V 8) sie kommen mit ihrem Boot in Richtung auf das Ufer.
Denn sie fischen nicht weit von der Küste entfernt, nämlich ungefähr 90 m, mit dem Schleppnetz vom See zum Ufer zu. Wegen der
90 m Entfernung kann man sich übrigens ein Gespräch wie V 5 f.
kaum richtig vorstellen. Darum wird für die Speisungslegende ein
Winken vom Ufer her angesetzt. Nach V 9 steigen sie dann an
Land und kümmern sich um Netz, Fang und Boot nicht weiter,
weil sie wunderbarerweise ein Feuer erblicken, über dem Fisch und
Brot zum Braten und Rösten liegen. Sie erfassen sofort: Der Unbekannte lädt sie zum Mahl ein. Dies spricht Jesus V 12 a dann auch
direkt aus. Dabei ist zu V 8 f. noch anzumerken, daß auch dieses

Wunder kaum anders als nach Galiläa zu legen ist, denn der See
kann wohl kein anderer als der See Genezareth sein. Diese gleiche
Lokaltradition erleichterte die Verschachtelung beider Wunder.
Das heißt aber auch: Die joh Tradition kennt zumindest eine
Osterlegende, die mit Sicherheit galiläisch ist. Sie ist allerdings wie
die Fischfangerzählung insofern vorjoh, als ihr von Haus aus typische joh Einfärbung fehlt.

Vor V 12 hat aber die KR V 10f. gestellt. Der Befehl Jesu an alle
wird nun nur in V 11 von Petrus ausgeführt. Allerdings nicht so
richtig, denn er zieht das Netz an Land und nimmt die Zahl der
Fische in einem Blitzzählakt wahr. Doch hält sich der Erzähler
dann beim Netz auf, statt Petrus mit einigen Fischen sofort zum
Feuer zu schicken, wo er nach der Erzählung jetzt, genaugenom-
men, gar nicht mehr ankommt, bleibt er doch beim Konstatieren
des Wunders. So ungewöhnlich dies alles ist, so gut paßt V 11 als
Abschluß der Fischfangtradition. Für sie ergibt sich nämlich guter
Sinn: Weil die Jünger das Netz nicht ins Boot ziehen können, da es
zu voll ist, steigt Petrus an Land (V 11) und zieht das Netz ans
Ufer. Das gelingt. Nun hat man Zeit, das Wunder in seiner Größe
zu konstatieren, denn es wartet ja keine Mahlzeit. Man kann verwundert sein, daß das Netz bei solcher Menge nicht riß. Nun erklärt sich auch, warum V 7.9 und V 10 nicht gut zueinander passen.
Nach V 7 wirft sich Petrus ins Meer. Daß er an Land schwimmt, ist
wohl stillschweigend gemeint. Nach V 9 kommen die Jünger mit
dem Boot aber vor ihm dort an, denn er steigt zum Ufer (aus dem
Boot? als Schwimmer?) erst 11.

Die genaue Zahl der Fische in V 11 gehört also schon zur Tradition. Sie gab über das bloße Wunder hinaus der Legende tieferen
Sinn. Während Lk 5,1–11 in den Auftrag an Petrus (V 10c) ein-
mündet, also auch über das Wunder hinaus theologisches Profil erhält, muß für die joh Fischfangtradition dieses in der Zahl 153 liegen. Ihr tieferer Sinn ist allerdings wohl endgültig verloren (vgl. die
Referate und Vorschläge bei Ackroyd, Emerton, Kruse und in den
Kommentaren). Geheime Zahlensymbolik dieser Art ist im Joh
sonst unbekannt, doch ist die Fischfangtradition auch nicht speziell
joh, sondern allgemein urchristlich. Im Urchristentum bietet nur
Offb 13,18 eine Analogie. Da die Zahl zu einer vorjoh Tradition
gehört, nimmt es auch nicht wunder, daß man bisher im Joh keinen
klaren Hinweis für eine Deutung fand. Man kann sogar fragen, ob
die KR über den geheimnisvollen Schlüssel zum Verständnis noch
verfügte. Wahrscheinlich geht es irgendwie um die Verschlüsselung
der Gesamtheit der Gläubigen, die in dem Netz der Kirche, das im

Unterschied zu Lk 5,6 in Joh 21,11 nicht zerreißt, vereint sind.
Dies würde sich auch mit einer kirchlichen Grundanschauung der
KR verbinden lassen, insofern sie den Einheitsgedanken besonders
betont (z. B. 10,1–18; 17,1–26). Jedenfalls: Angesichts der schwierigen Deutung einfach zu konstatieren, es waren eben soviel Fische
(Kruse), hilft wenig, weil man dann erzählerisch doch wohl eine
runde Zahl genommen hätte. Auch die Möglichkeit, die Zahl als
sekundäre Präzision zur Sicherung der Augenzeugenschaft des
Lieblingsjüngers zu nehmen (Brown), geht nicht an, weil der Lieblingsjünger in diesem speziellen Zusammenhang gar nicht auftritt.
V 12f. gehören wieder zur Speisungstradition, wobei besonders
der Charakter der Wiedererkennungslegende offenkundig ist. Jesus
hatte die Jünger herbeigewunken; sie waren gekommen. Nun lädt
der bis dahin unbekannte Herr zur wunderbarerweise zubereiteten
Mahlzeit ein. Dabei erkennen die Jünger Jesus wieder (vgl. Lk
24,30f.). So machen sie ihre Ostererfahrung. Aber sie wagen ihn
nicht daraufhin anzusprechen (beide Verben im Satz sind im Joh
singulär). Die Erkenntnis bleibt also in ihren Herzen und kommt
nicht über die Lippen. Nur Jesus äußert sich noch einmal, allerdings auch nonverbal: Er teilt die Mahlzeit wie selbstverständlich
und wie früher (vgl. 6,11) aus: Er weiß um die Erkenntnis der Jünger (vgl. zu 20,26f.) und bestätigt sie. Er nimmt sie zugleich in seine Gemeinschaft auf. Auch die frühen Mahlgemeinschaften der
Urgemeinde werden das Element der Kontinuität der Mahlgemeinschaft Jesu mit seinen Jüngern enthalten haben. Von diesem Zusammenhang lebt auch die Emmausgeschichte (Lk 24,13–31). Die
KR deutet dies über die Bearbeitung in Joh 6 noch speziell sakramental.
Mit V 14 hat die KR dann die Verzahnung der beiden selbständigen
Traditionen abgeschlossen. Sie zählt die beiden Erscheinungen Jesu
vor den Jüngern in 20,19–29 als vorangehende Offenbarungen. Mit
Hilfe der Zählung einen Grundstock aus 21,1ff. als dritte Wunder-
geschichte nach 4,43ff. (G) der SQ (vgl. Exkurs 1) zuzuweisen (so
Fortna), geht nicht an, weil V 1 und 14 zusammen zu sehen sind.
Darum kann man auch V 14b nicht einfach späterer Redaktion zuschreiben. Das »auferstanden von den Toten« ist festgeprägter urchristlicher Sprachgebrauch, der auch sonst der joh Gemeinde bekannt war (vgl. 2,22; 12,9.17; 20,9).

B. Der Auftrag Jesu an Petrus und die Stellung des Lieblingsjüngers 21,15–23

15 Als sie nun das Mahl eingenommen hatten, sagt Jesus zu Simon Petrus: »Simon, (des) Johannes (Sohn), liebst du mich mehr als diese?« Er sagt ihm: »Ja, Herr, du weißt, daß ich dich liebhabe.« Er sagt ihm: »Weide meine Lämmer!« 16 Wiederum, zum zweiten Mal, sagt er ihm: »Simon, (des) Johannes (Sohn), hast du mich lieb?« Er sagt ihm: »Ja, Herr, du weißt, daß ich dich liebhabe.« Er sagt ihm: »Weide meine Schafe!« 17 Zum dritten Mal sagt er zu ihm: »Simon, (des) Johannes (Sohn), hast du mich lieb?« Da wurde Petrus betrübt, weil er zum dritten Mal zu ihm sprach »Hast du mich lieb?« Und er sprach zu ihm: »Herr, du weißt alles, du weißt, daß ich dich liebe.« Jesus sagt zu ihm: »Weide meine Schafe! 18 Wahrlich, wahrlich ich sage dir, als du jung warst, gürtetest du dich selbst und gingst, wohin du wolltest. Doch wenn du alt geworden bist, wirst du deine Hände ausstrecken, und ein anderer wird dich gürten und führen, wohin du nicht willst.« 19 Das aber sagte er, um anzudeuten, durch welchen Tod er Gott verherrlichen sollte. Und als er das gesagt hatte, spricht er zu ihm: »Folge mir (nach)!«
20 Als Petrus sich umwandte, sieht er den Jünger, den Jesus liebte, (nach)folgen, den, der beim Mahl an seiner Brust gelegen und gesagt hatte: »Herr, wer ist es, der dich verrät?« 21 Diesen nun sah Petrus und spricht zu Jesus: »Herr, was wird aus ihm?« 22 Jesus sagt ihm: »Wenn ich will, daß er bleibt, bis ich komme, was kann es dich kümmern? Du folge mir nach!« 23 Da verbreitete sich dieses Wort unter den Brüdern, daß jener Jünger nicht stirbt. Aber Jesus hatte zu ihm nicht gesagt, daß er nicht sterben werde, sondern: »Wenn ich will, daß er bleibt, bis ich komme, was kann es dich kümmern?«

Die Szene gliedert sich zwanglos in zwei Teile: Zuerst redet Jesus Petrus an (V 15–19), danach wendet sich Petrus wegen des Lieblingsjüngers an Jesus (V 20–23), wobei der Lieblingsjünger stummes Objekt des Gesprächs bleibt. In beiden Teilen sind vom Autor Interpretationshilfen, die die Szene verlassen, gegen Ende eingefügt (V 19a.23). In beiden Teilen bekommt Jesus das Schlußwort. Die lockere Anfügung (V 15a) an V 1–14 führt zu einer relativen szenischen Unbestimmtheit, dabei folgt die KR einer typischen Abfolge, nach der österliche Erscheinungslegenden gern in Bevollmächtigung und Sendung einmünden (vgl. zu 20,21–23). Traditionsmaterial liegt der Szene kaum zugrunde, insofern ist sie frei gestaltet. Nur V 22 enthält offenbar ein wichtiges Einzelwort der joh Tradition, sonst sind allerdings verschiedene traditionelle Motive verarbeitet. Die Darstellung ist zweifelsfrei aufgrund des vorliegenden Werkes von E konzipiert, da sie deutlich darauf inhaltlich eingeht (vgl. vor allem 13,23–26.36–38; 18,15–18.25–27). Sie setzt weiter die Geschichte des Petrus und des Lieblingsjüngers in wesentlichen Umrissen voraus, nämlich beider Tod und die allgemein urchristlich bekannte Vorrangstellung des Petrus in der frühen nachösterlichen Gemeinde (vgl. Lk 24,34; 1 Kor 15,5; Mt 16,17–19; Apg 1–10; Gal 1 f.), sowie die spezielle Funktion des Lieblingsjüngers in der joh Gemeindegeschichte. Auf die KR deutet vieles: die kirchliche und kirchengeschichtliche Ausrichtung; das besondere Interesse am Lieblingsjünger, das dann in V 24 mündet; der motivische Zusammenhang mit 10,1–18 (KR) und die Stereotypik in der Anlage von V 15–17, die formal an 1 Joh 2,12–14 erinnert.

Nach dem Mahl – sprachlich wird Jesu Aufforderung aus V 12 aufgegriffen – wendet sich Jesus an Petrus mit vollem Namen, wie er 1,42 zu entnehmen ist. Da es auch im folgenden wie in 1,42 sachlich um das Amt des Petrus geht, wird bewußte Koppelung vorliegen: Das Bild von Fels wird durch das des Hirten interpretiert. Der Dreitakt des Gesprächs ist mit fast gleicher Wortwahl gestaltet und soll an die dreimalige Verleugnung des Petrus (18,15–18.25–27) erinnern. Der Komparativ, der nur in der ersten Frage Jesu nach der Liebe des Petrus begegnet, soll darum auch nicht einen Rangstreit unter den Jüngern heraufbeschwören. Weder geht es dabei um Petri Verhältnis zu dem Zwölferkreis, noch speziell zum Lieblingsjünger, sondern um sein Verhältnis zu seinem Herrn, den nur er schmählich verleugnete. Nach 13,36–38 wollte nur Petrus Jesus in den Tod folgen. Dieser Höhenflug des Willens endete zunächst mit dem Versagen des Petrus. Nun aber vergewissert sich Jesus der Liebe des Petrus dreimal, um das Gespräch in der Ankündigung des Martyriums des Petrus enden zu lassen: 13,36 wird 21,18 angenommen. Daß bei der Ausgestaltung dabei Motive aus Lk 5,8.10 verarbeitet wurden (so Brown, vgl. auch Pesch), ist unwahrscheinlich, denn die Szene erklärt sich vollständig aus dem Bezug zu den genannten Petrusstellen im Joh unter weiterer Verwendung des ekklesiologischen Bildmaterials, das auch Joh 10,1 ff. von der KR eingearbeitet wurde. Typisch joh ist dabei, daß die Relation des Jüngers zu Jesus (und Gott) im Begriff der Liebe sprachlich gefaßt wird (vgl. 14,15.21.23.28; 1 Joh 4,20 f.). Wenn dabei der Ausdruck für »lieben« wechselt, bleibt dies für die Sachaussage ohne Relevanz.

Jesus nimmt also die dreimalige Beteuerung des Petrus an, der beim dritten Mal verstärkt sich auf die Allwissenheit des Herrn beruft. Petrus ist nun von seiner dunklen Vergangenheit entlastet. Wie in einem behutsamen Beichtgespräch wird das Versagen des Jüngers nicht in allen Einzelheiten nochmals breitgeredet. Es ist den Gesprächspartnern bekannt, aber nur indirekt präsent. Die Aufarbeitung geschieht durch positive, die Zukunft neu eröffnende Fragestellung nach dem jetzigen Liebesverhältnis des Apostels zu seinem Herrn, wobei verbal bewußt an die vor dem petrinischen Versagen liegende positive Situation in 13,36 angeknüpft wird: Das Stichwort »nachfolgen« V 19 als Schlußwort greift diese Selbstbestimmung des Petrus auf. Nun wird sein Angebot angenommen. Petrus wird in das Hirtenamt eingesetzt (vgl. sachlich Apg 20,28; Eph 4,11; 1 Petr 5,2, wo in der dritten Generation das Gemeindeamt mit der Metapher von Hirt und Herde gedeutet wird). Dies ist ein gesamtkirchlicher Auftrag, wie er Joh 10 vom Herrn selbst ausgeübt wird. Zwischen dem petrinischen Amt und Jesus als Hirten wird dabei kein Ausgleich versucht. Sinngemäß wird man wie 1 Petr 5,2.4 deuten können. Der Wechsel im griechischen Vokabular bei den Objekten des Hirtenamtes ist dabei theologisch ohne Bedeutung. Wichtig ist jedoch, daß Petrus als Hirte nun wie sein Herr sein Leben lassen soll (10,11–18), allerdings mit bedeutsamen Unterschieden: Für die Schafe läßt nur der Herr sein Leben; er tut es zudem freiwillig. Petrus steht solche göttliche Freiheit nicht zu Gebote (21,18); auch wird er wohl in seinem Amt, aber nicht für die Gemeinde Märtyrer werden. Er darf für seinen Herrn (13,37), d. h. im gehorsamen Dienst für seinen Herrn sterben.

Im einzelnen ist das Hirtenamt des Petrus ein Auftrag in bezug auf die bestehenden Gemeinden. Typisch für den joh Gemeindeverband, fehlt also (wie z. B. auch 20,21–23) das missionarische Element. Werden die Gemeindeglieder als »meine (d. h. Jesu) Schafe« angesprochen, so ist versteckt der deterministische Klang aus 10,1–18 wohl mitzuhören. War für E nach 14,1–24 der Erhöhte selbst in der Gemeinde als Paraklet präsent, so wird von der KR die durch die Erhöhung Christi verwaiste Gemeinde dem Hirten Petrus anvertraut. Dabei bleiben die Schafe Eigentum des Herrn; Petrus erhält nur die Fürsorgepflicht für Jesu Schafe. Da Petrus nach 21,19 schon gestorben, von einer Sukzession im Petrusamt aber keine Rede ist, bleibt das Hirtenamt an Petrus gebunden, unterliegt also historischer Einmaligkeit. Man kann sogar festhalten: Während das Hirtenamt des Petrus in seinem Martyrium vollendet und beendet wird, ist im Kontrast dazu beim Lieblingsjünger das durative Element, nämlich zu »bleiben« (V 22f.), betont. Noch eines gilt es zu beachten: Die Stelle hebt nur auf das Verhältnis des Petrus zu den Gemeinden ab, schweigt aber über eine Verhältnisbestimmung zu den Zwölf, bzw. zu den Aposteln. Da für das Papsttum 21,15–19 unter Vorrang von Mt 16,18f. eminente Bedeutung hat, gehört die Stelle zu den kontroverstheologisch besonders brisanten Stellen des NT (vgl. die Literatur bei Schnackenburg Kom. III 436 und Gräßer).

Vom Märtyrertod des Petrus ist V 18 so gesprochen, daß die dem Satz Gewicht gebende Einleitungsformel mit dem doppelten »Wahrlich« vorangestellt ist (vgl. zu ihr Joh 3,1–21; 6,22ff.). Der sachliche Bezug zu 10,11; 13,37f.; 15,13 dürfte auf der Hand liegen. Die Aussage selbst wird wohl eine allgemeine sprichwörtliche Wendung aufgreifen (Bultmann): Mag Petrus in jungen Jahren seine eigenen Wege bestimmt haben, im gereiften Alter wird er einer Fremdbestimmung folgen, die ihm einen gewaltsamen Tod aufzwingt. Das Ausstrecken der Hände kann das Vorstrecken zur Fesselung meinen (Wellhausen), dürfte aber wohl eher an eine Kreuzigung denken lassen (Bauer, Cullmann). Der Märtyrertod des Petrus ist 1 Clem 5,4 für die Zeit der neronischen Verfolgung bezeugt. Da ein Aufenthalt des Petrus in Rom aus 1 Petr 5,13; Ign Röm 4,3 mit guten Gründen erschließbar ist, dürfte Petrus Anfang der sechziger Jahre dort hingerichtet worden sein (vgl. Cullmann, Conzelmann, Dinkler). Joh 21,18 ist, rund 30 Jahre später literarisch fixiert, offenbar ein *vaticinium ex eventu*, das im Rückblick auf dieses Ereignis formuliert ist. Der Autor hat dann der (fingierten) Prophetie einen Kommentar beigefügt (V 19a), wie er der Art nach allgemein für die joh Schule üblich war (vgl. 12,33; 18,32). Das Martyrium als Preis Gottes ist sonst unjoh und wohl allgemeine urchristliche Märtyrersprache. Der Todesprophetie wird der Ruf in die Nachfolge als Abschluß mit Bezug auf 13,37f. angefügt: Die petrinische Nachfolge ist Nachfolge bis hin zum gleichen Geschick, wie es sein Herr erlitt.

Da die KR im Horizont der Geschichte des joh Gemeindeverbandes schreibt, kann sie bei Petrus nicht stehenbleiben, sondern will den Lieblingsjünger einbringen (V 20–23). Allerdings bleibt das über Petrus in V 15ff. Gesagte, wie selbstverständlich, ohne Kontroverse oder teilweise Zurücknahme in Geltung. Auch ist zu beachten, daß der Lieblingsjünger weder unmittelbar von Jesus in ei-

ner zu V 15 ff. parallelen Szene angesprochen wird, noch mittelbar
ein besonderes Mandat erhält. Leider ist die Auslegung des Stückes
recht kontrovers, daran trägt jedoch die KR selbst ein gutes Teil
Schuld. Sie redet zu Lesern, die über den Lieblingsjünger mehr
wissen als die heutigen Exegeten, darum begnügt sie sich mit An-
deutungen.

Relativ ungeschickt führt der Autor zum neuen Thema über, indem er Petrus sich unmotiviert umsehen läßt (V 20 a; vgl. 20,14).
Warum der Lieblingsjünger gerade »folgt« (Aufnahme des Stichwortes aus V 19), darf nicht gefragt werden. Die Schilderung seiner
Anwesenheit ist schemenhaft und dient allein dem Zweck, daß nun
über ihn geredet werden kann. Absichtsvoll wird er dabei so eingeführt, daß an die erste Stelle seines Auftretens im Joh (13,23–26)
erinnert wird, also alle Stellen über den Lieblingsjünger durch Inklusion gebündelt werden, und zugleich damit dort wie hier sein
besonderes unmittelbares Verhältnis zu Jesus benannt ist: Wie Jesu
Nähe zum Vater beschrieben wird (1,18), so hier mit sachlich gleichen Worten des Lieblingsjüngers Verhältnis zu Jesus. Unbeschadet des petrinischen Amtes besitzt der Lieblingsjünger eine herausragende enge Sonderstellung zu seinem Herrn. Petrus sieht den
Lieblingsjünger folgen und fragt Jesus nach ihm. Diese Frage V 21
hat kein selbständiges Gewicht und erlaubt – wie so oft bei ähnlichen Jüngernachfragen im Joh (vgl. 14,5; 16,17 f.) – keine Rück-
schlüsse auf Petrus. Seine Frage hat nur die Funktion, daß Jesus
sich äußern kann.

Jesu Äußerung ist offenbar ein altes Wort über den Lieblingsjünger, das zur Antwort an Petrus umgestaltet ist, dessen ursprüngliche Gestalt jedoch verlorenging. Doch gibt es zum Sinn des Wortes
in der Gemeinde Probleme, die die KR lösen will. Petrus wird zum
Adressaten gemacht, um die Bedeutung des Lieblingsjüngers angesichts der Sonderstellung des Petrus durch Jesus gegenüber Petrus
beschreiben zu lassen. Dabei ist der Einsatz in Jesu Antwort beim
besonderen Geschick des Lieblingsjüngers angesichts der Aussagen
über Petri Martyrium gewählt. Petrus soll dieses Besondere voll
gelten lassen. Unbeschadet der anerkannten Aussagen über Petrus,
will offenbar der joh Gemeindeverband die besondere Stellung seiner Gründerautorität durch Petrus – also durch das Urchristentum
überhaupt – anerkannt sehen. Im Unterschied zu Petrus wird dem
Lieblingsjünger verheißen, daß er bleiben, d. h. leben wird, bis Jesus (wieder)kommt. Mit Jesu Kommen kann nur seine Wiederkunft gemeint sein (vgl. z. B. 1 Kor 4,5; 11,26; Offb 1,7; 22,20).
Sie wird nach dem Wort in solcher unmittelbaren Nähe erwartet,

daß sie noch zu Lebzeiten des Lieblingsjüngers angesetzt wird. Jesu Liebe ihm gegenüber besteht also konkret hierbei darin, daß der Jünger den Tod nicht erfahren wird – im Unterschied zu Petrus. Damit ist erkennbar: Der Lieblingsjünger lebte länger als Petrus und z. Z., als das Wort entstand, lebte die joh Gemeinde in aktueller, hochgespannter Naherwartung. Nun vertritt die KR im Joh und der Autor des 1 Joh wohl die traditionelle Vorstellung von der Parusie des Herrn, wie sie E auf den gekommenen Jesus umgedeutet hat (vgl. Exkurs 7), aber nirgends mehr solche Naherwartung. Hatte sich für die geschichtliche Erfahrung der Gemeinde also wie für das gesamte Urchristentum die Zeit der Wiederkunft gedehnt, so mußte auch das Verständnis des Herrenwortes Probleme bereiten, zumal in diesem besonderen Fall der Lieblingsjünger schon längst gestorben war (V 23 f.). Also mußte, da ein Herrenwort nicht hinfallen kann, ein anderer Sinn in ihm gesucht werden. Man wird also davon auszugehen haben, daß die Naherwartung, wie sie etwa zeitlich parallel zu Joh 21 in Offb 1,3.19; 6,11; 22,20; 1 Petr 4,7 angetroffen wird, dem joh Kreis zu dieser Zeit nicht mehr eigen ist. Vielmehr ist 21,22 Zeuge der Naherwartung aus der ersten Generation (vgl. nur 1 Thess 4,15–17; Röm 13,11). Und formal analog zu Mk 9,1 parr. wird die Verzögerungsproblematik aufgearbeitet. Dies geschieht in V 23 unter Verlassen der Szene. Es wird nämlich die Auslegungsgeschichte des Jesuswortes über den Lieblingsjünger im joh Gemeindeverband korrigiert. Hatten »die Brüder« (vgl. 20,17; 1 Joh 3,13 f.16; 3 Joh 3.5.10) V 22 ganz richtig verstanden, also im wörtlichen Sinn, daß dieser Jünger nicht vor der Parusie sterben wird, so wird nun dies nach dem Tod des Jüngers und des Ausbleibens des Herrn als Mißverständnis des Satzes abqualifiziert. Dabei werden Jesus, Petrus und der Lieblingsjünger von dieser »Fehldeutung« ferngehalten, sie geht auf das Konto der Brüder. Für Jesus als Autor des Wortes wird ausdrücklich festgehalten, er habe diesen Sinn nicht autorisiert, vielmehr wird sein Ausspruch V 23 b nochmals wörtlich wiederholt. Implizit muß darin die eigentliche Deutung, also die der KR, enthalten sein. Offengelegt wird sie aber nicht direkt. So bestehen zwei Möglichkeiten: Man betont das: »Wenn ich will …« – nun hat aber Jesus nicht gewollt! So wird also aus dem Vordersatz ein Bedingungssatz, der dem ganzen Wort den prophetischen Charakter nimmt. Aber solche Umdeutung ist absurd. Die KR will doch gerade die Position des Lieblingsjüngers festigen und nicht unter die Willkür jesuanischer Beliebigkeit stellen! So muß man das Kernwort »bleiben« einem neuen Verständnis zuführen: Ist der Jünger gestorben, kann sein Bleiben nicht wörtli-

chen Sinn gehabt haben, vielmehr korrigieren die geschichtlichen
Ereignisse solches Verständnis. Es war falsch. Richtig ist: Der Jünger bleibt im übertragenen Sinn für die Gemeinde erhalten, im Unterschied zu Petrus, dessen Auftrag mit seinem Tod abgegolten ist.
Dieses übertragene Bleiben wird am besten von V 24 her verstanden, denn dies ist die einzige Stelle, die überhaupt der Deutung
Hinweise geben kann. Dann bleibt der Jünger, weil er als Autor
des Joh so der Gemeinde sein Vermächtnis hinterlassen hat (so zuerst Barrett). Also er bleibt, weil seine Verkündigung als treuer
Zeuge seines Herrn (Thyen) durch seine Literarisierung der Botschaft als Evangelium der Gemeinde für immer zugängig ist. Das
petrinische Amt ist unbestitten groß, jedoch beschränkt auf die
Zeit bis zu seinem Martyrium. Die Bedeutung des Lieblingsjüngers
hingegen bleibt über dessen Tod hinaus lebendig: die joh Gemeinde hat sein Evangelium.

C. Der Epilog 21,24–25

**24 Das ist der Jünger, der über diese Dinge Zeugnis ablegt
und diese geschrieben hat; und wir wissen, daß sein Zeugnis
wahr ist.   25 Es gibt auch noch vieles andere, was Jesus getan hat. Wollte man alles einzeln aufschreiben, glaube ich,
würde selbst die Welt die Bücher nicht fassen, die man
schreiben müßte.**

Der Lieblingsjünger wird also als der Autor des vierten Evangeliums benannt! So ist das Geheimnis der Gestalt für die Redaktion
in konsequenter Fortsetzung von V 23 gelüftet! Das Joh wird also
dadurch für den joh Gemeindeverband als verbindliches Evangelium autorisiert, daß es der Autorität des Lieblingsjüngers unterstellt wird. Ist der Lieblingsjünger im Bewußtsein der joh Gemeinden der Gründer oder (bzw. und) theologische Lehrer joh Christentums und E sowie die KR Schüler dieser Primärautorität in der
joh Gemeindegeschichte (vgl. Exkurs 9), dann bedeutete die Un-
terstellung des Joh unter seine Autorität eben nichts anderes als die
Kanonisierung des Joh. Die Verleihung solcher Autorität war sachlich dabei nicht einfach eine Geschichtsfälschung; denn ist auch der
Lieblingsjünger in keinem Fall der Verfasser des Joh im wörtlichen
Sinn (vgl. Exkurs 9), so doch im übertragenen Verständnis: Seine
Schüler – E und die KR – verstehen sich als legitime Erben seiner
Verkündigung. Durch ihre Feder lebt er weiter (vgl. 21,23). Ist er

der treue Zeuge in einer unbeschränkten Unmittelbarkeit zum
Herrn, dann ist über das Joh der joh Gemeindeverband auf petrinische Autorität nicht angewiesen. Er ist über den Lieblingsjünger
bleibend unmittelbar zu Jesus. Dauerhaft: denn durch das Evangelium legt der Jünger immer noch sein Zeugnis ab (Präsens!). Die
joh Schule (»Wir«) bestätigt die Wahrhaftigkeit seines Zeugnisses.
Daß in dem Wir die Gesamtgemeinde redet, ist darum weniger
wahrscheinlich, weil es hier um des Schreibens kundige Personen
(nämlich die KR) gehen muß.

Mit V 25 tritt der Schreiber von V 24 oder ein neuer Schreiber mit
seinem Ich selbst hervor. Da V 24 als Epilog ausreicht, liegt die
letzte Annahme näher. V 25 ist formal analog zu 20,30 f. gestaltet
(zur Typik vgl. das dort Gesagte). Die rhetorische Übertreibung
grenzt allerdings schon an die Erträglichkeitsschwelle, d. h. so gibt
sich gegenüber 20,30 f. ein Epigone zu erkennen. Doch hat auch
solche barock ausladende Sprache in der Umwelt ihre Analogien
(z. B. Philo, VitMos 1,213). Wahrscheinlich hat der Autor mit V
25 a sich auch direkt literarisch an 20,30 angelehnt. Sachlich will der
Autor doch wohl absichern, daß zwar das Joh in seiner endgültigen
Gestalt volle Autorität besitzt, aber daneben der Stoff der mündlichen Tradition auch weiterhin Beachtung verdient. Trifft dies zu,
wäre auch ein sachlicher Differenzpunkt zu V 24 gegeben: Will
nämlich V 24 gerade die Autorität des Joh begründen, so will V 25
die indessen begründete und anerkannte Autorität des Joh nicht exklusiv unter Abwertung der mündlichen Jesustradition verstanden
wissen.

Stellenregister
(Auswahl)

Nicht aufgenommen wurden generell Stellen aus dem Joh und die unmittelbaren Parallelen des joh PB zu den Synoptikern.

A. Biblische Schriften

1. Altes Testament

1Mose 1,1: 72
  2,2f.: 233
  2,7: 624
  2,17: 104
  3: 308
  3,7: 641
  3,10f.: 641
  3–7: 444
  15,4–6: 304
  15,9ff.: 310
  16f.: 303
  17: 304
  21: 303
  22: 169
  24,11: 168
  24,11–33: 167
  27,25: 443
  27,33: 443
  28,12: 104
  33,19: 168
  41,55: 109
  47–50: 442
  47,28: 442
  47,29: 443
  47,29f.: 442, 443
  48,9–20: 443
  48,21: 442
  48,22: 168
2Mose 2,15: 168
  2,15–21: 167
  3–12: 118
  3–14: 116, 409
  4: 114
  4,8f.: 114

2Mose 6–12: 116
  7–14: 114
  8,19: 409
  12,7: 594
  12,10: 600
  12,46: 600
  16: 95, 191, 205
  16,4: 204
  16,15: 204
  17,6: 275
  19: 254
  20,5: 317
  20,11: 233
  23,1: 284
  24: 254
  31,17: 233
  33: 254
3Mose 11: 205
  19,18: 452, 453, 454
  35,25: 369
4Mose 9,6–13: 371
  9,12: 601
  20,7–11: 275
  21,6–9: 143
5Mose 1–3: 444
  1,1–3: 443
  3,26f.: 442
  3,28: 444
  4,12: 254
  4,25–31: 444
  5,9: 317
  6,4: 257, 454
  10,9: 423

5Mose 13,10: 284
  14,27: 423
  17,6: 290
  17,7: 284
  18: 169
  18,15: 169, 193, 277
  18,15ff.: 94
  18,18: 169, 193, 277
  18,18f.: 416
  19,15: 290
  21,22f.: 597
  22,22f.: 283, 284
  27,14–26: 278
  28,6: 330
  31,2: 330, 442
  31,3–23: 444
  31,6: 443
  31,10–13: 443
  31,28: 443
  32: 510
  32–34: 442
  32,47: 416
  33: 443
Jos 6: 95
  7,19: 320
  15,25: 219
  23f.: 442
  23,1: 442
  23,2: 442, 443
  23,14: 442
  24,2: 443
  24,2–15: 444

B. Schrifttum des Judentums

C. Frühchristliches Schrifttum